IJSVAL

Kitty Sewell

IJSVAL

the house of books

Eerste druk, juli 2007
Vierde druk, maart 2008

Oorspronkelijke titel
Ice Trap
Uitgave
Honno 'Ailsa Craig', Heol y Cawl, Dinas Powys,
South Glamorgan, Wales
Copyright © 2005 by Kitty Sewell
Copyright voor het Nederlandse taalgebied © 2007 by The House of Books,
Vianen/Antwerpen

Vertaling
Gerard Grasman
Omslagontwerp
Studio Jan de Boer BNO, Amsterdam
Omslagfoto
Getty Images/Jeff Foott
Foto auteur
Jerry Bauer

ISBN 978 90 443 1876 0
D/2007/8899/118
NUR 332

Dankwoord

Mijn dank gaat uit naar mijn uitgevers Simon & Schuster, Sheila Crowley en haar collega's van AP Watt Literary Agents, Honno Welsh Women's Press, en vele auteurs, vrienden en familieleden die mij bij het schrijven van dit boek hebben gesteund.

Ook sta ik in het krijt bij Helen Thayer, de eerste vrouw die in haar eentje lopend de magnetische Noordpool heeft bereikt. Uit haar bijzondere boek *Polar Dream* heb ik tal van waardevolle feiten kunnen putten, over ijsberen, sledehonden en de kunst van overleven. Haar verhaal bracht me ertoe nog wat dieper naar mijn moed te zoeken, om mijn eigen reis te ondernemen, maar dan van heel andere aard.

Cell-Mate Diagnostics beantwoordde geduldig al mijn vragen over de wonderen en mysteriën van DNA. Ook zeg ik dank aan al degenen die mij enthousiast informatie gaven over oude Britse motorfietsen, de verslaving aan Demerol, Italiaanse likeuren, het gedrag van vliegen en het nemen van taxi's in het noorden van Canada.

Mijn grootste dank gaat uit naar John Sewell, die mijn ambities voor het auteurschap stoïcijns heeft ondersteund, niet alleen moreel maar ook financieel.

Proloog

De kust van Coronation Gulf, Beaufortzee
Maart 2006

Tegen de raad van de oudsten nam hij niet de sneeuwscooter. Net als de meeste jongens kon hij genieten van het ronken van de lawaaiige motor, maar de laatste tijd was hij meer gaan houden van het geluid van zijn eigen gedachten. Hij hield van het gerommel en gekraak van het kruiende zee-ijs, de zeldzame windvlagen of het zachte knersen van de sneeuw onder zijn *mukluks* als hij liep. Als hij op eigen kracht vooruitkwam, gaf hem dat het gevoel dat hij meer greep had op de dingen.

Hij pakte wat proviand en andere benodigdheden in een rugzak, net genoeg voor een dag, en haakte een koord aan de halsband van zijn hond. De husky was van een oudere buurman geweest, maar de jongen had hem geleidelijk en enigszins stiekem tot zijn eigen hond gemaakt. Ze was een grote maar pluizige duivelin, woest als ze werd geprovoceerd, maar trouw, zonder genegenheid.

Hij hing zijn geweer over zijn schouder en stopte een seinpistool in de zak van zijn jack. Niet dat er veel kans was dat hij ze nodig zou hebben voor zelfverdediging; de hond zou ongewenst gezelschap op afstand houden. Hij controleerde zijn uitrusting voor de tweede maal, zoals hem was ingehamerd, voordat hij het dorp verliet en naar de zee begon te lopen.

Eerst moest hij de kustlijn over. Hij bleef er een ogenblik staan om te zien wat de beste route was om verder te gaan. Dikke ijslagen waren door de getijden tegen de kust opgestapeld. Enorme schotsen waren over elkaar heen geschoven of geplet alsof ze van papier waren, witgloeiende bergtoppen van ijs die zich uitstrekten naar de hemel, pinakels waarvan sommige waren ingestort en verbrijzeld, zo ongeveer als hij zich een bos vol oude bomen voorstelde. De jongen was sterk. Hij was groot en breed voor zijn leeftijd, maar toen hij over het gekartelde ijs begon te klimmen en zijn hond luidkeels aanmoedigde, waarbij hij soms ongeduldig in de taal van zijn volk mopperde, verried zijn stem hoe jong hij eigenlijk was. Hij snakte ernaar op het ijs te zijn, als een echte kerel.

Hijgend van inspanning bereikten ze de open ijsvlakte. Door de sneeuwbril die zijn ogen tegen het felle licht beschermde speurde de jongen de horizon af. De enorme uitgestrektheid hield weinig dingen verborgen, maar had niettemin wat verrassingen achter de hand, zodat je goed uit je doppen moest kijken. Met een paar woorden tegen de hond begon hij te lopen. Na een uur boog hij af naar het westen, langs de verre kustlijn. Hij liep flink door, om de kou van zich af te houden, terwijl hij zijn omgeving bleef afspeuren, op zoek naar sporen. Hij wist dat er maar een geringe kans was dat hij een poolvos zou ontdekken. Je zag ze zelden doelloos rondzwerven. De sluwe kleine donderstenen volgden slinks de sporen van ijsberen om zich te goed te doen aan de resten van robbenkadavers, maar ze maakten altijd dat ze wegkwamen als er ook maar even gevaar dreigde. Op de ijsvlakte zag je nu eens sporen van ijsberen, dan weer van poolvossen, die elkaar soms kruisten. De ijsbeer liet brede, diepe pootafdrukken achter in de sneeuwlaag, de poolvos kleine sporen, dicht opeen. De meeste sporen waren dagen of zelfs weken oud. Het maakte hem weinig uit. De elegante kleine poolvos was levend aantrekkelijker dan dood, en de donkerrode kleur van bloed op de sneeuwwitte vacht gaf hem altijd een licht gevoel in het hoofd. Hij hield zichzelf voor dat de uitdaging van eenzaamheid en onafhankelijkheid op deze tocht belangrijker was. Hij wist echter dat hij oefening nodig had, training om zichzelf te harden. Als man moest je leren overleven en doden.

Zolang hij diep in gedachten doorliep, verstreek de tijd ongemerkt. Twee keer hield hij een pauze en hurkte neer om wat hete, zoete thee uit zijn thermosfles te drinken en een paar repen gedroogd vlees te delen met zijn hond, maar het stilzitten maakte hem onrustig. Het was erg koud en in beweging blijven was beter. Terwijl de zon zijn lage boog langs de hemel volgde, boog hij eerst af naar het noorden en daarna, alweer op de terugweg naar zijn vertrekpunt, naar het oosten. De hond volgde geduldig en leek zelfs wat verveeld – soms liep ze met haar ogen dicht. Ondanks de sneeuwbril begonnen de ogen van de jongen ook vermoeid te raken. Er was nergens schaduw, behalve die van henzelf.

Toch zag hij nu iets. Zijn hart begon sneller te kloppen bij het zien van de verse sporen die zijn weg schuin kruisten: een ijsbeer, hooguit een uur weg, misschien zelfs minder. De pootafdrukken in de sneeuw waren groot, en bezorgd speurde de jongen de horizon af. De sporen verdwenen in de grijs wordende verte. Hij huiverde licht. Zijn Volk had een ingeboren respect voor ijsberen. Of zoals de oude man had gezegd: *Vos voert de jager naar Nanuk, of het een gelukkige ontmoeting wordt of niet.* De jongen had even geglimlacht om dat dwaze gezegde, maar toch voelde hij zich kwetsbaar en wenste dat hij naar deze wijze raad had geluisterd, in plaats van te voet de zee op te gaan. Hij keek naar de kust en probeerde de afstand te schatten. Het kleine dorp was nog net zichtbaar. De rook uit de schoorstenen steeg recht omhoog in de stille lucht, in kolommen met scherpe contouren. Op een drafje een halfuur, maar misschien iets meer, dat kon hij niet exact bepalen.

De hond was haar loomheid te boven en trippelde nu energiek in de richting van de sporen, de jongen meetrekkend aan het koord, dat hij aan zijn riem had gebonden. De jongen rukte hard aan het koord en schreeuwde tegen haar, maar ze reageerde niet op bevelen – had dat trouwens nooit gedaan. Geërgerd schopte hij haar tegen de flank, waarna ze wat inhield, met tegenzin. Er kwam een laag, angstwekkend gegrom uit haar keel en de haren op haar rug stonden overeind. Het was mogelijk dat ze alleen opgewonden was door de geur van een robbengat, maar de jongen betwijfelde dat. Hij wist dat de hond lucht had gekregen van de beer en dat ze, trouw aan haar wolvenafkomst, belust was op de kans de beer aan te vallen.

Hoewel er nog genoeg licht was, besloot hij onmiddellijk om terug te gaan naar het dorp, en na een korte touwtrekkerij met de hond zetten ze koers naar de kust. De wind voerde de geur van de beer echter aan en de neus van de hond was voortdurend in beweging – ze voelde er niets voor de gelegenheid voor een flinke knokpartij voorbij te laten gaan. Ze bleef omkeren en grauwen, terwijl ze de berengeur opsnoof en de jongen haar krachtdadig aanspoorde om door te lopen naar de kust. De strijd tussen de wil van de jongen en die van de hond duurde voort, totdat ze zich plotseling met een sprong omdraaide en hem met een ruk meetrok, de andere kant uit, zo woest dat hij bijna omver werd getrokken.

Daar, in de verte, was de beer. Hij moest hun aanwezigheid hebben gevoeld of gehoord, want hij was van zijn route afgeweken. Nu volgde hij hén. De driehoek van zwarte stippen – de neus en de ogen van de beer – werd in het grauwe licht algauw herkenbaar. Ze waren gericht op de jongen en de hond, ongetwijfeld de welkome aanblik van een maaltijd. De jongen bleef roerloos staan en plotseling leek alle kracht uit zijn ledematen weg te vloeien, zodat zijn knieën knikten. Hij moest zich verzetten tegen de plotselinge aandrang om te urineren.

De beer werd elk moment groter en duidelijker zichtbaar. Hij naderde hen op een merkwaardige, slingerende draf. Zijn bewegingen waren doelgericht, maar niet uitdrukkelijk agressief. Hij was echter evenmin voor- of omzichtig. Eenvoudigweg doelbewust. De beer was uitzonderlijk groot, maar de magerte van de winter was ondanks de bleekgele vacht duidelijk zichtbaar.

Wat de jongen uiteindelijk met een schok dwong in actie te komen, was een geluid dat de stilte tussen hem en de beer overbrugde, het verre geluid van de schurende adem van het halfverhongerde roofdier. Vlug tastten zijn gehandschoende vingers in de zak van zijn jack naar het seinpistool. Zijn handen beefden toen hij de lichtkogels in de kamers stopte, terwijl hij de hond woedend toebrulde op te houden met springen en trekken. Hij kon haar loslaten, maar hoopte nog dat haar gegrom en gejank de beer op andere gedachten zou brengen.

De jongen schoot een lichtkogel af, met tamelijk geoefende handen. Met een explosie van licht schoot het projectiel sissend door de lucht totdat het vlak voor de poten van de beer belandde. De beer bleef even staan, snuffelde er argwanend aan en keek op, waarbij de zware kop langzaam heen en weer zwaaide. Blijkbaar was de lichtkogel niet afschrikwekkend genoeg, want hij begon weer te draven, deze keer sneller en agressiever.

De jongen vuurde kort na elkaar nog een stuk of zes lichtkogels af, maar de beer ontweek ze en bleef komen. Nu maakte hij zijn geweer gereed. Het dier neerschieten was zijn laatste redmiddel. Een gewonde beer kon gek van razernij worden, en dan waren zijn bewegingen nog veel minder voorspelbaar.

De trillende handen van de jongen hadden moeite met het zware geweer. Hij kon zich niet veroorloven om zijn binnenhandschoenen uit te trekken, vanwege het gevaar dat zijn vingers zouden bevriezen, en dan kon hij er niets meer mee. Nu al begon, mede door zijn angst en bevende lichaam, de kou vat op hem te krijgen. Hij kon daar niet veel langer blijven staan, roerloos. De beer was nu nog maar een pas of dertig van hem vandaan en hij kon beter de hond loslaten. De paniek in zijn borst werd heviger terwijl hij haar losmaakte en zag hoe ze op de beer toe stormde. De beer bleef staan, verontrust. Zijn bek hing open toen hij de furie op zich af zag komen. De hond rende om de ijsbeer heen en sprong, waarbij haar kaken om zijn achterpoot dichtklapten. De beer draaide zich met een ruk om en klauwde en hapte naar de hond, maar ze bleef zich aan de poot vastklampen, alsof heel haar oerkracht zich concentreerde in die vervaarlijke kaken.

De jongen beefde van angst terwijl hij naar de strijd keek. Ze hadden hem vaak gewaarschuwd dat je tegenover een beer nooit angst moest laten blijken, maar de werkelijkheid zag er toch even anders uit dan de snoeverij van de ouderen, die hun verhalen al zo vaak hadden verteld en opgesmukt. Dit reusachtige, woedende roofdier was beslist angstaanjagend, dat kon niemand ontkennen. Vol ontzag zag hij dat zijn huskypartner dat soort angst niet kende. Ze was ten opzichte van haar opponent klein, maar streed met een vasthoudendheid die alleen maar uit voorouderlijke woede voort kon komen.

De jongen wist niet wat hij anders kon doen en richtte zijn geweer op de beer. De hond weigerde los te laten, maar toen de krankzinnige dans tussen hond en beer een paar ogenblikken had geduurd, rukte de beer zich los uit haar kaken en vluchtte weg over het ijs, achtervolgd door zijn aanvaller.

De jongen schreeuwde naar zijn hond, maar toen hij haar in de verte zag verdwijnen, draaide hij zich om en begon terug te rennen naar de kust, het geweer in zijn hand. Zijn rugzak liet hij achter op het ijs. Het dorp was verder weg dan hij had gedacht, maar hij bleef rennen en voelde hoe het leven terugkeerde in zijn halfbevroren vingers en tenen, nu zijn hart het bloed furieus door zijn lichaam pompte. Hij kon de huizen nu duidelijk zien en begon iets langzamer te lopen, het bonken van zijn hart luid in zijn oren. Zijn ademhaling schuurde door zijn keel en hij had het gevoel alsof zijn longen in de ijzige lucht op het punt stonden te exploderen.

De geluiden in zijn lichaam verhinderden dat hij het zachte kraken van sneeuw achter zich hoorde. De beer naderde hem snel maar zacht van achteren. Het eerste wat hij ervan merkte, was het waarschuwende blaffen van zijn hond. De jongen draaide zich om en zag de beer met sprongen op zich toekomen. Toen zag hij de hond, zwaargewond en druipend van bloed, nog steeds in de achtervolging. Alsof tijd niet van betekenis was, stond de jongen daar, zich afvragend hoe de beer om de hond heen was gekomen en hoe ernstig hij haar kon hebben verwond.

De beer stormde op hem toe, maar stopte op het laatste moment vlak voor de jongen en richtte zich in zijn volle lengte op. Hij stond op vijf pas afstand tegenover hem en zijn schaduw verduisterde de sneeuw. De jongen reageerde razendsnel en richtte het geweer op de ruige berenborst, maar juist toen hij vuurde liet de beer zich op zijn voorpoten vallen en verdween de kogel in de lucht.

Een woeste uithaal van de gigantische klauw smeet de jongen zo hard achterover dat hij over het ijs doorgleed. De verpletterende pijn in zijn borst benam hem de adem. Hij wist dat alleen een wonder zijn dood zou kunnen verhinderen. Met één sprong was de beer bij hem, en hoewel de jongen niets van de pijn voelde, hoorde hij zijn been scheuren, als een verrotte elandvacht.

Ook de hond was dodelijk gewond, maar haar trouw aan haar baasje en haar haat tegen beren gaf haar de kracht om haar aanvallen te hernieuwen. Verdoofd door shock keek de jongen naar haar verwoede pogingen om de beer af te leiden, zich afvragend waarom hij de trouwe teef soms zo achteloos had behandeld, alsof hij haar als iets vanzelfsprekend had beschouwd.

De beer verheugde zich op een goed maal en in vergelijking met de lenige, hinderlijke husky lag de jongen onbeweeglijk op hem te wachten. Geërgerd haalde hij uit naar zijn kwelgeest. Ze ontweek de klap met een sprong en bleef naar zijn achterpoten bijten, zodat de beer zich met een ruk omdraaide, een en al frustratie en woede. In een helder ogenblik zag de jongen zijn geweer liggen en probeerde erheen te kruipen, maar tevergeefs. Hij kon zich niet verroeren en niet of nauwelijks ademen.

Terwijl hij worstelde om lucht in zijn longen te krijgen, begon er in zijn innerlijk iets te veranderen. In zijn borst verbreidde zich een stille rust. Hij wist dat het einde nabij was, maar voelde geen spijt. Doordat hij zichzelf geen andere gedachten of gevoelens meer toestand, ebde ook zijn angst weg. Zijn lichaam ontspande zich en met de moed van de stervende wendde hij zijn hoofd naar het onvermijdelijke.

Tot zijn lichte verbazing zag hij achter het woeste waas van de strijd een man opdoemen, oud en gebogen. De jongen herkende hem van lang, heel lang, geleden. Vermoeid schuifelde de oude man door de sneeuw naar hem toe.

'Kom, mijn jongen,' zei hij. 'Pak mijn hand.'

Hij stak zijn knokige hand uit naar de jongen, maar hoezeer ze zich ook naar elkaar uitstrekten, toch konden hun vingers elkaar niet raken.

EEN

I

Cardiff, 2006

Dokter Dafydd Woodruff keek enigszins afstandelijk omlaag naar het gezicht van zijn vrouw. Voor zijn gevoel was het nog te vroeg om de liefde te bedrijven. Isabel was een slechte slaapster, en zo rond het krieken van de dag had ze de gewoonte hem aan te stoten met haar knieën, haar tepels langs zijn rug te wrijven en hem zuchtend tegen zich aan te trekken.

Als ze dan eindelijk zijn interesse had gewekt en haar zin kreeg, zoals vanmorgen, leek ze vaak ergens ver weg te zijn, min of meer voorwendend dat ze sliep. Hij wist wel beter. Haar ogen waren veel te stijf dichtgeknepen en op haar voorhoofd lag die diepe rimpel die verried dat ze zich concentreerde. Voor Isabel was dit werk. Terwijl hun ritmische bewegingen heviger werden, strekte ze haar armen achter haar hoofd en greep twee spijlen van het hoofdeinde vast. Het bed bonkte hard tegen de muur. Er waren schroeven in de ombouw van het bed losgeraakt en Dafydd vergat steeds ze aan te draaien. Hij probeerde zijn bewegingen wat te matigen, maar Isabel klaagde meteen zacht kreunend.

Toen er een rozige vlek op haar borst verscheen en haar dijen hun greep op zijn heupen versterkten, werd hij overspoeld door vervloekt plichtsbesef. Zoals altijd probeerde hij mee te komen, zijn ogen dicht, in de hoop dat het tij van haar climax hem mee zou dragen. Maar nee, verdomme, nee.

'Ga door.' Ze deed haar ogen open, klaarwakker, en staarde hem gemaakt dreigend aan. 'Denk maar niet dat ik al klaar ben met jou.'

'Je meent het,' zei hij geruststellend en ging door, maar hoezeer hij ook op zijn tanden beet, niets kon hem redden. De diepgewortelde ambivalentie die het hele gedoe in hem wekte, had een recht-streekse verbinding met zijn geslachtsorgaan. Zijn bewegingen wer-den trager en uiteindelijk lag hij stil.

'Dat was het?' zei ze, geforceerd luchthartig. 'Dit is mijn vrucht-bare dag, weet je.'

'Ach, niet overdrijven, schat,' zei Dafydd terwijl hij zich van haar af rolde. 'Zo simpel ligt het allemaal niet.'

Hoewel Isabels gezicht nog rood aangelopen was van inspanning, trok ze met een ruk het laken op tot aan haar kin en staarde naar het plafond. Dafydd loosde een zucht en draaide zich op zijn zij, naar haar toe.

'Luister, Isabel, het spijt me. Jouw lichaam werkt dan misschien volgens de kalender, maar het mijne niet.'

'Best,' zei ze. 'Maar leg me dan tenminste uit wat *ik* verkeerd doe.'

'Grote god, Isabel, alsjeblieft! Het is vijf uur 's morgens!' Hij rol-de zich weer op zijn rug en staarde door het dakvenster naar de grauwe ochtendschemering. Voorzichtig tastte hij naar haar hand. 'Laten we nog wat slapen. Je laatste vruchtbare dag is nog niet eens begonnen.'

'Als jij het zegt.' Ze keerde hem de rug toe, maar algauw hoorde hij haar ademhaling veranderen, tot ze diep en rustig ademde. Da-fydd probeerde zich los te maken van dat verbitterende gevoel te hebben gefaald, maar de kakofonie van de vogels in de tuin leek on-gebruikelijk luid en schrikbarend. Huiverend trok hij de dekens wat dichter om zijn afgekoelde lijf.

Hij was eindelijk ingedut toen hij hoorde dat de postbode de klep van de brievenbus openduwde. Met een suizend geluid viel de post op de plavuizen in de gang. Hij verzette zich tegen het ontwaken uit de droom van een stoffig, zonovergoten oord onder een strakblau-we hemel, maar de inspanning daarvan liet hem omhoogschieten naar het oppervlak van zijn waakbewustzijn, als een kurk in water.

Over het slapende lichaam van Isabel gluurde hij naar de wekker. Half zeven geweest. Ze lag op haar rug zacht te snurken en had het laken over haar hoofd getrokken, tegen het licht. Hij kroop gauw weer onder de dekens, tegen haar aan. Ze was bijna even lang als hij en haar lange benen verdwenen ergens in de duistere periferie van hun bed. In het donker keek hij naar hun naakte lichamen, beho-rend tot dezelfde soort maar toch zo anders en, volgens de medische wetenschap, volstrekt onvergelijkelijk. Hun versmelting, zaadcel met eicel, wilde maar niet lukken, ook al hadden ze het op alle mo-gelijke manieren geprobeerd en alles te baat genomen dat er beschikbaar was. Rhys Jones, een gynaecoloog met een indrukwekkende staat van dienst, had met tegenzin zijn nederlaag toegegeven. Hij had hen gerustgesteld en met een schouderklopje voorgehouden dat Isabel nog altijd op de natuurlijke manier zwanger zou kunnen worden, als ze maar geduld hadden, er de tijd voor namen en trouw de thermometer gebruikten, maar Dafydd wist dat hij op een verdomd wonder hoopte. Ze waren tenslotte al in de veertig. En trouwens, hij had er schoon genoeg van. Het beetje hartstocht dat er nog tussen hen was, werd erdoor gesloopt. De draad van verlangen was aan zijn kant zo fragiel geworden dat het hem angst aanjoeg. Hij had geprobeerd het haar duidelijk te maken; hij had haar willen zeggen dat er iets vitaals verloren was gegaan en dat hij zich al te oud voelde om nog vader te worden, maar Isabels verlangen liet zich door niets onderdrukken.

Hij stapte uit bed, trok zijn ochtendjas aan en ging naar beneden. In de keuken zette hij een ketel water op en opende de luiken. Alles was grauw. Een typische, druilerige Cardiff-ochtend. Dode bladeren plakten aan het natte raam en op de stenen vensterbank groeide groen mos. Hij kon zich niet herinneren wanneer hij voor het laatst de zon had gezien, hoewel het officieel nog zomer was. Hij deed koffiebonen in de molen, luisterde naar het geraas van het ding en probeerde daarna te horen of zijn vrouw wakker was geworden, in de overtuiging dat het kabaal zelfs een dode kon wekken. Niet het minste geluid, boven. Hij snoof het pittige aroma op, een merkwaardige mix die hem deed denken aan een mediterrane strandtent en ochtendlijke plichten.

Terwijl de koffie pruttelde liep hij naar de gang om de post op te rapen. Het was de gebruikelijke berg, verspreid over de grond. Zoals altijd zonk hem de moed in de schoenen. Hij raapte de hele zwik op en begon de post te sorteren in drie stapels: voor hem, voor haar, en troep. Die van haar was verreweg het hoogst, een afspiegeling van de stortvloed van werk die op haar afkwam. De rekeningen leken echter allemaal zijn naam te vermelden. Hij nam een stapeltje mee naar de keuken. Er zat een agenda bij, voor de toespraak die hij had beloofd in Bristol te zullen houden, over een complex onderwerp dat hem tot veel research zou nopen. Hij bekeek vluchtig de rest, maar het enige dat hem vagelijk intrigeerde, was een lichtblauwe luchtpostenvelop met zijn adres erop, in een merkwaardig kinderlijk handschrift. Hij keek naar de vreemde postzegel. Canada. Volgens het poststempel afkomstig uit Moose Creek, Northwest Territories.

'*Moose Creek?*' zei hij verbaasd hardop, starend naar het poststempel.

Dafydd draaide de dunne envelop om. Hij zag een glanzende sticker met de vorm van een olifant die de brief verzegelde. Misschien had iemand iets opgedolven dat hij had achtergelaten, of probeerde met hem in contact te komen, vanwege die goeie ouwe tijd. Na al die tijd? Bij die gedachte voelde hij een licht trekken in zijn onderbuik, terwijl hij de tere blauwe envelop met zijn wijsvinger openritste.

Beste dr. Woodruff
Ik hoop dat u het niet erg vindt dat ik u schrijf. Ik denk dat ik uw dochter ben. Ik heet Miranda, en heb een tweelingbroer die Mark heet. We hebben al heel lang gehoopt u te vinden en ik heb er mijn moeder voortdurend mee lastiggevallen. Kortgeleden kwam er een aardige Engelse arts naar ons ziekenhuis kijken, en hij heeft mijn moeder geholpen u in een medisch adresboek te vinden.
Voor het geval u mijn moeder vergeten mocht zijn: ze heet Sheila Hailey en is het mooie meisje op wie u verliefd was toen u nog in Moose Creek was (het is een gat, dus neem ik het u niet kwalijk dat u weg bent gegaan, eerlijk). Nu ik oud genoeg ben (bijna dertien) heeft ze me er alles van verteld. Nu weet ik dat u terug moest naar Engeland en dat zij en u niet konden trouwen en zo. Het is een triest verhaal. Ik heb het allemaal opgeschreven, voor een opstel op school. Ik noemde het 'Een romance' en kreeg er een tien voor. Juffrouw Basiak was er weg van.
Schrijf of bel me alstublieft, zodra u deze brief hebt gekregen.
Liefs,
Miranda

Eronder zag hij een postbusnummer in Moose Creek, en een telefoonnummer.

Een tijdje stond hij roerloos voor de gootsteen. Twee, drie keer las hij de brief over, maar het begrip wilde niet komen totdat hij zich bewust werd van zijn voeten. De koude vloertegels hadden zijn voeten verdoofd alsof hij op ijs stond. Hij keek omlaag en zag bevroren tenen, opgezwollen, met zwart afstervend weefsel, aangetast door koudvuur. Een meisje, halfnaakt en star in de sneeuw... die eindeloze, betoverende sneeuw. Aan de rand van deze oogverblindende witheid schemerden de scherpe contouren van de kleine vos, het schimmige product van zijn geweten. Een oude man, een sjamaan van de Inuit, had hem op het hart gebonden altijd aandacht te schenken aan zijn aanwezigheid. Dafydds hart begon sneller te kloppen, steeds sneller. Dit alles maakte deel uit van een vreemde periode in zijn verleden en plotseling werd hij overvallen door onverklaarbare angst.

'Hé!' Isabels stem boven liet hem schrikken. 'Ruikt goed, die koffie!'

'Komt eraan!' riep hij terug. Hij duwde de brief in de zak van zijn ochtendjas en hervatte zijn ochtendbezigheden.

Isabel glimlachte toen hij haar de beker koffie aanreikte, maar de spijtige trek op haar gezicht ontging hem. Zijn gedachten waren bij de brief en probeerden orde te scheppen in allerlei details die hij zich maar half herinnerde. Sheila Hailey... dit is krankzinnig... het bestaat niet...

'Luister, schat, ik weet dat ik een beetje...' begon Isabel, maar ze slikte de rest in. 'Wat heb je?'

Zijn besluit om de bizarre brief voor zich te houden viel in duigen. Zijn vroegere leven was één ding, maar hij wist dat hij er hopeloos slecht in was dingen in het hier en nu voor haar verborgen te houden.

'Ik heb een brief gekregen. Het ziet ernaar uit dat iemand me met iemand anders verwisselt.'

'Schuld?' ze knikte hem glimlachend toe. 'Hoeveel en tegen welke rente?'

Grote god. Dit was allesbehalve grappig. Hij liet zich op het bed zakken, naast haar. 'Zet je schrap. Dit is echt vreemd.' Hij nam de envelop uit zijn zak en gaf hem aan haar. 'Kijk zelf maar wat je ervan vindt.'

Isabel keek hem aan terwijl ze de mok op haar nachtkastje zette. Ze trok de dunne brief uit de envelop en vouwde hem open. Hij lette op haar gezicht, terwijl ze de brief haastig doorlas en haar mond elk woord vormde. Een ogenblik bleef ze stil, starend naar de brief. Toen las ze hem nog eens, hardop. Het lezen ging haar gemakkelijk af. In haar meisjesachtige stem klonk een duidelijk Amerikaanse tongval door. Ze was altijd al een briljante imitator geweest. Haar voorstelling werkte hem op de zenuwen en even vroeg hij zich zelfs af of ze de brief soms zelf had geschreven. Bij wijze van grap, misschien. Of was het een test? Ze zag echter bleek, en haar mond leek bijna wit.

Abrupt smeet ze de brief in zijn schoot. 'Wat ís dit?'

'Wat heb ik je gezegd?'

Ze staarden elkaar een ogenblik aan.

'Wie ís deze vrouw?'

Dafydd haalde hulpeloos zijn schouders op.

'Heb jij een zwangere geliefde in Canada achtergelaten?'

In zijn hals ontstonden rode vlekken. Hij kon ze voelen, kleine explosies van hitte. Isabel zag ze en staarde hem doordringend aan. Ze kon schuldgevoelens altijd ruiken, hoewel hij wist dat het alleen maar tekenen van spanning waren, altijd al. Plotseling raakte hij geïrriteerd.

'Ach, goeie genade, natuurlijk niet!'

'Hoe zit het dan?'

Hij wist niet wat hij kon zeggen en vroeg zich af waarom hij haar verdomme de brief had laten lezen. Het was alleen maar logisch dat ze erdoor van haar stuk was gebracht en hem wilde uithoren. Hij had de brief kunnen verscheuren, in de afvalemmer gooien en koffie over de snippers gieten. Waarschijnlijk had hij er zo een punt achter kunnen zetten.

'De naam ken ik wel. Sheila Hailey was hoofdverpleegster in het ziekenhuis waar ik heb gewerkt. Ik kan je echter verzekeren dat ik nooit iets met haar heb gehad.' Het brandende gevoel breidde zich uit naar boven, naar zijn gezicht. 'Ik zweer je dat ik eenvoudigweg geen kinderen in Moose Creek kán hebben. Het is absoluut onmogelijk.'

De hele zaak was absurd. 'En laten we niet vergeten,' liet hij er scherp op volgen, dat mijn spermatiter overeenkomt met drie erwten in een emmer, zoals je me vaak pleegt voor te houden.'

'Ja, ik weet het,' knikte Isabel. 'Maar dat is nú.' Ze liet zich tegen het hoofdeinde zakken en nam kleine, voorzichtige teugjes koffie uit haar mok. Zijn boze ontkenning had haar kennelijk niet gerustgesteld. Ze zwegen allebei.

Dafydd sloot zijn ogen en liet zijn jaar in Canada haastig de revue passeren. Was het mogelijk dat hij daar iemand zwanger had gemaakt zonder het ooit zelf te weten? Hij was nooit wat je noemt 'promiscue' geweest, dat was zijn stijl niet. Toch was het niet onmogelijk. Hij had destijds niet echt geleefd als een celibatair, maar met zijn manie voor bescherming tegen een ongewilde zwangerschap was het toch hoogst onwaarschijnlijk. Trouwens, het ging hier over een specifieke vrouw, Sheila Hailey, een vrouw bij wie hij zelfs nauwelijks in de buurt was geweest.

'Ben je soms bezopen geweest toen je met haar de koffer indook, waarna je het bent vergeten?'opperde Isabel.

Hij begreep haar consternatie, maar de harde klank in haar stem beviel hem niet. 'Isabel, je kent me beter. En neem me niet kwalijk, maar ik ben nóóit bezopen de koffer ingedoken, zoals jij dat noemt.'

Isabel glimlachte. 'Natuurlijk wel, schat. Waarom zet je zo je stekels op? Het is een volstrekt redelijke mogelijkheid.'

Hij barstte in lachen uit. 'Ik zét m'n stekels niet op. Verdomme, je weet alles wat er van mij te weten valt. Ik zeg je nogmaals dat het een vergissing is. En anders is iemand daarginds stapelgek geworden. Blokhutkoorts of iets dergelijks, weet ik veel?'

Hij wilde niets voor haar verborgen houden, ze verdiende beter, maar feitelijk wist ze niet álles van hem wat er van hem te weten viel – niet écht alles. In de loop van de jaren waarin ze hun verleden voor elkaar bloot hadden gelegd en ten opzichte van elkaar hun geweten hadden gezuiverd door alle pekelzonden op te biechten, zelfs de meest schandalige en onbehoorlijke, had hij steeds kans gezien het grootste deel van zijn ervaringen in het poolgebied weg te laten. Het was een venster op zijn leven dat te broos en in sommige opzichte té kostbaar was om het bloot te stellen aan haar scherpe, vorsende geest.

Plotseling kwam de wekkerradio tot leven, afgesteld op acht uur. Isabel stak haar hand uit om hem af te zetten, maar Dafydd hield haar tegen. 'Laten we even naar het nieuws luisteren.'

'Nu? Je méént het?' Ze staarde hem een ogenblik woedend aan, en draaide toen de volumeknop open. Ze deden alsof ze naar de stroom van verschrikkingen en gruwelen luisterden – autobommen in Irak, overstromingen in China, of de voortdurende ramp in Soedan. Na een paar minuten zette ze de radio bot uit. 'Dafydd, moeten we er niet over praten?'

Hij had een paar seconden nodig om terug te keren naar het heden en zijn blik te focussen. Hij keek naar zijn vrouw. Het licht uit het venster viel op haar dikke blonde haardos, beweeglijk en glanzend als zonlicht op water. De verstoring van hun ochtend had haar scherpe trekken nog verscherpt. Haar neus leek nog puntiger nu, en de blik in haar intelligente bruine ogen was indringend. Ze was een opvallende vrouw, vooral als ze zich tegen iemand keerde. Ze had zich altijd beklaagd over de nadelen van haar lengte en krachtige uiterlijk. Geen enkele man staat erbij stil dat je ook kwetsbaar kunt zijn. Je moet altijd alles op eigen kracht doen, zelf je deuren openen. Ze had gelijk ook – Dafydd glimlachte, in weerwil van zichzelf. Ze zag er ongenaakbaar uit, op een manier waarvan alleen zij het geheim kende.

Zijn glimlach ontging haar niet en met demonstratieve verbittering begon ze in de lade van haar nachtkastje te zoeken. De luidruchtige speurtocht leidde tot de vondst van een pakje shag en vloeitjes. Dafydd zag hoe haar lange, slanke vingers met het dunne vloeitje worstelen terwijl ze een bobbelige sigaret van ongelijke dikte rolde en haar natte tong langs de gegomde rand gleed.

'Weet je wel zeker dat je dit wilt?' vroeg hij, hoewel die smerige gewoonte op de een of andere manier iets verleidelijks had. 'Je was gestopt, weet je nog? Al drie weken.'

'Ik heb het niet bijgehouden,' kaatste ze terug en stak de sigaret op, waarna ze de rook met intens genoegen inhaleerde. 'Dafydd, kan dit een soort practical joke zijn? Misschien is dit een akelige grap van de een of andere vriend van je, iemand met een eigenaardig gevoel voor humor.'

Afwezig streelde hij haar dij. 'Kennen we iemand die zoiets zou kunnen doen? Ik dacht van niet. Ik heb vriend noch vijand met zoveel verbeeldingskracht.'

Isabel moest hoesten en drukte haastig de stinkende peuk uit op de verjaardagskaart die hij haar een week eerder had gegeven. 'Misschien iemand van daarginds, ergens in dat gat in Canada? Heb je daar soms iemand tegen de schenen geschopt? Hoe zit het met die verpleegster – heeft ze misschien iets tegen je? Of zou het een vorm van afpersing kunnen zijn?'

Dafydd schudde het hoofd. 'Nee... Ik kan me er helemaal niets bij voorstellen. We hebben het over veertien jaar terug, in godsnaam.'

'Nee, serieus. Waarom zou welke vrouw dan ook proberen om een man die zover weg woont, nota bene een arts, op te zadelen met een vermeend vaderschap?' Isabel sloeg vol overtuiging haar armen om haar knieën. 'Een eenvoudig bloedonderzoek zou haar aan de kaak stellen, zoals iedereen met een beetje hersens moet weten. Ik bedoel, ze is verpléégster. En dan die arme kinderen – een tweeling! Wat voor moeder zou haar kind voor niets laten schrijven, aan iemand die níét haar vader is?'

'Ik vermoed dat het gewoon een jong kind met een overmaat aan fantasie is.' Hij keek op de klok. Hij kon zich niet veroorloven nog langer te blijven liggen. Hij klopte haar geruststellend op haar arm en maakte aanstalten om op te staan. 'Wie het ook is, ik heb met haar te doen.'

'Word toch wakker, Dafydd!' Haar vuist belandde met kracht op het bed, waardoor de verjaardagskaart opsprong en de as over het beddengoed werd verstrooid. 'Niks jong meisje met een overmaat aan fantasie! De moeder heeft kennelijk veel moeite gedaan om jou op te sporen. Dacht jij soms dat je alleen maar je ogen dicht hoeft te doen en dat de hele zaak dan vanzelf wel over zal waaien? Echt wat voor jou!'

Nijdig om haar uitbarsting stond hij op en ging zich douchen. Hij liet een straal heet water zijn hoofd geselen om de wazige koepel te creëren waaronder hij zichzelf geen onaangename gedachten toestond, maar de truc wilde deze ochtend niet lukken. Sheila Hailey. Hij kon zich haar duidelijk voor de geest halen, té duidelijk. Hij keerde zijn gezicht naar de watergesel om zich te reinigen van haar beeld.

Tussen twee operaties in zat Dafydd op een kruk te wachten op Jim Wiseman, de anesthesist, die bezig was de patiënt gereed te maken. Nerveus raadpleegde hij de klok aan de muur en voelde zijn ongeduld toenemen. Hij wist dat hij het zich niet kon veroorloven zich te laten afleiden van het werk dat hij moest doen. Hij haalde een paar maal diep adem en kromde zijn gehandschoende vingers, om het strakke gevoel in zijn handen los te maken. De dag voelde nooit aan zoals het hoorde als hij en Isabel niet al te liefdevol afscheid hadden genomen. De afgelopen weken had die onuitgesproken spanning tussen hen hun ochtenden meer verstoord dan ooit. Haar biologische polsslag klopte het luidst in het magere licht van de kriekende dag en dan was ze vaak prikkelbaar. Maar nu was die vervloekte brief erbij gekomen. Hij was er echter absoluut zeker van: zelfs de suggestie dat hij de vader zou zijn was bespottelijk. Waarom werd ze er dan zo door van haar stuk gebracht? Waarom zou ze zo reageren op een brief die onmiskenbaar op een vergissing moest berusten, een belachelijke suggestie, in het wilde weg geuit aan het adres van de verkeerde, nota bene iemand op duizenden kilometers afstand?

'Alles gereed,' riep Jim hem toe, de patiënt al onder narcose. De vrolijke nieuwe schrobzuster, een jonge Jamaicaanse, liet haar brede heupen schommelen op onhoorbare muziek in haar hoofd. Zijn overige assistenten stonden op hem te wachten, hun gezichten achter het operatiemasker ondoorgrondelijk.

'Op wat voor muziek dans je?' vroeg hij de operatiezuster, terwijl hij de incisie in de buik onder zijn handen maakte.

'Ik hoor u niet,' zei ze, waarbij haar enorme boezem schudde van het lachen. 'Misschien houdt u niet van dit soort muziek, meneer Woodrot.'

'Ik heet Woodruff... en inderdaad, al dat gewiebel is nogal storend. Vind je het erg?'

Ze begreep hem verkeerd. 'Waarom zou ik het erg vinden, man? Iedereen heeft recht op zijn mening. Ik neem er geen aanstoot aan,' grinnikte ze, maar haar heupen bleven wiegen.

Haar brutale antwoord vrolijkte hem even op. Verdorie, ze konden hier wel wat on-Engelse sensualiteit gebruiken – iedereen was zo verrekt somber. Ze werkten in stilte en de dansende verpleegkundige verrichtte haar taken onberispelijk.

'Verdomde Sheila,' mompelde Dafydd vrijwel onhoorbaar terwijl hij de ontstoken appendix afsneed en in de schaal voor specimina liet vallen.

De Jamaicaanse keek naar hem op. 'Sorry, zei je iets?'

'Nee, niets.'

Ze drukte hem een of ander instrument in handen en hij staarde er een moment naar, onzeker waarvoor het diende. Dat is het, realiseerde hij zich plotseling. Zijn knagende gevoel draaide niet zozeer om die brief van dat meisje en haar bizarre aanspraken. Het draaide om Sheila Hailey zelf. Als dat mens haar dochter ertoe had aangestookt (áls ze al een dochter had), konden de moeilijkheden niet uitblijven, daar had Isabel gelijk in. Alleen, waarom nu, na veertien jaar, terwijl hij zich aan de andere kant van de aardbol bevond? Misschien kenden verbittering en haat geen grenzen in tijd en ruimte. Hij voelde een koude rilling langs zijn nek en schouders kruipen.

'Gaat het?' vroeg de verpleegkundige, hem aankijkend. Jim stak zijn hoofd door de gordijnen. Hun maskers maakten het onmogelijk te raden wat ze dachten. Zowel Jim als de operatiezuster – hij kende niet eens haar naam – leek zich zorgen te maken. Dafydd boog zich met nieuwe concentratie over zijn werk. Hij doorzocht de darmwindingen grondig naar een eventueel diverticulum van Merckel, een ongewenste of zelfs ontstoken uitstulping in de darm, voordat hij het buikvlies begon te sluiten. Uiteindelijk leverde hij voortreffelijk werk af; er zou slechts een haardun littekentje overblijven. De patiënte was een meisje van even in de twintig, met een verrukkelijk gladde buik. Ze zou er blij mee zijn.

Dafydd liet zich uit zijn operatiejas en handschoenen helpen en zette koers naar de koffiekamer. Hij zat achter zijn laptop om zijn commentaren toe te voegen aan de status van zijn patiënte, toen Jim binnen kwam slenteren, zoals altijd met enigszins gebogen rug.

'Alles kits?' vroeg Jim terloops, terwijl hij een beker bruin drab uit de koffieautomaat tapte.

Dafydd keek op. 'Jawel... hoe dat zo?'

'Alles in orde, bedoel ik?'

Had zijn gebrek aan concentratie er zo dik op gelegen? Jim was een van het handjevol mensen op zijn werk die hem door en door kenden. Hij was op de hoogte van de problemen die hij en Isabel hadden – alle vergeefse vruchtbaarheidsbehandelingen en alle spanningen vandien.

'O, ja hoor,' loog Dafydd en wendde zich weer naar het scherm.

'En Isabel?'

'Ach, je weet het, er zit nog geen beweging in. Ze kan het niet laten rusten. Gelukkig heeft ze massa's interieuropdrachten. Ze komt in alle opzichten vooruit. Eigenlijk zou ik ermee ingenomen moeten zijn. Wie weet – ' zijn lachje klonk ongeduldig ' – zit er wel een vervroegd pensioen in.'

'Hou jezelf niet voor de gek. Bekijk jezelf eens,' zei Jim, terwijl hij omlaag keek naar zijn eigen uitdijende buik.

Dafydd sloot zijn laptop en begon zijn spullen op te bergen. Heel even kwam hij in de verleiding Jim te vertellen van de brief, maar in plaats daarvan porde hij hem in zijn buik en zei: 'Spring op je fiets, makker. Geen woorden maar daden.'

Eigenlijk wilde hij niet naar huis. De beschuldiging was iets dat je niet achteloos onder het tapijt kon vegen. Isabel zou er de hele avond over willen praten. Ze zouden de brief helemaal ontleden, op zoek naar aanwijzingen. Er zouden nog meer vragen opkomen, maar er was niets wat hij eraan kon toevoegen. Hij dwaalde de gang door, dook de herentoiletten in en sloot zich op in een hokje. Hij zette zijn aktetas op de grond en ging op de bril zitten. Er kwam iemand binnen om te urineren. De man kuchte luidruchtig, spuwde en liet de kraan lopen. Hij zag een stel slippers langskomen. De deur viel dicht. Wat moest hij hier, verdomme? Hij kon lekker in de cafetaria zitten, of op een bank in het park of, beter nog, in een pub achter een pul bier.

Hij liet zijn hoofd in zijn handen rusten. Uitgerekend Moose Creek... Hij kneep zijn ogen dicht en probeerde zich het plaatsje voor de geest te halen, maar het enige wat hij voor zich kon zien, was een enorme ijsvlakte.

Hij had altijd geprobeerd de herinnering aan de reden waarom hij er ooit heen was gegaan uit zijn hoofd te bannen; het incident dat hem er al die jaren geleden toe had gebracht zijn opbloeiende carrière als chirurg in de steek te laten en de wijk te nemen naar die van God verlaten buitenpost waar geen zinnig mens, laat staan een arts, ooit vrijwillig heen zou zijn gegaan, zelfs niet in zijn dromen. Maar de uitwerking van die rampzalige gebeurtenis had hem nooit losgelaten; ze was er altijd, rondspokend in de duistere krochten van zijn geest. Dit was een van de vele redenen waarom hij nooit over zijn jaar in de Canadese wildernis had willen praten.

In zijn naïviteit had hij gehoopt dat Moose Creek een toevlucht zou zijn voor zijn schaamte. Hij was er destijds zo wanhopig op gebrand geweest weg te gaan, dat hij geen besef had gehad van waar hij aan begon. Hij had maar één doel gehad, weggaan, zover mogelijk, naar de meest afgelegen plek die er op aarde te vinden was.

2

Moose Creek, 1992

Dafydd had zijn vingers begraven in de armleuningen, met spierwitte knokkels. Het kleine vliegtuig leek als een baksteen naar de grond te vallen en daarna over het tarmac te dansen, als een plat steentje dat je over het wateroppervlak keilt. Uiteindelijk kwam het met enkele wilde zwaaibewegingen tot stilstand aan het eind van de landingsbaan. Dankbaar zond Dafydd een schietgebedje op naar een hogere instantie en schudde zijn handen om de bloedsomloop te herstellen.

Hij zocht zijn spullen bijeen, glimlachend naar de struise stewardess die hem en de drie andere passagiers naar de verrijdbare vliegtuigtrap loodste. Ze deed het enigszins gehaast, omdat het toestel nog door moest naar Resolute, de laatste nederzetting richting Noordpool. Toen Dafydd het vliegtuig verliet, overviel de hitte hem als een muur. De lucht was dicht en roerloos. Binnen enkele seconden voelde hij zich klam. Een aanhoudend, laag gezoem vervulde de stilte – vermoedelijk afkomstig van insecten, hoewel er niet één zichtbaar was.

Voor het prefabluchthavengebouw stonden twee taxi's gereed. Dafydds medereizigers maakten zich haastig meester van de netste van de twee. De overgebleven taxi was een gehavende, aftandse Chrysler Valiant – een model dat hij als jongen had bewonderd – met een lelijke deuk in de voorbumper. Dafydd trok zijn wenkbrauwen op en de vrouw achter het stuur knikte. Hij greep zijn beide koffers en zeulde ze naar de taxi.

'As-je-me-nou,' teemde de vrouw in een zwaar, niet thuis te brengen accent toen ze probeerde Dafydd te assisteren bij het inladen van de koffers in de kofferbak. 'Als ik dit zo zie, ben je zeker van plan bij ons te blijven voor de leeftijd van een wasbeer.'

'Ja. Tien maanden.' Dafydd beantwoordde haar brede grijns en ging op de passagiersstoel zitten, overdekt met hondenhaar.

'Wat kom je doen... werk je bij bosbouw?' Ze gleed achter het stuur en staarde hem vrijpostig aan.

'Nee,' zei hij, in het besef dat ze hem wilde uithoren. 'Kun je me naar het Klondike Hotel brengen?'

'Begrepen.' Ze joeg de motor op toeren en scheurde het met gravel geplaveide parkeerterrein af, kolkende stofwolken achterlatend in de stille lucht.

'Wat kom je dán hier doen, makker?' hield ze aan, terwijl ze zijn onberispelijke marineblauwe pak met koperen knopen grondig inspecteerde. 'Die mooie plunje van je ziet er over een dag of twee niet meer uit,' zei ze grinnikend.

'Wat zou ik volgens jou moeten dragen?' zei Dafydd afgemeten. Hij zag hoe zijn broekspijpen de hondenharen op leek te zuigen, alsof er een osmoseproces gaande was.

'Hangt van je werk af, maat,' probeerde ze het nog eens. 'Je bent geen houthakker, da's duidelijk.' Ze grinnikte van harte om zijn zwijgen en draaide zich naar hem toe, zonder een greintje aandacht voor de weg, wachtend op zijn antwoord.

'Ik ben arts,' zei hij vlug.

'*In de roos!*' kraaide ze verrukt. 'Net wat ik dacht.' Ze gaf een rukje aan het stuur om een greppel te ontwijken. 'Niemand is zo blij jou hier te zien als ik, dat kan ik je wel zeggen.' Haar mollige hand liet het stuurwiel voor wat het was en omklemde de zijne stevig. 'Ik ben Martha Kusugaq. Ik heb een kankergezwel in mijn voet dat me veel pijn bezorgt. Het maakt autorijden tot een hel voor me.' Ze bukte zich en schopte haar schoen uit, om een etterbuil aan de binnenkant van haar voet te laten zien.

'Niet best,' knikte Dafydd en richtte zijn ogen op de hobbelige, bochtige weg voor hen, in de hoop dat zij hetzelfde zou doen.

'Ben je morgen in de kliniek?' Ze keek hem verwachtingsvol aan.

'Ik denk van wel.' Zijn eerste patiënt... nu al!

'Mooi. Morgen dus. Je hebt al een afspraakje.' Ze schoof de schoen weer aan haar voet. 'De pillenschrijvers die we hier hebben zijn klote, dat wil ik je wel zeggen. Je kunt me alles vragen, dan licht ik je wel in.' Kennelijk hoopte ze op een spervuur van vragen, maar toen hij er niet één stelde, keek ze hem van onder haar ponyhaar aan en vroeg met een zweem van achterdocht: 'Wat voor aanleiding brengt een knappe kerel als jij naar het eind van de wereld?'

Er is geen enkele reden je geprikkeld te voelen, hield hij zichzelf voor. Niemand hier wist iets over zijn achtergrond, afgezien van een glashelder curriculum vitae. De directeur van het ziekenhuis, dokter Hogg, had niet eens moeite gedaan contact op te nemen met de referenties die hij had vermeld. Trouwens, als ze wisten waarom hij hier was, zou het er niet in het minst toe doen, daar was hij zeker van. Jonge chirurgen kwamen niet voor niets naar Moose Creek.

Martha zat hem met onverholen nieuwsgierigheid op te nemen, in afwachting van zijn reactie.

'Waarom vraag je dat?' vroeg hij plagend, om zijn onbehagen te maskeren. 'Ga je me vertellen dat dit geen geschikte plek is voor een aardige vent als ik?'

'Vent?' gniffelde Martha. Ze trapte hard op de rem om een klein, pluizig dier dat de weg over schoot te ontwijken. 'O, het is hier best uit te houden, voor mensen als ik in elk geval. Wij hier noemen dit pestgat de achterkant van de wereld.' Ze keek hem weer aan, op die vrijpostige manier van haar. 'Ze komen allemaal hierheen omdat ze nergens anders terecht kunnen. Voor werk, wel te verstaan.'

'Wie?'

'Ach, je weet wel... dokters.'

Dafydd voelde hoe zijn kaakspieren onwillekeurig verstrakten. 'Hoe ver is het nog?'

'Weet je, wij hier hebben onze eigen geneeskunst. Ik heb een paar trucjes van mijn grootmoeder geleerd. Ze keek weer eens opzij en grinnikte, diep in haar keel. 'Het zou me niet verbazen als ik jou nog een paar dingen zou kunnen leren.'

Hij capituleerde en barstte in lachen uit. Net als zijzelf. Hij had het gevoel een soort erkenning te hebben gekregen, op zijn minst als mens, gelet op het feit dat ze alle dokters 'klote' vond (ze moest eens weten).

'Moet ik me zorgen gaan maken?' vroeg hij. 'Je rijdt een verdomd eind weg.'

'Pas jij nou maar op jezelf, zo'n knap kereltje als jij. We hebben hier geen gebrek aan vrouwen die er niets op tegen zouden hebben iets met jou te beginnen, dat kan ik je wel zeggen. Hoe oud ben je... Een jaar of dertig of zo?'

Hij grijnsde. 'Warm, maar ik zeg het niet.'

Ongemerkt bekeek hij haar wat nader. Ze moest ergens tussen de veertig en vijftig zijn. Ze was onmiskenbaar een inheemse indiaanse. Ze had een breed hoofd en een brede nek, stevig geplant op brede, ronde schouders. Haar stugge zwarte haar droeg ze in een brede vlecht op haar rug. Haar boezem was klein, vergeleken bij haar bolle buik. Haar dunne maar gespierde benen waren in een soort legging gestoken. Ze had echter een glad, fris gezicht en in haar ogen zag hij een ondeugende glinstering.

Het plaatsje kwam in zicht. Het leek helemaal plat – geen enkel pand was meer dan twee verdiepingen hoog. Saai en dor, zo zag het eruit. Het was omgeven door een schaars coniferenbos en in de verte verhieven zich heuvels of bergen. De hete lucht boven de gebouwen zinderde. Ze reden langs een langgerekt, haveloos motel. Het bestond uit lage, gammele houten huisjes, gebouwd van gebarsten planken. Daarna volgde Colleen's Café, al even aftands. De taxi raasde een brede hoofdstraat in. Dafydd keek met een mengeling van ergernis en fascinatie om zich heen. *Dit was alles?* Hij had een luchtfoto van het plaatsje gezien, op een verbleekte ansichtkaart die dokter Hogg bij de omschrijving van de baan had gevoegd. Moose Creek had op die kaart tamelijk exotisch geleken, een authentieke buitenpost die tegen de poolcirkel lag en overdekt was met ijs en sneeuw. Een toeristenfolder beschreef het plaatsje als '*te midden van spectaculair landschapsschoon, met hoge bergen, woeste rivieren, glinsterende meren en eindeloze boreale bossen die schaarser worden in de richting van een arctische toendra*'. De werkelijkheid bestond uit een verzameling oerlelijke, stoffige bouwvallen, omgeven door duizenden vierkante kilometers troosteloze bossen. Hij moest zichzelf eraan helpen herinneren dat het nu tegen de herfst liep. Dat sneeuwwitte, griezelig geheimzinnige landschap maakte deel uit van hartje winter, als de temperatuur hier kon dalen tot vijftig graden Celsius onder nul. Hij zou er gauw genoeg aan blootgesteld zijn.

Martha zette haar taxi met knarsende remmen stil voor een bizar gebouw dat een zekere grandeur uitstraalde. De voorgevel was vals, als het filmdecor van een western. De fraai gebeeldhouwde vensters en elegante balkons waren vervaardigd van goedkope kunststof dat nu gebarsten en verkleurd was. Aan twee vergulde kettinkjes hing een uithangbord: *Klondike Hotel.*

'Je bent er,' verklaarde Martha met een zweem van eigenaarstrots. 'Beter dan dit is er niet – niet in deze contreien.'

Ze draaide zich om en keek hem recht in de ogen.

'Luister goed, doc. Als je een taxi nodig hebt, overdag of 's nachts, bel je me, oké?'

'Dank je, Martha, maar ik heb me voorgenomen om overal lopend heen te gaan. Zo groot is het hier ook weer niet,' zei hij lachend, met een breed armgebaar dat de hele hoofdstraat insloot. 'Wanneer kan ik ooit een taxi nodig hebben?'

'Wacht maar af,' zei Martha spottend. 'Binnen de kortste keren ben je net als de rest hier. Niemand hier loopt. Het is hier óf te heet en te stoffig, óf veel te koud en te glad – en anders ben je er te beroerd voor. Hoogstwaarschijnlijk het laatste.' Haar stem kreeg een wat zachtere klank toen ze zijn biljet van twintig dollar in ontvangst nam en de rest mocht houden. 'Zorg goed voor jezelf, jongeman. Ik meen het. Dit hier is geen kinderspel.'

Voor de kunststofportiek van het Klondike Hotel hing een aantal mannen rond. Hoofdzakelijk inheemse indianen, zo te zien. In de felle zon zagen ze er uitgedroogd uit, alsof ze waren gekrompen – kleine, gedrongen gebouwde mannen waar de armoede vanaf straalde. Sommigen leken dronken te zijn, hoewel het pas drie uur 's middags was.

Toen Dafydd zijn koffers naar de voordeur begon te zeulen, schoot een van de mannen naar voren en probeerde een koffer uit zijn handen te trekken. Dafydd bood weerstand, verbijsterd door deze plotselinge aanval. Er ontstond een korte worsteling. Beide mannen omklemden de handgreep, proberend elkaar de koffer te ontrukken. De andere mannen, leunend tegen de muur van het hotel, begonnen te grinniken. Niemand deed een poging tussenbeide te komen.

'Ik probeer heus niet je te beroven, man,' riep zijn aanvaller en liet plotseling los. Dafydd verloor zijn evenwicht en wankelde achteruit, tot hij tegen zijn andere koffer aanliep, die hij op de grond had laten vallen, zodat hij achteroverviel.

'Ik probeerde je alleen een handje te helpen,' zei de man, op hem neerkijkend. Dafydd lag op zijn rug op het stoffige trottoir. 'Dit is wat je noemt een ouderwetse noordelijke verwelkoming.' Met een brutale grijns op zijn donkere gezicht zei hij schouderophalend: 'Graag of niet.'

Dafydd sprong op en sloeg het stof van zijn kleren. 'Je had best wel iets kunnen zeggen.' Hij was ervan overtuigd dat de man hem expres had laten struikelen.

'Gelijk heb je,' zei de man. 'Heb je niet wat muntjes over?'

Dafydd staarde hem een ogenblik kil aan. Hij was van zijn stuk gebracht door deze confrontatie en vroeg zich af of deze kerels hem aanzagen voor een zakenman die hier een kort bezoek bracht, iemand met wie ze wat lol konden trappen. Of zou hij iedere dag met dit soort verholen vijandigheid te maken krijgen?

'Je meent het?' zei hij kwaad, vastbesloten het laatste woord te hebben.

De mannen lachten. Op de een of andere manier leken ze nu zijn kant te hebben gekozen, en plotseling leek het incident veel minder bedreigend. Hij keek om en zag Martha Kusugaq met over elkaar geslagen armen bij haar taxi staan. Hij meende te zien dat ze hem bijna onmerkbaar toeknikte, bij wijze van strenge aanmoediging. Met het laatste restje houding dat hij kon opbrengen droeg hij zijn zware koffers de foyer van het hotel in.

De maaltijd in het restaurant van het hotel was verbazingwekkend goed. Hartige elandtaart, hun specialiteit, met een saus van bessen die hij niet kende, en rijst. De huiswijn was tamelijk zoet, maar hij dronk hem omdat hij dat geacht werd te doen. Op een ouder echtpaar in een hoek na was hij de enige gast. Ze waren een eind op streek met een fles met een amberkleurige vloeistof erin, met twee pakjes sigaretten ernaast, een van haar en een van hem. Ze rookten en dronken in stug volgehouden zwijgen.

Daarentegen was het in de *beer saloon* druk. Dafydd had er via de boogvormige deuropening tussen restaurant en saloon onbelemmerd uitzicht op, en het lawaai en de rook drongen door tot ver in het restaurant. Mannen in ruige kleding verdrongen elkaar rond de kleine tafels en serveersters in minirok haastten zich af en aan met enorme dienbladen met tot aan de rand gevulde bierglazen, het dienblad hoog voor zich uit om de hoofden van de klanten niet te raken.

Een man en een vrouw kwamen door de boog het restaurant in. Ze merkten Dafydd op en liepen naar hem toe.

'Dafydd Woodruff?' vroeg de man.

'Dat ben ik, ja.'

In het schaarse roze licht leek de man knap en kaarsrecht, zij het een tikje aan de magere kant. Hij had golvend blond haar dat tamelijk laag over zijn schouders hing. Hij droeg een strakke, versleten spijkerbroek, opgehouden door een glanzende leren riem met een grote, druk bewerkte zilveren gesp. Zijn metgezellin was een opvallend ogende vrouw met rood haar. Ze droeg een korte leren rok en haar witte blouse leefde op gespannen voet met haar borsten. Ondanks haar uitdagende kleding maakte ze een ingetogen indruk. In zijn ogen moesten ze ongeveer even oud zijn – even in de dertig.

Dafydd, enigszins verbaasd, probeerde hen thuis te brengen terwijl hij de hem toegestoken hand schudde, maar het lange haar van de man en de rest van zijn nonchalante uiterlijk boden weinig houvast.

'Ian Brannagan,' zei hij eindelijk.

'Ach, natuurlijk!' riep Dafydd, proberend zijn verbazing niet te laten merken. Deze toekomstige collega leek allesbehalve een medicus. 'Ik had niet verwacht... ik had gedacht dat ik pas morgen kennis zou maken met deze of gene.'

'Morgen heb je je handen meer dan vol.' Ian Brannagan tikte hem licht op zijn schouder en ging zitten, terwijl hij de stoel naast zich achteruit trok voor de vrouw. Ze leek ondoorgrondelijk, maar Ian Brannagan had een vriendelijke, open uitstraling, ondanks de scherpe, hoekige trekken van zijn gezicht. Hij had vierkante kaken en een lange neus. De lippen waren smal en bleek, maar zijn brede lach toonde een fraai, sterk gebit. Als je echter wat nauwkeuriger keek, zag je dat hij er vermoeid en zorgelijk uitzag, niet alleen zijn kleding, maar ook zijn gezicht.

Dafydd keek de vrouw aan, wachtend tot ze zich zou voorstellen.

'Ik ben Sheila Hailey,' zei ze, met een stevige handdruk, maar zonder nadere verklaring.

'Je komt als geroepen, beste vriend,' zei Ian Brannagan. 'We weten ons geen raad sinds onze laatste toevlucht, *m'sieur le docteur* Odent, ons heeft verlaten, alweer twee weken geleden. Het is een verdomde chaos in het ziekenhuis.'

'Is het werkelijk?' Dafydd leunde achterover in zijn stoel en deed zijn best er ontspannen uit te zien. *Een verdomde chaos? En ik kom als geroepen*? dacht hij.

Ian Brannagan stak een sigaret op en keek naar de resten van de elandtaart op Dafydds bord.

'Bezwaar dat ik rook?' Hij leunde achterover en bestudeerde Dafydds gezicht, op een afstandelijke maar sympathieke manier. De vrouw naast hem leek zich eveneens op hem te fixeren, maar heel wat minder vriendelijk. Ze zat iets verder van de tafel, de slanke benen over elkaar geslagen.

'Hoelang werk je hier al, Ian?' vroeg Dafydd.

'Ach, een jaar of wat.' Er verscheen een lichte rimpel in Brannagans voorhoofd. 'Twee winters op zijn minst. Jezus, wat vliegt de tijd.'

'Maar het bevalt je hier?'

'Och, zo, zo,' zei Brannagan plichtmatig, en nam een flinke haal van zijn sigaret. Aan het uiteinde ontstond een lange askegel en hij zag Dafydd ernaar kijken. Er was geen asbak. Hij liet de as eenvoudigweg in de ovenschaal vallen waarin de verrukkelijke elandtaart had gezeten. Dafydd kromp onwillekeurig ineen. *Les nummer één*, dacht hij. *Geen chique maniertjes*.

Een aantrekkelijke serveerster met zwart haar kwam de saloon uit, naar hun tafel. Met duidelijke vertrouwdheid richtte ze zich tot Ian. 'Wat willen jullie drinken?'

Ians blik kruiste de hare een ogenblik. 'Voor ons een paar flessen Extra Old Stock, en voor de dame ijsthee, graag.'

'Ik wéét wat "de dame" drinkt,' teemde de serveerster brutaal. Ze aarzelde even. 'U bent de nieuwe dokter?' Ze legde haar hand op haar heup en bestudeerde Dafydd met een scherpe, deskundige blik.

'Dit is Brenda,' zei Brannagan, zijn hand uitstekend om haar ergens in haar middel aan te raken. 'Met haar moet je voorzichtig zijn. Ze laat niet met zich spotten, is het niet, Zonnestraaltje?'

Sheila Hailey liet een snel vernietigend lachje horen, terwijl de twee mannen Brenda nakeken toen ze wegliep. Ze beschikte over een stel fraai gevormde benen die zelfverzekerd onder een strakke rode rok uitstaken en in met franje versierde leren cowboylaarzen verdwenen. Met iedere kittige stap die ze zette danste haar zwarte haar van links naar rechts. Brannagan mompelde iets waarderends, maar zei toen: 'Ach, jezus, je drinkt toch bier, hoop ik? Echt iets voor mij om je niets te vragen.'

Dafydd begon te lachen, in het besef dat het niet nodig was hier een gunstige indruk te maken. Niet voor Brannagan, althans. Hij leek een tamelijk merkwaardig exemplaar, voor een arts.

''Heb je iemand?' vroeg Sheila Hailey onverhoeds.

'Pardon?'

'Ben je vrijgezel?'

'Eh, ja.'

Brenda's laarzen klakten over de houten vloer en ze wipte met één hand behendig de doppen van de flessen. Koket draaide ze zich op haar hakken om en klakte terug naar de bar, waarbij haar billen onder de dunne rode stof trots langs elkaar wreven.

'Gun de arme man een ogenblik om te acclimatiseren, wil je?' zei Brannagan, met een liefkozend duwtje met zijn elleboog.

'O god, niet dat ik ook maar even geïnteresseerd ben,' zei ze, voor het eerst lachend. 'Ik probeer alleen in te schatten hoelang hij hier zal blijven.'

Dafydd voelde zijn nek tintelen van verontwaardiging, maar hij wilde niet de indruk wekken een droogkloot te zijn. 'Waarom stel je daar belang in?' vroeg hij luchthartig.

Hoewel de jonge vrouw adembenemend om te zien was, met haar hartvormige gezicht, grote glanzende ogen en een dichte massa rode krullen, had ze toch iets onaangenaams over zich.

'Rustig maar,' zei ze, terwijl ze hem met een enigszins neerbuigend lachje recht in de ogen keek. 'Je zult hier geweldig in trek zijn, als je er tenminste iets van bakt.'

Ian en Sheila lachten allebei, maar Dafydd voelde tot zijn ergernis dat hij een kleur kreeg.

'Kom, kom,' zei Ian, met een klopje op zijn arm. 'Als chirurg, bedoelt ze, niet als man.'

In een poging zijn ergernis te verbloemen wendde Dafydd zich tot Sheila. 'Kennelijk werk je ook in het ziekenhuis... of ben je bevriend met Ian hier?'

Sheila en Ian wisselden een korte blik van verstandhouding. Dafydd meende in die vluchtige blik geen genegenheid of sympathie te zien, laat staan hartstocht. Eerder iets anders. Iets dat die twee met elkaar verbond.

'Ik ben jouw hoofdzuster,' verklaarde Sheila, op een manier die duidelijk was bedoeld om hem te laten weten dat ze zijn superieur was. Ian zat bijna eerbiedig naar haar te kijken, alsof hij haar gezag openlijk erkende.

Het kettingrokende stel in de hoek was uit zijn lethargie ontwaakt. Ze zaten nu te ruziën. Gedrieën luisterden ze een paar minuten naar hun beschonken verwensingen. Het scheen allemaal te draaien om het eigendomsrecht op de een of andere pick-up. Sheila tilde haar glas op en goot het restje van haar ijsthee naar binnen. Dafydd had vrij uitzicht op haar hals, slank en blank als porselein, afgezien van een wolk bleke sproeten, nauwelijks zichtbaar in het gedempte licht.

Ze stond op. 'We beginnen om kwart voor acht. Zorg dat je op tijd bent.' Misschien deed ze het om haar bevel te benadrukken, of juist om het te verzachten, maar ze legde haar slanke hand even op Dafydds schouder, een aanraking die de huid onder zijn overhemd verkoelde en maakte dat hij lichtelijk huiverde. 'Alsjeblieft,' voegde ze eraan toe, alsof ze het nu pas bedacht. Ze liep weg, zonder nog iets tegen Ian te zeggen.

Ian grijnsde berustend en haalde zijn schouders op. 'Echt Sheila,' zuchtte hij.

Een groep grote vrouwen kwam luidruchtig de bar uit. Ze droegen allemaal een spijkerbroek, vechtpet en geblokt overhemd, alsof ze vrouwelijke versies van de archetypische Canadese houthakker waren. Ze namen luid pratend plaats aan een naburige tafel. Ian gooide zijn hoofd in de nek en lachte om de uitdrukking van schrik op Dafydds gezicht.

'Heel aardige meiden,' fluisterde hij waarschuwend. 'Hier kun je niet te kieskeurig zijn.'

'Goed, vertel me dan maar wat voor sociaal leven jij hier hebt,' mompelde Dafydd.

'Wat de omgang met vrouwen betreft, of meer in het algemeen?'

'Algemeen.'

'Als je ooit interesse voor iemand krijgt, kun je altijd eerst even bij mij informeren,' zei Brannagan met een knipoog. 'Ik kan je zeggen of ze de moeite waard is.'

Weer voelde Dafydd ergernis in zich opkomen. Goed, hij mocht hier dan nieuw zijn, maar hij was niet op zijn achterhoofd gevallen. Aan de andere kant wist hij dat hij het maar moest incasseren. Hij zou een bondgenoot misschien hard nodig hebben. Ian Brannagan was een buitenstaander, net als hijzelf, maar hij was hoe dan ook een ingewijde.

'Vertel me wat meer over Moose Creek.'

'Ach, dat ontdek je vanzelf wel, dat duurt nooit lang. Iets meer dan vierduizend inwoners. De helft bestaat uit Dene- en Metis-indianen, aangevuld met wat Inuit en zo ongeveer iedere uitgekotste blanke onder de zon. Een onzalige mix. Levers als Zwitserse gatenkaas. En als je niet van mensen houdt, zijn er meer dan genoeg beren. Zwarte beren, grizzly's...'

'Hoeveel mensen werken er bij dat gasbedrijf?'

'Vijfhonderd, schat ik.'

'En de rest... wat doen die voor de kost?'

'Er wordt druk gekapt in de bossen. Ze verhalen de stammen alleen 's winters, als de weg bevroren is. De laatste tijd komt er ook wat toerisme op gang. Mensen die graag jagen en wildwatervaren in wild water.' Hij aarzelde even. 'Je kunt hier zo ongeveer alles kopen wat je wilt. Illegale substanties, noem maar op.' Hij laste een korte pauze in om een stukje nijnagel af te bijten. 'Er zijn wat stropers... illegale hondengevechten... en uitkeringstrekkers, uiteraard.'

'Het ziet er niet echt welvarend uit.'

'Dat hád gekund.' In een plotselinge opleving boog Brannagan zich naar voren. 'Een jaar of drie, vier geleden waren ze nog van plan een enorme pijpleiding aan te leggen. Het zou groot worden opgezet. Er is hier genoeg aardolie en aardgas om het Midden-Oosten van de markt te blazen. Ze zagen er vanaf.'

'Ik heb zoiets gelezen. Dat moet een tegenvaller zijn geweest.'

'Je maakt een geintje, zeker. Iedere verdomde drop-out repte zich naar het noorden, vol verwachting. Een soort goudkoorts. Sommigen ervan zijn blijven hangen. Iedereen hoopte op een pot goud, zonder er veel voor te hoeven doen. Waarom denk je dat ze deze bespottelijke tent hebben gebouwd?' Met een spotlachje gebaarde Brannagan naar het interieur – imitatierococo. In een moeite door stak hij twee vingers op naar de bar, en knikte. Het kabaal uit de saloon was oorverdovend, zelfs op deze afstand. Rauwe, mannelijke lachsalvo's domineerden de kakofonie, af en toe overstemd door een luide schreeuw of schrille vrouwenlach. Binnen de kortste keren kwam een andere serveerster twee nieuwe flesjes bier brengen.

'Dit hier is Tillie,' zei Brannagan met een knipoog.

Tillie was een vrouw van onbestemde leeftijd, ergens tussen de twintig en veertig. Ze was klein, maar van kolossale proporties. Desondanks was ze op een merkwaardige manier aantrekkelijk. Haar sprankelende blauwe ogen, stompe neus en rozenknopmond leken eenzame eilandjes in een golvende oceaan van gezichtshuid. Ze had een dikke massa blond krulhaar. Alles aan haar deed denken aan een buitengewoon voluptueuze en volwassen Shirley Temple.

'Hoi, doc,' zei ze met een lieve stem. 'Welkom in Moose Creek. Ik hoop dat het je hier gaat bevallen.'

'Dat zou een warme, moederlijke borst zijn om je vermoeide hoofd op te laten rusten,' verzuchtte Brannagan toen Tillie weg was, 'maar ze heeft niet de minste belangstelling voor dat soort dingen.'

Brannagans ongeremde gedrag en volslagen gebrek aan manieren werkten plotseling aanstekelijk op Dafydd. Misschien begon hij een tikje dronken te worden. Hij stelde zich voor hoe hij al zijn narigheid van zich af zou kunnen gooien, in dit oord waar niemand hem kende en waar hij alles kon zijn wat hij verdomme maar wilde.

Brannagan zat hem grijnzend op te nemen, alsof hij zijn gedachten had gelezen. 'Jij hebt dus iets achtergelaten, daarginds. 'Niemand die thuis met smart op je terugkeer zit te wachten?'

'Nee,' zei Dafydd kortaf. Na een poosje hernam hij: 'Hoewel dat niet helemaal waar is. Ik heb mijn moeder moeten onderbrengen in een verpleegtehuis, voordat ik hierheen kwam. Ze heeft Parkinson, maar is nog behoorlijk bij de tijd. Het was allesbehalve leuk om te doen. Mijn enige zus is met een Australiër getrouwd – we hebben haar in geen vier jaar gezien. Ik heb nog geprobeerd *down under* een baan te vinden, om in haar buurt te zijn, maar toen kwam deze gelegenheid.'

Brannagan bestudeerde hem met halfgeloken ogen, zijn hoofd een tikje schuins. 'Kijk, dat bedoelde ik nou. Waarom dit hier?'

Daar begon het alweer. O, gaven ze hem maar de kans om de hele zaak volledig achter zich te laten. Hij zou er zelf geen woord meer aan vuilmaken, als hij de keus had. Hij móést het vergeten, wilde hij zich ooit veilig kunnen voelen en zijn werk effectief verrichten.

'Ik verveelde me. En ik was rusteloos – hard toe aan verandering,' zei Dafydd. Hij deed zijn best het nonchalant te laten klinken. 'Ik had mijn assistentschap achter de rug en wilde niet verstrikt raken in een chirurgenbaan die me de volgende dertig jaar gevangen zou houden.'

'Werkelijk? Dan heb je wel een eigenaardige bestemming gekozen,' hield Brannagan aan, terwijl hij hem door de rook van zijn sigaret zat op te nemen. 'Ik heb je curriculum gezien. Tamelijk indrukwekkend. Je moet keus genoeg hebben gehad.'

Dafydd knikte vermoeid, want zijn rechtvaardigingen begonnen op te raken. 'En wat is jouw excuus dan?'

'Jezus christus,' zuchtte Brannagan. Hij deed zichtbaar zijn best om meer aangeschoten te lijken dan hij was. 'Hoeveel tijd heb je?' Hij keek naar een niet-bestaand horloge om zijn pols. 'Ik neem aan dat je morgen je intrek neemt in je stacaravan. Ik heb zo'n idee dat het geval na Odents vertrek niet meer is schoongemaakt. En de man had een paar eigenaardige gewoonten – dat vertel ik je nog weleens. Ik denk dat je hem het beste zelf kunt uitmesten, voor alle zekerheid.' Hij zat licht te zwaaien in zijn stoel en klokte de rest van zijn bier naar binnen. 'Laat me je iets zeggen. Je *hoeft* niet in dat ding te wonen, alleen omdat Hogg het de "tijdelijke doktershut" noemt. Hij strijkt namelijk zelf de huur op, aangezien het verdomde ding van hem is.' Ians lach had een spottende ondertoon en hij sloeg Dafydd op de schouder. 'Als het je niet bevalt, zeg je dat gewoon, nietwaar, maat?'

'Begrepen,' zei Dafydd en stond op, stijfjes. Hij had er genoeg van.

'Nee, man, ik betaal.' Ian legde zijn hand op Dafydds portemonnee terwijl hij met zijn andere hand zijn zakken doorzocht. 'Jij bent nieuw hier. Hier moet de kliniek voor dokken.'

Iedere spier en elk bot in Dafydds lijf deed pijn. Zijn hoofd tolde en zijn borst voelde aan als rauw vlees. Een combinatie van jetlag, verandering van atmosfeer en algemene overbelasting, plus zoete wijn en 'Extra Old Stock'-bier. Plotseling snakte hij ernaar te kunnen gaan liggen.

'Zorg dat je op tijd bent, beste jongen.' Brannagan maakte veel kabaal met de stoelen toen hij opstond. 'Hogg is als manager een nul, maar hij eist punctualiteit. Net als "de baas" trouwens, zoals je zonder twijfel al hebt begrepen.'

Dafydd nam afscheid van Ian Brannagan en ging op zoek naar de trap die hem naar de geborgenheid van zijn kamer zou leiden. Nadat hij zijn koffers had doorgespit om zijn ochtendjas te vinden, haastte hij zich naar de badkamer aan de overkant van de gang om een bad te nemen. Het water reikte tot zijn kin toen hij indutte, maar uiteindelijk werd hij huiverend door het afkoelende water gewekt. De geluiden van beneden waren minder geworden, misschien omdat de bar werd gesloten. Hij had geen idee hoe laat het was. Hij stond op en droogde zich af met een smoezelige gele handdoek, voordat hij zijn ochtendjas aanschoot en terugging naar zijn kamer. Op de smalle gang liep hij de zwartharige serveerster tegen het lijf.

'Hoi, Dafydd,' zei ze, kijkend naar zijn losjes dichtgeknoopte ochtendjas.

'Eh, slaap lekker,' riep hij terug.

'Kan ik nog iets voor je doen, een slaapmutsje misschien? Ik kan het wel naar je kamer brengen.'

Dafydd staarde haar aan, sprakeloos. Begreep hij het goed? 'Geen gebrek aan vrouwen die er niets op tegen zouden hebben...' Was dat niet wat die sluwe taxichauffeuse hem had gezegd? Blijkbaar wilden ze hier geen tijd verspillen.

'Bedankt, eh... Brenda. Nee, ik heb niets nodig, maar evengoed bedankt.' Hij was bang dat hij wel heel naïef moest lijken. Ze was een buitengewoon sexy vrouwtje, maar zomaar ineens... vannacht nog?

Brenda glimlachte. 'Weet je dat wel zeker?'

'Eh... ja,' zei hij.

'Mij best.' Ze haalde opgewekt haar schouders op, om te laten zien dat ze zijn afwijzing niet als een belediging opvatte. 'Ik hoop dat je lekker slaapt.' Ze draaide zich vlot om en haar billen schommelden verleidelijk terwijl ze van hem weg liep, de gang in. Als gehypnotiseerd staarde hij haar na.

Er werd regelmatig tegen het bed gebonsd. Hij voelde de trillingen van iedere klap vanuit zijn tenen door zijn wervelkolom naar zijn kruin. Tegelijkertijd leek het alsof iemand hem met een rubberhamer op zijn schedel klopte, met korte, nijdige slagen. Er scheen niemand in de buurt te zijn, maar het bonzen ging door, steeds sneller en dringender. Plotseling hield het op, gevolgd door een laag, langdurig gekreun. Dafydd luisterde gespannen, in een poging de bron van het onaardse geluid te lokaliseren. Toen hoorde hij lachende stemmen.

Verdomme. De wand die hem scheidde van het copulerende stel was zo dun als karton en hun bed stond praktisch tegen het zijne aan. Na een paar minuten van gedempte conversatie schenen zijn uitgeputte buren in slaap te vallen. Terwijl hij naar het geluid van hun ademhaling luisterde, wist hij bijna zeker dat hij de hinderlijke tocht van hun uitademingen langs zijn gezicht kon voelen. Hij stapte het bed uit een bekeek de wand. Hij beklopte hem hier en daar en zag het materiaal zacht golven. Inderdaad, bordkarton. Een van de twee geliefden bonsde nijdig met een vuist tegen het dunne materiaal, dat vervaarlijk schudde.

'In jezusnaam,' zei een grove mannenstem, 'er zijn hier mensen die wat proberen te slapen, weet je.'

'Precies,' kaatste Dafydd terug.

Hij probeerde zijn draai weer te vinden, op de hobbelige matras. Hij voelde harde dingetjes onder zijn blote billen en stak tastend zijn hand ernaar uit. Het voelde aan als kruimels, of misschien zelfs zand, van iemand die niet de moeite had genomen zijn laarzen uit te trekken. De smerige stacaravan van Hogg kon onmogelijk erger zijn, ongeacht wat zijn voorganger, *m'sieur le docteur* Odent', er ook mocht hebben uitgespookt. Een van de buren liet een harde wind. Dafydd zuchtte en keerde hen de rug toe, zijn knieën hoog opgetrokken, alsof de foetushouding hem kon beschermen tegen verdere beledigingen. Een korte poos sliep hij, onrustig, maar plotseling schrok hij wakker.

Het was op de dag af zeven maanden geleden. Als de dag van gisteren herinnerde hij zich de ontelbare glaasjes tequila die ze hem hadden opgedrongen, afgewisseld met meerdere Jack Daniel's (triple) en verscheidene grote glazen bier. Jerry en Phillipa, twee van zijn uitbundig levende collega's in Bristol, hadden het feest georganiseerd, speciaal voor hem. Deels om zijn tweeëndertigste verjaardag te vieren, maar voornamelijk omdat hij zijn assistentschap zojuist had afgerond en serieus als specialist kon gaan solliciteren. Hij was de volgende ochtend pas om vijf uur zijn bed in gerold, blij dat hij die dag vrij had genomen, als een deel van zijn jaarlijkse vakantie.

Om zeven uur was de telefoon gegaan.

'Woodruff?' Het was Briggs, de chef-chirurg. 'Ik kan je niet vinden in het rooster.'

'O? Nee, klopt, ik heb vandaag vrij.'

'Maakt niet uit. Ik heb een gunst van je nodig.'

Dafydd had de telefoon nog niet neergelegd of hij had een gevoel van naderend onheil bespeurd, alsof de schade die de hoeveelheden alcohol die hij had geconsumeerd zijn zesde zintuig had ontsloten. Had hij de schoft maar teruggebeld en geweigerd te doen wat hij wilde. Hij had hem kunnen zeggen dat hij nog dronken was, of iets dergelijks. In plaats daarvan was hij bijna op de tast naar de douche gewankeld, gevolgd door een stel paracetamolletjes, tandenpoetsen en instantkoffie. Toen had hij het minst vuile overhemd dat hij kon vinden aangetrokken, en een trainingsbroek, waarna hij naar het ziekenhuis was gereden, zelfs dat nog. En wat dan nog, massa's mensen deden zoiets; ze lieten zich 's avonds vollopen en gingen de volgende dag gewoon naar hun werk. Assistent-artsen waren berucht vanwege hun drinkgelagen, een vorm van escapisme ten op-

zichte van het meedogenloze dienstrooster, de zware verantwoordelijkheden en de lange uren blokken voor hun tentamens.

Hij was regelrecht naar de afdeling gegaan, waar hij was opge-
wacht door Derek Rose en zijn moeder, zich bewust van zijn roodomrande ogen en verraderlijke ademkegel, maar hij had zich geen
zorgen hoeven te maken over een eventuele slechte indruk. Sharon
Rose was een arme, alleenstaande moeder van in de twintig, in een
gerafelde spijkerbroek en een goedkoop leren jack. En te oordelen
naar haar vergeelde, trillende vingers snakte ze naar een sigaret. Ze
was het ongelukkige soort vrouw dat dacht dat dokters almachtig
waren; de mening van mannen en vrouwen in witte jassen kon je
niet in twijfel trekken, want zulke mensen konden het niet mis hebben. Hij wenste dat hij haar uit de droom had geholpen, op staande
voet; hij had haar moeten zeggen dat hij niet fit genoeg was om haar
zoon te opereren. Briggs had hem echter geïntimideerd en zijn bezwaren weggewuifd. Hij werd geacht een volwaardig pediatrisch
chirurg te zijn, op het punt om zelfstandig aan de slag te gaan. En
een referentie van Briggs was buitengewoon belangrijk voor hem.

Terwijl hij zijn handen voor de operatie had staan schrobben,
was dat onheilspellende gevoel aan hem blijven knagen. Het was
het vage besef dat hij er niet aan moest beginnen – in elk geval meer
dan alleen wat misselijkheid en een gebrek aan focus. Hij was echter een realist met een hekel aan bijgeloof. Hoewel zijn intuïtie hem
waarschuwde om te stoppen, was hij doorgegaan en had de opera-
tiehandschoenen aangetrokken.

Alles leek volgens plan te verlopen. Het verwijderen van de nier
was gemakkelijk verlopen en hij begon al te denken dat hij zich voor
niets ongerust had gemaakt. Een ogenblik lang had hij de nier van
de jongen in zijn hand gehouden en bekeken. Totdat hij nauwkeuriger keek en zijn verbazing werd gewekt. Afgezien van wat lichte
ontstekingsverschijnselen zag de nier er niet bepaald ziek uit, hoewel er op de röntgenfoto een klein kankerachtig gezwel te zien was
geweest. Ongetwijfeld was het een inwendige tumor, maar nietie-
min... Terwijl hij zijn hand uitstak om de nier in de schaal te leggen
die de operatiezuster hem voorhield, had de vrouwelijke chirurg die
hem assisteerde hem plotseling iets in het oor gefluisterd. Haar stem
had dringend geklonken en ze had zijn arm gepakt, veel te hard, en
daarna naar de röntgenfoto gewezen. Zijn hand was midden in de
lucht blijven hangen en hij had naar de foto gestaard. Totdat zijn
hart een misselijkmakende sprong maakte en hij het bloed uit zijn
gezicht voelde wegtrekken.

Het kón gebeuren en het gebeurde soms inderdaad. Niet vaak,

maar het gebeurde weleens. Ondanks al zijn uitgebreide voorzorgen en concentratie was de ramp veroorzaakt door een opschrift. Hij had niet goed genoeg naar de naam op de röntgenfoto gekeken en zag nu dat de naam achterstevoren stond. De röntgenfoto van de inwendige organen van de jongen stond verkeerd om. Het was zo bespottelijk dat het leek alsof het alleen in cartoons kon voorkomen, ware het niet dat het hele leven van een kind en diens toekomst erdoor in ernstig gevaar verkeerden. Hij had zich té sterk gefocust op de feitelijke operatie, het snijden in het vlees en bloed van de jongen, waardoor hij er niet aan had gedacht de moeder te raadplegen of de status van de jongen naar behoren door te lezen.

De klap van zijn rampzalige vergissing had alle kracht uit zijn benen doen wegvloeien, zodat hij plaats had moeten maken voor de chirurg die hem assisteerde. Plotseling had hij gal in zijn keel geproefd en had hij weg moeten hollen naar het toilet, het aan zijn geschokte, door paniek overvallen team overlatend om de gevolgen te herstellen – de wanhopige zoektocht naar een transplantatiechirurg die de nier kon terugzetten.

Zelf had hij later Sharon Rose opgezocht, om haar op te biechten wat hij had gedaan. Die moed had hij tenminste opgebracht. Haar ongeloof was vernietigend geweest, en zijn schaamte en wroeging hadden niet heviger kunnen zijn. Er was een ernstige depressie op gevolgd, die hem tot in zijn merg had verdoofd. Nu kon hij beter begrijpen waarom een arts zich soms van het leven beroofde.

Hij was onmiddellijk geschorst, hangende een nader onderzoek. Briggs had hem gebeld, met de mededeling dat hij van zijn 'vakantie in de tuin' moest genieten; hij zou zelf getuigen van zijn competentie. Per slot van rekening was het een 'uitzonderlijke omstandigheid' geweest.

'Ja, een verdomd spelletje golf,' zei hij hardop in de onbekende, donkere hotelkamer, denkend aan de 'uitzonderlijke omstandigheid' die Briggs ertoe had gebracht om hem om deze rampzalige gunst te vragen.

Destijds had het erop geleken dat hij zijn carrière verder wel kon vergeten. Hij had ernstig betwijfeld of hij wel een toekomst had als arts, ongeacht de uitslag van het onderzoek. Twee maanden later was hij vrijgesproken. Briggs was verantwoordelijk gesteld voor de blunder omdat hij de chef-chirurg was en Derek Rose zijn patiënt. Het hele incident was gladgestreken onder het motto 'systeemfout'. Voor hem, Dafydd, was het geen overwinning geweest. De kleine jongen was inmiddels verlost van zijn door kanker aangetaste nier, maar zijn aanvankelijk volmaakt gezonde nier was nu niet langer volmaakt, maar kwetsbaar. *En dat was zijn schuld*. Hij had Derek graag een van zijn eigen nieren gegeven, als dat mogelijk was geweest.

Er ontstond lawaai – heet, sissend water dat buizen liet kraken. Dat kon alleen maar betekenen dat de dag was begonnen. Hij sleepte zich het bed uit en liep naar het raam. Toen hij het verduisteringsgordijn opzijschoof, zag hij tot zijn stomme verbazing dat het al klaarlichte dag was. Toch was het pas kwart voor vier 's nachts. Hij trok aan het raam. Het was zo ontworpen dat het slechts een fractie open kon, maar hij genoot van de binnenstromende koele lucht. Een hor hing losjes aan de hengsels. Toen hij naar de straat beneden hem keek, zag hij dat alles overdekt was met een laag stof. Alles was bedekt met grijs poeder, zover het oog reikte. Geen wonder dat Martha Kusugaq had gegrinnikt om zijn keurige pak.

Een eenzame hond slenterde langs het midden van de straat. Het was een mager beest, schurftig, maar hij leek ondernemend genoeg. De hond bleef even staan en keek met zijn kraaloogjes naar hem op, voordat hij op een sukkeldraf zijn weg vervolgde, met onbekende bestemming. Dafydd schermde zijn ogen af tegen het felle licht en volgde het magere achtereind van het dier totdat hij in de verte verdween, in noordelijke richting. Daar ergens, aan de kust van de Beaufortzee, lagen Inuvik en Tuktoyaktuk. Negenhonderd kilometer naar het zuidoosten lag Yellowknife. Ertussenin lag niets, op een paar nietige gehuchten na. Een gevoel van mismoedigheid nam plotseling bezit van hem en loom trok hij het stoffige gordijn dicht, tegen de zonovergoten nacht. Hij kroop weer in bed, tussen het bovenlaken en het morsige onderlaken van roze satijn.

3

Cardiff, 2006

Beste David,
Jouw reactie op Miranda's brief verheugt me, hoewel ik niet
kan begrijpen waarom je haar al in dit stadium haar illusies
wilt ontnemen. Ik neem aan dat het een schok voor je moet zijn
geweest, dat je – nu je na al die jaren vergeten was wat er was
gebeurd – plotseling wordt herinnerd aan wat je achter hebt
gelaten. Blijkbaar was je er niet in het minst nieuwsgierig naar,
en plichtsbesef had je evenmin genoeg, want we hebben nooit
een woord van je vernomen.
Je bent bijna dertien jaar gevrijwaard geweest van zorgen en
plichten, maar ik vrees dat daar nu een eind aan moet komen.
Een tweeling opvoeden zonder vader is niet gemakkelijk ge-
weest, niet financieel, noch in andere opzichten.
Ik weet dat je getrouwd bent, maar ik ben er zeker van dat je
echtgenote als vrouw begrip zal hebben voor het feit dat je ui-
teraard verplichtingen hebt aan je natuurlijke kinderen.
Je hebt mijn nummer. Voor je uit schuiven is zinloos.
                                                    Hartelijke groet,
                                                    Sheila Hailey

Er was storm voorspeld en de wind zwiepte fel langs de achterkant
van het huis. Dafydd zat aan de keukentafel. Hij schonk zichzelf een
glas wijn in en wachtte totdat Isabel de brief had gelezen. Ze stond
bij het raam en hield de brief naar het licht, zoals ze soms ook deed
met bankbiljetten, speurend naar tekenen van vervalsing. Hij wist
echter dat ze dit kleine ritueel speciaal voor hem opvoerde. De ma-

nier waarop ze naar het papier tuurde, zodat haar wenkbrauwen elkaar bijna raakten... Wat hij haar niet had laten zien, was het kiekje dat met de brief was meegestuurd: een foto van een mollig meisje met een dikke haardos, die haar arm om het middel had geslagen van een lange, magere jongen met lang rood haar. Als tweeling leken ze in feite nauwelijks op elkaar, en ze leken geen van beiden ook maar in de verste verte op hém.

'Lees nou maar, in godsnaam.' Onder de tafel vouwden zijn handen de envelop steeds verder op, tot een strakke, kleine kubus. 'Wat denk je te ontdekken? Vingerafdrukken?'

Ze staarde hem woest aan. Nadat ze de brief had gelezen, wendde ze zich tot hem. 'Je hebt ze geschréven. Waarom, in 's hemelsnaam? Ik dacht dat we hadden afgesproken om niet...'

Een luid gekletter redde hem van haar toorn, althans, tijdelijk. Dafydd haastte zich naar de eetkamer en tuurde door het raam de smalle, lange tuin in. De schuur stond op zijn fundering te wankelen bij iedere nieuwe windvlaag. Isabel was hem gevolgd.

'De schuur vliegt straks de lucht in.' Dafydd staarde naar het nietige bouwsel en verheugde zich in stilte over de krachten van de natuur, ook al waren ze in potentie destructief.

'Sinds wanneer doe jij dingen achter mijn rug? Ik dacht dat we hadden besloten dit samen het hoofd te bieden.'

'Als die schuur tegen de serre knalt... verdomme, moet je de bomen zien.' Het Victoriaanse huis was solide gebouwd, maar de twee enorme bruine beuken in de tuin stonden er veel te dicht bij. 'Laten we hopen dat we voldoende verzekerd zijn.'

Isabel greep hem bij de arm en draaide hem met een ruk naar zich toe. 'Die bomen kunnen barsten, en de verzekering erbij. Geef me uitleg over dit hier,' zei ze met stemverheffing, mede om zich boven de huilende wind verstaanbaar te maken. Ze maakte met haar wijsvinger priemende bewegingen naar de brief in haar hand.

Er was nog geen week voorbijgegaan sinds hij het meisje had geschreven. Hij had gedacht dat de post in de North West Territories wel langzaam zou werken. Net als vroeger. Hij keek naar Isabels geërgerde gezicht. Haar ogen, groot en intens, boorden zich woedend in de zijne.

'Luister. Ik heb erover nagedacht en ben tot de conclusie gekomen dat ik dit niet boven mijn hoofd wilde laten hangen. Daarom heb ik teruggeschreven om dat meisje duidelijk te maken dat haar moeder zich moet hebben vergist, omdat ik onmogelijk haar vader kán zijn. En ik heb haar geluk gewenst met haar pogingen haar echte vader te vinden. Meer niet.'

'Ik zou graag zien wat je precies hebt geschreven.'

Hij had geen kopie van de brief gemaakt en begreep nu pas dat hij dat beter wel had kunnen doen. 'Hé... het spijt me.' Hij pakte haar vast en trok haar naar zich toe. 'Ik weet dat we hier samen mee te maken hebben, maar laat de afhandeling gerust aan mij over. Ik heb er met Andy over gebeld. Hij gaf me de raad terug te schrijven en te zeggen dat ze de verkeerde voor had. Ik zoek dit wel uit. Vertrouw me nou maar, ja?'

Hij wilde er zelfvertrouwen in laten doorklinken, maar de brief van Sheila Hailey was shockerend duidelijk. Dit was een zware proef voor Isabels vertrouwen en haar onlustgevoelens zweefden als een donkere wolk boven zijn hoofd. Haar lichaam voelde stug aan in zijn armen.

'Nee.' Isabel maakte zich los uit zijn omhelzing. 'Speel het officieel. Vraag Andy dit mens, deze Sheila, rechtstreeks te schrijven.' Ze trok haar pakje shag tevoorschijn uit de zak van haar rok en begon een sigaret te rollen. 'Ik weet wat je mij over die Sheila en al dat gedoe tussen jou en haar hebt verteld, dus bespaar je de moeite het allemaal te herhalen. Die brief klinkt zelfverzekerd genoeg. Ze is duidelijk uit op geld en denkt dat jij het haar gaat geven.'

Vermoedelijk had Isabel gelijk, waar het Sheila betrof, maar hij kon niet inzien dat wat alimentatie al deze moeilijkheden waard was, laat staan de schade die deze schertsvertoning haar kinderen kon toebrengen. Hij speelde met het idee de een of andere kinderbeschermingsinstantie in Canada te vragen een onderzoek in te stellen. Per slot van rekening was die vrouw niet helemaal in orde, dat kon niet anders. Kon de zorg voor twee kwetsbare pubers wel worden toevertrouwd aan iemand als zij? Hij was overtuigd van niet. Ze had haar dochter een fantasie opgedrongen waarin hij de vader was naar wie ze smachtte, de man die haar kon verlossen van de hemel mocht weten wat voor vreemde en disfunctionele gezinssituatie...

Hij liet Isabel achter bij het venster en liep naar de keuken om de wijnglazen te halen. Hij liep ermee naar de serre, een oorspronkelijke uitbouw waar ze gedurende de zes zomers van hun huwelijk vaak hadden geslapen. Nu leek het ding klam, tochtig en kwetsbaar.

'Kom hierheen,' riep hij luid naar Isabel. 'Hier maken we deel uit van de elementen.'

Isabel kwam hem na en staarde zorgelijk naar het glazen dak. Ze sloeg een oude lappendeken om zich heen en nestelde zich in de hoek van de zitbank, op ruime afstand van Dafydd. Haar lange lichaam leek wat magerder. Ze had iets van die lichte welving op haar heupen die ze voortdurend probeerde te elimineren verloren. Haar gezicht was bleek – haar vooruitspringende jukbeenderen wierpen diepe schaduwen op haar wangen en ze had kortgeleden haar dikke, tot op de schouders afhangende haar in een opwelling laten knippen. Het was tamelijk onbeholpen gedaan, zodat ze nu een kort kapsel had dat haar niet echt stond. Mooi was ze nooit geweest, en bevallig evenmin, maar ze had een sterke erotische aantrekkingskracht over zich, een elegantie die maakte dat ze werd nagekeken. Hij wist nog hoe ze hem de adem had benomen, de eerste keer dat hij haar had gezien.

Nu hij naar haar keek, voelde hij frustratie in zich opwellen. Deze brieven uit Canada kwamen op een wel heel ongelukkig moment. Hij had het juiste ogenblik willen afwachten om het haar te vertellen, maar kon hij haar er nu mee overvallen?

'Weet je wat, Dafydd? Vraag haar maar om haar kinderen een DNA-test te laten ondergaan. Ik heb sterk het gevoel dat ze er anders niet mee zullen ophouden. Dit hele gedoe kan een lang slepende kwestie worden...'

Hij kwam naar haar toe, ging naast haar zitten en nam haar hand. 'Je hebt gelijk.' Haar hand was kil en had een enigszins blauwe kleur. Hij kuste hem teder. 'We moeten de koe bij de horens vatten. Ik zal Sheila bellen om haar te zeggen dat ze die DNA-test onmiddellijk moet laten doen en dat ze geen contact meer met me hoeft op te nemen voordat de uitslag er is. Ik ben er zeker van dat we er dan verder niets meer over zullen horen.'

'Ik heb te doen met die kinderen,' zuchtte Isabel en legde haar hoofd tegen zijn schouder. 'Je zou een geweldige vader zijn geweest.' Hij hoorde het verdriet in haar stem. Ze tilde haar hand op en haalde haar vingers door zijn haar. 'Het klinkt misschien krankzinnig uit mijn mond, maar in sommige opzichten zou het zo gek nog niet zijn. Parttime ouderschap – kinderen die in de zomervakantie overkomen. Ik denk dat ik daar wel mee uit de voeten had gekund. Misschien zou het voor ons het beste zijn geweest dat ons had kunnen overkomen. In elk geval zouden het jóúw kinderen zijn geweest.'

Dafydd haalde diep adem en sloot zijn ogen. 'Dit kun je niet menen.'

'Zeggen ze niet dat kinderloze echtparen die kinderen adopteren, vaak opeens ontdekken dat de vrouw zwanger is geworden omdat de druk van de ketel is?...'

'Een sprookje,' viel hij haar bruusk in de rede. Misschien was dit toch het juiste moment om het haar te zeggen. Ja, waarom niet nu?

'Isabel, er is iets waarover we moeten praten...'

Een harde windvlag liet de ruiten rammelen. Ze sprongen allebei op, tegelijkertijd. De storm rukte aan de uitbouw en liet het houten geraamte kraken. De schuur achter in de tuin rammelde en danste, totdat de wind het bouwsel plotseling in zijn greep nam en het als een strandbal over het gras liet rollen totdat het klem raakte tegen de schutting.

'Jezus,' hijgde Dafydd. 'Laten we de luiken dichtdoen en de deuren vergrendelen.'

'Ik zal je vastbinden,' fluisterde Isabel hem in het oor, terwijl ze zijn hand greep en hem wegtrok van het raam, richting trap. 'Niets is beter geschikt om een dalend geboortecijfer tegen te gaan dan een orkaan.'

De wind wakkerde aan toen hij door de diepe sneeuw waadde, in het spoor van een kleine vos. De poedersneeuw was droog en kraakte luid onder zijn laarzen. Hoge bomen torenden boven hem uit – dennen en sparren. Bij iedere stap zakten zijn voeten dieper in de sneeuw. De wind joeg ijzige sneeuwvlokken in zijn ogen. Hij kon niet meer zien waar hij heenging en het begon hem te dagen dat hij het spoor van de vos bijster was. Het dier had zich uit de voeten gemaakt. Hij riep hem, in de wetenschap dat de vos hem ergens heen moest leiden. Ergens waar hij beslist heen moest, iets van groot belang.

Plotseling voelde hij een folterende pijn in een van zijn benen. Hij gooide zijn hoofd in zijn nek en schreeuwde het uit. De echo's van zijn schreeuw weergalmden door de bomen. In de verte beantwoordden wolven zijn kreet met gehuil. Wild draaide hij zich om, in een poging zijn been los te rukken, maar nu zag hij dat zijn been gevangenzat in de kaken van een dichtgeklapte val. De zwarte stalen tanden waren dwars door zijn laars doorgedrongen tot zijn enkelbot. Intussen waren de wolven hem genaderd. Nu stonden ze in een kring om hem heen, tussen de bomen. De nacht was zwart en hij kon ze nauwelijks onderscheiden, maar hun gele ogen leken te gloeien terwijl ze hem in stilte observeerden. Hij bracht zijn been naar zijn mond en begon aan het vlees te knagen, om zichzelf te bevrijden.

Isabel streelde zijn voorhoofd. 'Word wakker.' Ze tikte zacht tegen zijn wangen. 'Ik ben bang dat je iets onder de leden hebt. Je bent helemaal doorweekt. Blijf liggen, dan zet ik een kop thee voor je.'

'Nee, je hoeft niet op te staan. Ik mankeer niks. Het was maar een droom.'

Het was vier uur 's nachts. De wind geselde nog steeds de nok van het dak boven hun hoofden. De droom had de stank van doodsangst in zijn neusgaten achtergelaten. Hij had een duidelijk besef van het gevoel dat er jacht op hem werd gemaakt, en dat hij in een val was gelopen. Hij huiverde en raadpleegde de wekker. Op dat moment herinnerde hij zich hun plan. Hij berekende het tijdsverschil. Met tegenzin stapte hij het bed uit.

'Wil je meeluisteren, of zal ik naar beneden gaan?'

Isabel keek hem verbaasd aan en hij wees naar de telefoon. Ze schudde resoluut het hoofd.

Hij schoot zijn trainingspak aan, en een paar dikke sokken. 'Ik kom terug,' zei hij glimlachend.

Hij nam het telefoontoestel in de woonkamer en vouwde Miranda's brief open. Opnieuw kreeg hij een schok bij het zien ervan. Niet door wat de brief beweerde, maar vanwege de onrust die het epistel in zijn leven had veroorzaakt. Het had dingen omhooggewoeld die hij met veel moeite had proberen te vergeten. Hij vond het telefoonnummer en toetste het in.

'Hallo.'

Hij herkende de stem ogenblikkelijk, ook na al die jaren.

'Met Dafydd Woodruff,' begon hij formeel. 'We moesten maar eens praten.' Het irriteerde hem dat zijn stem licht beefde en dat zijn mond opeens kurkdroog was.

'Geen moment te vroeg, Dafydd,' zei Sheila Hailey. Haar stem klonk lichtelijk geamuseerd. 'Je hebt mijn brief dus gekregen.'

'Waarom doe je dit?'

'Ik doe "dit", zoals jij het noemt, omdat Miranda me al een paar jaar lang heeft gevraagd wie toch haar vader was. Op een gegeven moment vond ik dat ik haar niet langer in het ongewisse moest laten. Mark maakt het niet uit, maar ook hij behoort het te weten.'

Lang begraven gevoelens laaiden in hem op, als de vlam van een lasbrander. 'Wat is dit voor een belachelijke stunt die je probeert uit te halen?' riep hij uit. Hij slikte de rest in; het was niet goed om op die manier te beginnen.

'Je kunt razen en tieren zoveel je wilt, Dafydd,' zei Sheila koeltjes, 'maar het maakt geen enkel verschil. Jij bent de vader van mijn tweeling en zou er verstandig aan doen er maar aan te wennen. Neem gerust de tijd. Intussen zou je een begin kunnen maken met het betalen van wat alimentatie. Per slot van rekening heb ik je er bijna dertien jaar niet mee lastiggevallen.'

'Ik heb je nooit met een vinger aangeraakt!' riep hij uit, maar intussen kromp hij ineen bij de gedachte aan wat hij had gedaan.

'Ach, Dafydd, hou toch op. Ik weet wel dat je dronken was en zo, maar zoiets kun je onmogelijk vergeten zijn.' Haar stem klonk kalm

48

en redelijk. 'Eerst heb je me iets laten slikken om mij in je bed te krijgen, en toen ik zwanger bleek en je vroeg om tenminste een abortus, heb je dat niet alleen geweigerd, maar viel je me zelfs aan. Je mag van geluk spreken dat ik niet naar de politie ben gestapt. Onder al die slijmerige Britse arrogantie ben je eigenlijk maar een gewone schurk.'

'Wacht eens even. Je kwam om een abortus, ja... Natuurlijk heb ik geweigerd... ik had er niets mee te maken! Waar klets je verdomme over – ik zou jou hebben verdoofd om je in bed te krijgen? Niets van dat alles is ooit gebeurd.' Dafydd wachtte even, een en al ongeloof. 'Wou je mij soms van verkrachting beschuldigen?'

'Wat dacht jij dan dat het was? Een knus vrijpartijtje? Moeilijk te bewijzen, aangezien het in die stacaravan van jou was gebeurd – en ik had geen behoefte aan een schandaal. Je weet hoe de tamtam werkt, hier in Moose Creek.' Ze lachte kort. 'Ze zouden ervan hebben gesmuld, nietwaar? Denk je eens in.'

Plotseling zag hij Sheila glashelder voor zich, met haar opvallende rode haar en spottende blauwe ogen. Hij dwong zichzelf zijn woede te verbijten en liet zijn stem zo beheerst mogelijk klinken.

'Ik wens niets met jou te maken te hebben, en met je kinderen al evenmin. Als je soms van plan bent me nog langer lastig te vallen, zal ik een DNA-test eisen.' Hij wachtte op haar reactie, maar ze zei niets. 'Het lijkt me dat je dáár niet al te happig op zult zijn.'

'Zit daar maar niet over in,' antwoordde ze luchtig. 'Organiseer jij het, of moet ik het doen?'

'O, ik zoek het wel uit, maak *jij* je daar maar geen zorgen over. Ik wil deze kwestie zou gauw mogelijk uit de wereld hebben.'

'Komt mij ook prima uit. En daarna zul je over de brug moeten komen. Ik laat ze morgen bloed afnemen, als je wilt.'

Ze stemt ermee in, goddank. Dat zal er een eind aan maken. 'Nee, wacht maar tot je bericht krijgt van mijn advocaat, Andrew McCloud. Ik zal vandaag met hem praten. Hij zal de test regelen, bij een officieel gecertificeerd laboratorium.'

'Ik peins er niet over ter wille van jou ergens heen te gaan,' zei ze resoluut. 'Ik ben bereid te doen wat ik moet doen, maar dat bloed kan hier in het ziekenhuis worden afgenomen.'

'O, dat lijkt me prima. Het maakt geen verschil waar of hoe jij dat bloed laat afnemen. Het gaat hier om mijn DNA en niet het jouwe.'

'Luister, Dafydd, ik wist vooruit dat je een DNA-test zou willen; daar zit ik niet mee. Ik begrijp dat het nodig is, maar je bént de vader van mijn kinderen en ik weet dat jij dat weet. Kom, wees nou eens realistisch, waarom zou ik jou ermee lastigvallen als het niet zo was? Waarom zou ik mijn tijd aan jou verspillen?'

'Dit hele gesprek is zinloos.'

'Wil je niet even met Miranda praten? Ze wil je dolgraag spreken.'

'Nee...' zei hij aarzelend, maar toen hoorde hij Sheila de naam van het meisje roepen. Misschien zou het een goed idee zijn het meisje te woord te staan en haar uit de droom te helpen. Er verstreken enkele seconden, en toen had hij geen andere keus meer.

'Hi, paps.' Een vrolijke, zelfverzekerde meisjesstem. 'Hoe gaat het met je?'

'Dag, Miranda. Luister, ik vrees dat je moeder een grote vergissing maakt. Het spijt me dat je dit allemaal moet doormaken... voor niets...'

'Maak je geen zorgen, paps.' Ze zei het met zoveel enthousiasme en warmte dat het hem pijn deed.

'Nee, werkelijk, ik maak me er wel zorgen over. Denk niet dat je moeder het bij het rechte eind heeft. Ik vrees dat ik je zal moeten bewijzen dat ik je vader niet bent. Je kunt dit gedoe beter niet serieus nemen.'

'Heb je de foto gekregen die mams heeft gestuurd? Volgens mij lijk ik wel een beetje op jou,' kirde Miranda, zonder zich iets aan te trekken van zijn tegenwerpingen. 'We hebben van *The Moose Creek News* een foto van je losgekregen, gemaakt toen je hier net was aangekomen – en we hebben ook nog een andere foto, genomen op een feestje bij meneer Bowlby. Ik weet dat het honderd jaar geleden is, maar je bent best knap. Mark heeft het rooie haar van mams, maar ik lijk meer op jou...'

De telefoon werd het meisje uit handen genomen.

'Mooi, je hebt haar gesproken,' zei Sheila nuchter.

'Dag, paps!' riep het meisje naar de telefoon.

Dafydd hing op en bleef een paar minuten zitten. Hij wilde zichzelf de tijd gunnen om zich te herstellen en zich te bezinnen op wat hij tegen Isabel kon zeggen. Sheila Haileys beschuldiging dat hij haar zou hebben verkracht was grotesk en absurd – ja, zelfs bijna grappig. Ze moest ergens de draad zijn kwijtgeraakt. Misschien had ze zoveel kerels in haar bed gehad dat ze zelf was vergeten met wie ze wat had gedaan. Misschien was ze stapelgek. Nou ja, het maakte niet uit, de test zou het uitwijzen. Als de resultaten er waren, zou ze hem verder wel met rust laten. Misschien zou ze dan iemand anders op de korrel nemen, de arme donder, iemand die dichterbij woonde.

Langzaam stond hij op. Hij was blij dat Isabel niet had willen meeluisteren. Ze zou er alleen maar erger door van streek zijn geraakt. Sheila's stem klonk zo verdomd rationeel en zelfverzekerd. Isabel zou aan zijn eerlijkheid zijn blijven twijfelen, totdat de uitslag van de test er was.

Hij beklom de trap als een oude man. Hij voelde zich afgemat. In de slaapkamer zat Isabel rechtop in bed. Toen hij zijn hand uitstak om haar hoofd te strelen, keek ze op. De blik waarmee ze hem aankeek, was ijzig. Ze had de slaapkamertelefoon in haar hand en liet het ding naar hem wijzen. 'Raak me niet aan, ja?'

'Wat? Isabel, alsjeblieft, luister nou...'

'Nee, jíj luistert,' siste ze. 'Ik heb haar gehoord en het is allemaal zo klaar als een klontje. Anders zou ze dit niet doen. Waarom blijf je zo je best doen om te ontkennen dat je haar hebt geneukt? Geef ten minste dát toe. Maak liever schoon schip...'

'Ik héb het verdomme niet gedaan!' zei hij met stemverheffing. 'Ik heb godverdomme nooit geslachtsverkeer gehad met dat... dat mens.'

Isabel staarde hem woedend aan. 'Ik ben onder de indruk. Jij hebt dus geen geslachtsverkeer met dat mens gehad, maar toch heb je haar op de een of andere manier zwanger gemaakt. Ra ra! Ik zou dolgraag willen weten hoe jullie dat hebben klaargespeeld.'

'Isabel, in jezusnaam, er valt niet met je...'

'Als jij dan zo verdomd slim bent, waarom speel je het dan niet klaar bij míj?'

'Grote god. Nu is het genoeg!'

'Niet genoeg voor mij, "schat". Je zult beter je best moeten doen, nu ik weet dat je er verdomme zo goed in bent.'

'Nou, ik heb genoeg van al dat geprobeer,' snauwde hij haar toe. 'Ik heb nóóit iemand zwanger gemaakt – en zal ik jou eens wat zeggen, Isabel? Ik heb het gehad met dat verdomde gedoe. Hoor je? Ik wil geen kinderen – niet van haar en niet van jou, van niemand. Ik heb al die tijd niet anders gedaan dan proberen jou te bevruchten, in de hoop dat je zwanger zou worden, en moet je ons nu zien. Waar is de liefde gebleven? Ik heb geprobeerd het je te zeggen, maar je bent domweg...'

Hij zweeg. Waar was hij mee bezig. Ze staarden elkaar even aan. Hij walgde van zichzelf en was ontsteld over zijn tactloze uitbarsting. Nu zag hij met spijt hoe de schok zichtbaar werd op Isabels gezicht. Ze had hem gehoord, eindelijk had ze hem gehoord, definitief. Ze stond op van het bed, tilde haar arm op en smeet hem de telefoon uit allemacht naar zijn hoofd. Het toestel scheerde langs zijn schouder en smakte tegen de muur. In het pleisterwerk bleef een diep gat achter.

4

Moose Creek, 1992

Dafydd probeerde de vreemde verzameling sleutels te sorteren. Ze waren versleten en roestig, maar hij kon zich de moeite besparen – het slot was opengebroken. De deur was met een zwaar stuk gereedschap opengewrikt, vermoedelijk een grote schroevendraaier. Hogg had hem al gewaarschuwd voor de toestand waarin de stacaravan moest verkeren en had hem zelfs twee nachten extra in het Klondike Hotel aangeboden, om hem de gelegenheid te geven de gevolgen van de inbraak te herstellen.

'Er mankeren een paar kleinigheden aan,' had Hogg vaag gezegd. 'De kachel moet opnieuw worden aangesloten en een van de ramen is gebarsten.'

Dafydd was tot de conclusie gekomen dat hij geen nacht langer wilde worden gewiegd door de bewegingen van het copulerende paar in de kamer naast de zijne, of zijn achterwerk in bed te bezeren aan de rotzooi van iemand anders.

'Dokter Hogg... Andrew... Het maakt me niet uit wat er hersteld moet worden.' Hij had zich verbaasd over zijn eigen assertiviteit. 'Als jij denkt dat de stacaravan onbewoonbaar is, kan ik wel iets anders vinden. Ian zei me dat er hier genoeg stacaravans leegstaan. Hij kan er binnen het uur een voor me regelen, zegt hij.'

Als oudste vennoot van het ziekenhuis en de kliniek scheen Hogg, terzijde gestaan door Sheila Hailey, het allemaal alleen voor het zeggen te hebben. Hij was een kleine, corpulente man van achter in de veertig en hij was een van de eerste artsen geweest die zich in Moose Creek hadden willen vestigen. Hij was eigenaar van een stacaravanpark en nog wat andere ondernemingen en leek van nieuwkomers als Dafydd zonder meer te verwachten dat ze bereidwillig zijn zakken spekten. Nou, dat zien we later dan wel, had Dafydd gedacht, terwijl hij zijn hand uitstak naar de roestige sleutelbos.

Vlug had Hogg hem een paar biljetten van twintig dollar in handen gedrukt. 'Zoek een werkster die de boel voor je aan kant kan brengen. De stacaravan naast de ingang wordt bewoond door een gedienstige vrouw, mevrouw Breummer. Ze zal het vandaag nog voor je doen – ze zit altijd verlegen om geld.'

De deur zwaaide open, losjes hangend aan de scharnieren. Dafydd liet zijn koffers achter op de veranda. Ze waren hem gebracht door Martha, die voor de deur van het Klondike op hem scheen te hebben gewacht toen hij halverwege de middag het hotel verliet. Hij stapte naar binnen. Overal op de vloer lagen glasscherven, peuken, gebruikte condooms en smerige kleding. Een van de ramen was verbrijzeld en een elektrische kachel was van zijn smerige post gerukt en op een zitbank neergekwakt. Op een van de wanden waren donkerbruine spatten te zien, vermoedelijk gedroogd bloed. Dafydd vroeg zich af of hier misschien iemand was vermoord, maar een korte inspectie van de slaapkamer en badkamer leverde geen lijk op.

Een "inbraak"? Eerder een stelletje krakers dat hier ontzettend had huisgehouden. Plotseling was hij woest. Zo behandelde je toch geen nieuwkomer die van de andere kant van de aardbol was gekomen voor een baan waarvoor ze anders geen zinnig mens konden vinden? Nou ja, in feite was het zijn eigen schuld. Hij had erop gestaan de sleutels mee te nemen. Hoe kon hij in 's hemelsnaam de vrouw die zo verlegen was om geld benaderen met het verzoek deze verschrikking aan te pakken?

Zijn eerste impuls was weggaan, maar Martha en haar gammele taxi waren al vertrokken en de avond begon te vallen. Ach, wat kan het me verdommen, dacht hij nijdig, dit is je verdiende loon – het kan gewoon niet beter. Een nacht hou ik het wel uit. Hij zette zijn koffers binnen en diepte zijn enige spijkerbroek eruit op. Hij rolde zijn mouwen op en ging aan de slag.

'Moeder Maria!' Martha was binnengekomen en hief haar armen op naar de hemel. 'Ik herinnerde me net dat mijn neef me had verteld dat hij hier ergens naar een feest was geweest. Ik dacht, laat ik even teruggaan om te controleren of het niet juist deze stacaravan was.' Ze keek om zich heen en schudde triest het hoofd. 'Kan het erger?'

'Wat halen ze hier in godsnaam uit?' riep Dafydd. 'Zo'n troep heb ik van mijn leven nog niet gezien!'

'Ach, gewoon jongeren die wat lol hebben getrapt.' Martha sloeg haar zware armen over elkaar, boven op haar buik. 'Eerlijk gezegd heb ik het inderdaad wel erger meegemaakt. Niemand verhuurt een stacaravan aan een inheemse jongere, of wat voor jongere dan ook, uiteraard.' Ze haalde demonstratief haar schouders op om hem duidelijk te maken dat oorzaak en gevolg een onontkoombare wet waren.

Dafydd keek haar aan, geïrriteerd. 'Zoiets is dus tamelijk normaal, hier? Aan de orde van de dag. Bedoel je dat soms?'

'Luister.' Martha zette haar handen op haar heupen. 'Weet je wat? Jij geeft me wat dollars en ik zal je helpen. Ik heb schoonmaakspullen in de kofferbak van de Valiant, met het oog op kotsende passagiers.' Ze stak haar mollige hand uit, de palm omhoog, en Dafydd gaf haar de biljetten van twintig die hij nog in zijn borstzak had.

Samen gingen ze aan het werk. Ze tilden de kachel weer op zijn plaats, maar niet voordat Martha het ergste vuil met een kotsspatel weg had geschraapt. Ze veegde de vloer aan en besproeide alles met chloorwater.

De vrouw in geldnood kwam ook, net als een groep andere buren, daartoe gedreven door nieuwsgierigheid en wat saamhorigheidsgevoel. Ook zij hadden veel te stellen gehad met de bende die in de stacaravan zo had huisgehouden. Ze sleepten allerlei schoonmaakartikelen aan, net als een thermosfles vol koffie en een stel ronde bosbessencakes van onbestemde datum. Een jongeman kwam een oude, half doorzichtige plaat perspex brengen, die hij met industrieel plakband behendig voor het verbrijzelde raam bevestigde.

Ondanks hun vrijgevigheid en praktische hulp bespeurde Dafydd wat stugheid bij zijn nieuwe buren. Zelfs Martha liet haar gebruikelijke grapjes achterwege nu er anderen bij waren. Ze sloeg nu een tamelijk afgemeten toon tegen hem aan. Misschien waren dokters inderdaad zo verachtelijk als ze had laten doorschemeren.

'Als er verder nog iets is dat je nodig hebt, dokter, klop je maar gerust aan, hoor je?' zei een tengere man van middelbare leeftijd, getooid met een draderige druipsnor en lange, ruige bakkebaarden. Hij droeg een zwarte pet waaruit een grijze paardenstaart omlaag viel. Zijn broek werd opgehouden door een riem met een koperen gesp, zo te zien van Mexicaanse makelij.

'Noem mé maar Dafydd,' zei hij tegen iedereen. 'Ik ben jullie heel dankbaar voor jullie hulp. Als ik iets terug kan doen, laat het me dan even weten, ja?'

De tengere man was de laatste die wegging. Hij bleef op de veranda talmen en pakte Dafydd licht bij zijn arm, terwijl hij zijn gezicht vlak bij het zijne bracht. Zijn adem was overweldigend zuur.

'Ik ben Ted O'Reilly... van hiernaast. Wat je zo-even zei – er is inderdaad iets. Die kikkervreter... je weet wel, die kerel die vóór jou hier was, helemaal uit Montreal, gaf me altijd iets voor mijn poot. Die is er slecht aan toe – eeuwig pijn.' De man maakte een grimas om aan te geven hoe ernstig hij eronder leed.

'Wil je dat ik er even naar kijk?'

'Nee, er valt niks aan te zien. Het zit vanbinnen... eh... in het bot, vat je?'

'Wat schreef hij je dan voor?'

'O, nee, zo zat het niet.' De man bewoog zijn schouders even, niet helemaal op zijn gemak. 'Hij vond het gemakkelijker het spul mee te brengen... regelrecht van het ziekenhuis... ik woonde toch hiernaast...'

'Hoe heette dat medicament – weet je dat?'

'Valium, of iets dergelijks.'

'Dat is een tranquillizer.' Dafydd voelde dat dit een kant uit ging die hem niet aanstond.

'O, maakt niet uit. Het werkte geweldig.'

Ja, dat zal wel, dacht Dafydd. Hij vroeg zich af wat dokter Odent in ruil had gekregen voor zijn 'behandeling' van dit onaangename heerschap.

'Het lijkt me niet dat valium het beste is voor je been.'

'Ik gaf hem altijd wat geld voor de moeite.'

'Het lijkt me beter dat je naar het ziekenhuis komt.'

De man deinsde achteruit. 'Het ziekenhuis? Voor een operatie? Nee, dank je, ik heb geen operatie nodig.'

Dafydd onderdrukte een grijns. 'De polikliniek, bedoelde ik.'

'Ik ga er niet vaak uit, ik heb de pest aan lopen. De pijn, weet je.'

Dafydd wist dat dit niet de laatste keer zou zijn dat hij dit verzoek zou moeten aanhoren. De man stonk naar drank en zweet en zijn magere handen beefden enigszins. Hij leek zestig, maar kon net zo goed veertig zijn.

'Ik geef je wel een lift naar het zieken... de polikliniek. Je kunt zelf je ochtend uitkiezen – en terug neem je de taxi.'

'Ik breng je wel thuis, O'Reilly,' riep Martha van achter de deur.

De man deinsde opnieuw achteruit; hij wist zich betrapt door iemand die wel beter wist.

'Goed, goed.' Hij haastte zich de verandatrap af. Geen spoor van mank lopen.

Martha kwam tevoorschijn uit haar schuilplaats en klopte heftig haar kleren af met haar mollige handen, alsof ze zich zo kon ontdoen van al het vuil waaraan ze bloot hadden gestaan.

'Dat is een goed voorbeeld van het soort gasten dat je moet zien te mijden,' waarschuwde ze Dafydd. 'Jammer dat nou juist híj naast je moet wonen.'

'Ik dacht dat jij vanmorgen naar de kliniek zou komen om naar dat gezwel aan je voet te laten kijken. Ik verwachtte je.'

'Ja, hoor,' teemde ze gemelijk. 'Sommigen onder ons moeten zwoegen voor de kost, geloof het of niet.' Ze had twee ongelijke sportschoenen in haar hand en klemde de doos met haar schoonmaakspullen onder haar andere arm. Ze straalde tevredenheid uit, alsof ze een voornemen met succes had uitgevoerd en daarmee had bereikt dat Dafydd de komende tijd diep bij haar in het krijt stond.

'Ik neem deze sportschoenen mee, als je het niet erg vindt,' zei ze, terwijl ze hem het smerige paar voor de neus hield.

'Ach, maak 'm nou,' lachte hij. 'Gooi ze in de container. Ze zijn niet eens even groot.'

'Container? Bedoel je dat ik ze weg moet gooien als oud vuil?' zei ze berispend. 'Arme knul. Blijkbaar heb je nog geen flauw idee waar je in godsnaam bent beland.' Ze stapte in haar auto en reed met slippende banden weg naar de lage rode schijf die de zon moest zijn.

Er waren geen dekens of lakens, zodat Dafydd zich volledig gekleed op de bevlekte matras uitstrekte. Zijn achterhoofd rustte op de schone badhanddoek die hij van thuis had meegenomen, met eronder een opgevouwen trui. Hij bedekte zich met zijn nieuwe badjas, regelrecht van Marks and Spencer in zijn woonplaats, Swansea. Die leek nu lichtjaren ver van deze uithoek van de wereld. Zijn ogen gesloten tegen het eeuwige licht beeldde hij zich in dat hij zich in de onberispelijke levensmiddelenafdeling van m & s bevond. Om hem heen allemaal keurige, schone mensen in nette kleding die zich goedgemanierd en ordelijk gedroegen en keurig verpakte levensmiddelen insloegen. Een toonbeeld van gezondheid, welvaart en beschaving.

Hij maakte een geluid dat het midden hield tussen ingehouden lachen en snikken, totdat hij er abrupt mee ophield. Ook hier waren de wanden dun; de stacaravans stonden slechts vierenhalve meter van elkaar. O'Reilly kon zijn maniakale uitbarsting hebben gehoord, en in dat geval zou hij er zeker van zijn dat ze alweer met een mesjogge arts waren opgezadeld. Een dokter die misschien een zacht eitje zou zijn en waarschijnlijk binnenkort zelf van alles en nog wat zou slikken. Dafydd vroeg zich af of het dit oord was dat de mensen liet afglijden naar apathie en verslavingen, of dat zich hier de droesem van de samenleving had verzameld. In beide gevallen zou hij er verstandig aan doen zijn laatste restje verstand intact te houden.

Hoe hij zich ook voortdurend inspande om een eind te maken aan zijn zelfkastijding en zijn verloren zelfvertrouwen te herwinnen, het gezichtje van Derek Rose bleef voor zijn geestesoog opduiken. Het scheen er altijd te zijn, geen zacht, rond kindergezicht, maar vrij puntige, vosachtige trekken, omlijst door sluik blond haar dat geknipt was alsof iemand een bloempot op zijn hoofd had gezet om daarna alles wat eronder uitstak weg te knippen. Op dit moment was zijn moeder, Sharon Rose, vermoedelijk in haar woning in de een of andere saaie gemeenteflat van Bristol, bezig met de verpleging van haar kind. Dafydd wenste dat zij hem en Biggs een proces om smartengeld had aangedaan. Dan had ze misschien met haar kind naar een wat aardiger onderkomen kunnen verhuizen. Maar nee, ze was niet dat soort vrouw. Het was hem verboden ook maar iets voor haar en Derek te doen – hij had hun niets mogen aanbieden. Zoiets deed je niet; het zou een schuldbekentenis zijn geweest.

Het maakte voor Dafydd zelf geen verschil dat de tuchtraad had verklaard dat hij zich niet schuldig had gemaakt aan wangedrag of nalatigheid, zodat zijn schorsing was opgeheven. Hij was incompetent, had zich onverantwoordelijk gedragen. Dat was het dilemma dat hem voortdurend door het hoofd spookte – kon hij eigenlijk wel medicus blijven? Hoe moest hij anders aan de kost komen? En waar? Niet thuis in Wales – in geen geval binnenkort. Voorlopig niet. Misschien nooit.

Hij zakte weg in een onrustige slaap, bevolkt door kleine, sombere kinderen, en een optocht van mannen met het uiterlijk van O'Reilly, terwijl hijzelf bezig was te verdrinken in een zee van sigarettenpeuken en vuile sportschoenen.

'Keurig op tijd,' grinnikte Hogg vaderlijk, toen hij Dafydd in de gang van het kleine ziekenhuis passeerde. Hij bleef staan terwijl hij met zijn dikke, tamelijk vrouwelijke vingers Dafydds mouw vastgreep. Het was duidelijk dat Hogg hier al aardig wat jaartjes verbleef, maar het accent en de manier van doen van de kleine man waren nog steeds op en top Brits en Dafydd moest er onwillekeurig om glimlachen.

'Helaas heb ik je gisteren aan niemand kunnen voorstellen... mijn verontschuldigingen. Morgen heb ik wat meer tijd.'

'Geen beter moment dan dit moment,' glimlachte Dafydd, blij met de kans de man om de oren te slaan met zijn eigen tijdobsessie.

'Gelijk heb je, helemaal gelijk,' zei Hogg monter, terwijl hij hem voorging door de gang. 'Dit hier is het kantoor… fax, fotokopieerapparaat, statusmappen van patiënten.' Hogg maakte met zijn dikke wijsvinger een zwaaibeweging die de hele morsige ruimte omvatte, inclusief twee rokende secretaresses. Hij nam echter niet de moeite ze voor te stellen en beende meteen verder de gang door, alsof Dafydd een lastige tiener was die door zijn nieuwe school rondgeleid wilde worden.

'Hier hebben we onze apotheek.' Achteloos wuifde hij naar een met plaatstaal versterkte deur. 'Die houden we op slot. We hebben wat probleempjes gehad met een van je voorgangers, maar het lijkt me beter geen namen te noemen. Medicamenten zijn populair in deze contreien, en nu heb ik het niet alleen over pijnstillers.' Hij lachte en keek Dafyddvoor het eerst recht in de ogen.

'Goeie genade, maak je geen zorgen. Ik begrijp het allemaal best, wij allemaal hier begrijpen het best, als je dit oord hier aanvankelijk wat ruig vindt, een soort Wild West. Zo'n jongeman als jij komt uit een tamelijk beschermde omgeving. Maar geloof me, ik weet wat het is. Ik heb het zelf doorgemaakt. Toen ik net hier was, werd het me algauw te machtig.'

'Och, zo onervaren ben ik nu ook weer niet,' protesteerde Dafydd lachend. 'In feite heb ik…'

Hogg stak zijn hand op om hem de mond te snoeren. 'Ah, we zijn er.' Hij bleef voor een andere deur staan en zijn houding veranderde bijna onmerkbaar. Zijn ronde schouders zakten nog wat verder af en het vrouwelijke aspect van zijn persoonlijkheid trad nog duidelijker op de voorgrond. Hij klopte licht op de deur, met een kruiperig lachje om zijn mond. Hij bracht zijn oor wat dichter bij de deur. Dafydd las het kunststofnaambordje op de deur. Sheila Hailey – Hoofd Verpleging.

'De dame die we hopen te ontmoeten is niet in haar kantoor, maar je loopt haar gauw genoeg tegen het lijf. Ze is mijn rechterhand, begrijp je. Hij boog zich naar Dafydd toe en fluisterde: 'Het zal lonend voor je zijn het haar wat naar de zin te maken.'

'Ik heb haar al ontmoet,' zei Dafydd. 'Ze maakte deel uit van het comité dat mij kwam verwelkomen.'

'Is het werkelijk?' Even leek Hogg niet zeker van zijn zaak. 'Wel, ach ja, natuurlijk. Ze doet alles even grondig, niets ontgaat haar.'

Opnieuw greep hij Dafydds mouw en trok hem mee. 'Sheila kent het klappen van de zweep, zelfs nog beter dan ikzelf. Als je iets nodig hebt, wat dan ook, zoals uit de apotheek, moet je bij haar zijn.'

'Hogg, heb je het over mij?' Sheila kwam achter hen met resolute passen een ziekenkamer uit. 'Op deze manier krijgt deze jongeman de verkeerde indruk.'

Ze voegde zich bij hen en ze lachten alle drie wat ongemakkelijk om haar toespeling. Met bezittersair legde Hogg een arm om haar schouders. 'Sheila, je hebt Woodright al leren kennen, hoor ik, onze nieuwste aanwinst. Hij moet een eersteklas chirurg zijn, volgens zijn referenties, en hij heeft al laten zien dat hij vroeg uit de veren komt. Net als jij en ik.' Hij kneep in haar schouders en Dafydd zag haar volle borsten licht omhoogkomen onder de druk. 'We zouden onze koffie wel samen met hem kunnen drinken. Voor de eerste keer, nietwaar?'

Dafydd voelde zich enigszins misselijk, zoals altijd als hij de sterke behoefte had om een gevat antwoord te geven en dat niet kon vinden. 'De naam… ik heet Woodruff,' hakkelde hij zwakjes, terwijl het duo hem stond op te nemen alsof ze een kostelijke zij spek monsterden – ieder op hun eigen manier en overduidelijk om verschillende redenen.

'Ja, heel aardig. Hij kan ermee door,' zei Sheila, en hun blikken kruisten elkaar kort. Ze straalde onmiskenbaar gezag uit, enigszins gecamoufleerd door haar wat speelse manier van doen. Haar ogen waren opvallend donkerblauw. Ze had ze zwaar opgemaakt, hoewel dat nergens voor nodig was. De rest van haar gezicht was melkachtig wit en overdekt met lichtroze sproeten. Bij daglicht leek haar lange haar, een weelderige massa rode krullen, te vlammen. Oogverblindend – maar toch was hij nu al op zijn hoede voor haar, al kon hij niet exact zeggen waaróm.

Hogg had geen last van dat soort voorbehoud. Hij staarde met onverholen bewondering naar haar. Toch scheen hij een echtgenote te hebben, Anita. Volgens een aardige verpleegster die Janie heette en die hij de vorige dag had leren kennen, leed Anita 'aan een postviraal vermoeidheidssyndroom, waarin Hogg weigert te geloven. Volgens hem is het allemaal inbeelding.' Ze hadden er samen om gegrinnikt. Janie was de enige sympathieke persoon die hij tot nu toe in Moose Creek had leren kennen. Ze was zesentwintig en getrouwd met een hardwerkende pelsjager. Ze hadden al twee kinderen en de derde was onderweg.

'Hogg heeft gelijk.' Sheila Hailey maakte zich los uit de bezitterige omarming van de man en deed een stap naar voren om haar slanke, sproetige hand op Dafydds onderarm te leggen. 'Ik hou wel een oogje op je.'

Hij had er nauwelijks een week op zitten toen hij voor zijn eerste grote uitdaging kwam te staan. De voorman van de houtzagerij had gebeld en gevraagd of er met spoed een dokter kon komen, zonder veel los te laten over de aard van het bedrijfsongeval. Hogg stelde voor dat Dafydd erheen zou gaan, als een manier om zich vertrouwd te maken met het 'de schaduwzijde van het industriële aspect' van zijn nieuwe arbeidsomgeving. Te oordelen naar de schichtige uitdrukking op Hoggs gezicht vermoedde Dafydd dat er iets gruwelijks gebeurd moest zijn, zodat hij zich met angst en beven afvroeg wat hij zou aantreffen. Daar had hij alle reden voor. Volgens een telling achteraf was het lichaam van de dode man uiteengereten in honderdtweeënveertig stukjes.

Terwijl hij in de ambulance wachtte totdat ze werden toegelaten op het fabrieksterrein, vroeg hij zich af of het verzamelen van menselijke resten wel deel uitmaakte van zijn taakomschrijving. Op zichzelf was die tamelijk vaag geweest: 'Algemene geneeskundige taken, normale operatieve ingrepen, wat verloskundige bijstand, psychiatrische ervaring nuttig.' Maar patholoog-anatoom? Hij wist dat het bij deze oproep om lijken ging, of flarden daarvan. Misschien had Hogg toch gelijk gehad toen hij zei dat het hem wel 'te machtig' zou worden. Hij had weinig te maken gehad met lijken, laat staan met stukken van lijken.

De voorman ving hem op voor de deur van zijn mobiele kantoor. Hij verontschuldigde zich dat hij de dokter had moeten lastigvallen en verwees vervolgens naar Dafydds betere kennis van de menselijke anatomie. 'Mijn mensen zouden niet weten wat precies wat is,' zei hij, zijn blik afwendend van het terrein achter hem, 'maar sommigen zullen het niet erg vinden een handje toe te steken.' Hij maakte een grimas en liet er haastig op volgen: 'Dat was wat lomp uitgedrukt, vrees ik.'

Het was Dafydds bedoeling niet, maar hij moest glimlachen om de woordspeling. De hele situatie had iets surrealistisch, waardoor hij het niet helemaal ernstig kon nemen. Tot op dat moment had hij nog niets gezien en wist hij niet waar hij moest beginnen.

'Wacht, ik geef je een paar stevige plastic zakken mee,' bood de voorman hulpvaardig aan. Hij verdween naar binnen. Een paar mannen in oranje overals groepten zwijgend samen, wachtend. 'Ah... en alsjeblieft...' De voorman hield hem een handvol geel rubber voor. 'Een paar handschoenen wil je misschien ook wel.'

'Wat is er precies gebeurd?' vroeg Dafydd aan de opgeschoten jongen met een donker uiterlijk, die hem op de voet volgde. Hij hield een oranje plastic zak open voor Dafydd, waar hij de menselijke resten in kon doen.

'Hij was bezig een band op te pompen, van die grote kiepwagen daar,' legde de jongen uit, wijzend naar een gigantisch voertuig met wielen van tweeënhalve meter hoog. 'De band klapte zomaar – een regelrechte explosie.' De jongen gooide zijn armen in de lucht en imiteerde het geluid van de explosie, waarbij hij een wolk speeksel-druppeltjes uitstiet.

'Nee...' mengde een oudere inheemse man zich in het gesprek. 'Dat heb je helemaal verkeerd gezien, jochie.' Hij probeerde de wiel-bout te verhitten met een lasbrander, om hem los te krijgen, vat je? Die band is geklapt door de hitte.'

Het lichaam van de arbeider was letterlijk door de explosie aan flarden gerukt. Stukjes vlees, botten en plukken haar waren over een afstand van een meter of vijftig in het rond weggeslingerd. Flar-den zwart rubber bedekten alles alsof een vulkaan gesmolten lava had uitgebraakt. Hier en daar lagen wat grotere lichaamsdelen, rood en glinsterend in de zon, zodat ze fel afstaken tegen het donke-re gravel van het fabrieksterrein, bezaaid met vettige machineonder-delen. Een deel van de schedel, leeg, lag half bedolven in het zand, als een scherf van een antieke vaas. Dafydd raapte het op en bekeek het vluchtig. Dit komvormige bot had de hersenen van een man van zijn eigen leeftijd bevat. Nog maar een uur geleden hadden die her-senen gedacht en gevoeld, uitkijkend naar het eind van de werkdag, zodat hij naar huis kon, naar zijn vrouw en kinderen. Dafydd liet het stuk schedel in de plastic zak vallen die de jongen hem gretig voorhield. Hij voelde zich zwakjes in de hitte en de weeë geur van bloed maakte hem misselijk. De gele handschoenen zaten onder het bloed en zijn oksels waren drijfnat van het zweet. Druppels zweet gleden van zijn voorhoofd en vonden hun weg naar zijn oogleden.

Geen spoor van afkeer bij de jongen. Hij staarde gefascineerd naar de verschillende organen en ledematen die in de zak beland-den. Toen de zak vol was, zette hij hem op de grond en rende direct weg om een nieuwe te halen.

De mannen die waren gerekruteerd om te helpen, porden alleen wat in het zand met hun werkschoenen met stalen neuzen. Zelfs deze geharde mannen kostte het moeite om het weefsel van hun dode collega aan te raken. De tegenzin van de chauffeur van de am-bulance was al even groot. Hij had zijn deel van het werk behoren te doen, maar hij stond naast de ambulance te prutsen aan een op-klapbare brancard, zogenaamd omdat het ding niet in orde zou zijn.

De voorman had de echtgenote van de omgekomen arbeider ge-beld. Hij kwam naar buiten om Dafydd te zeggen dat de vrouw in het ziekenhuis wachtte totdat haar man binnen zou worden ge-bracht, zodat ze hem zou kunnen identificeren. Kennelijk wilde ze dit per se doen – niet nu, maar liever gisteren al. De voorman haalde zijn schouders erover op en stak zijn handen met gespreide vingers op, alsof hij wilde zeggen: 'Ik kan er ook niets aan doen'.

'Ik kan dit niet sneller doen dan ik al doe,' snauwde Dafydd. 'Misschien zou je mij een handje willen helpen?'

De voorman schudde zijn hoofd. Zijn verweerde gezicht drukte plotseling angst uit. Na een korte blik op zijn mannen – en duidelijk bang voor gezichtsverlies – wendde hij zich weer tot Dafydd en zei: 'Luister, ik doe mijn werk, jij doet het jouwe. Op die manier lopen we elkaar niet voor de voeten.'

Hij knipoogde naar zijn mannen en grinnikte schaapachtig, maar de mannen zeiden niets en bleven met hun schoenen in het zand porren. De jongen was de enige die lachte. Hij stak zijn hand in de plastic zak en diepte er met zijn blote hand een deel van een voet uit op.

'Hier,' zei hij. Hij stak de bloederige stomp uit naar de voorman. 'Voor deze voeten loopt niemand meer, kijk maar – ik heb ze hier.'

Vol afschuw deinsde de voorman terug, lijkbleek, bijna struikelend over een hobbel in het gravel. Zwijgend draaide hij zich om en haastte zich terug naar zijn mobiele kantoor. Nu stonden sommige mannen te grinniken of te grijnzen. De vernedering van hun baas leek voor hen een vrolijke noot, na de traumatische gebeurtenis. De jongen keek op naar Dafydd, ingenomen met zichzelf. Dafydd beantwoordde zijn lach met een glimlach en een hoofdknik. Hij vroeg zich af of het joch wel oud genoeg was om in een houtzagerij te mogen werken. Misschien zou hij vanwege zijn brutaliteit worden ontslagen.

Ze reden met hun gruwelijke last terug naar het ziekenhuis. De bestuurder van de ambulance was een gedrongen gebouwde man, afkomstig uit Oost-Europa. Hij kletste bijna zonder ophouden over de gruwelen van zijn baan, en als hij dat niet deed kauwde hij verwoed op een allang uitgekauwd stuk kauwgum, dat hij af en toe opblies. Dafydd luisterde niet meer en staarde naar de bossen aan weerszijden van de weg. Deze bossen strekten zich uit over vele honderden kilometers; je kon er heel gemakkelijk in verdwalen...

'... ze lag in een duiker onder de brug, je weet wel, die bij mijlpaal 16. Haar lichaam verstopte de duiker, zodat het water over de weg stroomde, begrijp je, anders zouden ze haar nooit hebben gevonden.' De chauffeur laste een pauze in, vanwege het effect, voordat hij Dafydd veelbetekenend aankeek. 'De moordenaar loopt nog vrij rond, waarschijnlijk zelfs hier in Moose Creek, vlak voor onze neus. Ze hebben niemand kunnen vinden die een reden had. Ik bedoel, haar man had weliswaar een ander, maar dat was allemaal netjes geregeld – dus had niemand een reden om de arme vrouw te vermoorden.'

'Verschrikkelijk,' zei Dafydd afwezig, denkend aan Bristol en het feit dat hij veel geluk had gehad dat niemand door zijn gestuntel het leven had verloren. Hij zou Hogg nog moeten vertellen dat hij onder geen voorwaarde een kind zou opereren. Hij beet hard op zijn lip en wendde zich tot de bestuurder.

'Hoelang werk je hier al?' vroeg hij ongeïnteresseerd.

'Eh, eens even kijken…' De man kneep zijn kleine ogen samen en wreef nadenkend over zijn ongeschoren kin. 'Tja, dat moet ongeveer in vierentachtig zijn geweest. Mijn vrouw…'

Dafydd knikte. In gedachten was hij bezig de lichaamsdelen van de dode in elkaar te passen. Hoe moest hij het aanpakken? Ze uitleggen op de snijtafel in de kelder van het ziekenhuis, de 'pathologieafdeling', als een levensgrote puzzel. Met een schok richtte hij zich op, toen hij zich herinnerde dat de echtgenote van de dode op hem wachtte om het lijk te identificeren. Slecht nieuws overbrengen aan een familielid was ook al zoiets waar hij nog niet tegen opgewassen was. Bovendien had de voorman haar verzwegen in welke toestand haar man verkeerde. Hij zou het haar op de een of andere manier uit het hoofd moeten praten.

'… en ik moest mijn armen om de borst van de man slaan en aan hem trekken, zodat Brannagan zijn voeten kon afzagen. Je had die pulserende fontein van bloed moeten zien, ondanks het tourniquet. Het was absoluut onmogelijk die balk weg te krijgen. Dat kloteding zat muurvast klem…'

Sheila Hailey wachtte hem op aan de voet van de personeelsingang toen de ambulance ervoor stopte.

'Ik heb de vrouw gezegd dat ze dat verdomde lijk niet kan zien, maar ze is er niet vanaf te brengen,' zei ze tegen Dafydd, terwijl ze onbewogen toekeek hoe de ambulancechauffeur de vijf plastic zakken de hoek om droeg, naar de ingang van de kelder.

'Ik praat wel met haar,' zei Dafydd, enigszins verrast door Sheila's gevoelloze houding. Gedurende de paar dagen die hij haar nu kende, was ze ondoorgrondelijk voor hem gebleven. Ze was een uitstekende verpleegkundige die ongelooflijk hard werkte, maar ze had iets ijzigs over zich, zoals hij vanaf het eerste moment had bespeurd – wat ze vergeefs probeerde te verdoezelen met geflirt en de onuitputtelijke bereidheid om te helpen. Hij veronderstelde dat haar onmeedogende houding tegenover sommige patiënten een gevolg was van de zwaarte van haar werk; ze moest erge dingen hebben gezien en was erdoor gehard. Het grootste raadsel nog was waarom een vrouw met haar uiterlijk en onmiskenbare bekwaamheden zichzelf had afgezonderd in een afgelegen oord als Moose Creek. Waarschijnlijk had ze, net als hijzelf, het een of ander gedaan... Hij zou eens proberen wat meer over haar aan de weet te komen bij Ian of misschien Janie, als hij die twee beter had leren kennen. Op de een of andere manier kon hij zich niet voorstellen dat hij ooit vertrouwd genoeg zou worden met Sheila om haar er zelf naar te vragen.

Vluchtig vroeg hij zich af waarom hij er zo in geïnteresseerd was, toen hij zich langs haar heen wrong, de smalle deur in. Ze stapte niet opzij en zijn arm schampte langs haar borsten. Hij trok zijn schouder in om het contact te minimaliseren en liep haastig de gang in.

'Geloof me nou maar,' riep ze hem na. 'Ze wil niet luisteren en is volslagen hysterisch. Ik heb geprobeerd haar een spuitje te geven om haar rustiger te maken, maar er valt niets...'

Geërgerd draaide Dafydd zich om. 'Praat wat zachter!' siste hij. 'Iedereen kan je horen.'

Ze schrok zichtbaar, maar zei toen glimlachend: 'We doen hier niet zo aan privacy.'

Dafydd draaide zich weer om en haastte zich verder, naar de kamer waar de treurende weduwe op hem wachtte.

'Wat is er aan de hand?' zei Brannagan toen ze elkaar in de gang tegenkwamen. 'Je bent zo wit als een doek.'

'Als ooit iemand... toe was aan een borrel...' hakkelde Dafydd.

'Je bent aan het juiste adres,' zei Ian, terwijl hij Dafydds arm pakte. 'Ik was net op weg naar het Klondike, voor een vluggertje. Pak je spullen, dan gaan we.'

Ze daalden vlug de trap af en liepen gehaast over de helling omlaag naar de weg. Bij iedere voetstap wolkte er stof op. Het was even over zessen, maar de zon brandde op hen neer en de lucht zinderde. De hitte maakte het nog erger – de stank van dood vlees week niet uit Dafydds neusgaten. Hij voelde de tere plekken op zijn borst waar de weduwe hem in hysterisch van verdriet had gestompt, en zijn handen tintelden nog van de kracht waarmee hij haar polsen in bedwang had moeten houden. Hij voelde zich alsof hij zelf een ernstig ongeluk had gehad. Het was een verademing voor hem toen ze de tussen de imitatiemarmeren pilaren door de koele donkerte van de saloon binnenstapten.

Ze namen plaats aan een tafeltje onder de airconditioner; het was nog vroeg en de bar was nog halfleeg. Brenda repte zich met een dienblad met gevulde glazen naar hen toe.

'Nee, schatje, Extra Old Stock,' zei Ian tegen haar.

Brenda keek Dafydd aan. 'En wat wil jíj, schat?'

'Scotch, graag. Een dubbele, met ijs.'

Brenda's gezicht stond ernstig, en toen ze hem zijn borrel bracht, was die meer dan royaal. 'Ik heb het gehoord,' zei ze, en klopte hem meelevend op zijn schouder.

'Nu al?'

'Een paar arbeiders van de zagerij kwamen net binnen,' fluisterde Brenda.

Ian had zijn fles bier nog maar net in één teug half leeggedronken toen Brenda terugkwam en hem op zijn schouder tikte. 'Telefoon voor je, maat. Je moet meteen naar Spoedgevallen.'

'Verdomme.' Ian goot de rest van zijn bier naar binnen. 'Krijgt de dienstdoende arts dan geen seconde de kans om een hartversterkertje te nemen?'

Terwijl Ian wegsjokte, bleef Brenda bij het tafeltje staan. Met een zucht zette ze haar zware dienblad neer en begon met haar schouders te draaien, terwijl ze demonstratief kreunde. Ze ging op de zojuist door Ian verlaten stoel zitten, haar rug naar Dafydd gekeerd.

'Alsjeblieft, doc, masseer mijn schouders even, wil je?'

Dafydd keek om zich heen, maar niemand in de bar leek benieuwd naar wat er tussen hen gebeurde. Hij legde zijn handen om haar fraai gevormde schouders en begon ze stevig te kneden. Ze droeg een dun rood topje, slechts opgehouden door twee dunne bandjes. De warmte van haar lichaam deed weldadig aan onder zijn handen, na de akelige taken die hij had moeten verrichten. Als vanzelf concentreerde hij zich op het masseren, met gesloten ogen. Haar zachte zwarte haar streelde zijn onderarmen en zonder erbij te denken verzamelde hij het in zijn handen en liet het door zijn vingers glijden. Toen Brenda zacht begon te kreunen, opende hij zijn ogen.

'Zo, dat zal je helpen,' zei hij op zakelijke toon, met een plichtmatig klopje op haar rug. 'Het is een beroepsrisico, vrees ik, maar jij moet zo sterk zijn als een paard.'

Ze draaide zich om en keek hem aan. Ze nam haar dienblad en tilde het met een hand op tot boven haar schouder. 'Ik ben om zeven uur klaar,' zei ze. 'Zin in een ritje? We kunnen naar Jackfish Lake.' Met een zacht lachje voegde ze eraan toe: 'De Rivièra van het Noorden. We kunnen er zwemmen.'

'Ach, waarom ook niet?' Na de beproevingen van de afgelopen dag mocht hij zichzelf best een verzetje gunnen. Een beetje zwemmen... ja, hij was er hard aan toe.

Om negen uur 's avonds stond de zon nog hoog boven de horizon. Hij dreef op zijn rug in een troebele bruine vijver met drijvende waterplanten die zich om zijn benen kronkelden. Om de paar seconden werd hij belaagd door omlaag duikende paardenvliegen, en hij had al kunnen vaststellen dat ze gemeen konden steken. Er was niets tegen te doen, zodat hij, steeds als hij gezoem hoorde, zijn longen vol lucht zoog en onderdook – water dat zelf alle mogelijke vreemdsoortige levensvormen bevatte. Hij kon alleen maar hopen dat er geen enge beesten bij zaten die in een van zijn lagere lichaamsopeningen konden kruipen, of zich konden vasthechten aan zijn huid.

Brenda stond in een oranje bikini op de stenige oever, bezig met het ontsteken van een barbecuevuurtje in een verroest half olievat, daar voor dat doel achtergelaten. Wat je noemt een Rivièra, grijnsde hij inwendig. Niettemin een plezierig eind van een slopende dag.

'Kom nu maar hier,' riep Brenda hem toe. 'De rook houdt ze op afstand.'

Hij zwom naar de oever en sprintte het water uit, verlegen in zijn blauw-wit gestreepte boxershort. Verderop was een gezinnetje bezig hun biezen te pakken, zodat ze in privacy van de rest van de avond konden genieten. Brenda keek naar hem terwijl hij worstelde om zijn hemd over zijn natte huid aan te trekken.

'Aankleden is nergens voor nodig. Het blijft nog urenlang warm en ik vreet je niet op,' zei ze. 'Hoewel je verdomd goed in vorm lijkt.'

Ze had gelijk. Het was nog snikheet en de rook hield de gemene insecten op afstand. Hij trok zijn hemd weer uit en ging op de deken liggen die ze had meegebracht.

'Kijk. We hebben twee hamburgers, twee broodjes en twee gepofte aardappelen, maar niets om erop te doen, behalve ketchup,' zei ze verontschuldigend. 'Plus een essentieel ingrediënt – koud bier.' Ze wipte de dop van een flesje en reikte het hem aan. Hij keek naar de schouders die hij zo vertrouwelijk had aangeraakt. Ze had inderdaad het bovenlijf van een sjouwerman, met een brede, gespierde rug en kleine, stevige borsten. Haar middel was slank en haar dijen en billen waren uitgesproken vrouwelijk maar strak, met een gladde, gebruinde huid. Van zo dichtbij kon hij haar huid ruiken en de warmte voelen die ze uitstraalde. Vlug rolde hij zich op zijn buik om zijn beginnende erectie te verbergen en drukte de koude bierfles tegen zijn voorhoofd. Voor het eerst sinds zijn aankomst hier begon hij zich een beetje te ontspannen.

Brenda streelde hem tussen zijn schouderbladen. 'Hé, het wordt al maar later. En je hamburger is al koud.'

Geschrokken keek Dafydd op en zag dat er vermoedelijk al ruim een uur verstreken was. De zon leek nog hoog genoeg, maar het was nu wat koeler en in de bossen heerste doodse stilte. Hij ging rechtop zitten en wreef zijn ogen uit. De barbecue rookte nog volop, maar de lucht was aangenaam en opeens leek de troebele vijver heel mooi, nu het roerloze zwarte water roze wolken weerspiegelde.

'Saai van me, om in slaap te vallen,' zei hij.

'Ik genoot ervan om naar je te kijken,' zei Brenda. 'Je zag eruit om op te vreten – net een gevallen engel.'

Hij lachte onbeholpen. Er streek een windvlaag over hem heen en de rook bolde uit over het water. Huiverend stak Dafydd zijn hand uit naar zijn hemd, maar ze knielde voor hem neer en duwde zwijgend tegen zijn schouders totdat hij languit achterover op de deken lag. Hij protesteerde niet toen ze boven op hem kwam liggen en hem helemaal bedekte. Het gaf hem een knus gevoel van geborgenheid – nauwelijks erotisch. Haar gloeiende huid voelde aan als een zware deken. Hij sloeg zijn armen om haar hen en zo bleven ze even liggen, roerloos. Met zijn ene hand streelde hij haar lange haar, terwijl hij met zijn andere hand afwezig aan een bandje frunnikte. Plotseling kwam haar bikinibroekje los en lag zijn hand op haar naakte bil. Ze tilde haar hoofd op en ze keken elkaar aan.

'De andere kant ook,' zei ze.

Daar lag hij nu, tegen de grond gedrukt door een begerige vrouw die precies wist wat ze wilde, op de oever van een vijver midden in een naaldbos aan de poolcirkel, met in een straal van vijftien kilometer niemand in de buurt. Er was niet aan te ontkomen. Zijn penis begon onder de druk van haar buik pogingen te doen zich te strekken. Vlug trok hij het andere bandje los en rukte het oranje broekje met kracht weg. Ze kreunde gesmoord en drukte haar mond op de zijne.

Door de hevige spanningen van de afgelopen maanden had hij zijn seksuele behoeften genegeerd en zelfs vergeten, en deze plotselinge wederopleving maakte hem pijnlijk hard. Hij trok haar omhoog, zodat hij haar kon betasten, terwijl zij zonder veel succes aan zijn boxershort trok. Terwijl ze hijgend en lachend met elkaar worstelden, wreven hun heupen pijnlijk langs elkaar. Hij greep haar dijen en trok zijn knieën op, zodat ze boven hem knielde.

'Ga door,' spoorde ze hem aan, met rode wangen en grote, glanzende ogen. 'Het kan geen kwaad, ik ben aan de pil...'

Vluchtig dacht Dafydd aan de noodzaak van een condoom, maar nog voordat de gedachte compleet was, hadden zijn heupen zich al op de een of andere manier uit zijn boxershort bevrijd. Hij vond zijn doelwit en trok Brenda over zich heen, zodat hij haar met één krachtige stoot kon penetreren. Ze hijgde schor, maar toen grijnsde ze hem ongegeneerd toe, alsof dit exact was waar ze aldoor al op uit was geweest. Ze plantte haar voeten plat op de grond en begon wild op hem te dansen.

Iets aan haar volslagen gebrek aan subtiliteit wond hem op, maar het onderdrukte een andere emotie. Haar ogen werden glazig en ze had geen aandacht meer voor hem, nu ze haar eigen doel nastreefde. Hij hoefde zich niet eens te bewegen. Deze vrouw is bezig míj te neuken, dacht hij, verbaasd over de grote kracht van haar dijen. Afwezig keek hij omlaag naar de interactie van hun geslachtsdelen, als een zuiger in een cilinder. Het was alsof hij deel uitmaakte van een goedgeoliede machinale pomp. Bovendien zag hij zijn omlaag getrokken boxershort met zijn belachelijke strepen (dat ding moest weg) en – daaraan voorbij – de nu licht rimpelende vijver, en de wolken die van roze naar grijs verkleurden. Desondanks bracht de intensiteit van haar bewegingen hem algauw aan de rand van een climax, zodat hij haar heupen beetpakte om haar bewegingen te dempen, maar zij had de leiding en leek niets van zijn gebaar te merken.

'Wacht, hou op,' fluisterde hij, hoewel hij wist dat het al te laat was. Hij stiet een kreet uit, want het was eerder pijnlijk dan aangenaam – eenvoudigweg té intens. Zijn inwendige leek te ineen krimpen. Ze vertraagde haar bewegingen, duidelijk teleurgesteld.

'Het spijt me,' zei hij. 'Het is al te lang geleden.'

'Rustig maar,' zei ze, terwijl ze tamelijk onverschillig haar ene been over hem heen zwaaide tot ze zat. 'We proberen het straks nog eens.'

Straks! Jezus... Hij wist dat hij wel iets kon doen om haar te laten klaarkomen, dat op zijn minst, maar hij werd overweldigd door een sterk gevoel van lethargie. Hij voelde zich bijna als verdoofd. Hij legde zijn arm over haar heen en ze lagen naast elkaar af te koelen in de zachte avondbries, dicht bij het naargeestig krassen van een uil. Ondanks zijn loomheid waren zijn zintuigen scherp, bijna alsof zijn huid de geluiden van het bos kon horen en de geuren van seks, rook en dennenhars rook. Hij hoorde een flinke plons, alsof een grote vis een sprong boven water had gemaakt.

Ze kusten elkaar weer, maar nu leek het bijna té intiem. Ze kenden elkaar niet of nauwelijks. Haar ademhaling werd sneller, maar hij trok zich terug. Hij had niet echt behoefte aan seks of, beter gezegd, aan seks met haar, opnieuw. Hij bracht zijn hand tussen haar benen en algauw werd duidelijk wat hij van plan was. Binnen een halve minuut bracht hij haar tot een climax.

'Doe dat nog eens,' beval ze hem na een korte rustpauze, en hij deed het, met een even voorspoedig resultaat. Ze leek enigszins tevredengesteld door deze arbeidsbesparende wederdienst voor haar eigen inspanningen.

'Ik denk dat we maar eens moeten gaan,' zei ze en kwam overeind. 'Er zitten hier beren.'

Met een ruk ging Dafydd rechtop zitten. Hij keek om zich heen. Ze moest lachen. 'Waarom dacht je anders dat ik die barbecue aanstak? Alleen vanwege die vliegen?'

Zwijgend kleedden ze zich aan en verzamelden de resten van hun picknick.

In de zich verdiepende schemering reden ze terug naar Moose Creek, langs de houtzagerij waar hij nog maar enkele uren geleden de resten van een verongelukte man bijeen had gezocht en in plastic zakken had gedeponeerd. En nu zat deze vrouw naast hem, warm en springlevend. Hij voelde zich ver van huis en vroeg zich af wat de implicaties van deze ontmoeting konden zijn. Misschien had hij er verwachtingen mee gewekt, of bepaalde veronderstellingen, maar hij was er bijna zeker van dat dit niet het geval was. Brenda was een geëmancipeerde vrouw die haar eigen impulsen volgde. Bovendien zou ze hem waarschijnlijk een te terughoudende minnaar vinden, een man die haar niet echt kon bevredigen. Hoe dan ook, hij voelde er niets voor om zijn gekneusde innerlijke zelf aan iemand anders toe te vertrouwen.

5

Cardiff, 2006

Er hing een dikke grauwe wolk boven Cardiff. Dafydd verkende de hemel, boog zijn hoofd tegen de druilregen en zette koers naar de parkeerplaats voor artsen, waar zijn motorfiets, een antieke Velocette Venom, tamelijk onbeleefd midden in een rij glanzende Jaguars en BMW's stond geparkeerd. Normaal putte hij veel genoegen uit het parkeren van de oude bruut te midden van al deze erectiesubstituten, maar vandaag leek zijn vervoermiddel een armzalig statement, tamelijk jeugdig en beschamend. Hij had het grootste deel van zijn leven de regen op motorfietsen getrotseerd, maar op dit moment had hij er weinig trek in.

Hij zette zijn motorhelm op, die met zijn puddingvorm al even oud was als de motor zelf, ritste zijn leren jack dicht, trok zijn regenbroek aan, riemde zijn aktetas vast aan het duozadel en maakte een begin met het opstartritueel. De kickstart had de verraderlijke gewoonte om terug te slaan met de kracht van een moker, zodat hij zijn knie telkens blootstelde aan het risico van vroegtijdige slijtage.

'Kom op,' gromde hij. Toen hij opkeek, zag hij Ed Marshall met een meewarige glimlach het portier van zijn fonkelnieuwe Saab openen om plaats te nemen in het zachtleren interieur. Goddank kwam de Velocette met een knal tot leven en kon Dafydd met brullende motor wegscheuren, met achterlating van een dikke blauwe rookwolk.

September liep ten einde en de dagen begonnen korter te worden. In plaats van terug te rijden naar zijn verlaten huis, reed hij doelloos richting zee. De regen was bijna opgehouden toen hij op de boulevard van Penarth stopte. De boulevard was verlaten, op een vrouw na die pogingen deed om een doorweekte, smerige golden retriever in de bagageruimte van haar stationwagon te werken. De hond voelde er niets voor en de worsteling duurde voort totdat de vrouw het opgaf en het dier toeliet op de passagiersstoel. Het jengelen van een eenarmige bandiet in de kroeg vermengde zich met het zachte ruisen van de branding over het met stenen bezaaide strand.

Hij bleef op de motorfiets zitten, starend naar het steeds donker wordende grijs. Twee auto's vol jongeren stopten naast hem. Luide rapmuziek denderde door de open ramen naar buiten, gecombineerd met hees gebral en meisjesachtig gelach. Hij keek opzij, verbaasd over hun geforceerd klinkende uitbundigheid. Als tiener had hij zelf nooit bier gedronken, wiet gerookt of met meisjes in auto's gevrijd. Hij had zelfs niet over een eigen motorvoertuig beschikt voordat hij aan de medische faculteit was gaan studeren. Hij was de ideale zoon van zijn moeder, een weduwe, geweest – gedisciplineerd en een ijverige student. Zijn maagdelijkheid had hij verloren toen hij al eenentwintig was. Daarna had hij zijn best gedaan alle achterstand in te halen.

Een van de meisjes in de dichtstbijzijnde auto zag hem kijken en keek hem aan met een blik alsof ze wilde zeggen *Heb ik wat van je aan?* Ze stak haar tong naar hem uit en liet hem uitdagend wiebelen. Een ogenblik werd hij gefascineerd door haar schaamteloosheid, maar de blik in haar ogen was tamelijk hard. Ze begon te lachen, draaide het portierraam omlaag en riep hem toe: 'Hé, man, je bent best een stuk... voor een ouwe lul.' Haar vrienden brulden van het lachen. Nee, hij begreep niet veel van tieners; ze leken wel een ander ras. Ze intimideerden hem. Hij wendde zijn blik weer naar de zee.

Hij dacht aan Jim Wiseman. Zijn vrouw was ervandoor met een Nederlandse piloot en had hem met hun drie tienerkinderen laten zitten. Dafydd was een avond op bezoek gegaan om met hem mee te voelen. Overal had hij jongeren languit in de banken en fauteuils zien liggen, de televisie had keihard aangestaan, op alle beschikbare oppervlakken hadden half leeggegeten borden gestaan en de telefoon had aan één stuk door gejengeld. De arme drommel had een toekomst als alleenstaande ouder voor zich, maar toch leefde hij voor zijn kinderen – hij was dol op die onbeholpen, slonzige en brutale donders. Een deel van Dafydd had ernaar gesmacht iets van dit alles te ervaren en te doorgronden, maar een ander deel van hem vond het ronduit angstaanjagend en onbegrijpelijk. Hoe dan ook, het was er nooit van gekomen en nu was het er te laat voor.

Hij stapte af en stak zijn hand in de aktetas, op zoek naar de rest van de fles Glenfiddich die een dankbare patiënt hem had gegeven. Het had geen zin om naar huis te gaan, want Isabel was vertrokken naar een klus in Glasgow. Haar nieuwe opdrachtgever, een zekere Paul Deveraux, een voortvarende projectontwikkelaar, probeerde haar over te halen als binnenhuisarchitect fulltime voor hem te komen werken. Hij had al enkele weken een aanlokkelijke wortel voor haar neus laten bungelen – een groot, nieuw hotel in Glasgow dat volledig ingericht moest worden, als onderdeel van een grote keten. Dafydd had haar aangemoedigd die kans te grijpen. Op die manier kon ze de man beter leren kennen en op haar gemak beslissen of ze haar moeizaam verworven zelfstandigheid prijs wilde geven. God-allemachtig, ze hadden allebei behoefte aan wat afstand van elkaar, op zijn minst totdat de DNA-resultaten een eind maakten aan het hele gedoe. De kilte waarmee ze hem de laatste paar weken had bejegend, had hen van elkaar vervreemd. Of ze nu wel of niet zijn ontkenningen over Sheila Hailey geloofde was al van secundair belang; ze was duidelijk van haar stuk gebracht toen ze een pakje condooms op zijn nachtkastje had zien liggen. Ze had begrepen dat zijn beslissing de vrucht was van maanden diep nadenken en dat hij werkelijk had gemeend wat hij haar zo ongevoelig in die stormachtige nacht had toegeroepen. De praktische consequenties van dat besluit waren haar echter te machtig geworden.

'Die heb je heus niet nodig.'

Hij had niets gezegd, in de hoop dat ze niet had bedoeld wat ze ermee had laten doorschemeren. Hij had zelf ook behoorlijk de pest in. Niet alleen moest hij een smak geld uitgeven om de beweringen van een krankzinnige vrouw die hij in het verre verleden had gekend te ontzenuwen, maar bovendien werd hij door zijn eigen vrouw behandeld alsof hij zojuist uit een riool was gekropen. Ze had hem geen schijn van kans gegeven te zeggen wat er in hem om ging, laat staan te zeggen welke gevoelens ze er zelf over had. Hoezeer hij zich ook had uitgeput om zich voor zijn botheid te verontschuldigen, ze was zich blijven terugtrekken in een ijzig stilzwijgen en had alleen haar mond opengedaan als dat onvermijdelijk was.

Voorzichtig nam hij een slok. Geweldig spul. Hij nam er nog een. Toen duwde hij de fles in zijn binnenzak. Hij keek uit over het water, maar de mist was dicht en de kust van Devon was nauwelijks te zien. Penarth Pier strekte zich ver uit in het water, een elegant bouwwerk van zeer respectabele leeftijd. Hij was er niet meer op geweest na zijn verhuizing naar Cardiff, acht jaar geleden. Het leek zo lang geleden. Hij had de baan genomen, deels vanwege de respectabele positie, maar deels ook omdat hij er behoefte aan had gehad terug te keren naar zijn wortels. Zijn moeder, Delyth, was geboren en getogen in Wales, maar na haar huwelijk met zijn vader, een weerbarstige noorderling, was ze naar Newcastle verhuisd. Pas toen Dafydd in 1992 naar Moose Creek was vertrokken – haar man was toen al lang dood – had Delyth terug willen keren naar haar geboortestreek. Ze had haar intrek genomen in een verpleegtehuis in Swansea en was daar niet lang na zijn terugkeer overleden. Na zijn huwelijk met Isabel waren háár wortels in Wales voor hem een reden geweest om in Cardiff te blijven. Haar ouders waren afkomstig uit Italië en runden nog altijd hun ijssalons in South Wales waarmee zij, een arm immigrantenechtpaar dat door de oorlog in Wales verzeild was geraakt, een niet gering fortuin hadden verdiend.

Dafydd passeerde de allang buiten dienst gestelde tourniquets en slenterde de houten pier op. Een paar hengelaars in regenkleding zaten onbeweeglijk bij de borstwering, starend naar hun hengels en zonder enige communicatie met elkaar. Hij wist niet waarvoor zij op de vlucht leken, maar dit scheen een even goede wijkplaats te zijn als wat ook, want ze schenen geen van allen iets te vangen. Dafydd liep erlangs, turend in hun emmers, maar ze keken geen van allen op, niet bepaald happig op een praatje.

Aan weerszijden van de pier waren overdekte banken aangebracht, kleine ruimten waarin verliefde stellen beschutting konden vinden tegen de wind. Vandaag waren er geen geliefden; de avond leende zich niet voor romantiek. De banken waren echter droog, zodat hij ging zitten en af en toe een teugje nam van de fles, terwijl hij naar de grote tankschepen staarde die zich door het zacht deinende water ploegden. Het was eb en het water stroomde tamelijk snel de baai uit, zodat de bruine modder onder de pier geleidelijk kwam bloot te liggen.

Hij trok zijn leren jack dichter om zich heen en dacht na over zijn baan. Deze hele kwestie van een vermeende vaderschapsclaim had hem één lichtpuntje opgeleverd. Het had hem geconfronteerd met zijn algemene lethargie, een traagheid die langzamerhand zijn leven binnen was geslopen. Hij had het gevoel erin te hebben berust dat hij datgene deed wat iedere medicus deed: gewetensvol werken, geld oppotten, de hypotheek afbetalen en wachten op je pensioen. Daarna werd het leven geacht pas echt te beginnen, in de vorm van een verdomd lange partij golf. Dat was de tijd waarin de meesten een hartkwaal kregen en stierven. Hij wist het allemaal, het was zijn eigen vader overkomen, maar zijn meelijwekkende verzet tegen de zuigkracht van deze trend, zoals het afwijzen van het bezit van een auto en de weigering om een privépraktijk te beginnen, gaf hem niet echt het gevoel een held te zijn. Misschien zou het allemaal anders worden als de resultaten van dat DNA-onderzoek er waren. Een nieuwe start, niet alleen in zijn leven, maar ook in zijn huwelijk.

Het was inmiddels donker, maar het kon hem niet schelen. De bewolking was iets opgetrokken en nu zag hij zwakjes de lichten van de Weston-Super-Mare wenken. Hij had zichzelf beloofd dat hij zich vroeg of laat door de oude raderstoomboot zou laten overzetten, maar het was nooit gebeurd. Hij zette de fles aan zijn mond en dronk het laatste beetje whisky op. De alcohol sijpelde zijn bloedstroom binnen en liet een verhit gevoel achter in zijn handen en voeten. Hij stond op, liet de fles in een afvalbak vallen en liep terug naar het begin van de pier. De hengelaars zaten nog allemaal op hun post.

De kroeg aan de boulevard was open en hij moest nodig zijn blaas legen. Hij kon er net zo goed een pintje gaan drinken, knabbelend op wat pinda's. Thuis was er niets drink- of eetbaars meer te vinden. De koelkast was helemaal leeg, op Isabels vitaminenpotjes en Chinese kruidentheemengsels na, die geacht werden de vruchtbaarheid te bevorderen.

Twee uur later liep hij terug naar zijn Velocette. Hij voelde zich prima, nu. Heerlijk om wat tijd voor jezelf te hebben om na te denken. Hij ging de dingen anders aanpakken, als deze belachelijke toestand uit de wereld was. Hij zou zijn gitaar afstoffen en misschien zelfs ook een verdomde hengelaar worden; hij was wel toe aan wat meditatie in alle eenzaamheid. Ook kon hij weer gaan joggen – zorgen dat zijn billen weer spijkerhard werden. De televisie mocht naar het oud vuil, dan kon hij eindelijk al die boeken lezen die hij maar bleef kopen, zonder er verder naar om te kijken.

Hij wankelde licht toen hij een ram gaf op de kickstart van de motor, gevolgd door een vluchtige gedachte over of het wel verstandig was om op zijn motor te kruipen, maar verdomme, het moest al op zijn minst negen uur zijn, of zelfs tien uur – veel verkeer kon er niet meer zijn. Hij was altijd zo'n brave Hendrik in het verkeer dat hij nog nooit een bekeuring had gehad.

Hoera. De motor startte meteen. Liefkozend klopte hij op de tank. Brave meid – althans, deze. Hij reed de helling op, langs de kliffen die zich vanaf het strand verhieven, over de weg met eenrichtingsverkeer die met een boog terugleidde naar de stad. Het bord 'Geen voorrang' bij Westbourne Road zag hij over het hoofd en hij reed verder, voorzichtig maar stomdronken, totdat een groene Volvo schuin tegen hem aan knalde, met een snelheid van vijfenvijftig kilometer per uur.

Dafydd werd zich bewust van een licht, ergens ver weg. Het licht leek versplinterd en verspreidde zich over zijn netvlies als kleine druppels kwik. Ze dansten en sprongen en maakten dat hij ondraaglijke pijn in zijn ogen kreeg. Hij probeerde zijn ogen te sluiten, maar ontdekte dat ze al dicht waren. Om aan dat folterende licht te ontsnappen wendde hij zijn hoofd af. Het voelde groot aan, en zo zwaar als een loden bal. Door de beweging werd hij overspoeld door pulserende golven van pijn.

Langzamerhand merkte hij dat er dingen aan zijn hoofd vastzaten. Zware, gevoelloze aanhangsels die zijn armen en benen moesten zijn. Hij opende zijn ogen op een kier en ontwaarde vlak voor zijn gezicht metalen buizen tegen een groene achtergrond. Hij kende dit ergens van en voelde zich erdoor gesterkt. Hij stond zichzelf toe zich weer onder te dompelen in de duisternis van diepe slaap.

Op dat moment voelde hij een hevige steek van pijn in zijn pols. Hij was daar gebeten door een vos. De vos was er nog steeds en de groene ogen staarden hem strak aan. Hij verplaatste zich onrustig van de ene naar de andere kant en gaf plotseling een gil. Het was een ijzingwekkend geluid, een waarschuwing. De vos draaide zich om en rende weg, over een effen, met sneeuw overdekte bodem. Hij wilde het dier na rennen en toeroepen dat het moest wachten. Moeizaam worstelde hij zich naar voren, maar zijn benen waren zo zwaar en stijf als boomstammen. Hij werd misselijk van de inspanning en hij dwong zichzelf zijn ogen te openen. Hij bevond zich in een soort kamer. Hij probeerde overeind te komen, maar zijn lichaam wilde niet meewerken. Zijn hoofd bonkte onafgebroken en voorzichtig liet hij het terugzakken op de zachte ondergrond waarop het had gelegen. In de verte klonk een doordringend geluid, als van een alarm. Zijn hand ging omhoog en ontdekte dat er iets was dat zijn mond bedekte. Hij tastte het oppervlak af, onbeholpen. Zijn voorhoofd voelde opgezet en veraf aan, alsof hij een hoed droeg. Langzamerhand sijpelde het bewustzijn terug in zijn geest en werd hij volledig wakker. Hij lag in een ziekenkamer en zijn hoofd was omzwachteld. Nu kon hij de randen van het verband met zijn vingers voelen. Het joeg hem zoveel angst aan dat hij met een ruk overeind kwam. De plotselinge beweging maakte dat hij begon te kokhalzen, en wanhopig keek hij om zich heen, op zoek naar een opvangmogelijkheid... ah, op het nachtkastje naast hem stond soort pan van aluminium. Terwijl hij braakte, had hij het gevoel dat zijn hoofd bezig was open te barsten, als een overrijpe watermeloen op een betonnen vloer.

Er kwam een verpleegster binnen, die hem voorzichtig hielp weer op het kussen te gaan liggen. 'Meneer Woodruff. U bent hier op Spoedgevallen. Maak u geen zorgen, alles komt goed. U hebt een ongeluk gehad op uw motorfiets.

'Wanneer?'

'Nog maar een paar uur geleden. U hebt niet meer dan een flinke hersenschudding en wat schaafwonden.'

'Hoe is het gebeurd? Zijn er nog andere gewonden?'

'De bestuurder van de auto maakt het prima, maar u hebt duidelijk veel geluk gehad. Niet meer dan wat schrammen en blauwe plekken. Uw motorfiets... tja, daar is alleen nog maar een hoop schroot van over.'

'O nee, verdomme,' kreunde Dafydd, toen zijn hoofd weer begon te bonken.

'We hebben een MRI-scan gedaan en uw hoofd mankeert niets. Een hersenschudding, meer niet.'

'Ik weet er niets meer van.'

'Dat is normaal. U was... nou ja, de slaap heeft u goed gedaan. U was volledig bij toen de ambulance u binnenbracht.' Gniffelend waste ze zijn gezicht met een natte doek. 'U schijnt nogal wat stampij te hebben gemaakt.' Ze wachtte even. 'Maar uiteindelijk hebt u er toch in toegestemd... We hebben een bloedproef gedaan.'

'Hoe bedoelt u... toegestemd?'

'Tegenover de politie.'

'De politie? Wat heb ik ver...'

'Dokter Abdullah komt zo dadelijk bij u,' zei ze vlug. 'Breek u er het hoofd maar niet over. U mag zichzelf gelukkig prijzen, meneer Woodruff.'

Hij liet het allemaal voor wat het was en viel weer in een diepe slaap. Iemand nam zijn pols op en hij hoorde mensen over hem praten – ze gebruikten zijn naam. Hij was echter te vermoeid om ernaar te luisteren. Ongetwijfeld hadden ze hem iets toegediend, want die niet-aflatende koppijn leek te zijn verdwenen. Hij had het gevoel alsof hij achteruit weggleed. Hij tekende een of ander boek en kuste daarna Isabel. De onbekende vrouw die hen in de echt verbond, droeg een met kleine bloemen bedrukte jurk, met volants eraan. De jurk wapperde wild in de tocht toen ze zich achterwaarts terugtrok door een zware eiken deur. Isabel wendde zich tot hem. 'Weet je zeker dat je dit wilt?' Natuurlijk wist hij dat, hij hield van haar. Ze was een veilige haven, sterk genoeg om een storm te doorstaan.

Hij keek omlaag naar de jas die hij droeg. Hij was smerig, als de jas van een clochard. Vloekend keerde hij de zakken binnenstebuiten. Hij had iets achtergelaten in Canada. Hij miste iemand, werd verscheurd van angst omdat hij haar had verlaten. Ze was zacht en mooi, en zo ver weg dat hij nooit meer naar haar toe kon. Hij keek naar de lange vrouw naast hem. Ze heette Isabel, niet die andere, vreemde naam. Hij knarste met zijn tanden om de tranen te verbijten en rolde zich op zijn zij, waarbij hij het dunne laken over zijn gezicht trok. Er werd op de deur geklopt, aanhoudend. Sheila kwam binnen en vroeg hem of hij haar wilde aborteren, nu meteen.

Langzaam schudde hij zijn hoofd, om de pijn te vermijden. Abortus – hier?

'Ik voel me niet best,' zei hij, en deed moeite het overtuigend te laten klinken. 'Waarom vlieg je niet naar Yellowknife? Je kunt binnen twee dagen terug zijn. Niemand zal het merken.'

'Ach, kom nou! Al die moeite voor zo'n kleinigheid? Trouwens, mijn vriend weet niet dat ik zwanger ben. Hij zal argwaan krijgen als ik wegga.' Ze kwam naar hem toe en ging op het bed zitten. Ze droeg niet haar uniform, maar een opvallend korte rok van groene suède, en hoewel hij probeerde niet te kijken, ving hij een glimp op van het rode schaamhaar tussen haar dijen.

'Hoe bedoel je, argwanend?' vroeg hij. Hij wist intuïtief dat hij er op de een of andere manier bij betrokken was geraakt.

Ze zweeg een ogenblik.

'Luister. Deze baby...' Ze boog zich naar hem toe en legde haar hand op de zijne. 'Het is niet zijn kind.'

'Werkelijk?' Dafydd trok zijn hand vlug terug onder de dekens.

Ze richtte zich op en staarde hem peinzend aan. 'Jij kent hem niet, ja? Laten we het zo zeggen. Als hij het ooit te weten komt, maakt hij gehakt van iedere man die ik ken. Jou incluis. Vooral jou. Je weet best waarom, nietwaar? Weet je nog wat je me hebt aangedaan?'

Dafydd probeerde erover na te denken. Hij begreep niet waar ze het over had, maar hij wilde in geen geval belaagd worden door een met een bijl zwaaiende bruut.

'Vraag het aan dokter Odent,' kreunde hij, wensend dat ze weg zou gaan. 'Die doet abortussen in die stacaravan van hem en ik heb gehoord dat hij dol is op korte rokken. En anders Hogg. Je weet zelf hoe verkikkerd hij op je is. Hij zou het doen.'

'Nee. Je weet zelf wat voor klein gat Moose Creek is,' lachte ze. 'Ik heb liever niet dat iedereen het aan de weet komt. Trouwens, jij en ik hebben een schandelijk geheim.'

Moose Creek? Hij was toch zeker in Cardiff? Dafydd kneep zijn ogen stijf dicht, in de hoop dat ze zou vervluchtigen. Dit was niet fair. Hij was ziek.

'Kom op, Dafydd, doe niet zo verdomd preuts.' Ze porde lichtjes in zijn bovenarm. 'Hier in de wildernis gebeurt dat soort dingen aan de lopende band. Als jouw fijngevoelige ziel er zo gemakkelijk aanstoot aan neemt, hoor je hier niet. Je bent hier niet in een of ander deftig Brits ziekenhuis!'

'Dat ben ik wél!' protesteerde hij. 'Dit ís een vooraanstaand Brits ziekenhuis!'

Sheila lachte hem uit. Haar tanden waren even puntig als van een kat.

Haar spotlachje maakte hem nijdig. 'Je weet donders goed hoe gevaarlijk het is. Je zou zelfs dood kunnen bloeden. Het is illegaal en onethisch...'

'Ach, schiet toch op,' siste ze. 'Jij en je verdomde ethiek...'

Iemand klopte hem zacht op de schouder en Sheila verloor haar scherpe kanten. Hij hoorde gedruis in zijn oren toen hij voelde hoe zijn lichaam over het bed rode. Hij wilde overgeven. Als hij dat deed, zou hij van dit alles verlost worden.

'Hebt u pijn, meneer Woodruff,' vroeg dokter Abdullah, terwijl hij hem zacht aan zijn schouder schudde. 'U lag in uw slaap nogal te huilen en te kermen. We maakten ons een beetje zorgen over u.'

6

Moose Creek, 1992

Hij stond op het punt aan te kloppen, maar keek eerst op zijn horloge. Acht over half negen. Ian Brannagan was geen ochtendmens, dat was hem maar al te duidelijk geworden. Hij keek om zich heen. De kleine blokhut van een verdieping was aan alle kanten omgeven door een veranda, net als de huizen die hij in het zuiden van de Verenigde Staten had gezien. De verwaarloosde tuin werd begrensd door de resten van een omheining van planken die ooit wit waren geweest. Heel eigenaardig dat Ian zich zo diep in de bossen had gevestigd, met niemand die hem gezelschap kon houden.

Dat idee werd verdreven toen er plotseling, als uit het niets, een kwispelende gele hond naar hem toe kwam draven. Dafydd was altijd een liefhebber van honden geweest, maar had er nooit een gehad. 'Als waakhond stel je weinig voor, hè,' zei hij, maar toen drong het tot hem door dat de hond een groot uitgevallen puppy was. Hij krabde het aanhalige dier achter de oren en de hond likte zijn blote knieën.

Naast de deur stonden twee rotanstoelen. Iemand had er een vacht overheen gedrapeerd. Dafydd raakt hem even aan en bukte zich om de penetrante geur ervan op te snuiven. Een merkwaardige geur – dierlijk, met een onmiskenbare rookcomponent. Kariboevacht. Hij kende die geur van de bestikte laarzen, *mukluks*, die hij van een inheemse had gekocht.

Hij ging op de stoel zitten en wachtte af. De hond kwam naast hem zitten en leunde zwaar tegen zijn dij. Nu al was de zon verschroeiend heet, maar in de koelte van de veranda zoemden onbekommerde muskieten. Nu al zat hij onder de insectenbeten. Hij was

altijd al een feestmaal geweest voor bloedzuigend tuig. Een dermatologe had hem eens, heel onprofessioneel had hij destijds gevonden, gezegd dat zijn knappe uiterlijk en gladde huid hem zo appetijtelijk maakten. Hij wreef zijn gebeten enkels, maar maakte de
folterende jeuk er alleen maar erger mee.

Er kwam een vliegtuig over. Hij keek het na, naar het zuiden.
Hoewel hij een hekel had aan vliegen, werd hij overvallen door het
verlangen om in dat vliegtuig te zitten, maar het verdween zonder
hem naar de beschaafde wereld en liet alleen een dun dampspoor
achter. De bladeren aan de bomen begonnen al aan de randen om te
krullen. Hier in het noorden viel de herfst vroeg in.

'Wat krijgen we verdomme nou?'

Ian Brannagans had zijn hoofd door een raam gestoken. Zo kort
na het ontwaken zag hij er jaren ouder uit. 'Het is zondag, kerel!
Wat kom je doen?'

De jonge hond was bevangen door opwinding en maakte jacht op
zijn staart, over de hele veranda.

'Ik hoopte dat je zin zou hebben in een wandeling of zo.'

'Een wándeling?'

'Ja. Een beetje beweging, wat frisse lucht, dat soort dingen.'

'Je bent niet goed snik.'

Ian trok zijn hoofd terug in het donker van zijn woning, maar een
paar minuten later kwam hij naar buiten, nog bezig met het vastmaken van de indrukwekkende zilveren gesp van zijn broekriem. Zijn
bovenlijf was naakt. Het was slank en wit, maar goed gevormd, afgezien van het gekartelde, bolle litteken dat bij een tepel begon en
schuins afdaalde over zijn romp, tot onder de broekriem.

'Goeie genade, wat een knoeiwerk,' flapte Dafydd eruit. 'Wat heb
je gehad? Een hartlongtransplantatie?'

'Nee. Een vechtpartijtje.'

'Het ziet eruit alsof je bent behandeld door een dierenopzetter.'

'O nee. De taxidermisten hier verstaan hun vak. Als je ooit iets
mocht vangen, zal ik je een goeie aanwijzen. Een grootmeester.'

'Ik ben niet zo voor het doden van dieren, maar als ik het wel was,
wat zou het dan zijn?'

'Je hebt ruime keus. Dall's-schapen – een naaste verwant van het
dikhoornschaap –kariboes en klipgeiten wat hogerop. Verder elanden en veelvraten, zwarte beren, grizzlyberen en, wat dichterbij,
wolven. Let wel, sommige soorten zijn beschermd en je hebt een
vergunning nodig. Daar is echter gemakkelijk aan te komen. Je
hoeft het maar te zeggen.'

Ze zaten een ogenblik zwijgend bij elkaar. Ian zag er ziekelijk uit.

Zijn gezicht, enigszins vertrokken, verried de een of andere pijn.

'Voel je je wel goed?'

'Ja hoor, ik mankeer niks,' zuchtte Ian, terwijl hij met beide handen zijn gezicht wreef. 'Gewoon de vader van alle katers. Niets dat niet na een wandeling genezen zal zijn.'

De lucht onder de bomen was koel en stil. Alles zag er even bruin uit, behalve op de open plekken, waar de vegetatie een groene explosie van leven leek, tegen de donkerte van het omringende bos. Ze waren vanaf Ians huis regelrecht de bossen in gelopen. Dafydd sloeg steeds naar de muskieten, maar Ian leek er geen last van te hebben. Hij had zijn T-shirt uitgedaan, en de insecten landden voortdurend op zijn lijf. Op sommige plekken zwermden ze als zwarte wolken, zodat ze in hun ogen en neusgaten drongen en Dafydds handen in paniek langs zijn gezicht zwiepten. Hij had ergens gelezen dat deze wolken van zwarte vliegen en muskieten zowel mens als kariboe in het seizoen tot de rand van waanzin konden drijven.

Ze stonden net op het punt een open plek in te lopen, toen ze iets groots en bruins voor zich zagen. Ian stak zijn hand omhoog, om hem te beduiden stil te zijn. Een kolossale elandstier stond er te grazen. De hond, Thorn, was onmiddellijk plat op zijn buik gaan liggen, de neus weggestopt tussen de voorpoten. Ze bleven roerloos staan en keken toe hoe de kolos die de natuur had voortgebracht rustig door bleef grazen. De schouders waren ruimschoots hoger dan een volwassen man lang was, en het immense gewei was op zijn minst anderhalve meter breed. Dafydd zag hoe Ian langzaam zijn jachtgeweer omhoog bracht.

'Verdomme...' riep Dafydd uit, terwijl hij het geweer opzij sloeg, 'doe dat niet!'

Thorn sprong meteen grommend op. De eland tilde zijn zware kop op, ondanks de zware last in volmaakt evenwicht. Een ogenblik bleef hij stokstijf staan, met opengesperde neusgaten, voordat hij zich snel omdraaide en wegdraafde, het bos in, als het ware in vertraagde beweging en ogenschijnlijk gewichtloos.

'Je bent nogal schrikachtig, vind je niet,' zei Ian op afgemeten toon. 'Zo gebeuren er nou ongelukken.'

'Sorry. Maar ik had je al gezegd dat ik er niet van gediend ben.'

'Ik was niet van plan hem te schieten, makker. Ik mikte alleen voor de grap. We hadden die kolos onmogelijk naar huis kunnen slepen.'

'O? En ik had dat maar moeten raden?' Dafydd griste zijn rugzak van de grond en liep de zonneschijn in, maar Ian riep hem na.

'We zijn ver genoeg – je kunt hier gemakkelijk verdwalen. Laten we teruggaan.'

Alsof Thorn het had begrepen rende hij naar voren, om Dafydd heen, en begon hem terug te drijven, blaffend en dansend rond zijn benen.

Het voorval zat Dafydd dwars, en Ian keek grimmig voor zich uit. Een tijdlang liepen ze zwijgend verder. Dafydd hoopte dat Ian hem zijn uitbarsting zou vergeven. Hij was Ian aardig gaan vinden, ondanks de lompe manieren en – soms – onbeschaamdheid van de man. Het was van vitaal belang hier een soort vriend te hebben. Ian was een merkwaardige man, voor een arts – in feite leek hij een beetje gek. Hij had problemen. Drank, vermoedelijk, maar misschien ook iets anders. Hij rookte als een schoorsteen en gedroeg zich vaak nogal gespannen. Er scheen geen vrouw in zijn leven te zijn.

Dafydd wendde zich tot hem en verbrak hun stilzwijgen. 'Ian, heb jij een vriendin of zo?'

'Nee, niet bepaald.'

'Helemaal geen vrouwelijk gezelschap? Je kunt het goed vinden met de serveersters van het Klondike,' hield hij aan. Onwillekeurig vroeg hij zich af of Brenda...

Ian grinnikte. 'Of ik weleens iemand neuk, bedoel je?'

'Oké, neuk je weleens iemand?'

'Zit daar niet over in. Dit oord is het Shangri-La van moeiteloze seks.

'Ik wilde niet...'

Ian liep resoluut verder en even liepen ze in ganzenpas. Boven hun hoofden krasten raven als ze onder hun nesten door liepen. Het kabaal dat ze maakten veroorzaakte griezelige echo's onder de bomen. Ze volgden geen gebaand pad, dat was er in feite niet, maar Ian leek zich gemakkelijk te oriënteren. Hij scheen de route te kennen.

'Als je er zelf ooit behoefte aan krijgt, maat,' zei hij, zich plotseling omdraaiend, 'loop dan met een grote boog om onze o zo vriendelijke hoofdzuster heen...'

'Nou, die kans is heel klein...' zei Dafydd lachend. 'Maar vanwaar deze waarschuwing?'

'Heb je die mooie kleine, scherpe tandjes gezien? Die kunnen de familiejuwelen lelijk beschadigen.'

Dafydd bleef staan, verrast. 'Bedoel je dat letterlijk of bij wijze van spreken?'

'Allebei. Dat bedoel ik.'

'Jezus!'

'Vroeg of laat duwt ze die puntige tietjes tegen je aan.'

Dafydd moest lachen. 'Zo te horen heb je er ervaring mee.'

'Ja, en verdomd als ik er niet nog meer ervaring mee op zal doen.'

Wilde Ian hem duidelijk maken dat hij Sheila met rust moest laten omdat hij een claim op haar legde? Om de een of andere reden had het zo niet geklonken. 'Ze is helemaal van jou,' zei hij, om duidelijk te maken dat hij de hint had begrepen.

'Welnee, man, zo werkt dat niet bij Sheila.'

'En dat bevalt je niet?'

'Luister, je begrijpt het helemaal verkeerd. Ze kan verdomme doen waar ze zelf zin in heeft, dat is mijn zaak niet. We hebben niets met elkaar, en in elk geval niks vast. Ik heb je alleen gewaarschuwd omdat je als man gemakkelijk in de verleiding kunt komen en dat er altijd een prijs voor moet worden betaald.'

'Letterlijk of figuurlijk?'

Ian gooide zijn hoofd in de nek en barstte in lachen uit, zodat zijn fraaie gebit zichtbaar werd en hij er plotseling weer jong en vitaal uitzag. Hij had zijn goeie humeur terug. Toen leek hij na te denken over Dafydds vraag.

'Allebei, man, allebei. Let jij maar eens op.'

De bomen stonden nog dicht opeen en ze waren vermoedelijk nog lang niet in de buurt van de blokhut. Dafydd concentreerde zich op de bewegingen van Ians lange, magere benen voor hem. Hij probeerde zijn passen even lang te maken, maar het lukte hem niet. Ians vingers omklemden een sigaret, die hij achteloos wegmikte. Dafydd keek naar de kurkdroge dennennaalden op de grond. Was dit niet de manier waarop bosbranden begonnen? Hij hoorde achter zich een tak kraken en kromp ineen toen er een luid geritsel van bladeren en twijgen op volgde. Een beer? Een veelvraat?

'Ian, wacht,' riep hij en repte zich naar voren om hem in te halen. Ians geweer hing geruststellend aan zijn schouder. Ze liepen nu naast elkaar, vriendschappelijk, maar met ongelijke passen.

'Dat litteken van je. Hoe kom je eraan? Toch geen vechtpartij zeker?'

'Dat litteken? O, dat is al oud. Ik was dertien. Ik probeerde een hond te redden, mijn hond, uit een brandend huis, en daarbij heb ik mezelf praktisch gespietst op de spijl van een metalen trapleuning.'

'Goeie genade. Klinkt beroerd.'

'De hond overleefde het,' zei Ian toonloos. 'Op het nippertje. Mijn ouders niet.'

'Rot voor je, Ian.'

Plotseling rende Thorn de struiken in, grauwend naar een echte belager of een vermeende vijand. Ze bleven staan en zelfs Ian keek verontrust. Een ogenblik later kwam de hond trots terug, met een haas tussen zijn kaken. Hij legde de buit voor de voeten van zijn baas neer.

'Goed zo, jongen, hij is braaf,' zei Ian, terwijl hij de gele kop aanhaalde. Nu was het wel duidelijk waarom hij zo weinig op had met mensen. Hij had al heel jong ontdekt wie de beste vriend was van de mens. Ian boog zich over de hond en onderzocht Thorns vacht.

'Jezus, je zit onder de vlooien,' riep hij uit.

Dafydd keek omlaag naar de dode haas. Hij zag hoe de vlooien het dier letterlijk ontvluchtten – in alle richtingen, maar vooral richting Thorn. Iedereen hier verlaat zinkende schepen, dacht hij. Wij allemaal. Zelfs de vlooien. Behalve Ian...

Hij was nog steeds niet aan opereren toegekomen, iets waarvoor hij dankbaar was, ook al werd het geacht deel uit te maken van zijn werk. Het bleek dat – op echte noodgevallen na – de meeste patiënten die een operatie nodig hadden, per vliegtuig naar Edmonton of Saskatoon werden overgebracht. Niet omdat het kleine ziekenhuis er ongeschikt voor was; de operatiezaal was tamelijk modern uitgerust. Hogg voerde dit beleid eerder om zoveel mogelijk verantwoordelijkheden en grote risico's te vermijden. Hij deed zo weinig mogelijk, met een zo hoog mogelijke winst. Andrew Hogg had kennelijk gehoopt het gamma van mogelijke behandelingen uit te breiden met Dafydds komst, maar in hem had hij een chirurg getroffen die liever niet opereerde. Aan de andere kant, welke vooruitstrevende chirurg zou zich graag willen verstoppen in zo'n verdomd gat aan het eind van de wereld, tegen een belachelijk laag honorarium?

Dafydd had zich op de rol van algemeen arts geworpen en ontving de ene na de andere grimmige patiënt in zijn spreekkamer, een vertrek dat veel weg had van een gevangeniscel. Tot groot vermaak van de staf had hij gezegd dat hij er de voorkeur aan gaf huisbezoeken af te leggen. Ze hadden gelachen om zijn verzoek en het afgedaan als een Britse eigenaardigheid. Waarom zou hij al die moeite doen, vroegen ze zich af, als de meeste patiënten over een auto beschikten? En als ze geen auto hadden, konden ze zich per taxi of ambulance naar de polikliniek laten brengen, waar hij hen op zijn gemak kon helpen.

'We willen hier geen nieuwe trend beginnen,' had Hogg Dafydd gewaarschuwd. 'De mensen hier zijn al meer dan genoeg in de watten gelegd.'

'Slechts een deel,' had Dafydd aangedrongen. 'Ik wil graag zien hoe de mensen hier leven en wat ze doen.'

Met een schouderklop had Hogg gezegd: 'Je doet maar wat je

denkt te moeten doen, jongeman. Over een dag of twee zul je maar al te dankbaar zijn dat je het op onze manier kunt doen. Let op mijn woorden.'

Een paar weken na dit onderhoud was hij in de oude Chrysler van de kliniek voor het eerst een huisbezoek gaan afleggen. Het was al half september en de zon scheen nog wel fel, maar gaf niet veel warmte meer. De met gravel verharde weg slingerde zich loom door bossen van dennen en sparren. Op ongeveer twaalf kilometer van Moose Creek, toen hij de top van een heuvel had bereikt, herkende hij direct het zinderende landschap van de ansichtkaart die Hogg hem had gestuurd, hoewel de sneeuwdeken ontbrak. Hij stopte en stapte uit. De panorama's waren adembenemend. Meren met vreemde, onregelmatige contouren glinsterden in de enorme uitgestrektheid van de Mackenzievallei. De rivier zelf stroomde majestueus naar de Mackenziebaai van de Beaufortzee. In het hoge noorden begon de kale toendra en ten westen van hier strekten de Mackenzie Mountains met hun besneeuwde toppen zich uit naar Alaska. Het leek onmogelijk zo ver te kunnen kijken, maar misschien was de afstand in deze heldere lucht een vorm van gezichtsbedrog. Hij meende zelfs de kromming van de horizon te kunnen zien, maar ook dat moest beslist onmogelijk zijn, aangezien de horizon hem omgaf. Hij draaide zich langzaam om zijn as en had plotseling het gevoel de spil van *alles* te zijn. Een gevoel van euforie nam bezit van hem.

Hij keek op en zag een grote vogel boven zijn hoofd. Hij zag eruit als een kraanvogel, met zo'n lange nek en grote vleugelspanwijdte. De vogel zweefde steeds hoger en de vleugels lichtten felroze op. Dafydd volgde de vogel omhoog naar de zon, maar toen hij in het felle licht verdween, kwam hij met een schok weer tot zijn positieven. Hij blies zijn adem uit, teleurgesteld. Toch moest er iets meer zijn aan dit complexe, perverse leven. Een straaltje hoop, misschien. Het leven zou doorgaan, hoe dan ook.

Hij stapte weer in de auto en bleef een ogenblik zitten. Toen nam hij het vel papier met de routebeschrijving die Sheila hem had gegeven.

Mijlpaal 12,5; dan linksaf en vijfenhalve kilometer over de onverharde landweg. Bij de splitsing rechtsaf. De hut staat drie kilometer verder.

'Je hoeft dit echt niet te doen, weet je,' had ze hem verzekerd. 'We kunnen net zo goed de ambulance sturen om hem op te halen, daar hebben we hem voor. Trouwens, de oude man heeft een kleinzoon die hem...'

'Ik wil het graag,' had hij volgehouden. 'Sleeping Bear... de naam intrigeert me. Ik wil daar graag een kijkje nemen.'

'Je bent werkelijk een naïef kereltje, is het niet?' Ze had hem met half geloken ogen staan opnemen. 'Doe die stropdas af, je ziet er bespottelijk mee uit. Je gaat op bezoek bij een half door de motten opgevreten, halfdooie inheemse ouwe man, niet het een of andere staatshoofd.'

De 'onverharde landweg' was nauwelijks te berijden. Nadat hij bijna een halfuur dwars door een maagdelijke wildernis had gereden, bereikte hij eindelijk een kleine open plek, omgeven door torenhoge dennen. In het midden stond een uit ruwe stammen opgetrokken blokhut, met een dak van houten dakspanen. Er stonden verscheidene auto's in uiteenlopende stadia van verval over het erf verspreid. Aan een waslijn hingen wat resten van versleten, gerafelde kleding.

Hij stapte uit toen er opeens een oudere indiaan opdook, met een bos dorre takken op de rug – aanmaakhout, vermoedelijk. Zijn dunne haar hing af tot aan zijn middel, met leren reepjes verdeeld in twee vlechten, een onder elk oor. Ook zijn kleren waren van leer, maar van vage herkomst. Ze waren stijf en zwart, volledig geïmpregneerd met de substanties van een ruig leven in de wildernis.

'U bent Sleeping Bear?'

'Zeg maar Bear, zoals iedereen.' De man stak Dafydd een smerige hand toe, deels omwikkeld met repen stof die ooit zwachtels konden zijn geweest.

'Ik ben dokter Woodruff.' Dafydd schudde de oude hand en wees naar de blokhut. 'Ik wilde u de tocht naar Moose Creek besparen. Zullen we naar binnen gaan, zodat ik er even naar kan kijken?'

'Die vuurtorenzuster heeft me al gewaarschuwd dat je zou komen. Nergens voor nodig dat je helemaal hierheen komt.' De oude man bestudeerde Dafydds schone, gestreken overhemd en zijden stropdas met samengeknepen ogen. Hij was kennelijk van mening dat iemand als hij veel te schoon was om dokter te kunnen zijn. 'Trouwens, het ís al niet meer nodig. Ik voel me al een stuk beter.'

'Ik ben helemaal hierheen gekomen om ernaar te kijken,' wierp Dafydd tegen. 'Laat me dat tenminste doen. Het zal er niet slechter van worden.'

'Kom binnen,' zei Bear met een zwaai van zijn vrije arm. 'Ik zet een kop koffie voor je.'

Het was donker in de blokhut en Dafydds adem stokte toen hij verscheidene woeste paren ogen naar zich zag staren. Eronder ontwaarde hij opgetrokken lippen en ontblote gele slagtanden. Het gebeurde allemaal in volmaakte stilte.

'Rustig, jongens,' zei Bear geruststellend.

De husky's, het waren er een stuk of zeven, gehoorzaamden direct en lieten zich weer op de grond zakken.

'Let maar niet op hen,' lachte Bear. Voorzichtig stapte Dafydd over de drempel naar binnen.

'Waarom blaften ze niet toen ik aan kwam rijden?'

'Ha!' riep Bear triomfantelijk, blij dat ernaar werd gevraagd. 'Zo heb ik ze persoonlijk afgericht. En dat is geen kleinigheid, dan kan ik je wel vertellen. Volgens de meesten kun je een husky het blaffen nooit afleren, zolang je hem niet met een eind hout op zijn kop timmert.' Bear wreef opgewekt in zijn handen. 'Als iemand ooit probeert hier binnen te komen terwijl ik er niet ben, wacht hem een verdomd grote verrassing. Ze waarschuwen niet, vat je?'

Bear wees naar een gehavende oude leunstoel en Dafydd ging zitten. Hij wenste dat hij naar de 'vuurtorenzuster' had geluisterd en zich minder verfijnd had gekleed. Zijn trouw aan een professionele verschijning was hier inderdaad bespottelijk ongerijmd.

'Maar stel dat het iemand is die het goed bedoelt? Zoals de postbode, of iemand die verdwaald is?'

'Postbode?' herhaalde Bear verbaasd. 'Zoiets kennen we hier niet.' Hij begon grote hoeveelheden Nescafé in twee tinnen mokken te scheppen. 'Als iemand zo stom is te proberen onuitgenodigd mijn huis in te stappen, zal het me een zorg zijn of hij het vriendelijk bedoelt of niet – voor mijn honden wordt het een feestmaal.' Hij lachte schril en boosaardig, en schonk toen kokend water uit een aluminium ketel in de gedeukte mokken. 'Maar om je de eerlijke waarheid te zeggen, geen mens komt hier zonder bedoeling naartoe. En áls er al een bedoeling mocht zijn, dan zal die allesbehalve vriendschappelijk wezen, ja?'

Hij strompelde naar Dafydd en reikte hem de dampende mok koffie aan. Hij had er iets doorgedaan dat zoet was en onmiskenbaar alcohol bevatte. 'Dat gehobbel komt door die puist op mijn kont.'

'We zullen er zo even naar kijken.' De koffie was bitter, maar hij kikkerde ervan op. Inmiddels waren zijn ogen gewend geraakt aan de duisternis. De blokhut bestond uit één vertrek, met aan een kant een zware houten tafel met aan weerskanten een stoel. Aan de wand was een klein gasstel bevestigd, met eronder de butagasfles. Boven een keramische waskom op houten poten hing een gebarsten spiegel. Er scheen geen stromend water te zijn. In een andere hoek stond een tweepersoonsbed met een rijk gebeeldhouwd hoofdeinde. De hut deed hem denken aan het openluchtmuseum waar hij als jongen wég van was geweest, omdat hij zich er in de Middeleeuwen kon wanen.

De oude man zelf had het uiterlijk van het archetypische indiaanse opperhoofd, precies zoals hij ze in westerns had gezien. Inclusief de lange haakneus en de waardige houding. Het magere gebruinde gezicht, de dunne lippen en de versluierde oogopslag, de vlechten. Het enige wat eraan ontbrak, waren de hoofdtooi van veren en de lendendoek. Dafydd monsterde hem met een mix van blijdschap en bewondering. Kon hij de man vragen of hij een foto van hem mocht nemen, of zou dat tactloos zijn? Nu hij er bij stilstond, zag hij dat Sleeping Bear weinig leek op de meeste andere indianen die hij in Moose Creek had gezien. De inheemse indianen hier waren kleiner en hadden een gedrongen lichaamsbouw. Ze neigden tot corpulentie en hadden vollemaansgezichten.

'U woont hier dus helemaal alleen?' De oude man leek ruim boven de tachtig, maar zijn stoere uiterlijk kon zijn broosheid niet verhullen.

'*Yep*, dat doe ik,' antwoordde Bear trots, 'en probeer maar niet je neus erin te steken om te proberen er iets aan te veranderen. Mij krijg je niet in zo'n verdomde instelling, dat zeg ik je.'

'Goed. Laten we dan nu eens een kijkje nemen bij dat gezwel op uw kont. Dat kan u helpen voor uzelf te blijven zorgen.'

'Ik heb een kleinzoon die me af en toe komt bezoeken; hij zorgt dat ik alles krijg wat ik nodig heb.'

Bear kreeg zijn broek bijna niet omlaag en Dafydd moest al zijn overredingskracht aanwenden om hem zover te krijgen dat hij zich over de tafel boog.

'Hoe heeft u kans gezien om uw behoefte te doen?' vroeg Dafydd, terwijl hij een operatieschaartje gebruikte om de stinkende stof van Bears broek, waar die aan de etterende zweer op zijn bil kleefde, weg te knippen.

'Ik ga niet,' antwoordde Bear schaapachtig.

'Wat doet hij eigenlijk voor de kost?' vroeg Dafydd, in een poging zijn afschuw over de walgelijke lichamelijke toestand van de man wat te verhullen. 'Uw kleinzoon?'

'O, van dit en van dat,' antwoordde Bear ontwijkend. 'Hé, waar ben je mee bezig – knip je mijn beste broek stuk?'

'Grote god, man,' riep Dafydd uit toen hij de ontstoken puist had blootgelegd. 'Hoe hebt u hiermee kunnen leven?'

Een halfuur later was de wond schoongemaakt en verbonden, waarna hij de oude man intraveneus een fikse dosis antibiotica had toegediend. Bear zag er zwakjes en bleek uit. Dafydd hielp hem op het bed en legde een stinkende deken over hem heen.

'Ik ga niet naar een verdomd ziekenhuis, als je dat soms wilt gaan zeggen. Mijn kleinzoon zorgt wel voor mij. Hij zal komen kijken.'

'U hebt meer injecties nodig en we zouden een paar tests moeten doen,' wierp Dafydd tegen. 'U hoeft maar een paar dagen te blijven.'

'Nee. Niemand krijgt me hier weg.' Hij leek in slaap te vallen, en Dafydd ging naar buiten om de door de zon gebleekte vodden aan de waslijn te inspecteren. Er was een kledingstuk met twee lange pijpen dat ooit een lange onderbroek kon zijn geweest. Hij maakte hem los van de lijn. Toen hij weer de blokhut in stapte, stonden de honden onmiddellijk op en ontblootten dreigend hun slagtanden. Hun baas lag te slapen en was dus kwetsbaar. Dafydd betwijfelde geen moment dat ze hem konden doden.

'Stil,' zei de oude man op het bed. Meteen gingen de honden weer liggen, maar hun bleke ronde ogen bleven naar de indringer staren.

'Ik heb hier een soort broek.' Dafydd gaf hem het kledingstuk en duwde een kussen onder zijn hoofd en schouders. Als ik terugkom voor controle, zal ik u iets anders geven dat u kunt dragen.'

Ze zwegen en Bear slurpte luidruchtig het restje koffie uit zijn mok.

'Waarom ben je hier?' vroeg hij opeens.

'Om u te helpen beter te worden.'

'Nee... Ik bedoel hier, in dit oord waar niemand heen wil, behalve degenen die er hun redenen voor hebben, zoals ik.'

'Ik... er is iets gebeurd waarom ik weg moest,' zei Dafydd, meteen verbijsterd over deze bekentenis.

'Dacht ik wel.' Bear pulkte iets zwarts uit zijn linkerneusgat en schoot het naar de vloer. 'Wat precies?'

'Een kleine jongen... hij heet Derek Rose. Ik heb zijn nieroperatie verprutst en zal er de rest van mijn leven mee moeten leven. Daarom ben ik hier, in een poging het achter me te laten.' De husky's kwamen overeind en verdrongen elkaar, plotseling minder wantrouwig.

'Iedereen maakt fouten.'

'Niet waar ik vandaan kom.'

'Meesters van het verdomde universum, zit het zo?'

'Dat niet, maar je hoopt dat je dat soort fouten nooit zult maken. Als je niet op die manier kunt denken, moet je het werk niet doen.'

'In sprookjesland, ja. In het echte leven gebeurt dat soort dingen aan de lopende band.' Hij stak zijn hand uit en gaf een klopje op de hand van Dafydd. 'Je zult jezelf vergeven. Daar draait het om, de dingen hun loop laten nemen. En dan klim je weer op de hengst die je heeft afgeworpen.'

'Denkt u?'

'Ik wéét het.' Hij dacht er even over na en zei toen glimlachend: 'Het is een cirkelgang van schuld en boete, zeggen ze. Daar ben je nu mee bezig, is het niet? Je probeert boete te doen. Je wilt iets rechtzetten, ook al is het hier, in de wildernis.'

Dafydd knikte. Er viel heel wat recht te zetten. Iedere dag van zijn arbeidsleven zou gewijd zijn aan boetedoening. Bear gaf hem zijn mok en beduidde hem die te vullen uit een fles zonder etiket.

'Is Sleeping Bear uw echte naam?'

'Welnee, man,' grinnikte Bear. 'In werkelijkheid heet ik – heette ik Arwyn Jenkins.'

'Jenkins?' Na een ogenblik van verwarring zei Dafydd. 'Ik neem aan dat de een of andere voorouder van u een Welshman zal zijn geweest, of zo.'

Bear lachte zo hard dat de bovenste helft van zijn valse gebit los kwam en wild begon te klapperen. 'Beste jongen, je onderschat mijn leeftijd enorm.' Hij bleef grinniken en giechelen terwijl hij pogingen deed zijn gebit terug te duwen. 'Toen ik geboren werd, had de blanke man nog nooit een voet in dit deel van de wereld gezet. Ik was de eerste Europeaan die in Moose Creek belandde. Er stonden toen maar drie blokhutten.'

'Europeaan?' herhaalde Dafydd, met stomheid geslagen.

'Zo is het. Ik kom uit Wales. Geboren en getogen.'

'Dat meent u niet... Uw gezicht... en...'

'Er zijn er niet veel die dit van mij weten, behalve de oudjes, maar het is nergens voor nodig ze te herinneren aan mijn achtergrond. Of dacht je van wel?' Hij keek Dafydd indringend aan.

'In geen geval. Daar kunt u van op aan. Ik ben zelf voor de helft Welshman.'

Sleeping Bear onthulde dat hij na wat moeilijkheden Wales was ontvlucht. In 1934 was hij in deze contreien beland en na een paar jaren van ontberingen getrouwd met een indiaanse, die hem twee zoons had geschonken. Dafydd luisterde gefascineerd en had meer dan eens moeite zijn drang om van oor tot oor te grijnzen te onderdrukken. Deze wijze oude indiaan uit een jongensboek bleek een Welshman te zijn die uit Pontypridd kwam, zo ongeveer een buurman van zijn eigen grootouders.

'Hoe bent u aan uw huidige naam gekomen?'

'Ja, kijk, destijds, toen ik pas hier was, kon ik de winters niet aan. Dat staat jou nog te wachten, jongeman, je merkt vanzelf wel wat ik bedoel. Let wel, alles is tegenwoordig heel comfortabel, met verwarmde huizen en auto's die je snel van de ene plek naar de andere brengen, maar in die tijd deed je alles lopend en vroren je billen van je kont. Mij heeft het een paar tenen gekost. Ik was het niet gewend, vat je?'

Dafydd wierp een blik op Bears verweerde laarzen en vroeg zich af hoeveel tenen een mens in dit terrein kon missen.

'Dus verschanste ik me de hele winter in mijn blokhut, met het vuur aan. De indianen lachten me uit, maar het waren aardige mensen en ze brachten me eten en brandhout.'

'U overwinterde dus als een beer?'

'Je hebt het door,' riep Sleeping Bear geestdriftig. 'De naam bleef hangen.'

Hij trok de lange onderbroek over zijn ruige laarzen aan en bleef in zichzelf grinniken, om een paar herinneringen die hij voor zich hield.

'Uiteindelijk bent u dan toch aan de winters gewend geraakt.'

'Reken maar. Ik moest wel. Je ziet zelf wel wat het zeggen wil als je je eerste winter hier meemaakt, en dat duurt niet lang meer. Tegen de derde winter had ik een vrouw en was er een kind onderweg. Ik moest door de zure appel heen bijten en werd pelsjager. Later, toen Moose Creek begon te groeien, verdiende ik de kost met het uitzagen van blokken ijs uit de rivier. Die bracht ik met paard en wagen naar Moose Creek.'

Ze hoorden vaag het geluid van een naderende auto en de honden werden onmiddellijk waakzaam.

'Krijg nou de herrie, doop me maar met beverspuug en bekogel me met elandenstront,' barstte Bear uit. 'Dat moet mijn kleinzoon zijn.'

Hij sprong het bed uit en rende naar buiten, alle pijn en ongemak vergetend. Een kleine, gedrongen man van middelbare leeftijd met lang zwart haar sprong uit een glanzende pick-up. Argwanend liep hij naar Dafydd, maar hij schudde hem de hand toen Bear hen aan elkaar voorstelde.

'Dit hier is de nieuwe medicijnman. Hij heeft mijn broek verpest, maar me netjes schoongemaakt.' Bear leek rond te springen als een fitte tiener. 'Hij kwam helemaal hierheen om naar me te kijken.'

De kleinzoon zei niets, maar stond met grote, inktzwarte, ronde ogen Dafydd op te nemen.

'Nou, dan ga ik maar eens,' zei Dafydd. 'Ik kom terug voor nieuwe injecties. Ik zal u leren hoe u het zelf kunt doen. Op die manier kunt u hier blijven.' Hij stapte in de auto en reed weg.

'Vergeet die broek niet!' schreeuwde Bear hem na.

Toen hij over de hobbelige landweg terugreed, zag hij dat de mouwen van zijn overhemd al smerig waren. Ook het front van zijn overhemd was besmeurd met bloed en etter – waarschijnlijk was het voorgoed verpest. Zijn stropdas hing slap, als een gekrompen erectie. Hij liet het stuurwiel met een hand los en haalde zijn vingers door zijn haar. Het begon lang te worden. Donkere krullen hingen over zijn slapen; hij kon ze vanuit zijn ooghoeken duidelijk zien. De nieuwe streepjes grijs herinnerden hem eraan waarom hij in deze ouwe, gehavende Chrysler over deze stoffige landweg reed, in plaats van op zijn glanzende nieuwe Velocette door het drukke verkeer in Bristol te laveren. Nou ja, hij had tenminste werk en probeerde in het reine te komen met zichzelf. Een wijze oude indiaan – Dafydd moest grijnzen bij de gedachte – was de eerste buitenstaander die iets van de diepte van zijn ontreddering had gepeild.

Hij moest nog een visite doen, even buiten Moose Creek. Een van de zogenaamde buitenwijken. Algauw kreeg hij zicht op de grauwe houten huizen links van de weg. Hij maakte zijn hand nat met water uit het flesje op de passagiersstoel en probeerde zijn weerbarstige manen tot de orde te roepen.

'Ga je hem niet wat geven?' vroeg de jonge vrouw op hoge toon, de handen op haar brede heupen. Ze had een vale huid en haar haar zag er dof uit, alsof ze het met slaolie had gekamd. Haar echtgenoot zat als gebiologeerd naar een honkbalwedstrijd op de televisie te kijken en had zich nog niet één keer omgedraaid of op een andere manier notitie genomen van Dafydds aanwezigheid. Het af en aan zwellende gejuich van de toeschouwers klonk vreemd in deze kleine ruimte, en in de context van het deprimerende leven van de bewoners deed het zelfs bijna griezelig aan. De kleine jongen hoestte. Het was een natte, slijmerige hoest, maar hij had geen koorts.

'Het is niet meer dan een koutje,' verzekerde hij de vrouw.

'Je kunt niet zomaar weglopen zonder hem iets te geven,' zei ze agressief, terwijl ze hem met haar brede heupen letterlijk de doortocht versperde.

'Al die sigarettenrook hier,' zei Dafydd met een vermetel handgebaar, 'zou weleens iets met zijn gehoest te maken kunnen hebben.'

'Gelul,' verklaarde de vrouw. Ze was niet overtuigd, en de man op de bank draaide zelfs even zijn hoofd naar hen om. Haar wijsvinger priemde naar Dafydds borst. 'Hij hoest al van kleins af aan. Hogg zei me dat zijn longen verpest zijn.'

'Verbaast me niks,' kaatste Dafydd terug, proberend zijn stem niet sarcastisch te laten klinken. 'Geef hem wat vitamine C, aspirine voor kinderen en schone lucht, dan is hij over een paar dagen weer zo gezond als een vis.' Hij hurkte neer en haalde zijn hand door de ruwe haarlokken van de jongen. Hij putte moed uit zijn overtuiging en wendde zich tot de jonge vader.

'Waarom nemen jullie hem niet eens mee naar buiten. Het is mooi weer. Een beetje zon zou hem goed doen.'

De man draaide zijn hoofd opnieuw een beetje om, maar hij bleef naar het scherm kijken.

'Wat wou je daarmee zeggen?' protesteerde de vrouw. 'Hoorde je dat, Brent? De dokter hier wil dat je het kind met zijn kapotte longen meeneemt, de open lucht in. Heb je daarvan terug?'

Brent reageerde nog steeds niet. Dafydd kon niet goed bepalen of er onderhuids is broeide, zodat de man plotseling in razernij zou ontsteken, of dat zijn apathie en onverschilligheid volkomen waren, en niet vatbaar voor verbetering. Beide mogelijkheden waren verontrustend.

'Meer kan ik niet voor jullie zoon doen. De rest is aan jullie, in feite.'

'Jij hebt helemaal niks gedaan!' snauwde ze hem na, toen hij snel terugliep naar zijn auto. 'Voor mij ben jij een regelrecht gevaar voor kinderen,' riep ze. 'Nalatigheid, dat is het!'

Een paar buurvrouwen verschenen op hun veranda's, benieuwd naar de oorzaak van al dat geschreeuw. Dafydd voelde zijn hals rood worden van schaamte toen hij in de auto stapte. Een regelrecht gevaar voor kinderen, en ze had groot gelijk óók. Hij was er bijna aan toe de huisbezoeken maar achterwege te laten. Zijn vaardigheden als huisarts waren in feite tamelijk roestig en de mensen hier schenen wonderpillen en -drankjes van hem te verwachten die alles zouden genezen. Blijkbaar was dokter Odent een wandelende apotheek geweest, altijd bereid voor een kleine onderhandse transactie.

Dafydd startte de auto, aarzelde en viste het receptenboekje uit zijn dokterstas. Een antibioticakuurtje zou de jongen geen kwaad doen, maar evenmin zou het hem goed doen. Maar bij de gedachte dat er misschien 's nachts op zijn deur kon worden gebonsd, waarna hij een nieuwe vernedering te slikken zou krijgen... De woorden 'blank uitschot' kwamen bij hem op en hij sprak ze hardop uit. Het was een uitdrukking die hij haatte, maar hij wist nu precies wat ermee werd bedoeld.

'We hebben dus ons dingetje gedaan?' vroeg Sheila. Het was hem al opgevallen dat ze de gewoonte had ontwikkeld om met over elkaar geslagen armen tegen een deurpost te leunen, op zo'n manier dat haar borsten erdoor omhoog werden geduwd. De gladde bleke heuveltjes leken uit haar uniform te willen ontsnappen. Ze glimlachte en haar tong kwam flitsend naar buiten om haar onderlip te bevochtigen.

'Wat voor dingetje zou dat moeten zijn?' vroeg Dafydd, niet in de stemming voor raadsels. Hij zat in de artsencafetaria, proberend wijs te worden uit de statusmappen van een aantal patiënten. In die van Sleeping Bear was al verscheidene jaren geen aantekening meer gemaakt.

'Doktertje spelen.'

Dafydd dacht even na, zich bezinnend op de beste manier om op dit soort steken onder water, vermomd als geestige of ondeugende opmerkingen, te reageren. Ze scheen hem reacties te willen ontlokken. Blijkbaar kickte ze erop. Ze wilde natuurlijk weten tot hoever ze bij hem kon gaan.

Hij keek even op en zei glimlachend: 'Precies, dat heb ik gedaan.' Hij liet zijn stem luchthartig klinken en bleef wat in zijn paperassen bladeren. Uit een ver verleden hoorde hij de stem van zijn moeder in zijn oren: 'Bullebakken willen je alleen maar bang maken. Als je ze negeert, gaat de lol er voor hen vanaf en proberen ze het bij iemand anders.' Ze had het hem bijna dagelijks ingehamerd, en het leek hem een goed advies.

Sheila bleef in de deuropening staan. Dafydd keek vluchtig op. 'Nog iets anders?' Hij kon moeilijk een aanmerking maken op haar vrijpostigheid. Ze staarde zo naar hem dat hij haar onmogelijk weg kon sturen of negeren.

'Zal ik je eens wat zeggen?' zei ze, een pauze inlassend voor het effect. Ze dwong hem het oogcontact in stand te houden. Ongeduldig haalde hij zijn schouders op.

'Als je niet oppast, krijg je nog de reputatie dat je een droogkloot bent en geen gevoel voor humor hebt.'

'Over wat voor soort humor hebben we het precies?' vroeg hij.

'Luister. Het zou je geen kwaad doen als je wat minder krampachtig deed. We werken nauw samen en we hebben hier onze eigen manier om de dingen te doen. Je zou er verstandig aan doen te proberen je aan te passen.'

'Droogkloot,' zei hij effen en richtte zijn blik weer op zijn papieren. 'Noemde je me zo, daarnet?'

Vanuit zijn ooghoeken zag hij hoe Sheila haar borsten liet zakken en haar handen omhoog bracht om de wilde, springerige rode lokken uit haar gezicht te strijken. Ze was te ver gegaan en wist het.

'Vat het niet te persoonlijk op,' zei ze lachend. 'Maar dit is exact wat ik bedoel met geen gevoel voor humor. We zitten allemaal in hetzelfde schuitje. Niemand in dit ziekenhuis is beter dan een ander.'

'O?' Dafydd keek haar weer aan. Haar blik boorde zich in de zijne en haar mond was enigszins geopend, klaar voor een repliek. 'Ik heb anders de indruk dat jij aardig wat macht over anderen uitoefent,' zei hij. 'Ik had nooit durven raden dat jíj jezelf als gelijk aan alle anderen beschouwt, gelet op de manier waarop jij op je strepen staat.'

'Je moet het zelf weten,' snauwde ze. Ze draaide zich om en liep weg. Hij grinnikte wrang. *Gevoel voor humor? Op wiens voorwaarden?*

'Wat wil je eigenlijk precies van mij?' riep hij haar na, hoewel hij het niet had willen vragen.

Ze hield haar pas in, maar blijkbaar kon ze hem geen direct antwoord geven. Dafydd blies de lucht uit zijn longen. Hij moest zich niet door haar laten verleiden haar lik op stuk te geven. Misschien vleide hij zichzelf, maar hij voelde dat ze hem, als hij erin meeging, al spoedig seksueel zou benaderen. Ze joeg hem angst aan, eerlijk gezegd.

Met een ruk draaide Sheila zich om en liep de kleine cafetaria weer in. 'Luister, jij denkt dat de wereld zo groot is, nietwaar? Dacht je nou werkelijk dat je hierheen kon komen om je te verstoppen? Ik wéét waarvoor jij op de loop bent. Daar kwam ik binnen de kortste keren achter, dus doe maar niet zo verdomd uit de hoogte tegen mij.' Sheila verplaatste haar gewicht van de ene voet op de andere, een lichte blos op haar gezicht. In haar ogen zag hij de glinstering van nauwelijks verholen voldoening.

Dafydd hield zijn adem in. Godverdomme...

'Nou en?' Hij was geschrokken, maar deed zijn best het nonchalant te laten klinken. 'Wat dacht je eraan te doen, dan?'

'Niets,' zei ze glimlachend. 'Zolang jij die zelfingenomenheid van je maar laat vallen, dat slijmerige Britse superioriteitsgevoel. Het is totaal niet op zijn plaats, gelet op jouw achtergrond.'

Ze was op hem toegelopen en hij voelde zich zittend in het nadeel. Hij stond op en posteerde zich tegenover haar. 'Zelfingenomen? Sheila, ik ben verbijsterd. Geloof me, ik ben genoeg vernederd door wat ik heb gedaan. Zelfvertrouwen heb ik niet meer, en dat is nu precies waar jij voortdurend op inhakt.'

Ze antwoordde niet. Ze scheen in te zien dat hij gelijk had, zodat hij dapper doorging. 'Ik probeer uit te knobbelen waar jij precies een probleem mee hebt. Zijn het de mannen in het algemeen? Of alleen Britse mannen, artsen of verliezers, of iedereen wiens kwalificaties de jouwe overtreffen? Of misschien staat mijn gezicht je niet aan. Ik doe hier mijn stinkende best en probeer me in te werken. Ik begrijp alleen niet waarom jij zo op mij gebeten bent.'

Sheila gaf geen krimp, maar was zichtbaar van haar stuk gebracht door zijn openhartige verklaring. 'Ik bén helemaal niet gebeten op jou. Ik heb het veel te druk met gebeten zijn op artsen die dit hier als een tussenstop beschouwen. Dit is tenslotte míjn terrein. Ik wil alleen dat alles zo goed mogelijk marcheert.' Ze zag er een beetje verward uit toen ze zich omdraaide en wegliep.

Dit is mijn terrein. Natuurlijk, ze was een grote vis in een kleine vijver. Waar anders kon ze zoveel macht uitoefenen? In elk geval leek het een van de redenen te zijn waarom ze in Moose Creek bleef hangen. Dafydd liet zich weer op zijn stoel zakken en ademde uit. Hij was hondsmoe.

7

Cardiff, 2006

Het vrolijke ochtendzonnetje dat door het venster naar binnen scheen leek vierkant in strijd met het gevoel in zijn binnenste. Hij voelde zich verloren en kon zich de details van het ongeluk van de vorige avond niet herinneren. De botsing, de politieagenten, de ambulance, zijn eigen agressieve weigering om de alcoholspiegel in zijn bloed te laten meten – niets van dat alles herinnerde hij zich.

Dafydd keek toe hoe een verpleegstertje – ze leek niet veel ouder dan een schoolmeisje – het gordijn om zijn bed dichttrok. Ze keek gretig en geïnteresseerd toe terwijl de lange, knappe man met een gladde, chocoladekleurige huid hem hier en daar voorzichtig betastte en de zwachtels om zijn hoofd loswikkelde. Zafar Thakurdas grinnikte terwijl het de ondiepe snee in Dafydds hoofd inspecteerde.

'De deegrol was zeker behoorlijk hard, dokter Woodruff?'

'Déégrol?'

'Je was natuurlijk laat thuis, gisteravond, dronken als een tempelier, terwijl je vrouw achter de voordeur klaarstond met de deegroller. En krak, daar had ze je.'

Het verpleegstertje kirde en Zafar gaf haar een knipoog. Dafydd was niet in de stemming voor dat soort onzin en sloot alleen zijn ogen – uit protest.

'Hier, manlief, krák. Als jij de beest uithangt met de meiden, zal ik jou eens even opknappen.' Zafar Thakurdas liet de denkbeeldige deegrol omlaag suizen. 'In mijn land besluipt de echtgenote haar man in het holst van de nacht en zegt *slash*! Hij greep een lancet van het blad met instrumenten en doorkliefde er de lucht boven Dafydds kruis mee. De verpleegster giechelde schaamteloos.

'Je slooft je uit,' gromde Dafydd tegen de jonge arts.

Een streng gezicht verscheen naast de deurpost. Zafar haalde vlug adem en rechtte eerbiedig zijn rug. 'Dokter Payne-Lawson,' grijnsde hij breed, 'ik ben net bezig dokter Woodruffs, eh... schram in het hoofd te onderzoeken.'

Dafydd tilde zijn hoofd op en vloekte in stilte bij het zien van het gezicht van de geneesheer-directeur, een impopulaire figuur met wie hij het nooit had kunnen vinden. De voortdurend groeiende keten van ergernissen in zijn leven was nu uitgebreid met deze lichamelijke tegenslag en vernedering voor de ogen van zijn superieur, de baas van het ziekenhuis waar hij werkte.

'Wat hebben we hier?' Er lag een boosaardige glans in de ogen van de man. Hij snoof de lucht op en zijn gezicht verried lichte afkeer bij het zien van het opgedroogde braaksel, dat de afgelopen nacht op Dafydds kussen was beland. Dafydd wist dat hij er afschuwelijk uitzag. Hij had een blauw oog, zijn gezicht was overdekt met baardstoppels en er zat vuil onder zijn vingernagels. Te oordelen naar de smaak in zijn mond – en waarschijnlijk ook zijn adem – moest er een hele kudde kamelen doorheen zijn gelopen.

'Ik neem aan dat je vanmorgen niet fit genoeg bent om te komen werken,' glimlachte Payne-Lawson oppervlakkig, maar de blik in zijn kleine ogen was gemeen.

'Inderdaad,' zei Zafar Thakurdas. 'Hij heeft een paar dagen rust nodig. Hij heeft een hersenschudding.'

Payne-Lawson negeerde de jonge arts lomp. 'Als ik het goed heb begrepen, was je ten tijde van dat ongeval zwaar onder de invloed van alcohol.'

'Niet echt,' mompelde Dafydd.

'Onzin, Woodruff, ik ben ervan overtuigd dat je dat gif nu nog niet uit je lijf hebt. Je alcoholspiegel sloeg alle records. Volgens de politie mag je op zijn minst een jaar niet rijden. Ik hoop oprecht dat dit niet ten koste gaat van je werk als je met spoed wordt opgeroepen. Nou, daar hebben we het later nog wel over.'

'Later, ja,' beaamde Dafydd. 'Hoewel ik niet geloof dat iets hiervan jou iets aangaat.'

'Mis, mijn vriend. Als geneesheer-directeur is het mijn plicht om een onderzoek in te stellen naar eh... onwettige gedragingen van de artsen die aan mij rapporteren.'

De hechtingen in Dafydds hoofd staken en hij had het gevoel dat hij weer moest overgeven, hoewel hij alleen maar een kop thee in zijn maag kon hebben.

'Op dit moment ben ik hier gewoon patiënt, George. Ik heb een ongeluk gehad. Ik heb een barst in mijn verdomde kop en een stevige hersenschudding.' Dafydd haalde diep adem. 'Dus luister goed, "mijn vriend", val me niet langer lastig, voordat ik je schoenen onderkots.' De woorden die zijn mond uitsprak, overvielen hem. Misschien kwam het door de morfine-injectie dat hij zo onverschillig sprak. Hij kromp inwendig ineen, in het besef dat hij zojuist een zwart gat voor zichzelf had gegraven... met de afmetingen van een doodkist. Payne-Lawson kon hem het leven behoorlijk zuur maken.

'Wat ik zie, bevalt me niet, moet ik zeggen,' zei Payne-Lawson ijzig, maar toch zette hij een stap achteruit om zijn schoenen te sparen. 'Er zijn wat mensen die zich hebben beklaagd over jouw prestaties van de afgelopen paar weken. Als je een persoonlijk probleem hebt, stel ik voor dat je wat vakantie neemt. Ik heb gehoord... ik hoor dat je vrouw je heeft verlaten.'

Dafydd was geschokt. Artsen roddelden of belasterden elkaar zelden, zelfs niet als ze het niet met elkaar konden vinden. Hij vroeg zich af wie met Payne-Lawson over hem kon hebben gepraat. Trouwens, de sukkel had het verkeerd – zijn vrouw had hem niet 'verlaten', verdomme.

'Voor zover mij bekend – maar misschien weet jij iets dat ik nog niet weet – is mijn vrouw voor haar beroep onderweg. Trouwens, is het beslist noodzakelijk mijn privéleven hier in het bijzijn van iedereen te bespreken?'

'Ik wil alleen maar zeggen dat het invloed lijkt te hebben op jouw prestaties.'

Zafar mocht dan wat kinderlijk zijn, maar zijn gevoel voor ethiek was onberispelijk. Met zichtbare ontsteltenis wendde hij zich tot Payne-Lawson. 'Alstublieft, alstublieft, kunt u dit uitstellen tot later? Dokter Woodruff is aan mijn zorgen toevertrouwd. Hij begint zich op te winden. Dat is niet goed – niet nu zijn hoofd er zo aan toe is.'

Payne-Lawson opende zijn mond om hem tegen te spreken, maar hij werd overstemd door een plotselinge, luide huilbui van een kind in de belendende afdeling. Het geschreeuw van het kind overstemde ook alle overige geluiden op de afdeling Spoedgevallen. Dafydd had het gevoel alsof hij het zelf uitschreeuwde. De geluiden resoneerden als tientallen beierende klokken in zijn hoofd. Slapen... lieten ze hem nou maar slapen... Alleen maar slapen, en dan wakker worden alsof dit een nare droom was geweest, meer niet. Wakker worden in zijn echte leven, zoals het was geweest, een en al normaliteit en tevredenheid.

In de loop van de middag, twintig uur na het ongeval, werd hij fit genoeg bevonden om naar huis te mogen. Margaret, een vriendelijke en moederlijke verpleegster die hij al eerder had ontmoet, kwam hem zijn kleren brengen, en hij begon zich aan te kleden. Met de broek had hij moeite; zijn knie wilde niet naar behoren buigen. Zijn hoofd voelde veel groter aan dan normaal, alsof zijn hersenen waren gezwollen.

'Uw vrouw heeft gebeld. Ze is in de buurt van de kruising met de M4, dus kan ze met een uur hier zijn. Arme schat. Ze heeft de hele dag doorgereden. Helemaal uit Glasgow, lieve help.'

Dafydd probeerde zijn overhemd dicht te knopen, maar zijn linkerpols was gekneusd en Margaret bukte zich om hem te helpen.

'Zorg wel dat u het de komende paar dagen rustig aan doet, dokter Woodruff,' zei ze vriendelijk. 'Waarom stelt u uw vrouw niet voor om een korte zonvakantie te gaan houden, op Tenerife of een van die andere eilanden. Het is daar heerlijk. U kunt er vanuit Cardiff direct heen vliegen – stelt niks voor.'

Dafydd keek haar argwanend aan. 'Zeg me eens... is iederéén op de hoogte?'

Margarets grijze ogen, aan de ooghoeken gerimpeld na vijftig jaar glimlachen, keken streng terug. 'Er wordt nu eenmaal graag wat geroddeld, meneer Woodruff, maar schenk daar maar geen aandacht aan. Ik zou u een paar verhalen kunnen vertellen waarvan uw nekharen recht overeind zouden gaan staan.' Ze boog zich naar hem toe, legde haar warme hand op die van Dafydd en fluisterde: 'Het spijt me van dat rijverbod. Ik wilde u alleen even zeggen dat mijn zoon, Llewellyn, een prima Ford Fiesta heeft. Hij is zesentwintig en kan al twee jaar geen werk vinden. Hij rijdt als de beste. Degelijk. Als u er behoefte aan hebt... veel zal hij niet vragen...'

Dafydd kromp ineen. In feite had hij nog geen gedachte gewijd aan de gevolgen van deze catastrofe. Wat ging dit betekenen? Een jaar ontzegging – geen eigen vervoer. Hoe had hij dit kunnen doen? Dit was misschien zijn verdiende loon, voor al zijn moralistische gelul over beschonken bestuurders. Goddank had hij niemand verwond, of erger.

'Dank je, Margaret. Misschien doe ik dat wel. Je hoort van me.'

Hij ging weer op het bed liggen en wachtte. Een vakantie in de zon was eigenlijk geen gek idee. Hij zou het Isabel meteen voorstellen. In elk geval kon hij een paar weken ziekteverlof nemen en hopelijk zou ze die klus in Glasgow gauw af krijgen. In het ideale geval zouden ze al voor die tijd de uitslag van het genetisch onderzoek hebben, een resultaat dat Sheila's bewering dat hij de vader van haar kinderen zou zijn zonder twijfel zou logenstraffen.

Hij werd met een schok wakker toen Isabel de ziekenkamer binnen zeilde. Ze zag er stralend uit, in een strak zwart broekpak en laarsjes met hoge hakken. Ze was kennelijk de afgelopen paar weken aardig wat afgevallen, ongetwijfeld vanwege de stress, maar het stond haar goed. Ze had haar haar weer eens laten knippen, ultrakort, maar heel stijlvol. Hoewel ze de veertig was gepasseerd, zag ze er jongensachtig uit, lang en vol zelfvertrouwen, alsof ze regelrecht uit een modeblad was gestapt. Dafydd voelde hoe zich in zijn innerlijk iets roerde en hem eraan herinnerde dat hij verliefd op haar was en haar begeerde.

'Goeie genade,' zei hij. 'Glasgow bekomt je goed.'

'O, Dafydd...' Ze liep vlug naar het bed en ging zitten, kijkend naar zijn gezicht. 'Wat is er in 's hemelsnaam gebeurd? God, ik wist niet waar ik het zoeken moest toen Jim belde. Ik ben meteen in de auto gesprongen en in een keer hierheen gereden.'

'Je bent zo fris als een hoentje, zo te zien,' zei hij en beantwoordde haar omhelzing, in het besef dat ze hem voor het eerst sinds weken in haar armen sloot.

'O schat, wat zie je eruit... je gezicht... dat onweerstaanbare, knappe gezicht...' Ze omvatte zijn hoofd met beide handen en kuste hem op beide wangen. 'Heb je ergens pijn?'

'Niet echt. Ik ben alleen stram en gekneusd, alsof ik ben afgetuigd door een bokser.'

'Hoe kon iemand je zoiets aandoen?' zei ze hoofdschuddend, terwijl ze hem ernstig aankeek. 'Ik wist wel dat dit ooit zou gebeuren. Je bent veel te kwetsbaar op die stomme motor.'

Dafydd ving een glimp op van iets dat niet helemaal was zoals het behoorde te zijn. Misschien had ze zich schuldig gevoeld vanwege de manier waarop ze hem had behandeld, omdat ze aan zijn eerlijkheid had getwijfeld, zodat ze nu overdreven veel moeite deed om het weer goed te maken. Overdrijving paste echter niet bij haar – het was haar stijl niet. Veeleer was ze recht-door-zee en zei ze precies hoe ze over de dingen dacht, op het lompe af.

'Isabel, laat me meteen zeggen hoe het zit. Het was mijn schuld. Ik was bezopen. Het kost me op zijn minst een jaar ontzegging.'

Isabel liet haar handen van zijn schouders vallen. 'Je maakt een grapje, zeker?'

'Nee.'

Ze zweeg een ogenblik, totdat ze bruusk vroeg: 'Hoe haalde je het verdomme in je kop?'

'Zulke rotdingen gebeuren,' zei hij, haar onderzoekend aankijkend.

Ze wendde zich af en liet een droog, ongelovig lachje horen.

'Ga je me niet vragen of er misschien nog iemand anders gewond is geraakt?' vroeg hij.

'O, dat zou je me beslist vertellen, nietwaar?' Haar stem had een scherpe klank gekregen en het was niet moeilijk te raden wat ze dacht.

'Je had niet de moeite hoeven te nemen om te komen, is het niet?'

Haar gezicht verried haar ware gevoelens. 'Laat me je vertellen dat het verdomd slecht uitkwam, ja.'

'Het spijt me. Jim heeft je op eigen initiatief gebeld. Hij had het me eerst moeten vragen. Ik zou je er niet mee lastig hebben gevallen.'

'Nou, Paul wilde met alle geweld dat ik hierheen zou gaan. Hij kon wel een paar dagen op de winkel passen, zei hij.'

'Heel nobel van Paul,' snoof Dafydd.

'Ach, toe nou toch.' Ze raakte zijn arm aan. 'Ik wilde zelf hierheen om je naar huis te brengen en wat inkopen voor je te doen en zo, maar morgen moet ik beslist terug. Deze klus is eenvoudigweg veel te belangrijk.'

'Allicht.'

Ze keken ieder een andere kant op en plotseling ontwaarde Dafydd zijn aktetas onder het nachtkastje. Hij zag eruit alsof hij door een paar bulterriërs was vernield. Zo te zien was dit het zwaarst verminkte slachtoffer van het ongeval, afgezien van zijn geliefde motorfiets. Hij staarde er een ogenblik naar, ontsteld, maar dankte toen de Almachtige dat het alleen maar de tas met zijn paperassen was, en niet zijn hersens. Hij mocht zichzelf gelukkig prijzen, maar voelde zich aan flarden gerukt. Hij had haar nódig. Dat was al erg genoeg. Wat hem was overkomen, had hij over zichzelf afgeroepen en hij had kunnen weten dat hij ervoor zou worden gestraft. Alleen wenste hij dat de straf niet van haar zou komen. Hij wilde dat ze hem zou vrijpleiten en in zijn eer herstellen, als de verantwoordelijke, capabele en betrouwbare man die ze kende en geacht werd lief te hebben. Hij wist echter dat het bij haar niet alleen ging om het ongeval – het kwam vooral door Sheila Hailey en haar beschuldiging. En natuurlijk ook door het feit dat hij haar keer op keer had teleurgesteld als man, een echte kerel met springlevend sperma dat van haar een complete vrouw had kunnen maken, een moeder. En nu had hij zelfs geweigerd het nog te proberen. Hij had haar teleurgesteld, ja, in alle opzichten.

8

Moose Creek, 1992

De maand november was uitzonderlijk streng. In sommige nachten zakte het kwik zelfs tot min vijftig graden. Het leeuwendeel van de jaarlijkse sneeuwval bedekte al het hele landschap. Een witte, roerloze deken was over de bossen neergevlijd. De lucht was heel helder en stil.

De straten van Moose Creek vormden een schril contrast hiermee. De bergen sneeuw en ijs die door sneeuwschuivers waren opgehoopt op iedere straathoek, raakten vermengd met het afval van menselijke bewoning. Op het smerige, verraderlijke laagje ijs dat de trottoirs bedekte was Dafydd uitgegleden, waarbij hij zijn enkel had verzwikt. Hij was de enige niet. Deze gevaarlijke situatie leidde tot heel wat botbreuken en kapotte schedels. Niemand scheen zich erover te beklagen. Als er af en toe een maandag aanbrak waarop er genoeg wilskracht, materieel en mankracht beschikbaar was, werd er hier en daar een vrachtwagenlading zand gestrooid op de wegen en trottoirs, maar over het algemeen werden de inwoners van het plaatsje geacht voor zichzelf te zorgen.

Dafydd ontving zijn patiënten in de kliniek, maar buiten werktijd zat hij vast in de stacaravan, die niet warm te stoken was. Het was er niet uit te houden en het stonk er ondraaglijk, want een zwervende kater had kans gezien in te breken, om vervolgens een hele dag te gebruiken om op zijn dooie gemak kleding, beddengoed en meubilair te besproeien. Mevrouw Breummer, nog altijd in geldnood, had Dafydd geholpen de zaak schoon te boenen, maar zelfs bleekwater kon de afschuwelijke stank niet verdrijven. Naarmate de echte winter naderde, bracht hij steeds meer tijd door in Ians blokhut. Af en toe bood deze hem een maaltijd aan, uit blik, en anders bracht Dafydd zelf afhaalpizza's mee, die bevroren waren tegen de tijd dat hij er was. Als het aan Ian had gelegen, zou hij in het Klondike zijn verbleven, met name in de saloon. De lieve, gedweeë Tillie was bevorderd tot assistent-manager, ondanks haar hinderlijke corpulentie, en Dafydd was voor haar de hoogste prioriteit onder de klanten geworden, een man die het 't meest waard was om hem royaal in te schenken. In Tillies ogen verdiende Ian zoveel eer niet, maar hij profiteerde ervan mee.

Brenda gedroeg zich zakelijk als altijd, beminnelijk en met een enigszins bijtende humor. Geen moment zinspeelde ze op hun ontmoeting bij Jackfish Lake. Hoewel hij er haar dankbaar voor was, vroeg Dafydd zich toch onwillekeurig af waarom ze zo koeltjes tegen hem deed. Had hij zo'n modderfiguur geslagen? Of zou ze iets hebben met iemand anders? Misschien ging ze liever een gevoelsband aan. Per slot van rekening was Moose Creek een oord waar alles wat je deed voor de anderen openbaar leek te zijn. Er deden zich momenten voor waarop pure seksuele frustratie, en de herinnering aan haar weelderige dijen – waarmee ze hem had bereden, daar in de wildernis – hem ertoe deden neigen haar eenvoudigweg te grijpen en te vragen om een herhaling van die ervaring (ergens binnen vier muren), maar hij hield zich in omdat het hem te vrijpostig en toch te complex toescheen. Toen hij doorkreeg dat Ian zo nu en dan met haar naar bed ging, wist hij dat zijn terughouding gerechtvaardigd was. Het leed geen twijfel dat seks, met inbegrip van alle complexiteit en al zijn manifestaties, in de poolwinter een belangrijk deel van het menselijk leven uitmaakte. Wat konden de mensen hier anders doen, gevangen als ze waren in hun huizen?

Een paar keer belandde hij in de motelkamer van een uitzonderlijk energieke vertegenwoordigster. Anette Belanger, een geblondeerde, lange vrouw van halverwege de dertig, was geknipt voor haar baan. Ze verkocht bevroren levensmiddelen aan hotels en restaurants in zelfs de meest afgelegen plaatsen. Ze amuseerde hem met haar uitbundige lach en wilde verhalen over haar belevenissen in de cateringbranche, in alle uithoeken van Canada. Ze bracht wat vreugde in zijn kleurloze bestaan en haar stevige blanke lijf leek een eerlijke plek waarop hij zich met een gerust hart kon uitstrekken, temeer omdat ze erop stond dat hij dat deed. Na haar vijfde bezoek aan Moose Creek had ze hem gebeld om te zeggen dat ze niet meer zou komen. Haar man had het niet prettig gevonden dat ze altijd maar van huis was, en daarom had ze in haar woonplaats, Calgary, een andere baan aangenomen. Dat was voor het eerst dat hij van haar hoorde dat ze een echtgenoot had; kennelijk had ze intuïtief geweten dat hij met een boog om getrouwde vrouwen heen liep. Zo eerlijk was ze dus ook weer niet.

De gezwollen enkel had een eind gemaakt aan een andere vorm van vermaak. Ian had hem een oud paar langlaufski's gegeven, en hij had bij een verzendhuis skischoenen uit de catalogus besteld. Als hij door de bossen gleed, gebruikmakend van de verzonken sporen, zo plezierig achtergelaten door sneeuwscooters, had hij een verrukkelijke stilte en oogverblindende witheid ervaren die alles wat hij ooit had gekend in de schaduw stelden. De schoonheid ervan ging zijn vijf zintuigen te boven. Deze ervaring bracht hem dichter bij iets dat eeuwig was, een glimp van onsterfelijkheid, een lange, witte slaap.

De dagen werden korter en korter. Op den duur resteerde er nog maar één uur – samengeperst in de middagpauze – waarin hij wat van de frisse lucht en het daglicht kon genieten. Bij een temperatuur van minus dertig graden wilden de ski's niet meer glijden en werd het verdovende effect van de kou ronduit gevaarlijk. Een gevoelloze voet, wang of ander uitsteeksel kon binnen enkele minuten uitdraaien op bevriezing. Een sanitaire stop was een risico dat geen man kon nemen. Dafydd had geen andere keuze dan blijven waar hij was. Hij voelde dat het gebrek aan activiteit, in combinatie met toenemende claustrofobie, hem halfgek maakte. Hij tapete zijn enkel stevig in en bewoog zich hinkend door de straten. De *mukluks* van elandenleer die hij droeg, hadden tenminste grip op het ijs. In de hoofdstraat heerste altijd veel bedrijvigheid, maar de rest van Moose Creek leek verlaten. Hier ging niemand te voet, behalve als je moest winkelen, op weg was naar de kroeg of op zoek ging naar moeilijkheden.

Dafydds eerste slachtoffer van de kou was een jong Inuit-meisje dat verkracht was, óf in een dronken bui bereidwillig had meegewerkt aan een groepsverkrachting. Het was allemaal gebeurd in een bestelbus op het parkeerterrein, en toen ze met haar klaar waren, hadden ze het meisje de bus uitgegooid en aan haar lot overgelaten. Ze had niet eens kans gezien haar parka weer aan te trekken en was stijfbevroren toen ze de volgende ochtend werd gevonden. De drie jonge daders zaten in een cel naast het politiebureau die eigenlijk bedoeld was voor één persoon, in afwachting van transport naar de gevangenis in Yellowknife.

Die gebeurtenis had Dafydd van zijn stuk gebracht. In de loop van de vier maanden sinds zijn komst had hij genoeg gruwelijk gestorven doden gezien, maar deze dode had hem het meest aangegrepen. Toen ze werd binnengebracht, had hij de omstandigheden rond haar dood nog niet gekend. Er was echter geen twijfel aan dat ze de laatste paar uren van haar dood betrokken was geweest bij seksuele activiteiten. Toen hij haar van kou en rigor mortis verstijfde benen uiteen moest wrikken om de noodzakelijke uitstrijkjes te nemen, had hij het gevoel gehad alsof hij haar eveneens overweldigde. Het onderzoek kon echter niet wachten tot de komst van dokter Gupta, de rondreizende patholoog-anatoom, voor het geval er misdaad in het spel was geweest. Het meisje was nog jong, zestien misschien, op zijn hoogst zeventien. Haar huid was doorschijnend blank, maar afgezien van een grote blauwe plek op haar heup zag ze er kerngezond uit, bijna alsof ze lag te slapen. Op haar teennagels zaten resten rode nagellak, afgeschaafd en vergeten sinds de laatste dag van zonneschijn en sandalen. De bevroren glimlach om haar mond werkte hem op de zenuwen. Liever had hij sporen van een worsteling gevonden, al was het alleen om te weten dat ze voor haar leven had gevochten. Ian had hem echter verzekerd dat bevriezing een pijnloze dood is, en misschien zelfs een aangename ervaring, enigszins vergelijkbaar met verdrinking. Deels kwam zijn ontsteltenis voort uit een vaag gevoel van begeerte. Het meisje was mooi, niet op een manier die aan zijn normale smaak beantwoordde, maar anders. Ze was het meest exotische wezen dat hij ooit had onderzocht. Haar inktzwarte haar voelde ruw en stug aan. De jukbeenderen waren zo hoog, dat ze de onderste oogleden leken op te duwen, alsof haar ogen vertrokken waren tot een lachkramp. Als hij naar haar strakke, stevige jonge lichaam keek, kreeg hij de neiging het te strelen. Dat maakte dat hij werd overvallen door een gevoel van afkeer van zichzelf. Wat haalde hij zich verdomme in het hoofd, met deze semi-erotische gevoelens jegens een lijk? Was het een voorteken van waanzin, vereenzaming of gewoon het gevoel van alleenzijn? Hij realiseerde zich dat hij Anettes warme, ademende lichaam miste, hoe kort hun avontuur ook had geduurd, en alsof er nooit een ander was geweest. Hij had het laken over het dode meisje heen getrokken en de ziekenbroeder geroepen om haar over te laten brengen naar het mortuarium in de kelder.

Die nacht belde Sheila hem om hem te zeggen dat hij naar het ziekenhuis moest om een man die bewusteloos binnen was gebracht te behandelen. Tegen de tijd dat hij er aankwam was het vier uur in de ochtend, in de koudste nacht tot dan toe. De man was door een serveerster, die onderweg was naar een buitenechtelijk rendez-vous (hoe Sheila zo op de hoogte kon zijn van het privéleven van de arme vrouw vroeg Dafydd zich maar liever niet af), aangetroffen in een met sneeuw gevulde greppel.

De patiënt, een inheemse man die David Chaquit heette, was bezig weer wat warmer te worden en terug te keren in het land der levenden, hoewel zijn geest nog beneveld was door alcohol. Hij had geluk gehad. Zijn kleding was dik genoeg en hij kon er nog niet lang hebben gelegen. Met vereende krachten tilden Dafydd en Sheila hem op een verrijdbare brancard, een behandeling die hij slap, grinnikend en kwijlend onderging terwijl hij naar haar knipoogde. Hij had een gebroken pols, een kwetsuur die gemakkelijk genoeg te behandelen was, maar zijn linkeroor was langere tijd in aanraking geweest met de bevroren grond. Het oor was spierwit en gezwollen en leek bijna zo doorzichtig als ijs.

Dafydd spalkte de gebroken pols, waarna hij zijn rubberhandschoenen uittrok, klaar om terug te gaan naar zijn stacaravan. Het was die nacht zo koud dat hij bang was het met olie gevulde radiatorkacheltje van de Chrysler, waarvan hij het snoer niet had aangesloten, stukgevroren zou zijn gedurende de tijd die de auto op het parkeerterrein had gestaan.

'En het oor dan?' zei Sheila tamelijk scherp. 'Kun je dat niet beter meteen behandelen?'

'Ik wacht ermee tot morgen.'

'Het ís morgen,' zei Sheila.

'Ik dat geval kom ik later wel terug.'

'Jouw overgevoeligheid voor de minder aangename plichten van het vak is tamelijk grappig.' Hoewel ze glimlachte, was de blik in haar ogen hard. Het felle blauw van de irissen leek dof te zijn van gebrek aan slaap. 'Iemand zal het toch moeten doen – of heb je daar niet aan gedacht?'

Dafydd voelde hoe zijn keel begon te tintelen. 'Ik ben in geen geval van plan het na te laten. Alleen heb ik liever dat meneer Chaquit eerst nuchter wordt. Ik wil er met hem over praten, dat lijkt me redelijk, of niet? Hoe zou jij het vinden om 's morgen wakker te worden en te moeten ontdekken dat je een oor mist? Trouwens, ik wil zien hoeveel ervan nog te redden is. Daar is het nu nog veel te vroeg voor.'

Meteen ergerde hij zich aan zijn uitleg. Nergens voor nodig dat hij zich tegenover haar rechtvaardigde. Hij rapporteerde niet aan háár. Ze stond met lichtelijk schuin gehouden hoofd naar zijn hals te staren en hij herinnerde het zich weer. Zij wist van die zwarte vlek op zijn ziel, kende zijn angsten en onzekerheden. Ze kon hem lezen als een boek. Hoewel ze er niet rechtstreeks naar verwees, liet ze bewust wat ze van hem wist boven zijn hoofd hangen.

Met een ruk draaide hij zich om en liep de operatiezaal uit.

'Dus geen gevaar voor koudvuur?' riep ze hem na.

'In geen geval,' zei hij, zonder om te kijken. Het vervloekte mens, waarom hadden ze háár niet aangesteld als arts? Ze moest altijd het laatste woord hebben, het deed er niet toe waarover. Hij wist dat hij haar op haar plaats zou moeten zetten, binnenkort, misschien door haar op de een of andere manier voor het blok te zetten. Die gedachte stond hem echter tegen, want het leed geen twijfel dat ze haar kennis over hem aan de grote klok zou hangen. Hij zou terughoudend reageren. Als hij zich kwaad liet maken, had hij de neiging slecht uit zijn woorden te komen en zich te vergalopperen door iets stoms te doen. In dat geval zou ze gretig gebruikmaken van de kans om hem nog dieper te vernederen en nog onzekerder te maken. Feitelijk was haar inzicht in menselijke zwakheden iets om ontzag voor te hebben. Hoewel de meeste mensen haar respecteerden, en sommigen haar zelfs leken te mogen, lieten ze zich allemaal door haar sturen. Zelfs Hogg zwichtte voor haar wil.

'Ach, kom nou,' riep ze naar zijn rug. 'Laten we het eraf snijden. Des te eerder kan hij naar huis. Geloof me, mensen als hij hechten geen waarde aan het esthetische aspect van het gehoororgaan. Voor hen is het niet meer dan een lapje vlees dat ze best kunnen missen.' Ze volgde hem naar de cafetaria voor het personeel. 'Je bent hier nu toch! Ik beloof je dat ik je de rest van de morgen niet zal laten roepen. Ik zal ze zeggen dat je een afschuwelijk zware nacht achter de rug hebt. Het ene spoedgeval na het andere...'

Dafydd bleef staan en keek haar aan. 'Wat een goedhartig aanbod! Maar nee.' Hij trok zijn parka aan. 'Zo te zien ben je zelf hard toe aan een schoonheidsslaapje. Ik zie je straks wel weer.'

'Nee, dat zul je niet,' snauwde ze. 'Over een paar uur heb ik vrij.'

'Nou ja, we zien wel.'

Sheila was echter niet voorspelbaar. De harde uitdrukking op haar gezicht smolt weg en ze hield haar hoofd een beetje schuin. 'Ik zou wel een schoonheidsmassage kunnen gebruiken,' zei ze met hese stem.

Dafydd voelde dat hij opnieuw een kleur kreeg en ze glimlachte verleidelijk naar hem, de armen over elkaar geslagen onder haar spitse borsten. 'Ik doe het zelf wel... en dan mag jij kijken,' fluisterde ze. Hij staarde haar verward aan.

'Die amputatie, sukkel.' Ze lachte nu. 'Ik heb het al vaker gedaan. Hogg laat het me doen.'

Ze had hem, en het wás grappig. Hij had erom kunnen lachen, maar dat genoegen gunde hij haar niet. 'Komt niets van in,' zei hij, en hij liet haar staan, met haar omhoog gedrukte borsten.

Op de parkeerplaats bleef Dafydd staan om de koude lucht in te ademen. Dat mens had niet de minste scrupules. 'Een lapje vlees dat ze best kunnen missen...' Hij kon alleen maar hopen dat hij nooit gebruik zou hoeven te maken van haar verpleegkundige zorg. Alleen de hemel wist wat ze dan zou amputeren. Hij deed er verstandig aan te allen tijde nuchter te blijven.

Hij keek op naar de nachtelijke hemel, besprenkeld met de felwitte speldenprikken van sterren. In de poolwinter duurt het lang voordat het begint te dagen. Dat de ochtend naderde, zag hij aan de lichtjes in de huizen en stacaravans, die een voor een aanfloepten. Mensen die wakker werden en zich voorbereidden op de nieuwe dag. Kinderen die dik ingepakt moesten worden in vele lagen kleding, mannen die in hun garage hun bevroren pick-up aan de praat probeerden te krijgen; vrouwen die hun sneeuwlaarzen en parka aantrokken om de korte afstand naar school en supermarkt rijdend af te leggen.

De gedachte dat hij iemand in Moose Creek kon leren kennen, was nooit bij hem opgekomen, maar stel eens dat hij wél op deze of gene verliefd werd? Hij was nooit verliefd geweest, niet echt, tenminste, daar was hij tamelijk zeker van. Begeerd had hij wel, uiteraard, vaak genoeg, soms zelfs hartstochtelijk... Neem bijvoorbeeld Katrina, zijn eerste. Hij was maandenlang smoorverliefd op haar geweest, maar dat gevoel was vanzelf weggeëbd toen ze ontdekten dat ze niets gemeen hadden. De enige andere vrouw die sterke gevoelens in hem had gewekt, was Leslie. Ze was een collega, die hem een kamer in haar huis had verhuurd toen haar man ervandoor was gegaan. Ze waren een jaar lang minnaars geweest en daarna bevriend gebleven. Ze was twaalf jaar ouder dan hij, maar aantrekkelijk en prikkelend. Bovendien was ze een uiterst praktische vrouw, die hem geweldig had gesteund. De hulp die ze hem had verleend om zijn tentamens door te komen, was voor hem van onschatbare waarde geweest. Hun relatie was allang voorbij geweest toen het rampzalige incident met Derek Rose zich voordeed, maar ook toen was ze zijn enige echte bondgenoot gebleken. Ja, van háár had hij veel gehouden, en dat deed hij nog steeds.

Twee weken voor de kerst gaven Charles en Shirley Bowlby een feest. Ze hadden een verzekeringsagentuur annex reisbureau en bewoonden een groot, gerieflijk huis in een nieuwe wijk aan de periferie van Moose Creek. Martha reed hem erheen. Onderweg gaf ze hem instructies.

'Klokslag twee uur sta ik op je te wachten. Op dat uur draaien ze er een punt aan, meestal. Luister goed, zorg dat je met mij naar huis gaat, ja? Laat je niet door deze of gene vrouw overhalen mee naar haar huis te gaan. Als je er eenmaal een nacht hebt geslapen, kom je er nooit meer vanaf, begrepen? Blijf uit de buurt van dat Hailey-mens. Die vriend van haar is momenteel niet hier, maar je wilt het toch zeker niet aanleggen met het vriendinnetje van de een of ande-re bruut van een houthakker, of wel?'

'Je hebt helemaal gelijk, Martha.' Hij werd afgeleid door haar roekeloze manier van rijden en de manier waarop ze dikwijls opzij keek, in afwachting van een bevestiging. Het zou dus wel twee uur worden, en dat terwijl hij al zo moe was. 'Ik heb liever dat je tegen een uur of twaalf komt. Tenslotte heb je zelf ook je slaap hard no-dig.'

Ze lachte sarcastisch. 'Dacht jij soms dat jij mijn enige klant was, beste jongen? Ik ben van plan vanavond eens een flinke grijpstuiver te verdienen. Die gasten zullen niet veel rijden, vannacht.' Ze knik-te naar de gitzwarte weg voor hen. 'Ik heb zo'n idee dat er een man of twaalf zal zijn die me allemaal smeken hen naar huis te rijden. Ik kan me toch moeilijk veroorloven deze nacht te verslapen, vat je? En deze taxi delen is er niet bij.' Ze snoof luid bij de gedachte. 'Een tegelijk... en geen geintjes.'

'Wat je noemt een zakenvrouw.'

'Ik ben even slim als ik lelijk ben,' zei ze, terwijl ze hem afzette aan het begin van een lange oprijlaan. 'Hier zal ik op je wachten.'

Een van de tienerzoons van het echtpaar kwam opendoen. De jongen nam zijn jas in ontvangst en ging hem voor naar de deur van een grote woonkamer, nu al vol mensen. Hogg kwam met uitge-strekte armen naar Dafydd wankelen. Eigenlijk was hij geen drin-ker, maar blijkbaar had hij al aardig wat op.

'Ons goudhaantje!' riep hij luid. 'Wie ken je nog niet?'

'O, ik denk dat ik vrijwel iedereen al ken. Geen zorg, ik stel me-zelf wel voor.'

'Deze jongeman werkt bij ons,' vervolgde Hogg met zijn hoge stem, tegen niemand in het bijzonder. 'Hij is mijn rechterhand.' Hij klopte Dafydd op de schouder en kneep hem zelfs even in een wang, voordat hij koers zette naar een tafel vol lekkere hapjes. Anita, zijn postviraal vermoeide echtgenote, was nergens te bekennen.

De woonkamer was gedecoreerd met vrolijke olieverfschilderijen en het licht uit de plafondlampen was veel te schel. Al met al waren er zestig tot zeventig mensen verzameld, allemaal op hun paasbest. Alle leden van de Kamer van Koophandel en Fabrieken van Moose Creek waren er, net als die van de gemeenteraad, de vooraanstaande leden van het ziekenhuispersoneel, de beide schooldirecteuren en hun meest presentabele leerkrachten – allemaal met hun vrouw of echtgenoot. Allemaal droegen ze het beste wat Edmonton en Yellowknife tijdens een haastig uitstapje om kerstinkopen te doen te bieden hadden. Het was niettemin onverwachts veel glamour, en na een paar stevige gin-tonics, geschonken door de gulle gastheer, raakte Dafydd min of meer in kerststemming. Hij zag er zelf ook niet slecht uit. Zijn chocoladekleurige pak vormde een sterk contrast met zijn hagelwitte overhemd, en hij droeg de stropdas die hij een jaar eerder op de kop had getikt in Florence, waar hij een congres had bijgewoond. Kort voor Derek Rose. Hij frunnikte wat aan het zachte zijden weefsel en schoof de strop recht. Hij probeerde zich in te denken hoe hij zich destijds zou hebben gevoeld, als hij had geweten dat hij zich een jaar later hier zou bevinden, aan de rand van de beschaafde wereld.

Hij keek wat om zich heen, op zoek naar iemand die er interessant genoeg uitzag om hem of haar aan te spreken. Ian stond bij de druk versierde kerstboom met zijn rug naar hem toe, druk in gesprek met een jonge vrouw die hij eerder had gezien in het gemeentehuis, waar ze werkte. Het meisje keek op kokette manier naar Ian op en lachte om alles wat hij zei. Ian zag er goed uit. Zijn blondachtige haar was tamelijk lang en krulde over de kraag van zijn overhemd. Zowel het haar als de kraag zagen er schoon uit. Hij had zijn eeuwige spijkerbroek verwisseld voor een strakzittende leren broek en zelfs Dafydd kon zien wat een meisje aantrekkelijk aan de man zou vinden.

Het meisje zag dat Dafydd naar hen stond te kijken en zei iets tegen Ian. Hij draaide zich om en liet haar staan zonder verder nog een woord te zeggen.

'Je ziet er gelikt uit,' zei hij, wijzend naar de opvallende stropdas.

'Je mag er anders zelf ook best wezen,' zei Dafydd, zijn accent imiterend. 'Laat je werkelijk dat appetijtelijke vrouwtje wegsnoepen door een ander?'

'Ik kan altijd verdergaan waar ik gebleven ben.' Ian stak een sigaret op, nam een lange haal en bestudeerde Dafydd met samengeknepen oogjes. 'Hé, kom op, man. Een beetje lol kan geen kwaad. Het is verdomme kerst, maar jij loopt rond alsof je een stethoscoop in je reet hebt. Waarom geniet je niet gewoon van het hele gedoe hier?'

Zag hij er werkelijk zo uit? Een verkrampte, humorloze sukkel, die zijn best deed om de vastgeroeste mening van veel Canadezen over Engelsen te bevestigen? Misschien was dat de reden waarom Sheila altijd probeerde hem op de kast te jagen. Ian had gelijk, hij had nog een mensenleven voor zich en kon zich nog lang genoeg zorgen maken over patiënten en hun mening over hem. Het werd tijd dat hij deze vervloekte neurose eens losliet, deze angst om fouten te maken.

'Ik begrijp wat je bedoelt. Ik zal het proberen.'

Ian lachte zijn zeldzame lach van oor tot oor en mensen keken om in hun richting. 'Het gaat hier niet om proberen, druiloor. Juist om het tegendeel. Je moet het van je af smíjten.'

In Dafydds innerlijk welde waardering op voor de man, ook al was hij wel de laatste die aanmerkingen mocht maken op iemands houding in het leven. Het van zich af smijten zonder zich iets aan te trekken van de gevolgen deed hem niet veel goeds, althans, niet waar het zijn gezondheid betrof.

Het meisje had zich hersteld van Ians ongemanierde achteloosheid en voegde zich bij hen. Ze was een zwartharige schone met een volle boezem en hazelnootkleurige ogen en een brede, expressieve mond, en in feite heel wat jonger dan ze onder de lagen make-up had geleken. Ze omklemde Ians arm en trok hem naar zich toe.

'Hé, stel me eens voor aan je vriend.'

'Dit is Allegra...

Ze wendde zich tot Dafydd en begon te praten. Ze had veel te zeggen. Hoewel ze pas een jaar geleden van de middelbare school was gekomen, speelde ze de sexy en wereldwijze *femme fatale*, daarbij fors geholpen door het ene na het andere glas goedkope champagne. Haar gebabbel was onbenullig, maar vertederend: geen échte kapsters hier, behoorlijke kledingzaken evenmin, en dan haar laatste vriendje en zijn ontelbare tekortkomingen. Ian liep weg. Laatkomers druppelden de woonkamer binnen. Iemand begon *Stille Nacht* te spelen, op een slecht gestemde piano. Het ene glas na het andere verscheen in Dafydds hand. Hij vroeg zich af of er soms een samenzwering op touw was gezet, in de hoop dat hij uit zijn rol zou vallen, de rol van de medische droogstoppel met stethoscoop, zodat hij zichzelf voor het oog van iedereen te kijk zou zetten. Het leek in dit oord volstrekt acceptabel gedrag. Mensen kwamen hierheen omdat ze dat elders wat al te uitbundig hadden gedaan, of omdat ze zich hier in dat opzicht konden uitleven. Waar anders op de wereld kon je op die manier leven en laten leven? Hij ontspande zich en gooide alles achterover wat hem in de hand werd gedrukt. Hij keek geregeld om zich heen en probeerde weg te komen van Allegra, die aan hem bleef klitten alsof ze al minnaars waren. Ze zou heel gemakkelijk over te halen zijn voor een bezoek aan de stacaravan, maar hij moest straks Martha onder ogen komen en wilde hiervoor geen gebruikmaken van haar transportmiddel. En trouwens, hoewel hij snakte naar de warme omhelzing van een vrouw, had hij zich nooit op zijn gemak gevoeld met relaties voor één nacht en bovendien was dit geen meisje met wie hij veel tijd door wilde brengen. Overigens was ze veel te jong en had hij geen condooms bij zich. Hij borg dit op in zijn benevelde achterhoofd. Hij behoorde iets wat hij zijn jongere patiënten altijd voorhield, zelf in praktijk te brengen: als je aan de zwier bent en met iemand de koffer in wil, zorg dan dat je altijd condooms bij je hebt.

Hij maakte zich zo tactvol als hij kon opbrengen los van Allegra en zette koers naar Elaine, een jonge onderwijzeres wier echtgenoot kortgeleden was omgekomen tijdens een ongeval met een sportvliegtuigje. Dafydd had het stoffelijk overschot van deze lange, knappe jongeman onderzocht en was geschrokken toen hij zag in welke toestand hij verkeerde. Hij had geprobeerd om in dichte mist een noodlanding te maken op een brandgang in de bossen. Hoewel de brandgang breed genoeg was, was de grond bezaaid met boomstronken. Het toestel was letterlijk aan stukken gereten, waarbij de man tal van botbreuken had opgelopen, met inbegrip van zijn nek en rug.

Elaine zat in haar eentje op een stoel bij het raam de zwarte nacht in te staren. Sinds ze weduwe was, was ze veel zwaarder geworden. Haar jeugd en schoonheid leken abrupt te zijn verdwenen. Hij begroette haar en bleef onbeholpen staan, omdat hij nergens een vrije stoel kon vinden. Het kabaal om hen heen was oorverdovend.

'Vermaak je je nogal?' vroeg ze ongeïnteresseerd. Haar stem was nauwelijks hoorbaar.

Hij hurkte neer om op haar niveau te komen. 'Hoe is het met je dochters?'

'Die vragen nog steeds wanneer hij terugkomt. Iedere dag. Het drijft me tot waanzin. Ik weet niet wat ik tegen ze moet zeggen.'

Dafydd probeerde te glimlachen, om haar sombere stemming te verdrijven. 'Jij bent onderwijzeres en praat iedere dag met kinderen. Ik geloof heilig in het nut van zeggen wat er werkelijk is gebeurd. Zelfs tegen kinderen.'

'Wanneer zal die pijn hier eens ophouden,' zei ze klagend, terwijl ze hem recht in de ogen keek en op haar hart wees. Haar gezicht was vertrokken van verdriet. 'Als de meisjes er niet waren, zou ik hem nu meteen volgen.' Ze greep zijn mouw vast en herhaalde het: 'Meteen.'

Plotseling voelde hij zich licht in het hoofd. Hij had moeite om op zijn hurken zijn evenwicht te bewaren en zijn knieën protesteerden.

Hij was veel te dronken om iets aan het verdriet van deze vrouw te kunnen doen. Het feest had hem opgemonterd en zijn enthousiasme voor het leven zelf flink aangewakkerd, maar toch had hij het niet kunnen opbrengen om Elaine, die hier zo eenzaam zat, te negeren.

'Kom naar het spreekuur,' zei hij zonder veel overtuiging. 'Erover praten helpt altijd.'

'We praten toch al?' Ze staarde hem met kille woede aan.

'Bijvullen?' Er verscheen een karaf bij zijn glas en hij wendde zich tot Sheila, die opeens naast hem stond. Hij knikte. 'Graag, Sheila.' Hij was in een tegemoetkomende bui tegenover iedereen en zijn zojuist ontwaakte kerststemming sloot ook haar in, vooral nu ze intelligent genoeg bleek om te beseffen dat hij dolgraag gered wilde worden van de treurende Elaine.

'Dafydd, er is iemand met wie je kennis moet maken.' Hij richtte zich op en Sheila pakte zijn elleboog.

'Excuus,' zei hij tegen Elaine terwijl hij werd meegetroond. Ze liepen naar de salon aan de andere kant van het huis, waar een heel ander feest werd gevierd. De muziek was luid, het licht was schaars en er hing een verdacht sterke geur van cannabis. Het jongere contingent scheen zich hier opperbest te vermaken. Sheila trok hem mee naar een kleine vestibule, bezaaid met overjassen.

'Ga even zitten,' zei ze, terwijl ze hem achteruit duwde, naar een met jassen overdekte stoel. Ze nam een klein glazen flesje uit haar handtas. Dafydd keek vol verbazing toe, terwijl ze zorgvuldig een kleine hoeveelheid van een poeder op haar handrug liet lopen en het poeder via een dun zilveren buisje opsnoof. Ze hield Dafydd het flesje voor. Hij schudde het hoofd.

'Preuts kereltje, kijk niet zo geschokt,' lachte ze. 'Het blijft onder ons. Niemand die het ziet. Jezus, het is kerst en we zijn niet aan het werk.'

Hij schudde opnieuw nee, maar glimlachte in weerwil van zichzelf. Wie had zoiets kunnen denken? Een strenge ziekenhuismatrone die in een vestibule stiekem cocaïne opsnoof. Nou ja, als er iemand is die haar serieuze kant van zich af moet smijten, was zij het wel.

'Met wie wilde je me laten kennismaken?' vroeg hij.

'Ze staat tegenover je.'

'Jou ken ik al.'

'Had je gedacht!'

'O, goed dan,' lachte hij, 'ik zie nu dat er veel meer in je steekt dan ik ooit had kunnen vermoeden.'

Ze herhaalde het ritueel met haar andere neusgat, kneep haar ogen even dicht en wreef haar neus. Het was waar, hij kende haar helemaal niet en zag nu een totaal andere kant van haar. Niets herinnerde hem aan de keiharde, zakelijke hoofdverpleegkundige die bij haar collega's én patiënten evenveel respect afdwong. Nu hij haar zo zag, kon hij zich nauwelijks voorstellen dat ze hem voortdurend probeerde te intimideren. Ze leek nu zo mak als een lammetje. In deze staat van gelukzalige vergetelheid leek ze zo jong en vertederend, bijna als een tiener. Haar grote blauwe ogen deden denken aan die van een engel, en de dichte massa rode krullen omkranste haar gezicht als een soort aureool van vlammen. Ze droeg een smaragdgroene korte jurk en haar gladde, gespierde benen waren omhuld door een strakke panty. Toen hij wat lager keek, zag hij onder het bleke nylon een massa sproeten op haar dijen. Plotseling voelde hij zich onbehaaglijk en stond op.

Toen ze zag dat hij op het punt stond weg te gaan, stapte ze vlug naar voren en zette hem klem tegen een kledingrek. 'Kunnen we geen vrienden zijn,' zei ze, terwijl ze haar hand uitstak naar zijn voorhoofd en een haarlok wegstreek. Die aanraking was meer dan intiem en hij wilde onmiddellijk weg uit deze benauwde ruimte, maar als hij dat deed zou hij een angstige, bangelijke indruk maken. Waar ze haar voordeel mee zou doen.

'Tuurlijk,' zei hij. 'Betekent dit dat je het voortaan nalaat om bij iedere gelegenheid de spot met me te drijven?'

Ze liet haar vingertoppen over zijn lippen glijden. 'Ach, kom nou toch, neem jezelf toch niet zo verdomd serieus. Begrijp je dan niet dat ik probeer je te helpen? Je bent zo verdomd kieskeurig en...' ze liet haar hand zakken naar zijn stropdas terwijl ze op zoek was naar een passende omschrijving '... en pietluttig. Je bent veel te gewetensvol en voorzichtig in een oord als dit. Maar ach, natuurlijk weet ik best hoe dat komt.' Ze lachte zacht en trok hem aan zijn stropdas naar zich toe. 'Ja, schatje, ik heb jou helemaal dóór.'

Ondanks zijn kerststemming en de vele drank voelde hij zichzelf verstarren, alsof iemand hem in zijn maag had gestompt. Hij keek naar haar en zag weer die andere Sheila, de vrouw voor wie hij beducht was en aan wie hij een hekel had. Terwijl zijn kaakspieren verstrakten, werd hij overweldigd door een onweerstaanbare impuls: hij wilde haar over al die overjassen gooien, dat dunne korte jurkje opstropen en haar panty aan flarden rukken om in haar binnen te dringen en al die vervloekte arrogantie uit haar te stoten totdat ze hem om genade zou smeken. Die plotselinge, onverklaarbare impuls liet het bloed heet naar zijn hoofd stijgen. Hij aarzelde tussen met haar doen wat hij wilde (hoewel hij vermoedde dat ze hem zijn gang zou laten gaan) en maken dat hij weg kwam. Hij haalde diep adem, wrong haar hand los van zijn stropdas en stapte naar de deur, maar ze sprong naar voren om hem de weg te versperren. De onweerstaanbare verleidster die voor hem stond, leek vastbesloten te zijn haar zin te krijgen, en God alleen wist wat of om welke reden. Ze moest hebben geweten dat hij haar niet wilde (of toch wel). Waarom had ze het dan toch geprobeerd? Waarom stelde ze zich bloot aan afwijzing, terwijl er zoveel andere mannen waren die ze om haar vinger kon winden? Mannen die tot alles bereid zouden zijn om...

Dafydd draaide zich om en keek haar strak in de ogen, proberend te ontdekken wat er achter dit geheimzinnige blauw schuilging. Ze had gezegd dat ze vrienden met hem wilde zijn, maar hij wist dat er meer achter zat. Waarom dacht ze dan dat ze haar zin kon krijgen door hem aan flarden te rijten? Ze staarde terug, geïntrigeerd door de woordloze confrontatie, die ze echter totaal verkeerd interpreteerde.

'Goed, laat het me maar zien,' zei ze, licht hijgend, haar mond een beetje geopend. 'Bewijs maar eens dat je een kerel bent. Neem me in bezit. Mijn vriend is weg. Ga met me mee naar huis, vannacht. Eén keertje maar.'

Het was pervers en het speet hem bijna, maar hij zag zijn kans schoon. 'Dat zou niets worden,' glimlachte hij huichelend. 'In seksueel opzicht doe je me niets.'

Sheila staarde hem een ogenblik aan, een en al ongeloof. 'Je bent dus een verdomde flikker,' siste ze en beende weg, zodat hij alleen achterbleef en de mengeling van haar parfum en vochtige kleding inademde. O, klote! Waarom had hij dat gezegd? Zijn wraak was verre van zoet. Hij was even gemeen als zijzelf. Een ogenblik later, hij was nog bezig zich te vermannen en weg te gaan, werd er zacht op de deur geklopt. Hogg verscheen in de deuropening en deed verwoede pogingen om langs hem heen te kijken en te zien of er iemand bij hem was.

'Sorry, ik was op zoek naar Sheila,' zei Hogg verlegen, in niets de kleine, zelfgenoegzame potentaat die hij in het ziekenhuis was. 'Ik dacht dat ze misschien bij jou zou zijn.'

'Dat was ze, maar maak je geen zorgen, ze is helemaal voor jou,' zei Dafydd. Het kon hem niets verdommen. 'Maar kijk wel uit, Andrew, ze heeft zwaar de smoor in. Bewijs jezelf een gunst en doe geen moeite.' Hij liet Hogg staan. De man staarde naar zijn schoenen, een toonbeeld van schaamte.

Twee uur later was Dafydd echt dronken. Het was zijn bedoeling niet geweest het zover te laten komen, althans, niet zó ver. Toen hij zijn jas had gevonden, wankelde hij naar buiten, op zoek naar Martha. Hij was te vroeg. Ze was nog druk bezig om andere gestrande zielen in veiligheid te brengen. Hij wachtte bij de weg, in de hoop haar op te vangen, of misschien iemand anders die terugging naar het centrum. Al na een paar minuten drong de kou zijn lichaam in en verdoofde het. Het was niet eens onaangenaam, eerder een verleiding. Hij was bereid deze ijzige sluimering te accepteren, een trance vol zaligheid en licht... Dit was nu precies het gevaar dat hij nooit helemaal begrepen had. Hij voelde zich slaperig en stond op het punt in de sneeuw te gaan zitten, maar plotseling kwam hij tot zijn positieven en begon hevig te sidderen. Hij begon sprongetjes op de plaats te maken en wreef zijn gehandschoende handen langs elkaar, wanhopig wensend dat hij een hoofddeksel mee had genomen.

Een auto kwam de lange oprit af en stopte.

'Stap in,' beval Sheila's stem hem door een kier in het portierraam. 'Je kunt daar niet blijven staan. Je bent dronken en het is gevaarlijk. Ik voel er niets voor degene te zijn die ervoor verantwoordelijk is dat jij bent doodgevroren.' Toen hij aarzelde, voegde ze er met een snier aan toe: 'Wees maar niet bang, jou raak ik met geen tang aan. Ik rij je regelrecht naar huis.'

Ze reden in stilte. Ze leek ijzig nuchter. Het was hem niet opgevallen dat ze geen alcohol had gedronken, maar de cocaïne moest zijn tol van haar eisen. Deze vrouw had zichzelf hoe dan ook in de hand, ongeacht hoe ver ze zich liet gaan.

Ze draaide het stacaravanpark in en zette de auto voor zijn veranda stil.

'Zie je dat?' Ze wees naar de hemel en zette het contact af.

Dunne witte sluiers golfden langs de hemel. Om beurten flitsten ze op, als een zweepslag. Hij had al enkele maanden het noorderlicht gezien, maar telkens had het fenomeen hem enigszins teleurgesteld. Het was heel anders dan de beschrijvingen ervan in boeken, een show van kleurrijke lichtbanen aan de hemel, bezig aan een wilde dans. Sheila keek opzij en even beantwoordde hij haar blik, voordat hij zijn hoofd weer tegen de hoofdsteun legde en naar buiten staarde, de nacht in. De dansende lichtsluiers bleken dus toch zo fascinerend. Zijn hoofd tolde, maar hij voelde zich heel behaaglijk. Het was lekker warm in de auto en de cassetterecorder speelde Dire Straits, wat hem opeens het gevoel gaf thuis te zijn.

Hij wilde zich verontschuldigen voor zijn bijtende opmerking. Waarom ook niet? Hij had zich onnodig bruut gedragen omdat hij er behoefte aan had gehad haar al haar krenkingen betaald te zetten. Ze was weliswaar lastig in de omgang, maar ze verstond haar vak heel goed en werkte altijd even hard. Ze waren alleen elkaars tegenpolen, totaal verschillend. Geen wonder dat ze geen begrip voor elkaar konden opbrengen, geen greintje empathie. Ze zouden echter nog verscheidene maanden samen moeten werken…

Net toen hij erover nadacht hoe hij haar de olijftak kon aanbieden, voelde hij hoe ze haar hand naar hem uitstak. Hij verroerde zich niet. Hij was té ontspannen om te kunnen reageren, te moe om zich te verzetten. Hij verlangde naar wat lichamelijk contact… alleen niet met haar. In een ommezien wist ze door de lagen kleding te komen en ritste geroutineerd zijn broek open. Haar handpalm was zacht en warm rondom zijn koude lid en onmiddellijk voelde hij dat hij een stijve kreeg. Ze was niet dichter naar hem toe gekomen en hij keek niet naar haar. Met gesloten ogen probeerde hij zich over te geven aan de bewegingen van haar hand. Die hadden iets plichtmatigs, bijna alsof het een verpleegkundige handeling betrof. Hij stak zijn hand uit naar haar dij. Het dunne nylon van haar panty voelde koel en glad aan en ze bewoog zich tegen zijn hand, alsof ze hem aanmoedigde zijn verkenning voort te zetten.

Op dat moment verscheen echter het beeld van Kerstin voor zijn geestesoog. Ze was een meisje met wie hij eens een vurige relatie had gehad. Het was Kerstin die hem streelde en het was wonderbaarlijk effectief. Zijn hand sloot zich om die van Sheila en voerde haar tempo op.

'Laten we naar binnen gaan,' stelde Sheila voor. Haar stem klonk zacht en omfloerst.

Dafydd probeerde de mogelijkheid te overwegen, maar hij was in gedachten nog bij Kerstin. Sheila probeerde haar hand terug te trekken, maar hij belette het haar en kwam een paar tellen later klaar, met overweldigende golven van genot, ondanks zijn dronken kop.

Met een minachtende kreun rukte Sheila haar hand terug van zijn kruis en veegde hem af aan zijn jas. Ze startte de auto en zette hem in de eerste versnelling.

Dafydd zuchtte en sloot zijn ogen. Nu had hij het pas goed voor elkaar – hij wist dat er geen redden meer aan was. 'Sheila, het spijt me, ik had het niet…'

'Lazer op, de auto uit!' beval ze.

Dafydd liet zich uit de auto vallen en ze reed met brullende motor weg, zodat de auto woest over de bevroren oprit slipte. Hij begon zijn zakken te doorvoelen, op zoek naar zijn sleutels, wetend dat zijn gulp nog openstond. Intuïtief keek hij op en ontdekte, achter het donkere raam van de stacaravan naast de zijne, de gestalte van

Ted O'Reilly. Dafydd kon de wellustige grijns op zijn ongeschoren gezicht zien. De man stak zijn duim op en maakte een paar obscene bewegingen met zijn bekken. Kreunend wendde Dafydd zich af en begon pogingen te doen om de vervloekte sleutel in het slot te krijgen.

9

Cardiff, 2006

Lieve paps,
Ik hoop dat je het niet erg vindt dat ik je paps noem. Mijn moeder heeft me uitgelegd dat je voorzichtig wilt zijn en de dingen niet wilt overhaasten, omdat je wilt wachten op dat bloedonderzoek en zo. Ik vind het prima, ik begrijp het, maar ik hoop wel dat je een ietsje-pietsje blij bent met een dochter en een zoon. In elk geval kan ik je verzekeren dat ik heel blij ben dat ik een vader heb. Al mijn vriendinnetjes hebben een vader, behalve Melissa en Cas, want hun ouders zijn gescheiden en zij horen nooit meer iets van hun vaders, omdat die weg zijn gegaan uit Moose Creek. Heel triest, vind je niet?
We hebben de test twee weken geleden gedaan. Dat wil zeggen, mijn moeder heeft bloed moeten afstaan, en Mark ook. Ik heb een hekel aan naalden, en mijn moeder dacht dat het wel voldoende zou zijn als Mark zich liet prikken. In elk geval zijn we een tweeling – dat weet iedereen.
Ik vraag me af of je hierheen zult willen komen om ons te bezoeken, als je weet dat wij je kinderen zijn. Ik hoop vurig van wel. Ik heb veel wat ik je wil laten zien, zoals foto's van ons toen we nog baby's waren enzovoort.

Heel veel liefs,
Miranda XXX

Dafydd las de brief twee keer, voor hij hem op zijn schoot liet vallen. Daar fladderde hij zacht in de tocht die strijdlustig door iedere kier tussen de serreruiten binnendrong. Vervloekt. Dat kind is er heilig van overtuigd. Verdomde Sheila. De herinneringen aan haar merkwaardige gedrag en pathologische arrogantie waren hem langzaam weer helder voor de geest komen te staan. Iedere dag herinnerde hij zich wel deze of gene botsing die ze hadden gehad. Ook wist hij weer hoe het was gekomen dat ze hem zo intens was gaan haten. Echter, wat had dit allemaal voor zin? Het was allemaal zo onlogisch. Wat wilde ze er in godsnaam mee bereiken? Hoe hij er ook over broedde en allerlei hersenspinsels uitwerkte, hij kón het eenvoudigweg niet begrijpen. De enige verklaring was dat ze zichzelf iets wijs had gemaakt, of gek was geworden of zelf niet meer wist met wie ze het bed had gedeeld. Oorzaak? Waarschijnlijk drugs of drank. Hij zou er vermoedelijk nooit achter komen, dacht hij. Soms, als hij 's nachts wakker lag, verzon hij allerlei scenario's – manieren waarop ze aan zijn sperma kon zijn gekomen. Ze had hem een keer... ja, dat had hij laten gebeuren en hij kromp ineen bij de gedachte. *Maar meer was er nooit gebeurd.* Het had plaatsgevonden in een auto, bij een temperatuur van ver onder nul, en hij vermoedde dat het zaad onmiddellijk op de een of andere manier bevroren kon zijn. Was het mogelijk dat ze er later iets van in haar baarmoeder had geïnjecteerd? Welnee, dat was even bespottelijk als denken dat je zwanger kon worden van een toiletbril, een handdoek of in een zwembad. Of zat er iets achter van meer sinistere aard? Misschien had ze iets in zijn glas gedaan. Zo'n drug waarmee tieners meisjes tijdens een afspraakje verkrachtten, iets dat tot postcoïtaal geheugenverlies leidde. Hij deed het allemaal af als bespottelijk en fysiek onmogelijk. En gelet op het feit dat ze hem eens wanhopig na werktijd tot een abortus had willen dwingen – waarom zou ze dan in jezusnaam met alle geweld zwanger willen worden van hém, de man die ze haatte?

Hij liet de brief achter op de bank, begon door het huis te dwalen en zag hoe slonzig alles eruitzag. Hij en Isabel hadden de huishoudelijke taken altijd verdeeld, maar gedurende de twee weken dat ze afwezig was, had hij zelfs niet de fut gehad om zijn aandeel te doen. Wat had het voor zin, als het allemaal toch opnieuw moest worden gedaan? En wat mankeerde er aan papieren borden, tijdelijk? Hij had al dagen geen behoorlijk maal gehad en zijn honger gestild met allerlei vage, in folie verpakte dingen uit de vrieskist, afgewisseld met de pizza's en de voorgesneden en verpakte sla die Isabel vaak in allerijl ging kopen bij Ved Chaudhury & Sons, waar de zaak in feite werd gedreven door mevrouw Chaudhury en haar dochters. Mevrouw Chaudhury was hevig geschrokken van Isabels lezing van het ongeval; ze had zelfs aangeboden een van haar dochters warme maaltijden te laten brengen zolang Isabel weg was. Isabel had voor die vriendelijke geste bedankt, tot grote teleurstelling van Dafydd.

Hij ging naar boven om te douchen. Hij wist zelf niet meer of hij sinds drie dagen terug nog onder de douche had gestaan of niet. Hij ontdeed zich van zijn ochtendjas en stapte in de douchecel, maar wat hij ook probeerde om het water zijn gedachten te laten wegspoelen, rust kon hij er niet in vinden. Het was alsof zijn leven afbrokkelde aan de randen, al moest hij tegenover zichzelf toegeven dat er eigenlijk nog niets bedreigends was gebeurd. Misschien had hij al die jaren zo'n kleurloos leven geleid dat dit soort kleine calamiteiten veel groter en erger leek dan ze in werkelijkheid waren. Het verlies van zijn Velocette Venom was een klap geweest – dat schitterende relikwie van roestig metaal op twee wielen dat hem zoveel jaren trouw had gediend. De motorfiets was nagenoeg onvervangbaar, maar het verscheiden ervan had iets onherroepelijks, alsof het definitief een eind had gemaakt aan een tijdperk. Met Isabel zou alles wel weer goed komen als die DNA-tests eenmaal binnen waren. En dat jaar ontzegging, ach, een jaar was tegenwoordig in een vloek en een zucht voorbij. Het zou hem meer tijd kosten om van het imago van de beschonken bestuurder af te komen.

Hij stapte uit de douchecel en ondernam een aanval op zijn baard. Zijn leven ging door en hij moest dit soort tegenslagen te boven zien te komen. Proactief zijn, dat was de oplossing. Hij zou zich aankleden en weer aan het werk gaan. Vier dagen ziekteverlof was wel voldoende om te herstellen. Zijn blauwe oog was inmiddels zo geel als gal, maar wat maakte het uit. Zijn knie zou het wel redden, en zijn pols was al nagenoeg in orde. Zijn trots had het zwaarder te verduren.

De week liep ten einde. Hij had kans gezien zich gedrukt te houden en zijn werk te doen, zonder aandacht te besteden aan het gegnuif en geginnegap van sommigen, of aan de meelevende schouderklopjes van anderen. Het weekeinde stond voor de deur en Isabel zou halverwege de middag thuiskomen. De hele ochtend had hij in een toestand van nerveuze anticipatie verkeerd. Ze hadden elkaar de meeste dagen gebeld en ze leek zich enigszins schuldig te voelen, of misschien zelfs beschaamd. Ze had toespelingen gemaakt op de een of andere vorm van boetedoening, seksueel misschien, of eenvoudigweg genegenheid of gezelligheid thuis – wat ze precies bedoelde, wist hij niet, laat staan waarom zij vond dat hij het verdiende.

Zijn pieper begon schril over te gaan toen hij een praatje maakte met een vrouw wier galblaas zou worden weggenomen.

'Ik ben thuis,' zuchtte Isabel toen hij eindelijk een telefoon had gevonden. 'Goddank, wat een eind.'

'Ik geloof je graag. Luister, ik ben sinds gisteravond stand-by geweest en ben hier al sinds het krieken van de dag. We hebben niets in huis. Wat dacht je ervan om uit eten te gaan? Ik wil graag alles horen over je klus. We kunnen naar de baai gaan. Lijkt Eduardo's je iets? Wat denk je?'

'Klinkt goed,' zei ze. Het klonk alsof ze er blij mee was. 'Kom jij naar huis, of zien we elkaar daar?'

'Tja...' zei hij aarzelend, in het besef dat ze kennelijk was vergeten dat hij geen vervoer had. 'We zien elkaar daar wel, in de bar. Zeg half acht. Ik reserveer een tafeltje.'

Ze ontmoetten elkaar op het parkeerterrein. Isabel arriveerde in een taxi en keek verbaasd toe toen hij uit Jim Wisemans busje stapte, die hem een lift had gegeven. Ze zag er adembenemend uit in de zachte zwarte jurk die haar vormen omsloot alsof ze haar lichaam had laten bespuiten. Ze had een nieuwe kasjmier sjaal om haar schouders gedrapeerd. Ze had blauwe kringen onder haar ogen, vanwege het vele overwerk tot laat op de avond. In combinatie met de scharlakenrode lippenstift maakten ze dat ze er net zo oud uitzag als ze was, maar ze bleef even indrukwekkend. Plotseling welde er hevige begeerte naar haar in hem op, heviger dan hij in tijden had gekend, maar zonder een zweem van tederheid. Hij wilde haar zoals hij haar altijd had gewild, voordat seks bedrijven een corvee was geworden.

Het was druk in het restaurant, zoals altijd, de laatste tijd. Hier ging je heen als je gezien wilde worden. Ze hadden de gelegenheid een maand of acht geleden ontdekt, toen de zaak nog worstelde om van de grond te komen. Eduardo, wiens loyaliteit nog niets had ingeboet, haastte zich met uitgestrekte armen naar hen toe.

'Schatten, ik hebben lievelingstafel... Isabella!' Hij tuitte zijn dikke lippen en gaf haar een luidruchtige kus op iedere wang, waarna hij Dafydd met beide handen de hand schudde.

Hun tafel stond bij het raam dat uitzicht bood op de aanlegsteiger van de watertaxi. Er lag nog net een zweempje zonneschijn over het water en de kliffen van Penarth leken gitzwart. Langs de jachthaven twinkelden lichtjes en op de houten promenade aan de voet van het restaurant wemelde het van wandelende, lachende en drinkende paartjes. Met een zucht van voldoening liet Dafydd zich in zijn stoel zakken. Alles hier deed zo normaal aan, exact zoals het wezen moest. Hij nam het menu door en trok een wenkbrauw op. Eduardo boerde goed, te oordelen naar de verhoogde prijzen. De kleine man haastte zich naar hen toe, met de juiste fles. Hij had een ijzeren geheugen.

'Deze is van het huis, vrienden.' Zijn warme, vochtige ogen keken hen triest aan. 'Jullie helaas niet zo vaak meer komen. Voor jullie ik altijd plaatsmaken, altijd, ja? Maakt niet uit wanneer.'

Het stel aan de tafel naast de hunne scheen zich af te vragen wie zij waren en ze bogen zich naar elkaar toe om fluisterend speculaties uit te wisselen. In de zachte gloed van het kaarslicht leek Isabel wel een filmster. Totdat ze haar klamme pakje shag en haar Rizla-vloeitjes uit haar tas opdiepte en een dikke sigaret begon te rollen, met aan beide uiteinden uitpuilende plukken tabak. Dafydd zuchtte en keek naar het stel naast hen. Op het gezicht van de vrouw had nieuwsgierigheid nu plaatsgemaakt voor onverholen afkeer. De man knipte luid met zijn vingers naar Eduardo, die meteen aan kwam hollen.

'Ober, deze ruimte wordt geacht te zijn gereserveerd voor niet-rokers.' Zijn duim wees in Isabels richting. 'Mijn vrouw is astmatisch.'

'Zit er niet over in,' mompelde Dafydd hen toe en keek Isabel smekend aan. 'Steek hem niet op... alsjeblieft.'

De wankele viering van haar thuiskomst leed eronder. Gemelijk deponeerde Isabel haar sjekkie op een schoteltje. Ze rookte weer volop, en dan wilde ze altijd roken en drinken tegelijk. Er waren geen andere tafeltjes beschikbaar. Eduardo zat er zichtbaar over in en hij bleef gebaren van hulpeloosheid en solidariteit maken vanaf de plek waar hij stond, naast de ingang. Het was storend en Dafydd wenste dat hij hun tegemoetkomende gastheer de rug kon toekeren, maar de man stond midden in zijn blikveld. Een klein insect trippelde over de drie madeliefjes die het midden van de tafel decoreerden. Isabel haalde ernaar uit en sloeg het vaasje omver. Water breidde zich uit over het gesteven witte tafelkleed. Dafydd depte het op met zijn servet en grapte naar hun buren: 'Dat heb je ervan als je haar optut – je kunt haar ook nergens mee naartoe nemen.' Ze verborg haar glimlach achter haar wijnglas – en de lach was echt.

'Ik heb je gemist.' Hij nam haar hand in de zijne en zag dat ze haar trouwring niet droeg. Een smalle witte band verried waar de ring de afgelopen zes jaar had gezeten. Hij streelde de afwezige ring met zijn duim en keek haar onderzoekend aan.

'Ja, ik had hem even afgedaan... Ik heb vanmorgen de hotelkamer ondersteboven gehaald om hem te vinden. Hij moet ergens tussen zijn geraakt.'

'Freudiaanse vergissing, wat?' glimlachte hij. 'Beter voor de zaken... hem niet dragen in Glasgow?'

Ze fronste haar wenkbrauwen en hij wenste dat hij dat niet had gezegd. Ze was de laatste paar weken zo dwars geweest dat hij steeds het gevoel had gehad dat hij op eieren moest lopen om haar niet nijdig te maken. Hij kon nooit weten wanneer ze weer eens tegen hem uit zou varen. Hij was bijna vergeten wat haar zo aantrekkelijk voor hem maakte, die vreemde mix van ondeugendheid en wereldsheid. Ze was ontzettend opvliegend en kon lang lopen wrokken, maar hij had het altijd toegeschreven aan haar Italiaanse allure.

Hij vulde haar glas bij. De wijn was behoorlijk koppig. Ze tikte met haar lange nagels tegen de rand van het onderbord – luid en ritmisch. De mensen aan het andere tafeltje keken verstoord haar kant uit. Ze toonde hun haar niet opgestoken saffie en ze keken weg.

Hoewel het restaurant volledig bezet was, sprak iedereen zacht, zodat de pratende stemmen een zacht geroezemoes veroorzaakten. Elk woord dat ze wat luider uitspraken, was voor anderen te horen. Dafydd wenkte de wachtende Eduardo, die in een ommezien bij hen was.

'Eduardo, waarom geen muziekje? Misschien die compilatie van de jaren tachtig die je zelf hebt samengesteld?'

'Het spijten mij erg,' zei hij beschaamd. 'Installatie vandaag kapot, verschrikkelijk.' Hij repte zich weg en kwam terug met een nieuwe fles. Ze dronken veel te snel.

'Laten we bestellen, ik raak aangeschoten,' zei Isabel tamelijk luid.

Eduardo nam hun bestelling zelf op en ze leunden achterover in hun stoel en monsterden elkaar. Isabel leek zich wat onbehaaglijk te voelen.

'Wat heb je?'

'Dafydd... ik denk dat die brief vanmorgen is aangekomen. Celllink Diagnostics, is het niet?'

'Werkelijk?' Hij wachtte even, want hij realiseerde zich plotseling dat er tenminste eindelijk een eind kwam aan een van zijn problemen. 'Had hem maar opengemaakt. Dan hadden we pas echt iets te vieren gehad.' Het ergerde hem dat ze hem er niets over had gezegd toen ze met elkaar belden.

Ze keek hem een ogenblik zwijgend aan, totdat ze zei: 'Ik heb hem hier, in mijn tasje.'

Daar schrok hij een beetje van. Daar was het dan, eindelijk binnen handbereik. 'Nou, wat kan het ook verdommen – maak dat verrekte ding open,' zei hij, meer van zijn stuk gebracht dan hij wilde toegeven.

Ze aarzelde. 'Weet je zeker dat je hem nu wilt lezen?'

'Luister, je hebt hem meegenomen. Waarom zouden we wachten? Maak maar open.'

Prompt nam ze de envelop uit haar tas en ritste hem open met haar tafelmes. Hij lette aandachtig op haar gezicht toen ze hem las. Dit ogenblik zou hij zich nog lang heugen, tot aan zijn dood. Kijkend naar haar gezicht voelde hij zich koud worden, alsof iemand een emmer ijswater over hem heen leeggoot. Hij griste haar het vel papier uit handen. Ze staarden elkaar aan.

'Leugenaar,' fluisterde ze. 'Vervloekte leugenaar...'

Hij was met stomheid geslagen. Dit kon nooit kloppen. Hij staarde naar de brief. De woorden dansten voor zijn ogen, maar hij herkende zijn naam en die van Mark Hailey. Minimaal 99,9 procent zekerheid... Hij wist wat het betekende; aan zijn vaderschap viel niet te twijfelen.

'Waarom moest je het op deze manier aanpakken?' vroeg Isabel hem met ijzige kalmte. 'Ik heb je altijd aangezien voor een intelligente, fijngevoelige man. Ik heb jou ruimschoots de kans gegeven mij de waarheid te zeggen, met de verzekering dat ik me ermee kon leven. Goed, je hebt jaren geleden iemand genaaid. Daar zou ik me niet druk over hebben gemaakt. Een onbedoelde zwangerschap – zoiets kan iedereen overkomen. Al had je alleen maar toegegeven dat je het was vergeten, dat je bezopen was geweest, of dat ze je had verleid of zelfs verkracht, weet-ik-veel.' Ze was steeds luider gaan praten en rond hun tafel was het stil geworden. 'Zelfs al had je me opgebiecht dat je nog gek was op dat mens en haar nog steeds begeerde. Ik zou het allemaal hebben geslikt, als je maar eerlijk was geweest. Maar nee, jij moest zo nodig volhouden dat je haar nooit had aangeraakt. Je gaf geen krimp. Waarom heb je me zo diep gekrenkt? Waarom?'

Hij zag Eduardo naar hun tafel komen, met hun vissoep. Dafydd maakte verwoede gebaren naar de man om hem tegen te houden. Hij werd erdoor in verwarring gebracht, maar kwam evengoed. Het stel naast hen staarde onbeschaamd hun kant uit, net als een paar andere mensen. Isabel stak haar sigaret op, nam een lange haal, draaide haar hoofd om en blies de rook naar hun tafel. De vrouw begon hysterisch te hoesten, met dichtgeknepen ogen, en wuifde woedend de rook uit haar gezicht. Eduardo liep rood aan. Hij zette hun de kommen dampende soep voor en trok zich met gebogen hoofd achterwaarts terug, zich niets aantrekkend van de heftige wenkgebaren van de astmatische vrouw.

'En hoe zit het met de andere dingen die ze beweert?' siste Isabel.

'Toe nou,' zei Dafydd smekend, 'je kunt onmogelijk geloven...'

'Nou, je hebt me over de rest ook voortdurend voorgelogen. Maar goed dat ze niet kan bewijzen dat jij haar heb verkracht.' Ze zoog aan haar peuk, maar die was uitgegaan. 'Daar zal het wel te laat voor zijn, veronderstel ik.'

'Het is onmogelijk dat ik...'

'Ach, hou toch je bek. Waar maak ik me nog druk over. Ik heb die lulkoek van jou wekenlang aangehoord. Bespaar me de rest, ik kan er niet meer tegen.'

Er viel niets meer te zeggen. Zijn gedachten waren zo verward dat hij ze niet meer kon ordenen. Hij staarde naar zijn vissoep en zag de schaar van een krab tussen de andere stukjes vlees drijven. Hij was dol op krabscharen. Nu zwoer hij zichzelf dat hij de rest van zijn leven geen krab meer zou eten. Hij moest toch ergens een eed op doen. Misschien kon hij beter kiezen voor het celibaat.

'Wat denk je hieraan te gaan doen?' zei ze, zodat hij opschrok.

Hoofdschuddend zei hij. 'Ik zou het niet weten. Heb jij een idee?'

Ze stak haar peuk weer aan en ze zaten een poosje zwijgend bij elkaar. Dafydd keek naar haar op. Haar gezicht stond hard, bijna lelijk van woede. Toch wilde hij haar wanhopig graag aanraken, haar terugwinnen. Ze leek zich steeds verder van hem terug te trekken. Dat joeg hem angst aan. Hij stak zijn hand over de tafel uit naar de hare, maar ze trok hem met een ruk terug.

'We gaan dit bestrijden?' zei hij met plotseling zelfvertrouwen. Zijn hand kwam kletsend neer op de brief die op tafel lag. 'Morgen praten we met Andy.'

'We?' gromde ze ongelovig. 'Dit mag je helemaal zelf opknappen, mannetje.' Ze stond op en liet de smeulende peuk in haar soep vallen. Ze propte haar pakje shag en de vloeitjes weer in haar tas en griste de sjaal van de rugleuning van haar stoel.

Hij probeerde haar tegen te houden door haar pols te grijpen. 'Wat bedoel je daarmee?' vroeg hij op hoge toon. 'Waar wou je heen?'

Ze schudde hem af en wrong zich langs het gefascineerde stel naast hen, waarbij ze tegen de tafel stootte en het glas van de vrouw bijna omgooide met haar tasje. Rode wijn gutste over het beboterde stukje brood van de vrouw en demonstratief amechtig greep ze naar haar inhaler. De man negeerde haar en staarde naar Dafydd, bijna alsof hij met hem te doen had.

'Hé...! Kom terug, Isabel!' riep Dafydd haar na. 'Stel je niet zo aan! Hier deugt niks van, ik zweer het je!'

'Ach, vent... lazer toch op,' snauwde ze hem toe, van de andere kant van het restaurant.

Als versteend bleef Dafydd zitten. Hij had haar achterna moeten gaan, maar kon het fysieke en emotionele uithoudingsvermogen dat dit zou vereisen niet opbrengen. Stik maar... laat haar gaan, dacht hij woedend. Blijkbaar was iedereen eropuit om hem een hak te zetten. Er waren twee mogelijkheden: óf hij leed aan amnesie, dementie of een andere vorm van geestelijke ontsporing, óf iemand had een manier gevonden om aan zijn zaad te komen. Wie was verdomme tot zoiets in staat? Of zou die DNA-test vervalst zijn? Het was om gek van te worden.

Hij verborg zijn gezicht in zijn handen, om de mensen die naar hem staarden buiten te sluiten. Na een paar minuten kwam Eduardo naar zijn tafeltje en legde een meedogende hand op zijn schouder.

'Kom mee naar mijn kantoor, ik nog wat Amaro van thuis hebben. Beste van de wereld.' Hij liet zich meetronen, nam plaats in een diepe leunstoel in een kamer die veel weg had van een warme moederschoot en kreeg een groot glas met een zwarte vloeistof erin in zijn hand. 'Geen zorg, ik taxi hebben voor Isabella, komt wel goed. Ik de hele tijd ruzie hebben met mijn vrouw. Morgen weer goedmaken.'

10

Moose Creek, 1993

Dafydds linkerhand drukte op haar gladde, blanke buik, zijn andere hand diep in haar vagina. De situatie deed surrealistisch aan. Sheila had sinds die noodlottige kerstparty nog nauwelijks naar hem gekeken of iets tegen hem gezegd, en nu raakte hij haar op de intiemst denkbare manier aan.

Zijn eerste impuls was een weigering geweest, vooral omdat ze zich per se buiten werktijd wilde laten onderzocken, zonder verpleegster erbij, maar ze had hem, toen ze hem die ochtend in de gang had benaderd, er nagenoeg om gesmeekt. Haar schrikbarend bleke gelaatskleur en roodomrande ogen hadden een verbazingwekkende uitwerking op hem gehad, want meteen was zijn afkeer jegens haar afgenomen. Natuurlijk was hij ook benieuwd naar de reden die haar ertoe bracht juist hém om een consult te vragen. Ergens in zijn binnenste moest hij de wens hebben gekoesterd aan Sheila iets van kwetsbaarheid te ontdekken en een glimp te zien van haar ware innerlijk, maar hij had die gedachte weggeredeneerd. Het enige wat hij wilde, was een ontspannen arbeidsrelatie met de vrouw.

Maar nu was ze hier en gaf ze zich voor hem bloot, letterlijk. Hij zag het als wellicht een goede gelegenheid om een zekere mate van vrede tussen hen te bewerkstelligen.

'Sheila, hoe is het mogelijk dat je dit niet eerder hebt gemerkt?' zei hij voorzichtig.

'Zoals ik je al zei, ik heb twee heel gewone perioden gehad, zonder welk symptoom dan ook,' antwoordde ze. 'Ik bedoel, ik ben nooit zwanger geweest, dus heb ik er ook niet zo op gelet, denk ik.'

'Wat maakte dan dat je het begon te vermoeden?'

Sheila keek hem aan en rolde toen op die karakteristieke, spottende manier van haar met haar ogen. 'Tja, op een gegeven moment móét je het wel merken. Er groeit tenslotte een dikke bult in mijn buik.'

'Zo'n dikke bult is het nu ook weer niet, integendeel, maar je hoeft niet te twijfelen aan wat het is,' knikte Dafydd, weer eens stevig op zijn plaats gezet. 'Je bent op zijn minst drie maanden heen, maar vermoedelijk langer.'

'Verdomme.' Sheila bedekte haar gezicht met een hand, terwijl Dafydd een stapeltje tissues in haar andere hand stopte. Hij trok zich terug, deed zijn steriele handschoenen af en trok het gordijn om de onderzoektafel dicht. Hij wachtte in zijn stoel, bestormd door zijn gedachten. Drie maanden... Dan moest ze omstreeks de kerst zwanger zijn geworden. Ze was vruchtbaar en had blijkbaar geen voorbehoedmiddel gebruikt... Hij huiverde toen hij bedacht dat ze hem bijna had verleid.

Hij keek naar het raam. Buiten was het donker. Op de een of andere manier wist hij dat hij hier niet op dit uur van de avond alleen met haar moest zijn, al was het pas net zeven uur geweest. Het was nog volop winter. Hij had gedacht dat het niet meer zou sneeuwen, zo laat in maart, maar het sneeuwde niettemin – grote, dikke vlokken die uit de hemel omlaag dwarrelden en geruisloos op de vensterbank belandden.

Sheila nam ruimschoots de tijd om zich achter het gordijn aan te kleden, en toen ze uiteindelijk tevoorschijn kwam, zag ze er ontsteld uit.

'Ga zitten en vertel me hoe ik je kan helpen,' zei hij vriendelijk.

Ze kwam tegenover hem zitten. In plaats van haar uniform droeg ze een minirok van groene suède die volstrekt ongeschikt leek voor deze gelegenheid en bij dit weer.

'Je kunt me inderdaad helpen, Dafydd. We kunnen het nu meteen doen.'

Dafydd keek haar aan, verward. 'Wát kunnen we meteen doen?'

'Onderbreken.' Ze keek hem strak aan. 'Dat kun je toch wel voor me doen, hè?'

Dafydd zette zich schrap. Dat was dus de reden van het feit dat ze juist hém had benaderd. Ze wist echter dat hij geen abortussen deed, dus waaróm? Hij was een overtuigd voorstander van 'baas in eigen buik', maar het was een ingreep die hij weigerde te doen. Hij had het in zijn loopbaan maar twee keer gedaan, maar beide keren had het hem van zijn stuk gebracht en was hij in de weken erna gekweld door nachtmerries. Sheila had heel wat keren geprobeerd hem te pressen tot wat ze zijn 'zwakke zijde' noemde, want in Moose Creek kwamen zwangerschapsonderbrekingen vaker voor dan normale geboorten.

'Ik doe deze ingreep niet, zoals je weet. Hogg doet het wel, en Ian ook. Waarom vraag je het een van die twee niet?'

'In geen geval,' snauwde ze terug. 'Ik wil onder geen voorwaarde dat zij erbij betrokken raken. Jij bent hier maar tijdelijk en weet je klep te houden, zoals ik heb gemerkt.'

'Sheila, het is absoluut geen probleem om het elders te laten doen. Je kunt naar Yellowknife vliegen, dan ben je de volgende dag terug. Ik wil ze wel bellen, als je wilt.'

'Nee, veel te dichtbij. Daarginds weten ze álles van ons hier.'

'Best, Edmonton dan. Nog beter.'

Sheila leek weinig aandacht te hebben voor wat hij zei. Ze had een wat glazige blik in haar ogen en leek in gedachten verzonken. Ze had de tissues nog in haar hand. Ze scheurde er smalle repen af die ze tussen duim en wijsvinger oprolde tot een balletje.

Toen ze weer naar hem opkeek, was het alsof ze geen woord van wat hij had gezegd had gehoord. 'Heus, ik meen het, we kunnen het nu doen. Hogg is stand-by, maar er valt niets te doen. Er is niemand in de operatiezaal. Janie is op de afdeling, met Phil. Ik vind het niet erg als je het onder verdoving doet. Het kost je maar een uurtje.'

'In godsnaam, Sheila, geen sprake van! Zoiets moet onder narcose gebeuren en het is…' Hoewel er nog allerlei andere bezwaren waren, kon hij er niet één bedenken die ze niet onmiddellijk van tafel zou vegen. Hij gooide het over een andere boeg. 'Wat zegt die vriend van je er eigenlijk over?'

'Ik heb hem niets gezegd. Hij is fanatiek, waar het preventie betreft. Hem betrap je niet zonder condooms.'

Probeerde ze hem duidelijk te maken dat dit kind vermoedelijk van hém was?'

'Condooms kunnen scheuren,' opperde hij zwakjes, wetend dat het zelden voorkwam.

Sheila dacht er even over na. 'Ja, dat gebeurt weleens, nietwaar,' zei ze uiteindelijk.

'Heb je erover gedacht of je de baby misschien wel wilt houden? Ik bedoel, hoe oud ben je nu, tweeëndertig?'

'Nee, daar heb ik niet over gedacht.' Ze leunde achterover in de stoel en keek naar hem, maar zonder hem werkelijk te zien. Dafydd voelde dat niets van wat hij kon zeggen of opperen ook maar enig effect zou sorteren. En zolang ze hem niet in vertrouwen nam, kón hij haar niets voorstellen. Er scheen een idee door haar hoofd te malen; misschien probeerde ze zich voor te stellen hoe het zou zijn om een kind te hebben. Plotseling focusten haar stekende blauwe ogen zich op hem. Ze boog zich naar voren en zei: 'Nee, ik wil per se de zwangerschap afbreken. Alsjeblieft, doe dit voor mij.' Ze bewoog zich rusteloos en bewoog haar hoofd van links naar rechts en vice versa, alsof ze de gedachte aan het moederschap probeerde af te schudden. 'Ik wil dat het vanavond nog achter de rug is. Kun je dat begrijpen? Nu ik weet wat het is, wil ik dit niet boven mijn hoofd hebben hangen. Ik heb er echt geen moeite mee. Ik kan er werkelijk mee leven. Toe nou, Dafydd,' zei ze smekend. 'Een spuitje valium, een kleine curettage en je bent van me af.'

Dafydd zette zijn gedachten op een rijtje. Hij kon alleen maar nee zeggen, maar wilde haar niet kwaad maken. Ze zat nog steeds naar hem toegebogen en de ronde welvingen van haar melkwitte borsten, zichtbaar gezwollen nu, bolden boven de hals van haar zwarte sweater uit. Voordat hij de kans kreeg iets te zeggen, begon ze te lachen en tikte met haar wijsvinger krachtig op zijn bureau.

'In een oord als dit kom je er niet onderuit elkaar af en toe een gunst te bewijzen. Jij staat bij mij in het krijt, nietwaar? Ik héb jou al een gunst bewezen, weet je nog? Ik ben bereid het nog eens te doen. Of, als je dat liever hebt, wil ik je ervoor betalen.'

Dafydd kromp ineen. 'Sheila, doe dit jezelf niet aan. Je hóéft me niets aan te bieden. Je zou me beter moeten kennen. Ik wil je best helpen, geloof me. Wat is er zo erg aan een paar dagen wachten?'

Plotseling begon ze te huilen. Dafydd wist niet hoe hij het had. Dit waren echte tranen. Als iemand echt verdriet had, liet hem dat nooit onberoerd. Kennelijk zat ze meer in haar maag met de situatie dan hij besefte. Hij sprong op, liep naar haar toe en legde een hand op haar schouder. 'Het spijt me erg,' zei hij.

Ze keek naar hem op. 'Doe het dan, verdomme!'

'Het spijt me,' herhaalde hij.

'Het spijt jou? En daarmee uit? Zielige, slijmerige Brit die je bent!' snauwde ze door haar tranen heen. 'Je bent een waardeloze zak, weet je dat?'

Dafydds hand rustte nog op haar schouder. 'Rustig aan, Sheila,' zei hij streng. 'Je bent van streek; heel begrijpelijk. Het is een schok voor je, maar het is géén ramp. Als iemand dat moest weten, ben jij het wel. Je hormonen spelen kennelijk op. Kalmeer nou maar, dan bedenken we wel wat.'

Ze duwde zijn hand weg en vloog op uit de stoel. 'Dacht je soms dat ik het niet zelf afkan? Ik heb je alleen om een gunst gevraagd, een eenvoudige gunst. Maar nee, jij bent een verdomde egoïst die zichzelf te goed vindt om iemand uit de narigheid te helpen. Wat doe je hier eigenlijk, verdomme? Je hebt je hier alleen maar verstopt omdat je je eigen onbekwaamheid niet onder ogen durft te zien. Ik had je niet in mijn buurt moeten laten komen. Als jij zo stom bent de verkeerde nier van een kind te amputeren, zul je waarschijnlijk ook geen feut kunnen herkennen, al heb je hem voor je stomme neus. Ze lachte honend en gaf hem een por in zijn borst. Hij greep haar pols – te ruw.

Hoe het precies was gebeurd, kon hij zich later niet herinneren. Ze stortte zich op hem als een wilde kat, en voor hij het goed en wel zelf besefte had hij haar hard in het gezicht geslagen.

Ze verstarden allebei en staarden elkaar aan, hun armen nog verstrengeld in een groteske omhelzing. In elk geval had de klap haar tot bedaren gebracht. Ze leek plotseling krachteloos.

'Dit zal je nog berouwen,' zei ze koel. Ze duwde hem opnieuw weg, maar niet al te heftig.

'Sheila, het spijt me nu al,' zei hij. Zijn stem klonk onvast, vanwege een mengeling van ontsteltenis en weggeëbde woede. 'Ik had dit in geen geval moeten doen en ik bied je mijn verontschuldigingen aan.'

'Hier zul je voor boeten.'

'Ongetwijfeld. Ik verzoek je alleen eraan te denken dat jij degene was die míj aanviel. Desondanks valt het niet te excuseren.'

'Best. Dóé het dan. Ik zal de onderbreking als excuus laten gelden.'

'Nee.' Dafydd leidde haar resoluut naar de deur. 'Ik ben echter meer dan bereid om het zo gemakkelijk mogelijk voor je te maken. Je hoeft het maar te zeggen.' Hij hield de deur voor haar open.

Sheila trok de deur met een dreun achter zich dicht. Op de gang viel een ets van de muur. Dafydd hoorde het gerinkel van glas en Sheila's haastige voetstappen, die zich verwijderden. Hij opende de deur en nam de schade op, voordat hij de scherven met trillende handen begon te verzamelen. Zou ze hem bewust hebben aangevallen? Was ze zo doortrapt? Hij kon het zich nauwelijks voorstellen, het was allemaal zo snel in zijn werk gegaan.

De kou was nog niet verminderd. Iedereen liep te klagen en zei dat dit de barste winter ooit moest zijn. Ze erkenden echter ook dat ze dit van iedere winter beweerden, want nagenoeg iedere winter hier was verduiveld koud. In de straten van Moose Creek was de situatie een ramp. Overal lagen ijs en sneeuw hoog opgetast en de hopen waren zo hard als beton. In en op die hopen bevond zich bevroren vuilnis en zelfs de trottoirs waren een staalkaart van afval, vereeuwigd onder het ijzige oppervlak. Alles was even naargeestig. Het leek alsof er geen eind wilde komen aan de duisternis en in feite merkte niemand dat de dagen al geruime tijd lengden. In dit jaargetijde namen de depressies, het 'huiselijk' geweld en het drankmisbruik hand over hand toe – het meest onder degenen die hier niet geboren en getogen waren.

Dafydd kende zijn tekortkomingen en was vindingrijk. Zijn enkel was algauw genezen en hij stond weer geregeld op de ski's. Naarmate het licht het toestond, bracht hij steeds meer tijd door in de wildernis. Hij had zich een behoorlijke pooluitrusting laten bezorgen en de capuchon van zijn nieuwe parka stak zover naar voren uit dat tere uitsteeksels als de neus en de oren erdoor werden beschermd, hoewel zijn gezichtsveld erdoor werd versmald. De magie en stilte onder de witte bomen zwakten zijn hekel aan de winter af. Er waren weinig tekenen van leven te zien, wat voor hem zowel geruststellend als griezelig was. Het enige zichtbare levende wezen was de raaf. Het geklapper van zijn grote, inktzwarte vleugels in de boomtoppen bracht kleine lawines van poedersneeuw teweeg en af en toe werd de stilte plotseling verbrijzeld door het rauwe krassen van het dier.

Ze hadden hem gewaarschuwd voor grizzlyberen. Ze hielden niet altijd een winterslaap. Een grizzly besloop zijn prooi geruisloos. Anders dan andere soorten beren kenden ze nauwelijks vrees voor de mens, hoewel ze de nabijheid van menselijke nederzettingen meden. Hier, in de wildernis, was Dafydd genoodzaakt zijn angst voor de dood onder ogen te zien. Hij geloofde in dramatische aflopen, zolang ze maar kort duurden. Zijn doodsangst had altijd al gefluctueerd met zijn overige gemoedstoestanden. Als hij zich gelukkig voelde, haatte hij de gedachte dat er onherroepelijk een eind moest komen aan zijn leven, maar het afgelopen jaar had de dood hem nauwelijks geïmponeerd. Hoe het ook zij, als zijn tijd gekomen was, wilde hij dat het in stijl zou gebeuren. Verminkt door een beer of doodgevroren in dit poolgebied kon ermee door, liever dan sterven aan prostaatkanker of erger, zoals langzaam wegkwijnen in een verpleegtehuis ergens in Swansea, zoals zijn moeder.

Op de meeste zaterdagen skiede hij naar Ians blokhut, via een kortere weg door de bossen. Dan naderde hij de blokhut vanuit een hoek vanwaar je de weg niet kon zien. De rook uit de schoorsteen was al op grote afstand zichtbaar. Omdat er zelden wat wind stond, steeg de rook meestal kaarsrecht op in een smalle rookkolom, tot hoog in de stratosfeer. Als hij dan in de buurt kwam, kreeg hij zicht op de kleine blokhut, tot aan de dakspanen begraven in de sneeuw en aan alle kanten omgeven door in het wit gehulde bomen. Het deed hem denken aan de verhalen over elfen en trollen uit zijn kinderjaren, en aan de dagdromen over overleven in de barre wildernis die hij als opgeschoten tiener had gehad.

Thorn, de onstuimige jonge hond die inmiddels was uitgegroeid tot het formaat van een slanke sint-bernard, kwam altijd over de skisporen aanstormen om hem te begroeten. Hij voorvoelde Dafydds komst al als hij nog een paar kilometer ver was. Ook Ian was altijd blij hem te zien. Niet dat hij een einzelgänger was – hij bracht zijn vrije uren vaak door in de saloon, kletsend met mensen met wie hij eigenlijk niets op had, maar de afgelegen plaats van de blokhut bewees dat hij toch een zekere behoefte had aan afstand en alleenzijn. Dafydd benijdde hem erom en was zelfs op zoek gegaan naar iets dergelijks voor zichzelf. Nu het eind van zijn contract naderde, leek het hem niet langer zo dringend om weg te komen uit die afgrijselijke stacaravan.

Op een zaterdagochtend kwam Thorn hem niet zoals gebruikelijk begroeten, en toen hij de blokhut bereikte, zag hij de hond naast een auto zitten. Sheila's auto. Te oordelen naar het tijdstip in de ochtend moest ze de nacht hier hebben doorgebracht. De lefgozer, dacht Dafydd. Hij heeft die vlijmscherpe tandjes dus toch maar geriskeerd. Maar had hij niet gezegd dat hij er nog weleens voor zou zwichten? Hij vroeg zich af hoe vaak die twee het met elkaar deden. En waarom? De vijandigheid tussen hen was soms bijna tastbaar. Er waren echter ook ogenblikken waarop ze op een ingehouden manier afhankelijk van elkaar leken. Kennelijk werden er over en weer gunsten bewezen of excuses gemaakt. Niettemin, waarom zou Sheila met Ian naar bed gaan als die zwangerschap zo'n groot probleem voor haar was? En zou Ian met haar de koffer in duiken als hij wist dat ze zwanger was? Zou Ian soms de vader zijn?

Sinds Sheila hem om de ingreep had gevraagd was er een week voorbijgegaan. Hij kromp ineen, deels van de kou, maar deels ook van afkeer. Het onverkwikkelijke incident had een nagel geslagen in de doodkist van zijn afkeer van Moose Creek. Hoe het ook zij, sinds die dag had Hogg hem geen schouderklopjes meer gegeven of voor de zoveelste keer uiting gegeven aan zijn onverflauwde hoop dat hij zijn contract zou willen verlengen, al had dokter Odent laten weten dat hij na zijn sabbatical year niet zou terugkomen en er geen pogingen waren gedaan een vervanger voor hem te vinden.

Dafydd stopte naast de blokhut en aarzelde. De weg terug was lang en hij had zich bij voorbaat verheugd op het royale glas (of glazen) warme grog dat hem wachtte. Thorn zat gehurkt naast de auto en Dafydd knipte met zijn vingers, in een poging hem ervan weg te lokken. Hij vroeg zich af of de hond net was uitgelaten of dat hij de nacht buiten had moeten doorbrengen. Misschien was Thorn op zijn hoede voor Sheila. Honden waren uiterst gevoelig voor karakters.

Dafydd verstijfde toen hij de deur hoorde kraken, gevolgd door Sheila's hese stem. 'Je hebt míj nodig.'

'Nee.' Ians stem klonk gespannen. 'Heb je me niet gehoord? Ik ben blut.'

Geërgerd verhief Sheila haar stem. 'Dat zei je de laatste keer ook al. Mij best, dan krijg je niet meer. Ik zit er niet mee. Mij te ingewikkeld.'

'Dat is een risico dat ik dan maar moet nemen, Sheila. Ik probeer het deze keer écht.'

Dafydd bleef roerloos staan en Sheila merkte hem niet op toen ze in de auto stapte. Zoals altijd droeg ze kleren die totaal ongeschikt waren voor de omstandigheden. Een sexy zwarte, strakke broek, een korte schaapsleren jekker en elegante leren laarsjes. Geen muts, sjaal of handschoenen. De auto startte moeiteloos en ze liet de motor nijdig brullen, maar toen bewoog ze zich niet meer en staarde omlaag naar haar schoot. Plotseling sloeg ze haar handen voor haar gezicht en begon ze te schokschouderen. Ze leek te huilen. Haar ineengedoken figuurtje had iets meelijwekkends. Zo te zien was ze niet helemáál verstoken van normale menselijke gevoelens. Ze verkeerde kennelijk in de greep van een persoonlijke crisis of iets dergelijks, iets dat voor haar zwaarder woog dan een zwangerschap. Maar misschien was ze eenvoudigweg labiel, hoewel er in de arbeidssituatie geen barstje in haar masker te bekennen was, zelfs niet onder hevige stress.

Dafydd kromp ineen van ellende, want hij wist hoe erg Sheila het zou vinden als ze wist dat hij getuige was van haar misère, maar hij kon zich niet verroeren vanwege het risico dat ze hem zou zien. Toen er een minuut verstreken was, wreef ze met de rug van haar hand haar tranen weg. Langzaam en voorzichtig reed ze over het autospoor achteruit en verdween naar de weg.

Waar konden ze het over hebben gehad? Ian kreeg niets meer... maar wat? In geen geval haar seksuele gunsten, want daar zou hij zich niets van aantrekken. Of misschien toch? Schijn bedriegt – zelfs hier.

Hij wachtte een paar minuten voordat hij naar de voordeur skiede. Thorns levensvreugde leek helemaal terug. In extase sprong hij tegen Dafydd op, die zich lachend achterover in de sneeuw liet vallen. Zijn gezicht, nog begraven in de capuchon, werd grondig gewassen door een enorm lange, natte tong.

'Waar ging dat allemaal over?' vroeg hij Ian, nadat hij zijn lagen overkleding had afgepeld en zich voor de openstaande houtkachel op de bank had laten vallen, het glas in zijn hand. De grote gele hond lag dampend aan zijn voeten. 'Ik kwam er net aan en per ongeluk hoorde ik wat jij en Sheila op de veranda tegen elkaar zeiden.'

Ian leek zich eraan te ergeren. Zijn ogen vernauwden zich en hij staarde Dafydd scherp aan. 'Ik woon expres hier in Nergenshuizen om te voorkomen dat ik word afgeluisterd.'

'Heb je liever dat ik oplazer?' legde Dafydd hem in de mond, terwijl hij zijn glimlach probeerde te onderdrukken.

Ians gezicht spleet open voor een droge grijns. 'Nee, lazer maar niet op. Dan heb ik niemand om mee te zuipen.' Hij klopte Thorn op zijn rug. 'Deze hond hier kan niet tegen drank. Aan hem heb ik dus ook niets.'

Ian bleef nog lange tijd stilletjes en nadenkend en hij stak de ene sigaret na de andere op. Plotseling werden ze omgeven door een daverend geluid, dat gepaard ging met gesis. Geschrokken keek Dafydd op.

'Komt vanwege de toenemende warmte,' zei Ian, die naar de open houtkachel bleef staren. 'Dat was de laatste sneeuw van de winter die van het dak gleed.' Hij stak de zoveelste sigaret op en keek Dafydd aan van onder het ongekamde haar boven zijn voorhoofd. 'Ze zal het jóú wel niet gevraagd hebben, dacht ik zo.'

'Sheila?' zei Dafydd, overrompeld. 'Ik heb begrepen dat het hier de gewoonte schijnt te zijn, na werktijd...'

'Beweerde ze dat?'

Er viel een onbehaaglijke stilte en beide mannen bukten zich tegelijkertijd om Thorn aan te halen. De hond opende loom een oog en liet het weer dicht zakken, verzaligd. Dafydd aarzelde. Misschien had Sheila Ian gevraagd de zwangerschap te onderbreken, maar het was onbehoorlijk om met iemand anders over een patiënt te praten, zelfs niet als de patiënt een collega was. De drank maakte hem echter roekeloos en hij was nieuwsgierig. 'Ik begrijp niet waarom ze zich er zo tegen verzet om het ergens anders te laten doen.'

'Dus ze hééft het je gevraagd.'

'Ik heb geweigerd. Ik doe dat soort dingen niet, weet je. Zelfs als het noodzakelijk is heb ik de pest aan een abortus.'

Ian zei schouderophalend. 'Nou ja, ze is van gedachten veranderd. Hij nam gewoontegetrouw een lange haal van de sigaret tussen zijn nicotinebruine vingers. 'Ze wil het kind houden.'

'Je maakt een geintje, zeker?'

'Ze heeft al meerdere abortussen laten doen en ik vermoed dat ze rekent op haar huidige vriend. Een puike investering. Ziet er goed uit, bulkt van het geld, is nooit getrouwd geweest en heeft dus geen lastige bagage. Zelf denk ik echter dat ze beter af zou zijn met Hogg. Die is al smoor op haar vanaf de eerste keer dat zijn ogen zicht kregen op die roomblanke borsten, en dat is al op zijn minst zes jaar geleden. Hij heeft geld zat en zou Anita als een baksteen laten vallen als Sheila hem een beetje aanmoedigde.'

'Ik had me al zoiets afgevraagd. Zouden Hogg en zij...?'

'Wat weet ik daarvan?' lachte Ian. 'Hij zou niet erg aan zijn trekken komen. Ze zou hem beslist op rantsoen zetten, daar kun je vergif op innemen. Ze zou er garen bij spinnen, maar je kunt hem niet bepaald een natte droom noemen, nietwaar?'

Dafydd hield hem zijn lege glas voor. 'Weet je, soms begrijp ik geen snars van wat hier allemaal gaande is. Kennen ze hier geen regels of moraal? Sheila schijnt er niet de minste moeite mee te hebben al die kerels tegen elkaar uit te spelen. Grote god, ze is echt slecht. Wat je noemt verdorven. Zo maken ze ze niet vaak meer. Desondanks heb ik bewondering voor haar flair. Daar zou ik zelf wel wat van kunnen gebruiken. Met mate, uiteraard.'

'Nou, neem dit maar van mij aan: ze is níét slecht. Ze is goed, ze is verduiveld goed.'

'Nee, ze is slecht,' hield Dafydd vol, ontspannen en verhit door de warme whisky.

'Zo is het,' lacht Ian boosaardig, 'maar toch zou je dat verdorven lijf graag eens in je grijpstuivers hebben. Dat wéét ze. Zit er niet over in, die fase hebben we allemaal doorgemaakt.'

'Geen schijn van kans.' Dafydd aarzelde even, zich afvragend of er een zweem van waarheid in Ians opmerking school. 'Ik ben er niet trots op, maar toen ze me het kwam vragen, zei ik nee. Ze vloog me aan en ik heb haar geslagen. Ik kan zelf niet geloven dat ik het heb gedaan, maar ze stortte zich op mij en ik moet mijn zelfbeheersing hebben verloren. Ik wacht nog op een arrestatie, maar ik kan aanvoeren dat het zelfverdediging was.'

'Nooit?' Ian probeerde bezorgd te kijken, maar er glinsterde iets van vrolijkheid in zijn ogen. 'Ik kan me niet voorstellen dat jij ooit een vrouw zou slaan, laat staan een zwangere vrouw. Zo'n mak lammetje als jij.'

'O, in jezusnaam... Het was mijn bedoeling niet, maar ze probeerde me de ogen uit te krabben.'

'Oef...' Ian blies op zijn vingertoppen en schudde zijn hand alsof hij zich had gebrand. 'Je zult wensen dat je het nóóit had gedaan.' Hij leunde achterover in zijn stoel en stak een nieuwe sigaret op. Hij zag er ziekelijk uit, zoals zo vaak. Zijn jeugdige gezicht was gegroefd, wat een merkwaardige paradox opleverde. In zijn daverende lach klonk een kwajongen door, een en al ondeugd en levenslust, terwijl de sombere volwassen man neigde tot zelfdestructief gedrag, eenzaam en vervreemd. Dafydd had hem nauwlettend geobserveerd en het was hem duidelijk geworden dat hij nog altijd geen idee had wie deze man feitelijk was. Hij wist niets over zijn achtergrond, afgezien van het feit dat zijn ouders tragisch bij een brand om het leven waren gekomen, zelfs niet waar hij vandaan kwam en waarom hij hier was. Hij praatte nooit over zichzelf en was geneigd vragen af te wimpelen. Het enige wat Dafydd zeker wist, was dat Ian de enige persoon in heel Moose Creek was die bereid was een soort vriend voor hem te zijn. Daarom was hij, Dafydd, bereid hem zijn kwade buien en incidentele vrijpostigheid te vergeven.

Ze hadden er nog niet lang gezeten, genietend van het loeiende vuur en het gestage druppelen van de overstekende dakranden, toen het alweer begon te schemeren en het voor Dafydd tijd werd terug te skiën, als hij niet in de bossen door de duisternis overvallen wilde worden.

'Blijf nou maar,' stelde Ian voor, met enigszins dikke tong. 'Dan rij ik je straks wel naar huis.' Hij tilde de fles whisky, die nog voor een derde vol was, op en schudde hem vrolijk.

'O, beslist,' lachte Dafydd. 'Dat zou me een ritje worden.'

De hoeveelheid en koppigheid van de hete grogs belette Dafydd niet in paniek te raken toen hij op de terugweg regelrecht op een grote bizon af skiede. Het kolossale dier stond achter een bocht in de skisporen, aan het oog onttrokken door een groepje bomen. Achter dit dier stonden nog tien, twaalf andere bizons, waarvan sommige met de voorpoten in de sneeuw schraapten, op zoek naar de bevroren vegetatie. Het blauwe licht van de naderende nacht kleurde de sneeuw, maar belichtte elk stukje van de wereld om hem heen met angstaanjagende scherpte. De bizon zag er sinister en dreigend uit en zijn donker opdoemende lichaam verplaatste zich langzaam over de indigokleurige sneeuw in Dafydds richting. Dafydd had verhalen gehoord over een afgedwaalde kudde van uitzonderlijk grote bizons die door de vallei zwierf, na tientallen jaren geleden te zijn ontsnapt uit het park van een excentrieke fokker in Alberta. Ze hadden hem doen denken aan de verhalen over het monster van Loch Ness. Het wemelde van die verhalen over de geheimzinnige kudde, maar niemand kende iemand die de dieren met eigen ogen had gezien.

De stilte werd explosief verbroken door luid gebries uit de vochtige neusgaten, gevolgd door een schurende inademing terwijl de zware kop naar de grond zakte, klaar voor een aanval. Dafydds eerste reactie was zijn ski's weggooien en het op een lopen zetten, maar die manoeuvre werd overbodig. Hij was nog niet goed en wel van de skisporen of hij zakte tot aan zijn borst in de sneeuw. Hoe hij ook schopte en maaide, hij kwam geen stap vooruit. Toen er enkele seconden waren verstreken, ebde zijn paniek weg. Hij draaide zich om en staarde naar zijn bloeddorstige opponent, die in alle rust zijn vreemde gedoe stond op te nemen, kauwend op een twijg. De zachte bruine ogen leken vervuld van mededogen met hem. Dafydd sloop terug tot op anderhalve meter van de enorme kop om zijn ski's en stokken te verzamelen. Door de invallende duisternis skiede hij naar huis, op de vleugels van een forse dosis pure adrenaline. Plotseling voelde hij zich heel nederig en realiseerde zich dat hij op geen stukken na klaar was voor zo'n dramatische dood.

Derek Rose was overleden. Leslie, zijn vroegere collega en minnares in Bristol, belde hem op een namiddag op zijn werk.

'Ben je vrij om te praten?' vroeg ze voorzichtig.

'Ja, ik ben net klaar voor vandaag. Hoe is het met jou? Alles goed?'

Ze viel met de deur in huis. Ze had het zojuist vernomen van een andere collega.

'Maar luister nu goed,' beval ze hem resoluut. 'Jij had er niets mee te maken, hoor je? De kanker had uitzaaiingen naar zijn longen. Hij had geen schijn van kans. Vermoedelijk al op voorhand niet.'

Dafydd schrok van het nieuws; kon niet reageren.

'Luister nou,' pleitte Leslie. 'Met zijn moeder komt het in orde. Ze heeft een leuke vent gevonden en ze verwachten een kind. Ze zal hier in het ziekenhuis bevallen.' Ze laste een pauze in, in afwachting van zijn reactie. 'Dafydd, toe. Ze heeft al heel lang geweten dat Derek zo ziek was. Ze wist dat het zo zou aflopen.'

Dafydd zag Sheila naderen en hij probeerde haar weg te wuiven, maar ze bleef met over elkaar geslagen armen staan, koel en grimmig. Ze tikte op haar mouw en keek op haar horloge.

'Misschien had ik het je niet moeten zeggen,' hoorde hij Leslie nu zeggen. 'Ik dacht er goed aan te doen.'

'Ja... nee, absoluut! Natuurlijk moest je me het vertellen, Leslie. Lief van je om het me te laten weten. Ik... ik zal wat tijd nodig hebben om dit te laten bezinken. Kan ik je later terugbellen?'

Hij legde de telefoon terug en staarde naar buiten. De zon straalde en de belofte van een naderende lente betoverde alles, maar het land wist het nog niet. Het waande zich nog bevroren, bedekt door de winterdeken. Hij kon echter zien hoe het ijs wegsmolt, plaatsmakend voor grauwe modder waaruit het water spoedig weg zou sijpelen. Deze lente behoorde de levenden toe. Nergens anders ter wereld kon dit waarachtiger zijn dan hier en hij wás hier, veilig en in leven. Hoe was dit te rechtvaardigen?

'Wat heb jij?' vroeg Sheila. 'Je ziet er niet uit. Heeft iemand thuis je de volle laag gegeven?'

'Je zou het zo kunnen noemen, denk ik.' Dafydd draaide zich naar haar om, zich afvragend of er ook maar een zweem van mededogen ergens achter die ijzigblauwe ogen schuilging. 'Er is iemand overleden.'

Sheila zweeg. De vijandigheid van hun onaangename botsing in zijn spreekkamer hing nog tussen hen in, maar ere wie ere toekomt – ze trok een gepast ernstig gezicht. 'Erg voor je,' zei ze monter, 'maar probeer het voor dit moment even opzij te zetten. Er zijn drie jongens binnengebracht die op sterven na dood zijn. Half verdronken en ernstig onderkoeld. Ze hadden Bowlby's auto gestolen en zijn ermee naar Jackfish Lake gereden om op het ijs te vissen. De rest kun je wel raden.'

Die nacht zweefde hij – na uren van onrustige, schokkende sluimering – weg in een droom. De natte koele neus porde hem in zijn zij, keer op keer. Hij was er echter bang voor, zo bang dat hij zich niet durfde te verroeren. In het donker staarde het dier neer op hem. Het was een vos, klein en met een spitse neus. Hij wist dat het Derek was, gekomen om hem te vragen waarom hij dood was; waarom hij, Dafydd, hem had gedood. Hij schreeuwde, en Sheila verscheen. Ook zij wilde antwoorden; ze wilde weten wat hem mankeerde, waarom hij zo'n lafbek was, waarom hij haar had geroepen en haar naam had uitgeschreeuwd. Hij wilde haar niet bij zich, maar ze was kwaad; ze zag wit van razernij, zodat hij haar nam. Hij wilde haar pijn doen en zij liet hem begaan. Ze scheen het prettig te vinden. Haar blanke lichaam glansde zijdezacht in het duister en de driehoek tussen haar dijen had de kleur van rode vlammen. Hij probeerde met geweld door te dringen in iedere donkere grot van haar lichaam. Toen ze eindelijk weerstand bood beet hij in haar borsten, haar maag en de welving waar haar rode haren kronkelden als de slangen rond het hoofd van Medusa.

II

Cardiff, 2006

'Lees het me voor,' vroeg Dafydd, en Leslie las hem het rapport hardop voor.

Dafydd Eric Woodruff kan niet van het vaderschap worden uitgesloten. De resultaten wijzen uit dat de kans dat Dafydd Eric Woodruff de vader van Mark Hailey is, twaalfduizend keer groter is dan de kans dat zij geen bloedverwanten zijn. Uit het DNA-materiaal blijkt dat het voor 99,9 procent waarschijnlijk is dat hij de vader is.

'Tamelijk onweerlegbaar,' zei ze hoofdschuddend. Ze zaten in de erker, nadat ze de glasscherven van de zitbank hadden verwijderd. Een van de ruiten was door de wind uit zijn verrotte voegen gedrukt en op de tegelvloer in scherven gevallen. De ruit liet een gapend gat achter, maar de temperatuur was zacht – een soort nazomer. De middagzon scheen naar binnen, meegedragen door de zachte bries. Ongetwijfeld was dit het laatste mooie weekeinde voor een lange, saaie winter.

Dafydd stond op om nog wat olijven en blikjes bier uit de koelkast te halen.

'Schuif maar even naar me toe,' zei Leslie, terwijl ze het volgende blik Stella Artois opentrok.

'Ik herhaal: het is níét wáár.' Dafydd keek haar aan en haalde diep adem. 'Ik heb haar eens pijn gedaan, dat geef ik toe, maar ik ben nooit met haar naar bed geweest. Dat heb ik niet gedaan, dat weet ik met absolute zekerheid. Het is onmogelijk; ik kán het niet hebben gedaan.' Hij keek zijn beste vriendin en vroegere minnares aan en zag de twijfel op haar gezicht.

'Hoe bedoel je, pijn gedaan?'

'Nou ja... Luister, ze dreef me ertoe, ik wilde het niet.'

'Ze dreef je waartoe?' Leslie bracht haar gezicht dichter bij het zijne, een en al aandacht.

'O nee,' kreunde Dafydd. 'Niet jij óók! Ik heb haar eens een klap gegeven, uit zelfverdediging.'

'Luister, Dafydd.' Leslies gezicht drukte onbehagen uit. 'Ik kan dit niet voor me houden. Een paar dagen geleden heeft Isabel mij gebeld, vanuit Londen.'

'Isabel? Werkelijk? Waarover?' Leslie en Isabel hadden het nooit met elkaar kunnen vinden. Het was alsof ze ieder tot een andere soort behoorden. Leslie was even koel en pragmatisch als Isabel opvliegend en impulsief.

'Ze heeft me verteld dat deze vrouw jou ervan beschuldigt haar te hebben gedrogeerd en verkracht.'

Dafydd schrok zichtbaar. 'Isabel heeft jóú gebeld om je dat te zeggen?'

'Eh... ja. Het was heel... vervelend. Ze vroeg me... ze vroeg me of jij ooit geweld had gebruikt tegenover mij... in seksueel opzicht.' Leslie was er verlegen mee. Ze was per slot van rekening heel rechtlijnig. De jaren van een celibatair bestaan en hard en obsessief werken aan onderzoeksprojecten hadden haar niet beter vertrouwd gemaakt met de wisselvalligheden in de relaties tussen mensen. Inmiddels was ze achtenvijftig en te wereldvreemd om zich nog druk te maken over seksuele bokkensprongen.

Dafydd staarde haar aan. 'Je meent het?'

'Ik was verbijsterd, eerlijk gezegd.' Haar stem klonk ernstiger dan hem lief was. 'Waarom vraagt ze mij zoiets?' vroeg ze.

Hij dacht er even over na en zei toen: 'Misschien overweegt ze van mij te scheiden en heeft ze een overtuigende rechtvaardiging nodig.'

Zou dit werkelijk de reden zijn? Hij had het gevoel dat hij zijn vrouw niet meer kende. Hij wist niet meer wat er in haar omging. Ze was veranderd. Hij wist dat hij haar had teleurgesteld; hij had hun stilzwijgende pact verbroken. Hun doel, hun huwelijksgeschenk aan elkaar, was het voornemen geweest om een gezin te stichten. Toen had hij dat gewild; het had hem de beste koers geleken. Zij had boven alles naar een kind gesmacht. Maar nu dat was mislukt en hij niet meer wilde dat ze dit dode paard de zweep bleef geven, was haar liefde voor hem bekoeld. Ze was gevoelsmatig van hem vervreemd geraakt en was bijna niet meer thuis, waarbij ze zijn vermeende leugens over zijn verleden als excuus gebruikte.

Totdat hij dacht aan de rijke, knappe en vlotte Paul Deveraux, haar nieuwe, achtendertigjarige zakenpartner. *Partner?* Opeens wist hij dat hij stekeblind was geweest. Haar uiterlijk... Ze had een transformatie ondergaan, slank, zelfverzekerd, stralend... Dat nieuwe parfum, die strakke kleding, die afwezige blik, de verloren trouwring... Plotseling zoog hij lucht in zijn longen. *Ze had een verhouding*, dat was het, *ze neukte met die slijmbal*. Dit nieuwe inzicht, plotseling kristalhelder, benam hem de adem, niet in het minst omdat Isabel pogingen deed hem in haar eigen ogen in diskrediet te brengen teneinde haar eigen wangedrag te rechtvaardigen. Waarom anders bekladde ze hem zo meedogenloos vanwege een vergissing uit het verre verleden, nota bene iets dat hij zich niet eens kon herinneren (en volgens hemzelf nooit plaats had gehad)? En dan dat telefoontje naar Leslie, dat suggereerde dat hij tot seksueel geweld zou neigen. Het was een afschuwelijke, achterbakse manoeuvre, haar niet waardig. Ze kon onmogelijk geloof hechten aan dat krankzinnige idee dat hij een verkrachter zou zijn. Hij was veeleer een enthousiaste minnaar – of was dat althans geweest – en soms dwaalden zijn fantasieën af naar het overweldigen, onderwerpen en bezitten van een vrouw die hij begeerde, maar dat was alles. Was het niet zo dat iederéén dat soort fantasieën weleens had? Isabel en hij hadden elkaar erin laten delen. Gedurende hun eerste paar jaar samen had ze hem vaak gevraagd zich als een Neanderthaler te gedragen; ze had erom gevraagd en hij had zich gewillig naar haar gevoegd. Alles wat háár opwond, had ook hém opgewonden. Was ze nu bezig om deze kleine privéscenario's te verdraaien om er garen bij te spinnen, of zou ze zich werkelijk afvragen...?

Leslie klapte vlak voor zijn gezicht in haar handen. 'Hé, ik ben er nog, hoor.'

'Neem me niet kwalijk, Leslie.' Hij wendde zich tot haar en vroeg zich af of hij haar zijn afschuwelijke vermoeden zou vertellen, maar hij had geen concreet bewijs van een verhouding en was Isabel nog altijd loyaliteit verschuldigd. In plaats ervan vroeg hij: 'En? Wat heb je haar geantwoord? Wat heb je haar verteld?'

'Ik had haar moeten zeggen dat ze zich met haar eigen verdomde zaken moest bemoeien, maar dacht dat het beter was jou te helpen. Ik heb haar verzekerd dat jij altijd een heer bent geweest en gebleven.'

Dafydd moest lachen. 'Een heer? Klinkt sexy. Ik had gedacht dat jij je het wel niet meer zou kunnen herinneren?'

Leslie grinnikte, maar ze kreeg toch een kleur. 'Nou ja, het is op zijn minst al vijftien jaar geleden. Wat had jij dan verwacht?'

Dafydd pakte haar hand en keek haar in de ogen. 'Leslie, jij ként me. Ik heb geen enkele reden jou iets wijs te maken, of wel? Wil jij van mij aannemen dat ik nooit met die vrouw in Canada naar bed ben geweest? Het zou veel voor me betekenen als er tenminste íémand is die geloof hecht aan mijn woord van eer.'

'Ach, in godsnaam, doe niet zo melodramatisch,' zei ze met een vreugdeloos lachje. 'Hoe zou ik dat kunnen, Dafydd? Ik beoefen de wetenschap. Ik wéét dat een DNA-test een onomstotelijk bewijs vormt. Dat is een wonderbaarlijk feit, dat alles heeft veranderd. Kijk maar naar alles wat we ermee hebben bereikt, de misdaden die we ermee oplossen...'

'... en alle vaders die we kunnen vastnagelen op alimentatie,' viel hij haar in de rede. 'Natuurlijk, Leslie, ik ben het helemaal met je eens.' Hij keek door het gapende gat in het erkerraam en zag het schuurtje, dat in de tuin nog altijd op zijn kant lag, te midden van de door de storm afgerukte takken, de kruiwagen vol graszoden die al weken geleden halverwege een klus in de tuin was blijven staan. Dat zou allemaal moeten wachten. Hij had er genoeg van; hij kon nog maar één ding doen.

'Luister, Les. Ik heb zojuist een besluit genomen. Ik ga erheen. Ik heb nog vakantie te goed en kan wat onbetaald verlof nemen. Ik ga naar Canada om deze kwestie recht te zetten, al is het verdomme het laatste wat ik doe.'

Leslie stootte zijn bierblik aan met het hare, maar haar gezicht bleef neutraal.

'Hoe had je dat willen aanpakken?'

'Ik heb geen flauw idee. Als die kinderen op mij lijken, zal ik het wel moeten accepteren, vrees ik.' Hij nam de foto van Miranda en Mark uit zijn portefeuille en gaf hem aan haar. 'Ik zie geen greintje gelijkenis. Jij wel?'

Ze bekeek de foto kort, over de rand van haar bril. 'Het spijt me, Dafydd, maar het lijkt me niet van belang.'

'We zullen zien.'

'Nou ja, dan wens ik je *bon voyage*,' was alles wat ze kon bedenken.

Het weer was van de ene dag op de andere omgeslagen. Een bijzonder koude periode dwong Dafydd ertoe op zolder op zoek te gaan naar de oude schaapsleren jas van zijn vader. Er dreigde sneeuw, maar de hemel was terughoudend en liet zijn lading nog niet vallen om de modderige velden van de Vale te witten. Intussen regende het ijsnaalden die door de wind alle kanten uit werden geblazen.

Dafydd stopte op de weg voor het kasteel, stapte van zijn fiets en worstelde zich uit zijn onhandelbare regenkleding. Vlug duwde hij de fiets heuvelopwaarts naar de Romeinse muur. Toen hij in de ijzige regen zijn gezicht optilde, zag hij tot zijn ergernis dat Isabel er eerder was dan hij. Hij had haar auto niet langs de weg of op het parkeerterrein zien staan, maar er waren geen andere tekenen van menselijke aanwezigheid. Zij had deze ontmoetingsplaats gekozen. Hoewel ze er allebei vertrouwd mee waren, was het een vreemde keus, alsof zelfs een kroeg haar té intiem had geleken.

Ze stond tegen de muur om te schuilen voor de ergste regen. Ze zag eruit alsof ze op haar post stond, leunend tegen die oude muur, ook al droeg ze een roomkleurige mantel die met een ceintuur strak om haar middel zat en in weelderige plooien afdaalde tot aan de enkels van haar stevige leren laarsjes. Ze straalde strengheid uit, met dat onmiskenbaar Romeinse profiel. Haar korte haar was vochtig en plakte tegen haar slapen. Ze bleef roerloos staan, gedurende een kort moment een volstrekt archaïsche verschijning. Hij bleef staan om naar haar te kijken, maar ze maakte een afwezige indruk, alsof ze inderdaad deel uitmaakte van een grijs verleden. Zijn gebruikelijke tederheid voor haar welde in hem op en overweldigde hem zodanig dat hij bang was te gaan huilen. Hij voelde zijn ogen prikken, maar toen ze hem haar gezicht toewendde, werd hij tegenover de zelfbewuste kilheid van haar blik vanbinnen koud als ijs. Hij zette de fiets neer, klauterde over de rotsen en voegde zich bij haar, beschut door een knik in de muur.

'Dit is mijn nieuwe weg als vrouw alleen.' Ze glimlachte en tikte met haar wijsvinger een druppeltje snot van zijn neus.

'Het zal een eenzaam leven worden. Koud en ongastvrij,' zei hij.

'Lang niet zo koud en ongastvrij als het jouwe.'

'Ik ga alleen op onderzoek uit, en ik kom terug,' zei hij met nadruk, 'dat wéét je.' Hij wachtte even en bestudeerde haar gezicht. 'Maar wat ga jij doen? Kom jij nog terug?'

'Ik weet het niet, Dafydd.' Ze plukte wat mos van de muur, en begon daarna haar nagels te bestuderen. Ze waren glad en gelijkmatig. Zo te zien was ze zelfs gestopt met nagelbijten. 'Ik weet niet of we de boel ooit nog kunnen repareren, maar ik moet toegeven dat ik heel benieuwd ben naar de conclusies die je trekt als je eenmaal daarginds bent.' Ze zocht in haar zakken naar haar handschoenen en trok ze aan. 'Ik geloof niet dat ik ooit zal kunnen begrijpen wat jij daar nu eigenlijk denkt te gaan doen, of wat er in dat hoofd van je omgaat. O, kon ik maar...' Ze zweeg en staarde naar haar laarzen.

Dafydd keek ook omlaag, naar het natte gras, zich afvragend of ze misschien terugdacht aan de picknick die ze hier eens hadden gehad, drie zomers geleden. De zonsondergang was ongelooflijk geweest, en het was nog lang licht gebleven. Ze hadden een paar uitgedroogde sandwiches gegeten die ze bij een benzinestation hadden gekocht en een hele fles goedkope cider soldaat gemaakt, zo koppig als wijn, zodat ze er een beetje tipsy en ruw van waren geworden. Hij had haar op de smoezelige deken geduwd, haar met een ruk ontdaan van haar shorts en slipje en zijn gulp opengeritst. In de lepeltjeshouding had hij een deel van de deken over haar naakte heupen gelegd. Ze had een kreet geslaakt, tamelijk luidruchtig voor haar doen, terwijl een stel Amerikaanse vrouwelijke toeristen aan de andere kant van de muur gewoon was blijven doorkletsen en lachen, zonder iets te merken. 'Is het niet prachtig? Hij heeft destijds zijn troepen gedwongen dit te bouwen, alleen om te voorkomen dat ze lui zouden worden, lees ik hier. Klim er niet op, schat, het kan afbrokkelen en dan breek je misschien een been.'

'Waarom wilde je per se hier afspreken?' vroeg hij.

'Ik vroeg me af of teruggaan in de tijd iets ongedaan kon maken.' Ze wendde hem haar bleke, natte gezicht toe. 'Ik verlangde ernaar om iets terug te krijgen. Het was verschrikkelijk om alles te verliezen.'

'Alles?' Dafydd fronste zijn voorhoofd. 'Je hebt mij nog steeds, je echtgenoot, en ons gezamenlijke thuis.'

'Vertrouwen is iets kostbaars. Kleineer het niet.' Na een ogenblik liet ze erop volgen: 'Ontdekken dat iemand die je dacht zo goed te kennen, in werkelijkheid níét die persoon was – nou, dat was verdomd erg.'

'Daar heb je gelijk in. Het ís verschrikkelijk,' zei Dafydd stekelig. Ze scheen niet te horen wat hij bedoelde, maar plotseling ontsnapte haar een snik.

Opeens had hij het gevoel dat ze een vreemde was. Het was bijna komisch. Nog maar enkele maanden hadden ze geloofd dat hun liefde eeuwig zou duren... Onverzoenlijke tegenstellingen – of hoe ze het in de rechtszaal ook noemden – konden je besluipen, als een dief in een donkere steeg.

Isabel huilde nu. Dafydd wist niet goed wat hij van haar verdriet moest denken – waarom of vanwege wie ze huilde. Om hem, hun huwelijk, het kind dat ze nooit zouden hebben... of haar eigen dubbelhartigheid. Hij sloeg zijn armen om haar heen en ze duwde hem niet weg.

'Ik hoop terug te komen met een sluitende verklaring voor je.' Hij kuste haar korte haar en wiegde zacht haar bovenlichaam. 'Maar niet voordat ik voor mezelf de verklaring heb.'

Het was zinloos nog meer te zeggen. Na een langdurig moment in zijn armen keek ze op naar zijn gezicht en haalde haar duim zacht over het rode litteken binnen zijn haargrens. 'Zorg dat je niet meer dat soort ongelukken krijgt.'

'Je had bij me moeten blijven. Ik had je wanhopig hard nodig.' In zijn stem klonk een tikje ergernis door en hij hoopte dat ze iets van spijt zou betuigen. 'Je bent al die tijd weg geweest en we hebben geen kans gehad om te praten.'

Isabel kende geen spijt en verontschuldigde zich niet. Ze depte haar mascara met een tissue en alle zachtheid was uit haar gezicht geweken. Ze maakte zich los uit zijn armen.

'Er viel niets te zeggen en ik was kwaad.'

'Je kunt zo onnatuurlijk hard zijn.'

Isabel lachte. 'Noem je mij een feeks?' Ze zag blauw van de kou en stak haar handen diep in haar mantelzakken, met gebogen schouders. 'Hoe het ook zij, Paul had me nodig in Londen. We hebben een nieuw project... en het leven gaat door. Hij heeft massa's plannen voor ons.'

Dat geloof ik graag! Dafydd voelde verbittering in zich opkomen en hij wist dat hij haar ter verantwoording moest roepen, maar hij had er de fut niet voor. Hij zou er alleen een grotere wig mee tussen hen drijven en hij zou morgen vertrekken. Trouwens, ze zou hoe dan ook haar eigen zin doen. Waarom zou hij het haar nu moeilijk maken. Wat had het voor zin haar tegen te willen houden? Ze had allang besloten wat ze wilde, en telde hem niet eens als mededinger.

'Ik wil nu weg hier,' zei ze. 'Ik sterf van de kou.'

Ze begonnen de heuvel af te dalen, Dafydd met zijn fiets aan de hand. Na een poosje verwijderde Isabel zich van hem en liep weg in westelijke richting. In het begin had Dafydd het niet eens in de gaten, verdiept in zijn gedachten als hij was. Hij haalde haar in.

'Ik breng je even naar je auto.'

'Nee, laten we hier uit elkaar gaan. Ik ben al thuis geweest om wat kleren op te halen en rij regelrecht naar Londen.' Ze bleef staan, gaf hem een kus op zijn wang, aarzelde, en kuste toen de andere wang. 'Veel geluk, Dafydd.'

'Hou je van me?' riep hij haar pathetisch na, maar ze scheen hem niet te horen. Hij bleef staan en keek haar na, omgeven door omlaag dwarrelende witte vlokken. Eindelijk was het gaan sneeuwen.

12

Moose Creek, 1993

Dafydd had de gewoonte ontwikkeld om eens per week een bezoek te brengen aan de blokhut van Sleeping Bear. Wonderbaarlijk genoeg had de oude man de winter overleefd, in feite zonder echte hulp. Hij verkeerde nu in een uitstekende gezondheid en zijn bezoekjes waren vooral bedoeld om Sleeping Bears voorraad drank en tabak aan te vullen en hem kranten te brengen. Zijn voedsel betrok hij uit een bron waarover hij nooit praatte en het bestond uit walgelijke hompen vlees en andere groteske substanties van dierlijke aard. Het scheen hem allemaal prima te bekomen, maar hij was wel zo verstandig Dafydd nooit te vragen mee te eten. Zijn uithoudingsvermogen was in feite opmerkelijk.

Echter, juist toen de lentedooi inzette, trof hij Sleeping Bear aan in bed, met hoge koorts. Dafydd was er zeker van dat hij longontsteking had opgelopen. Vroeger hadden de dokters thuis longontsteking wel de 'vriend van de bejaarde' genoemd, omdat veel ouderen daardoor een vredige, pijnloze dood stierven. Dafydd geloofde niet in het onnodig en mensonvriendelijk rekken van iemands leven, maar Sleeping Bear leek niet bereid om al afscheid te nemen. Hij vergeleek zichzelf met een lap oud leer. Week het in heet water, vet het in en het is weer zo goed als nieuw. Hij was niemand van nut, behalve zijn honden, maar er moest evengoed brandhout worden verzameld, en hij kon zijn pijpje nog stoppen en zijn sterke koffie met vuurwater erin drinken. Hoewel Bear vastbesloten was in zijn eigen bed te blijven en zichzelf te behandelen met zijn eigen beproefde middeltjes-tegen-alle-kwalen, in combinatie met wat oraal toegediende antibiotica, moest Dafydd uiteindelijk toch zijn poot stijf houden.

'Jij komt verdomme mee, al moet ik je voeten aan de Chrysler binden om je erheen te slepen.'

'Dit zal ik je betaald zetten, ellendeling. Ik wist wel dat je mij in dat vervloekte ziekenhuis van je schoon wilt schrobben. Ik heb daar niks te zoeken! Jij wil alleen maar dat ze mij in bad stoppen en mijn reet afvegen.' Naarmate hij zich kwader maakte, begon hij heviger te rillen en te huiveren. Dafydd tilde hem op in zijn armen en de oude man was zo licht als een kartonnen pop, ook al was hij tamelijk lang.

'Zet me verdomme neer, anders...' zei Bear dreigend, hoewel zijn verzet verflauwde. 'Met jou praat ik nooit meer, op zijn minst de komende jaren.'

'Luister, ouwe. Nog één dag hier alleen, of op zijn hoogst twee, en dan storten je honden zich op jouw vlees, of wat daar van over is.'

Voorzichtig vlijde hij Bear op de achterbank van de Chrysler en wikkelde hem in zijn eigen smerige lappendeken, aangevuld met een paar dekens die hij voor noodgevallen altijd bij zich had.

Vier dagen later was Bear weer op de been. Hij slenterde door de gangen van het ziekenhuis in een groene badjas, waar zijn dunne benen onderuit staken. Eigenlijk scheen hij wel te genieten van al het comfort in het ziekenhuis. De honden werden gevoerd door zijn kleinzoon en Dafydd voorzag hem in het geheim van de drank die zijn lichaam al – de hemel alleen wist hoeveel – decennia had geconserveerd. Zonder zijn dagelijkse dosis zou hij zonder twijfel de strijd hebben opgegeven.

'Zo, maat, luister eens goed. Zorg dat die zuster met al dat peenhaar je er niet op betrapt dat je mij dat spul brengt. Ze is een verdomde feeks, die rooie. Ze zou ons allebei de deur uitschoppen.'

'Geloof me of niet, maar ze heeft niets over mij te zeggen. In feite ben ik haar baas.'

'Jééézus!' riep Bear uit, diep onder de indruk. 'Dompel me onder in vossenmuskus en rol me door wat ganzendons!'

'Geldt voor mij ook,' knikte Dafydd.

De dagen verstreken, maar Bear maakte geen aanstalten om zijn spullen te pakken om terug te gaan naar zijn blokhut. Dafydd besloot hem te laten blijven totdat hij er zelf aan toe was. Misschien begon hij, nu hij in een goed bed met schone lakens sliep, smakelijke maaltijden voorgezet kreeg en gezelschap had van andere oude mensen op de afdeling, gewend te raken aan normaal menselijk comfort. In elk geval kreeg hij weer wat vlees op zijn botten. Hij was gladgeschoren en Janie had zijn lange, tot aan zijn middel afhangende haar gewassen en gevlochten.

Op de tiende dag besloot Dafydd de confrontatie aan te gaan. 'Je begint week te worden, nietwaar? Ik kan gewoonweg niet geloven dat je hier nog rondhangt alsof je ziek bent. Ik had nooit verwacht dát nog eens mee te maken.'

Bear liet zich echter niet uit zijn tent lokken. Hij wenkte Dafydd dichterbij. 'Ik zal je zeggen waarmee ik bezig ben,' fluisterde hij. 'Ik verzamel mijn krachten voor een grote, lange reis. Ik ben bang dat het mijn laatste zal zijn.'

'Wat voor reis?'

'Ik ga naar het hoge noorden. Naar de overkant van Great Bear Lake. Ten westen van Coppermine.' Bear keek angstvallig om zich heen, bang dat zijn plannen zouden worden afgeluisterd en daarna gedwarsboomd door de een of andere regelneef of -nicht.

'Dat is ontzaglijk ver. Hoe wilde je daar komen?' vroeg Dafydd geïntrigeerd.

'Ach, weet je, er zijn tal van mogelijkheden.' Hij nam schichtig een teug uit de mok die Dafydd hem was komen brengen. 'Jaren geleden zou ik de hondenslee hebben genomen. Tegenwoordig kan ik ook gaan vliegen, uiteraard.' Hij keek Dafydd sluw aan.

'Ik geloof niet dat ze vanuit Moose Creek helemaal naar de streek rond Coppermine vliegen. Ik ben bang dat je eerst naar Yellowknife of Inuvik zult moeten, en vandaar verder.'

Bear onderdrukte een lachje. 'Er gaan geen passagiersvluchten naar waar ik heen wil.'

'Misschien kan je kleinzoon een piloot zover krijgen dat hij je er rechtstreeks heen vliegt. Maar dat gaat je wel een smak duiten kosten.'

'Nee... mijn kleinzoon heeft niks op met de vriend die ik er wil gaan opzoeken.'

'Vriend?'

'Ja... Ik had me er het hoofd al over zitten breken. Ik heb bedacht dat jij wel wat goeie raad zou kunnen gebruiken. Mijn vriend daar is een *angatkuq* – zoals de Inuit hun sjamanen noemen. Niet een van die nieuwlichters die zo nodig met hun vlag moeten zwaaien. Nee, nee.' Bear zwaaide gniffelend met zijn wijsvinger. 'Een ouderwetse. Een echte.'

'Ik heb zo'n idee dat jij zelf behoefte hebt aan wat goeie raad, is het niet?' lachte Dafydd. 'Hoe heb je deze man leren kennen?'

'Lang geleden, jij was nog niet eens geboren, heeft hij een tijdje in Moose Creek doorgebracht. Hij was hierheen gekomen omdat zijn eigen volk hem had verbannen.'

'Wat had hij misdaan?'

Sleeping Bears brutale grijns verdween en plotseling zag hij er onmogelijk oud en ernstig uit. 'Ze hadden hem gevraagd een ziek kind te helpen genezen. Het kind was dodelijk gewond en zou hoe dan ook zijn gestorven, maar hij zocht de schuld ervoor bij zichzelf. Toen staken de missionarissen en de overheid hun neuzen erin en verboden het sjamanisme. De mensen luisterden naar hen en de Oudsten besloten hun sjamaan te verdrijven. Na een groot aantal jaren hebben de mensen daar dat vergeten en mocht hij terug naar zijn eigen land.'

Dafydd staarde naar hem en voelde plotseling een schrijnende pijn in zijn borst. Hij had zijn verdriet wekenlang verborgen gehouden, bang dat het plotseling zou losbarsten. De kleine Derek had hij zelfs nooit gekend, maar het lot van de jongen leek onlosmakelijk met het zijne verbonden. Hij zag het spitse gezichtje en de onderzoekende ogen vaak in zijn dromen, en sinds zijn overlijden meer dan ooit.

Dafydd vocht tegen de tranen die diep uit zijn binnenste opwelden en slikte herhaaldelijk, maar zijn verdriet was hem te machtig. Hij verborg zijn gezicht in zijn handen en haalde een paar keer diep adem.

'Ik denk dat het je verdomd veel goed zal doen hem te ontmoeten.' Sleeping Bear gaf met zijn leerachtige hand een klopje op Dafydds knie. 'Trouwens, wat gezelschap kan ik best gebruiken.'

De dooi was nu goed begonnen. Overal sijpelde, stroomde, drupte en gorgelde water. Er viel zo weinig neerslag in deze contreien dat er iets verder naar het noorden werd gesproken van een woestijn, maar toch verzamelde er zich 's winters zoveel sneeuw dat het smeltwater in de lente de kelders overstroomde en de laaggelegen straten veranderde in modderige rivieren doordat de greppels het niet aankonden en de grond helemaal doorweekt werd. In sommige nachten was het koud genoeg om alles weer te bevriezen, waarna er een glazig oppervlak achterbleef dat onder voetgangers en auto's massa's slachtoffers maakte. Toch hing er optimisme in de lucht. Eindelijk konden tieners weer hun toevlucht nemen tot dunne kleding en schoenen. De skilaarzen gingen naar de zolder en de mountainbikes kwamen de schuur uit. De vrouwen bezonnen zich op het werk in hun moestuin, hoe kort het seizoen ook zou zijn.

Dafydds contract met het ziekenhuis liep eindelijk af en Hogg was tot de overtuiging gekomen dat zijn vertrek een groot verlies zou zijn voor de gemeenschap. Althans, met dat soort uitlatingen probeerde hij Dafydd over te halen om te blijven.

'Ik weet dat jij en Sheila het niet altijd met elkaar konden vinden, maar ik weet zeker dat we de plooien wel kunnen gladstrijken, als we het genoeg tijd gunnen,' pleitte hij. 'Ik zou je graag als permanent staflid willen aanstellen, tegen een uitstekend honorarium. Een jonge vent als jij kan een grote toekomst opbouwen, hier in Moose Creek. De stad zal groeien. De beschaving strekt haar armen al naar ons uit. Kom nou, David, ik bedoel, Dafydd, denk er nog eens over na.'

Even had Dafydd geaarzeld. Hij wist niet wat voor toekomst hem thuis wachtte, maar zijn moeder was tamelijk ziek en zijn afwezigheid deed haar veel verdriet. Hij vond ook dat hij zijn opleiding tot chirurg hoorde te rechtvaardigen, iets waaraan hij in Moose Creek nauwelijks toe kwam, ondanks de afschuwelijke spoedgevallen waarvoor hij soms al zijn bekwaamheden nodig had. Die uitgestrekte armen van de beschaving zouden nog lang op zich laten wachten, als ze ooit kwamen. Echter, boven alles moest hij de situatie die hij achter had gelaten onder ogen komen. Hij kon zich er niet eeuwig aan blijven onttrekken. Misschien was hij in deze uitzonderlijke, veeleisende tien maanden als persoon en man enigszins gegroeid, maar als arts was hij nog altijd beducht voor zichzelf. Hij wist dat het beter zou zijn om zijn nachtmerries zo vroeg mogelijk onder ogen te zien. Hoewel hij het niet graag toegaf, was ook Sheila een van de factoren die hem deden besluiten de baan eraan te geven. Hij kon zich geen plezierige arbeidsrelatie met haar voorstellen en voor Hogg zou hij nooit het zwaarst wegen: de man zou háár nooit laten gaan.

Hij stelde zijn terugkeer naar Engeland uit om Sleeping Bear te vergezellen op zijn laatste avontuur. Ze hadden twee weken nodig om de noodzakelijke voorbereidingen te treffen. De Chrysler stond hem niet meer ter beschikking en uiteindelijk bood Bears kleinzoon hun het gebruik van een Ford-stationwagon aan, voor de lange rit naar Yellowknife in het zuidoosten. Vandaaruit zouden ze regelrecht naar het noorden vliegen, naar het land achter de poolcirkel. Dafydd had verondersteld dat Bears voorstel aan hem om mee te gaan verband hield met geldgebrek, zodat hij aanbood de reis te betalen, maar dat motief zat er niet achter. Het scheen dat Bear een aanzienlijk bedrag op de bank had staan en daar rente van trok. De tijd dat hij pelsjager was geweest en blokken ijs naar Moose Creek had getransporteerd scheen winstgevend genoeg te zijn geweest, en hij had zijn geld nauwelijks of niet aangeroerd. Nu sloeg hij echter aan het uitgeven. Allerlei cadeaus, gereedschappen, kleren en moderne snufjes voor zijn gastheer en diens dochter.

Intussen maakte Dafydd te voet omzwervingen, genietend van de rampzalige uitwerking die de lentedooi had op het besneeuwde landschap waarvan hij zo had genoten. Hij kon Moose Creek nu in een heel ander perspectief zien, verlost als hij was van de constante dreiging van slopende medische spoedgevallen, of de afschuwelijke verveling van het ene geval van griep, een koutje of hardnekkige hoestaanvallen na het andere. Hij kon nu gewoon zijn wie hij was, zonder zich ooit zorgen te hoeven maken over zijn gedrag, of over de vraag of de mensen vertrouwen in hem stelden. Eenvoudigweg de zoveelste werkloze inwoner of gewone toerist, al naargelang zijn stemming.

Na al die maanden leek het hem wel veilig om Brenda mee uit te vragen.

'Alleen om je te bedanken voor het genoegen van je opgewekte gezicht en goeie humeur,' zei hij, om geen misverstand te wekken. 'Een paar borrels en een lekker etentje, ergens. Wacht dacht je ervan?'

De vraag waarom hij tot zijn laatste week hier had gewacht alvorens haar uit te vragen bleef onuitgesproken, hoewel hij kon zien dat ze zich erover verbaasde. Trouwens, hij zou niet eens een geloofwaardig antwoord hebben kunnen geven, zelfs niet aan zichzelf, behalve dan dat zij niet het soort vrouw was op wie hij verliefd zou kunnen worden, of dat er massa's andere mannen waren die om haar gezelschap wedijverden. In feite was er niets mis met het meisje. Ze was geestig en sexy en ze leverde grappige, droge commentaren op zo ongeveer iedereen die iets voorstelde in Moose Creek. Hij luisterde en lachte, voelde zich vrolijk en benijd. Ze waren meer dan zichtbaar, maar niemand die hen hoorde. Wat maakte het uit? Hij vroeg zich af waarom hij zichzelf al die tijd zulk aangenaam gezelschap had ontzegd. Ze had de kameraad kunnen zijn die hij zo hard nodig had gehad, als dat tenminste na hun episode bij Jackfish Lake mogelijk was geweest.

Ze waren halverwege hun maaltijd in een nieuw, chic restaurant, toen Sheila kwam binnenwandelen, aan de arm van een potige man met een massieve onderkaak en borstelige wenkbrauwen. Deze man, de spreekwoordelijke 'houthakker', was in feite een slimme zakenman, zo had Dafydd gehoord, maar hij straalde het beslist uit ook. Zonder twijfel was Sheila een uitstekende partij voor hem, als iemand die met een surplus aan vrouwelijke listigheid het verschil in formaat tussen hen beiden meer dan goedmaakte. Ze zag er adembenemend uit in een korte oranje jurk, haar benen tot aan de knieën gestoken in veterlaarzen. Onwillekeurig keek Dafydd naar haar buik. De zwelling was onmiskenbaar.

Vanuit de deuropening monsterde Sheila eerst Brenda van top tot teen – het oog van de kenner dat de concurrentie opneemt. Blijkbaar zag ze geen bedreiging in haar, want ze streek haar rode haar glad en troonde haar vriend mee om hen aan elkaar voor te stellen.

'Dit is Dafydd, die jonge dokter uit Wales die je nog niet hebt leren kennen,' zei ze, zonder Brenda zelfs maar een blik te gunnen, 'de man die niet opgewassen is tegen de ontberingen van het noorden en ons daarom gaat verlaten.'

Hoewel Dafydd haar nooit alcohol had zien drinken, stonden haar ogen enigszins wazig, en haar snijdende opmerking leek hem onnodig krenkend. De vriend werd erdoor overrompeld en was er verlegen mee, maar hij knikte kort naar Dafydd, wendde zich tot Brenda en bukte zich om haar op haar wang te kussen. 'Hoi, liefje. Je ziet er weer geweldig uit. Is het eten lekker?'

'Reken maar, Randy.' Brenda keek met sprankelende ogen naar hem op. 'Hé, waarom komen jullie niet bij ons zitten?'

Er viel een verlegen stilte. Dafydd staarde naar zijn bord spaghetti, zich bewust van de tomatensaus om zijn mondhoeken. Bovendien had hij op zijn overhemd geknoeid. De vernederende situatie en de gedachte aan het delen van een tafel met Sheila maakten dat hij er geen doekjes om wond.

'Nee, Brenda, vanavond niet.' Hij keek Randy ernstig aan. 'Het is best leuk jullie te zien, maar we zijn hier voor een afspraakje. Ik wens jullie een fijne avond.'

Sheila greep zijn stropdas en trok zijn gezicht naar het hare. 'Ach… is dat niet lief… Zorg wel dat je ons allemaal nog even gedag komt zeggen voordat je je terughaast naar dat drassige landje van je.' Randy en Brenda werden stil en keken toe. Sheila's lompheid leek totaal ongepast. Ze richtte zich op en pakte haar vriend met een kille glimlach bij zijn arm om hem mee te trekken.

Brenda keek van Dafydd naar Sheila en vice versa. 'Hé, wat was dat allemaal? Ga me niet vertellen dat je háár tegen de haren in hebt gestreken.'

'Geen sprake van,' grijnsde Dafydd. 'We zijn dikke maatjes.'

'Ze leek stoned,' peinsde Brenda. 'Ze kan maar beter op haar tellen passen. Randy is een goeie vangst, en hij moet niks hebben van drugs. Dat is iets wat ik met zekerheid van hem weet, plus nog wat andere zaken.'

Nadat hij had afgerekend, excuseerde Dafydd zich voor een bezoek aan de toiletten. Toen hij eruit kwam, stond Sheila in de deuropening, kennelijk om hem op te wachten.

'Wat doe jij met háár?' vroeg ze. Ze leunde met over elkaar geslagen armen tegen de muur.

'Waarom wil je dat weten?' vroeg hij, overvallen door de vraag. Sheila had nooit blijk gegeven van jaloezie om hem, of van interesse voor zijn privéleven.

'Weet je, eigenlijk had ik gehoopt jou nooit meer te zien.' Ze leek te wankelen op haar voeten en hij zag minuscule zweetpareltjes op haar bovenlip. 'Maar goed, ik wil het niet eens weten. Ik wil alleen jóú laten weten dat ik iets ga doen.'

'Wat?' vroeg hij met een vreemd voorgevoel.

'Ik ga de touwtjes zelf in handen nemen. Dat je het maar weet!'

'Waar heb je het over?'

'Ik heb jouw professionele raad hard nodig. Wat zou jij aanbevelen, dokter Woodruff? Wat zouden ze voor zoiets in Engeland gebruiken? Een hypertonische zoutoplossing, ingebracht met behulp van een katheter en een grote, smerige injectiespuit? Ik zou het gemakkelijk zelf kunnen doen, is het niet? Dat zou het probleem uit de weg ruimen, denk je niet?'

'O, in godsnaam, Sheila, dit is te gek voor woorden!' riep hij uit. 'En trouwens, ik geloof er geen woord van. Dat zou je niet doen. Je bent al te ver heen.' Dafydd vond haar gedrag verontrustend. Hij kon niet goed bepalen of ze dronken was, of stoned of gewoon ziek. 'Hoor eens, Sheila, je ziet er niet gezond uit. Zal ik Randy...'

'Doe maar geen moeite. Dank zij jou staat die relatie op het punt te eindigen met de kus des doods. Hij heeft al naar mijn dikke buik gevraagd.'

'Niet dank zij mij, Sheila. Ik héb daar niets mee te maken. Waarom projecteer je al die onzin op mij? Ik heb aangeboden je naar elders te verwijzen. Je had het op een bona fide manier kunnen laten doen.

'Ik zou onzin op jou "projecteren"? Je bent niet goed snik,' zei ze. 'Na alles wat jij hebt gedaan...'

'Wat bedoel je?'

'Laat maar.' Ze wankelde een beetje.

Randy kwam naar de toiletten, en toe hij hen bij elkaar zag staan, veranderde zijn gezichtsuitdrukking. Hij bleef staan, monsterde hun gezichten nauwlettend en stond op het punt iets te zeggen, maar hij bedacht zich en wrong zich langs hen heen de herentoiletten in.

'Luister, ik wil met dit gedoe niets te maken hebben,' siste Dafydd. 'Dat heb ik je al eerder gezegd. Trouwens, mijn contract met het ziekenhuis is afgelopen, basta! Dit is een afscheid, Sheila.'

'Het was jouw vervloekte voorstel om de baby te houden. Jij hebt die gedachte in mijn hoofd geplant, met al dat gelul over scheurende condooms en zo. En raad nou eens wat ik zojuist heb gehoord? Randy heeft syfilis gehad, jaren geleden.'

Dafydd dacht na over deze bekentenis, die niets voor haar was. In Moose Creek waren seksueel overdraagbare ziekten aan de orde van de dag en Randy moest een voorbehoedmiddel hebben gebruikt. Hij scheen zijn minnares nooit te vertrouwen, want hij wist nooit waar ze had uitgehangen en had in hun relatie nooit toekomst gezien. Sheila was een tijdelijk speeltje. Hij had haar eenvoudigweg gebruikt, zoals zij hém had gebruikt.

Sheila richtte haar priemende wijsvinger op zijn gezicht. 'Vanaf de eerste dag dat jij hier op kwam dagen in je nette kloffie en je neus in de lucht, heb ik de pest aan jou gehad.' Ze liet haar hoofd tegen de muur leunen, zodat haar gladde blanke hals vrij werd gelaten. Opeens had Dafydd met haar te doen. Sheila's plannetje om een gezin te stichten en een respectabele vrouw te worden stond kennelijk op het punt te mislukken. Ondanks haar sterke, bekwame manier van doen was ze vanbinnen een tamelijk verwarde vrouw die barsten in haar glazen huis zag ontstaan en wier plannen faliekant en rampzalig waren mislukt.

'Waarom komt al dit venijn mijn kant op, Sheila?'

Ze staarde hem woedend aan, zonder te antwoorden.

'Doe ik jou soms aan iemand denken? Is dat het?' vroeg hij op redelijke toon. 'Ik heb geprobeerd je niet in de weg te lopen en mijn werk zo goed mogelijk te doen. Waarom maakt dat mij tot zo'n onverteerbare klootzak?'

'Ja, nu je erover begint, inderdaad doe jij mij aan iemand denken.' Sheila keek met doffe ogen naar zijn gezicht. 'Hij was een dikdoener, een gefrustreerde, neerbuigende schoft. Net als jij. Afstandelijk, o zo afstandelijk. Ik ben verdomme nooit goed genoeg voor hem geweest, wat ik ook deed. Net als jij, dacht hij dat hij...'

Dafydd luisterde al niet meer. Deze stortbui van beledigingen had een interessant aspect, maar opeens was hij het meer dan zat. Sheila voer nog steeds tegen hem uit, maar hij wist dat niets van wat hij kon zeggen ook maar enig verschil zou maken. Hij trok zich in zichzelf terug en wachtte geduldig op Randy's terugkomst, zodat hij Sheila veilig aan hem kon overlaten.

Aan het eind van die avond maakten Dafydd en Brenda een wandeling door het centrum. Er stond een zachte lentebries en de lucht was bezwangerd met de geur van dennenhars. Voor het eerst in weken leek de grond droog. Hij liet haar de nieuwe sintelbaan achter het ontspanningscentrum zien. De zachte baan was geplaveid met houtspaanders en hij had er kortgeleden een paar keer op gelopen. In het licht van de volmaakt halvemaan had hij toen gezien dat de baan bezaaid lag met bierblikjes en andere resten van tienerconsumpties.

'Als het niet zo vroeg in het jaar was, had ik je meegenomen voor een zwempartij in het meertje,' grinnikte Brenda, een beetje tipsy. 'Je herinnert je het nog wel, nietwaar?'

'Reken maar,' zei Dafydd. Hij nam haar hand en drukte er een vluchtig kusje op.

'Lekker neuken in de openlucht... beter kan niet.' Ze draaide zich om en keek hem aan. Hij voorzag waar dit op uit moest lopen en wist dat hij er beter aan zou doen meteen om te keren en te maken dat ze hier weg kwamen, maar nu al was zijn besluit ondermijnd. Jezus, het was al maanden geleden. Op dat moment herinnerde hij zich een van de merkwaardige staaltjes van opvoedkunde van zijn vader. *'Onthou dit, beste jongen, een stijve lul heeft geen geweten.'* Dit beeld van een lid in erectie met een eigen stel hersentjes, sluw en gewetenloos, was voor hem in zijn tienerjaren een raadsel geweest. In de tijd dat hij voor het eerst met een meisje naar bed was gegaan, was die waarschuwing van zijn vader plotseling bij hem opgekomen. Steeds als dat gebeurde, had hij kort een soort dissociatie met zijn dwingende, naar genot verlangende lid ervaren.

Aan de andere kant, Brenda is een volwassen vrouw, zo betoogde hij tegenover zichzelf – hoe staat het dan met háár geweten? Waarom moest juist híj degene zijn die terughoudend bleef? Bij wijze van antwoord had Brenda haar hand langs zijn rug laten afdalen, en nu streelde ze als terloops zijn billen. Hij legde rustig zijn arm om haar schouders en ze liepen verder over het pad, tot diep in het wilgenbos, weg van het zwerfvuil en het felle licht van de halvemaan.

De tijd van vertrek was eindelijk daar. Alle voorbereidingen waren getroffen. Dafydd had de stacaravan ontruimd en zijn spullen bij Ian opgeslagen, bij wie hij de laatste week van zijn verblijf in Canada zou logeren voordat hij terug zou vliegen naar Engeland.

De ijsweg was bezig te ontdooien en Bears kleinzoon was tot de conclusie gekomen dat hij zijn stationwagon nooit op tijd terug zou krijgen, zodat ze de laatste bus van het seizoen namen. Het was harder gaan dooien en het zou nog maar een paar dagen duren voordat er over de weg geen doorkomen meer aan was. Dan zou Moose Creek afgesneden zijn van de beschaafde wereld, een eiland dat het in zijn eentje moest zien te rooien. In Yellowknife charterden ze een klein vliegtuig dat hen naar Black River bracht, aan de kust van de ijzige Beaufortzee. Het gehucht zelf was niet om aan te zien. Het bestond hoofdzakelijk uit prefabbouwsels van het soort dat door de overheid ter beschikking werd gesteld. Vanuit het vliegtuig gezien leek het alsof God achteloos een handvol dobbelstenen over het ijs had geworpen. Het enige gebouw dat er aardig uitzag, was een houten kerkje dat met dakspanen was afgedekt. Het was wit geverfd en zag er oud uit. Maar de omgeving was ronduit spectaculair. De opgehoopte ijsschotsen langs de kust en de gekartelde ijsbergen in de verte glinsterden in de heldere lucht. Achter de kust leek de toendra zich uit te strekken tot in het oneindige, vlak en naargeestig. Hier en daar lagen zwarte vlekken, waar een deel van de sneeuw was gesmolten. In de verte was de horizon afgezet met sneeuwwitte bergen.

Ze zagen hoe een kleine gestalte zich naar de landingsbaan haastte en daar bleef wachten totdat het toestel was geland. De twee oude mannen begroetten elkaar met veel schouderklopjes en handdrukrituelen. Anqutitaq was even oud, zo niet ouder, als Bear. Zijn lichaam was gekrompen en zijn benen waren krom geworden. Zijn gezicht was doorgroefd met zoveel lijnen dat zijn gelaatstrekken er diep onder begraven lagen. Als hij lachte, weken al die plooien en rimpels uiteen en ontblootte zijn enorme grijns twee overgebleven tanden, geel van ouderdom en tabaksrook.

Zijn huis stond aan de buitenkant van de nederzetting. Ze legden de korte afstand van de landingsbaan te voet af. De dochter wachtte hen thuis op en Dafydd verbaasde zich erover hoe jong ze leek, gelet op de ouderdom van haar vader.

'En zijn vrouw? Waar is zij?' vroeg Dafydd zacht aan Bear.

'Aan de griep gestorven toen ze in verwachting was van hun tweede kind. Praat niet over haar. Dan houdt hij er niet meer over op. Ook het grootste deel van zijn vrienden is bezweken aan de griep – het is een buitengewoon teer punt.'

Onder elkaar spraken vader en dochter hun eigen taal. Dafydd stond versteld toen Bear zich plotseling in hun gesprek mengde; zo te horen sprak hij de mysterieuze taal vloeiend. Hij had nooit vermoed dat Bear het Inuktitut machtig was, zei hij. Bear corrigeerde hem, de Copper-Inuit spraken een andere taal, het Inuinnaqtun. 'Ja, ik heb heel wat van de wereld gezien. Ik heb niet altijd verschanst gezeten in Moose Creek, vat je?'

De eerste avond werd in de kleine huiskamer doorgebracht met roken, eten en theedrinken. Er stonden veel stoelen, in uiteenlopende stadia van verval, plus een zitbank, met in het midden een kleine tafel. Die tafel scheen de spil van veel dorpscommunicatie te zijn.

Een voor een kwamen de dorpelingen naar de bezoekers kijken en deelnemen aan de conversatie. Een paar van de Oudsten bleven tot laat op de avond plakken. De gesprekken waren geanimeerd, afwisselend in het Inuinnaqtun en, ter wille van Dafydd, in een merkwaardig archaïsch Engels. Het eten, kommen gezouten noedels met stukjes robbenvlees, werd opgediend door de dochter.

Angutitaq leek in de wolken met zijn gasten en de fascinatie die ze bij zijn dorpsgenoten wekten. Hij praatte aan een stuk door, lurkend aan een oude, gebarsten pijp. Hoewel hij eruitzag als iets dat al eeuwen in een grafkelder had gelegen, had hij een scherp verstand en een vrij merkwaardig gevoel voor humor. Hij praatte snel en gebruikte zijn pijp graag als aanwijsstok. Hij maakte er drukke gebaren mee om zijn opmerkingen te onderstrepen. Iedere uitspraak was doorspekt met komische lachjes. Dafydd voelde dat hij allang wist waarom Bear hem had meegenomen, afgezien van zijn rol als metgezel en lijfarts.

De dochter, Uyarasuq, bewoog zich als een schim tussen de oude mannen en vrouwen om hun mokken te vullen met thee en hout op de kachel te gooien. Af en toe schaterde ze het uit, meestal om iets wat haar vader had gezegd. Dafydd nam Bear even apart en vroeg hem hoe oud de vrouw ongeveer was, maar Bears gevoel voor tijd was tamelijk onbetrouwbaar.

'Waar is haar familie? Heeft ze een man?'

'Ssst,' fluisterde Bear terug, 'praat nooit over haar man. Angutitaq kan hem niet luchten of zien. Hij zou er niet meer over ophouden. De man heeft een kind verwekt bij een andere vrouw. Nu zit hij in de lik, omdat hij bij iemand tijdens een ruzie de vingers heeft afgehakt.' Bear grinnikte zacht. 'Daarmee heeft de schurk iedereen hier een plezier gedaan. Hij was de voornaamste reden dat de Oudsten alcoholische dranken in Black River hebben verboden.'

'Leven ze gescheiden van tafel en bed... of zijn ze gescheiden?'

Bear staarde hem niet-begrijpend aan. 'Hij zit in de nor, dat zei ik al. En nu ssst.'

Angutitaq probeerde Dafydd de namen van zijn gasten te leren en diens pogingen om ze uit te spreken veroorzaakten grote hilariteit onder de oude mensen. Ze vouwden zich letterlijk dubbel van het lachen en de tranen rolden over hun wangen. Keer op keer vroegen ze hem om de namen nog eens te zeggen. Dafydd kon niet goed bepalen of ze hem uitlachten of alleen lol hadden vanwege zijn onbeholpen pogingen. Naast hem zat een oude vrouw die Kenojuaq heette. Ze klopte even op zijn dijbeen en vestigde zijn aandacht op een soort label aan een dunne reep leer om haar nek.

'Mijn Eskimo-nummer,' zei ze op zangerige toon in het Engels. 'Toen ik nog een jong meisje was, moesten we dit van de regering altijd dragen. We mochten ze niet vuil maken, en verliezen al helemaal niet. Ze zeiden dat we onze namen moesten opgeven omdat ze voor hen niet uit te spreken waren. Gelukkig hebben de meesten van ons hun naam teruggevonden en weer aangenomen.'

'Moeten jullie die dingen nog steeds dragen?' vroeg Dafydd ontsteld, terwijl hij de kamer rondkeek, op zoek naar nog meer labels. Daarmee lokte hij een nieuw lachsalvo uit. Alleen de dochter lachte niet mee; ze scheen het pijnlijk te vinden. Ze boog zich naar hem toe om hem iets in het oor te fluisteren.

'Ze zal het nooit toegeven, maar ze is trots op haar naamlabel. Ze heeft hem al heel, heel lang.'

Dafydd keek op naar de dochter van zijn gastheer. Zo dichtbij leek ze nog jonger, met een huid die even glad en zacht was als van een baby.

'Woon je in dit huis?' vroeg hij haar.

'Nee, niet altijd,' glimlachte ze. 'Ik heb een eigen huis.'

Zou ze ook een eigen leven hebben? vroeg hij zich af, hier in dit gehucht zonder wegen, winkels, restaurants – helemaal niets, afgezien van deze enorme uitgestrektheid, met haar schitterende maar ijzige panorama's? Iedereen hier leek zo oud. Hij had graag nog wat meer met haar gepraat, maar ze had het druk of wilde hem de kans niet geven. Haar blik wekte de indruk dat ze altijd elders was, hoewel hij haar er een paar keer op betrapte dat ze naar hem keek. Uiteindelijk, het was al laat op de avond, kwam ze naast hem zitten.

'Hou je van streekgerechten?'

'Ik lust bijna alles. Wat bedoel je precies met streekgerechten?'

Ze boog zich naar hem toe en telde ze af op haar vingers, een diepe frons van concentratie op haar voorhoofd.

'Kariboe, uiteraard, dat is écht een streekgerecht, als *quaq* of *mipku*, of gestoofd. Dan is er gerookte vis, *piffi*. Robbenvlees is lekker, vooral de zwemflappen – *hik-hik*. Af en toe gans of eend. Die schijnen dit jaar vroeg te komen. Als ik er morgen een zie, kan ik hem schieten. Wat zou je willen proberen?'

'Mij maakt het niet uit,' zei hij, 'als het maar een streekgerecht is.'

'Morgen,' lachte ze en verdween weer in de keuken.

Dafydd sliep die nacht onrustig op de hobbelige oude bank, in zijn slaapzak. De tweede dag brak aan en verliep vrijwel net zo als de eerste. In de huiskamer was het een komen en gaan van veel mensen. Er werd gegeten, gerookt en theegedronken. Dafydd verlangde ernaar eropuit te gaan om de omgeving te verkennen, maar hij kon nergens heen, behalve de uitgestrekte toendra op. Die middag wandelde hij, omringd door vijf kinderen, naar de kust. Dit waren alle kinderen in het gehucht en ze waren er allemaal op gebrand om met hem te praten over motorfietsen en films. Het kruiende zee-ijs kraakte en gromde vervaarlijk, smeltend en brekend, en de kinderen vielen bijna op de grond van het lachen om zijn voorgewende angst.

Eenmaal terug in het gehucht, gedwongen tot nietsdoen, kon hij zich geleidelijk ontspannen, zich tevredenstellend met luisteren naar de eindeloze eb en vloed van de vreemde gesprekken van de oude mannen. Hij was zoveel vrije tijd niet gewoon. Voor hem was het een nieuwe ervaring om lui achterover te hangen in een leunstoel, in zalig nietsdoen. Hij doezelde af en toe weg en werd gebiologeerd door de activiteiten van Uyarasuq. Ze leek griezelig veel op het meisje wier bevroren lichaam hij had onderzocht. Hetzelfde brede gezicht en hetzelfde stugge zwarte haar, mét de hoge jukbeenderen en de ver uit elkaar staande, amandelvormige ogen.

Eindelijk waren alle gasten gekomen en gegaan. De stemmen van de twee oude mannen versmolten tot een geroezemoes van plezierige ritmen. De rook van de houtkachel leverde een eigen bijdrage aan het mysterieuze waas in de kleine huiskamer, wat hem het gevoel gaf dat hij naar een oude, korrelige film zat te kijken. De stilte buiten was zo volmaakt dat het bijna een geluid op zich leek, een witte, lege toon die maar bleef aanhouden.

Hij voelde zich zo ontspannen dat hij zich begon af te vragen of de oude mannen soms iets in zijn thee hadden gedaan. Of misschien *zij*? Het was pure luxe om de uren zomaar te laten wegzweven en af en toe wat te lezen in de roman die hij had meegenomen, afgewisseld met kijken naar de Inuit-vrouw, waarbij hij probeerde te doorgronden wat er achter dat exotische maar vrij gereserveerde uiterlijk zou schuilgaan. Hij was genoodzaakt het op een zodanige manier te doen dat zij en de anderen niets van zijn observaties merkten. Hij begon zelfs over haar te fantaseren. Dan stelde hij zich voor hoe hij haar achter de gesloten keukendeur tegen zich aantrok en dat ze er hartstochtelijk op zou reageren door haar borsten tegen hem aan te drukken, terwijl haar gitzwarte ogen zich in de zijne boorden. Hij stelde zich voor hoe hij haar zou ontdoen van haar rok van kariboeleer, en haar de dikke gebreide trui over haar hoofd heen zou uittrekken om de vorm van haar lichaam te verkennen. Alles onder die dikke kleren was zo diep verborgen, zo geheim. Toch was hij teleurgesteld toen ze op de derde dag van hun bezoek opdook en er heel slank en westers uitzag, in een strakke spijkerbroek en een sweatshirt met het logo van Disneyland op de voorkant.

'Jij bent in Disneyland geweest?' vroeg hij verrast.

Grinnikend schudde ze het hoofd.

'Wat doe je nog meer, afgezien van voor je vader zorgen?' Hij stond op en volgde haar naar de kleine keuken, in de hoop haar Engels te horen spreken.

'Ik ben snijdster,' zei ze, zich met een lichte blos afwendend.

'Snijdster?' Hij posteerde zich tegenover haar om haar te dwingen naar hem op te kijken. 'Hoe bedoel je precies?'

'Steensnijdster. Voornamelijk speksteen. Da's het gemakkelijkst. Soms ook ivoor of bot. De specialiteit van ons volk. Het halve dorp hier verdient de kost met de verkoop van steensnijwerk.'

'Zou ik iets van je werk mogen zien?'

Ze liep om hem heen naar de gootsteen. Hij volgde haar, boog zich over de gootsteen en trok een gekke bek naar haar. 'Hé... zeg eens wat?'

Ze lachte en haar blos werd dieper. In het licht uit het venster leek ze bijna een kind. Hun blikken ontmoetten elkaar heel even en de intensiteit van dat moment gaf hem de gedachte in dat hij verliefd op haar was geworden. Het was een kinderlijke, irrationele bevlieging, maar zodra hij zich er rekenschap van gaf, voelde hij een huivering van genot. Hij moest zijn hoofd hebben verloren, gedrogeerd als hij zich voelde in de zuivere lucht, de stilte en de plotselinge bevrijding van mensen als Hogg en Sheila, zo oneindig ver weg. Hij keek naar het onschuldige gezicht van Uyarasuq en had het graag tussen zijn handen genomen om haar te kussen, maar had er de moed niet toe. Hij voelde zich opeens weer veertien, toen hij smoorverliefd was geraakt op de dochter van hun Pakistaanse buren, een meisje van twaalf van bovenaardse schoonheid, met haar lange, tot haar heupen reikende zwarte haar en zwarte ogen, die aan diepe grotten deden denken. Destijds had hij het object van zijn jeugdliefde nooit dicht genoeg durven naderen om zelfs maar met haar te praten, maar in gedachten had hij de liefde met haar bedreven, dag en nacht. De intensiteit van die hartstocht was zo overweldigend en wonderbaarlijk geweest dat hij het nooit moe was geworden zich eraan over te geven.

'Ik weet dat het vrijpostig is om ernaar te vragen, maar... hoe oud ben je eigenlijk?' Even voelde hij zich schuldig vanwege zijn erotische belangstelling voor haar. Toen herinnerde hij zich dat ze getrouwd was geweest. Zó jong kon ze nu ook weer niet zijn. Misschien een kindbruidje, maar geen maagd meer.

'Ik zal het je zeggen,' zei ze, 'hoewel ik het onbeleefd vind dat je me ernaar vraagt. Volgende week word ik zesentwintig – aanstaande woensdag.' Ze keek hem nu aan, vrijmoediger. 'Tegen die tijd zijn jullie al weg.'

Ze had gelijk, natuurlijk. Dan zou hij er niet meer zijn. Wat had een kleine flirt voor haar dan voor zin, al was het meer een onschuldig tijdverdrijf? Altijd was er het gevaar dat je te vertrouwd met elkaar kon worden, dat je te gesteld raakte op elkaar. Zij kon zich de luxe niet veroorloven zich gevoelsmatig te binden. In een oord als dit hield je je bij je eigen mensen, of je vertrok. Er was geen tussenweg.

'Ik ben niet bepaald een nachtvlinder,' begon hij... Hij wilde dat ze vertrouwen in hem stelde, maar wat kon hij anders zeggen? Het was beter om zijn plotselinge verliefdheid op haar verborgen te houden, want hij wist dat het dwaasheid was.

Opeens ging haar hand omhoog en raakte ze zijn haar aan. 'Het lijkt wel babydons,' zei ze glimlachend, 'zo fijn en zacht...' Ze wond een lok om haar vinger. Dafydd pakte haar hand en bracht die naar zijn lippen om haar palm en pols te kussen, terwijl hij op de reactie op haar gezicht lette. Hij wist dat hij dit niet behoorde te doen, het was niet fair. Ze had haar ogen neergeslagen en trok haar hand na een kort moment terug.

'Jouw haar lijkt meer op een paardenstaart,' zei hij.

'Hoe complimenteus,' zei ze, uithalend met de keukenhanddoek. 'Eerlijk gezegd heb ik nog nooit een paard gezien, behalve in films en op foto's. Ik weet wel dat ze matrassen maakten van paardenhaar... vroeger.'

'Dat van jou zou een verrukkelijke matras zijn,' zei hij.

Ze snoof om demonstratieve afkeer te tonen, maar de glinstering in haar ogen was onmiskenbaar. Ze liep naar de huiskamer en begon grote brokken knoestig hout in de houtkachel te gooien. Haar billen zagen er stevig en rond uit als ze bukte, maar ze had tamelijk korte, welgevormde benen. De spijkerbroek leek niet op zijn plaats, maar dat kwam door hemzelf, met zijn romantische ideeën en bespottelijke waanvoorstellingen. Ondanks de afstand tot de bewoonde wereld en haar exotische gelaatstrekken was ze vermoedelijk een door en door moderne vrouw.

De volgende ochtend stond hij achter het raam, toekijkend hoe een buurman een rob slachtte. Het felrode bloed zag er boosaardig uit op de witte sneeuw.

'Kom,' zei Angutitaq, terwijl hij op de plaats naast zich op de bank klopte. 'Ben je moe en gefrustreerd?'

'Niet in het minst. Ik geniet van uw gezelschap.'

Bear stond op en verdween in de keuken, waar Uyarasuq bezig

was met de afwas van het ontbijtservies. Er ontstond een levendig gesprek, afgewisseld door schaterend gelach. Dafydd luisterde verrast, en met een vleug afgunst. Ze was dus toch niet zo schuchter. Misschien had ze na die ontrouwe echtgenoot geen enkel vertrouwen meer in jongere mannen. Of misschien was het feit dat hij een buitenlander was een hinderpaal, of beviel de manier waarop hij naar haar keek haar niet.

Angutitaq zat hem aandachtig op te nemen. 'Jij bent een man die eerst zijn verdriet moet helen voordat hij terug kan komen.'

'Ik? Hoe bedoelt u?'

'Ooit, als de mist boven je hoofd is opgetrokken, kom jij terug naar Canada. De stilte zal je roepen. Dan kom je terug en ga je je hier vestigen.'

'Denkt u?' Dafydd wilde de oude man niet onnodig desillusioneren, maar hij geloofde niet dat dit hoge noorden hem ooit aantrekkelijk zou toeschijnen. Ondanks de spectaculaire schoonheid van het land, en de harde omstandigheden die hij had leren respecteren – ja, hij had er zelfs van genoten – hoorde hij thuis in zijn veilige vaderland, dat het hele jaar door werd gekenmerkt door grauwheid, mist en regen.

Angutitaq kuchte, waardoor zijn gedachtegang werd onderbroken, en liet de steel van zijn pijp naar hem wijzen. 'Ik weet van de *quattiaq*, de kindgeest die jou kwelt. Onze oude vriend heeft me verteld hoe jij de *quattiaq* hebt aangetrokken.'

'Volgens mij doe ik het zélf,' zei Dafydd zacht. 'Ik kwel mezelf en heb daar goeie redenen voor.'

'Ook dat,' beaamde Angutitaq. Hij knikte langdurig. 'Mensen – de mensen moeten altijd iemand hebben die ze de schuld kunnen geven, waardoor het nodig wordt hun pijn zelf te dragen en die mee te nemen, naar ergens ver weg.'

'Zo was het niet,' protesteerde Dafydd. Hij wilde niet dat er aan zijn schuldgevoel werd getornd. 'Ik heb een ernstige blunder begaan en zal ermee moeten leven. Ik ben ervandoor gegaan omdat ik dat wat ik had gedaan niet onder ogen durfde te zien. Dat was de enige reden, en meer niet.'

De deur naar de keuken ging dicht en het vrolijke gesprek erachter werd gedempt tot een rumoer van stemmen. Het hout in de kachel knalde nijdig.

'Natuurlijk, ik ken het zelf. Niettemin ben jij net een pluk mos. Je zuigt de pijn op en wilt die vasthouden, zelfs al reis je naar de verste uithoeken van de wereld. Je bent hier...' Angutitaq breidde zijn armen uit om het hele poolgebied te omvatten, 'en toch ben je loodzwaar en sleep je die last nog met je mee, als een overbelaste *kamotik*.'

Het was waar, het gewicht van zijn berouw drukte zwaar op zijn gestel. Een poosje zaten ze zwijgend naast elkaar, starend naar het vuur. Angutitaq zat zacht in zichzelf te neuriën. Plotseling tikte hij met de steel van zijn pijp op Dafydds knie.

'Ik zie de *quattiaq*, en hij lijkt me een goede geest, met het uiterlijk van een vosje met een lange spitse neus. Hij is echter niet boos.' De oude man keek Dafydd indringend aan. 'Hij is een onschuldige geest, met veel wijsheid in zijn ogen. Als je hem de kans geeft, zal hij je wel helpen.'

'Nee!' viel Dafydd uit. 'Snapt u het niet? Ik ben er verantwoordelijk voor dat...'

Abrupt hief Angutitaq zijn hand op en sloot zijn ogen. 'Hij is hier. Ik zal hem vragen zich te vertonen. Dan zul je niet meer zo bang zijn.'

Dafydd schudde het hoofd. 'Ik weet niet...' Hij slikte moeizaam. Het kind dat hem in zijn dromen achtervolgde... hoe kon deze oude man weten dat het gezicht hem aan een vosje deed denken? De kant die het gesprek opging, beviel hem niet. Het joeg hem angst aan.

'*Unnirniaqqutit!*' bulderde de oude man.

Het leek donker te worden in de kamer, alsof er iets was veranderd. *Dat gebeurt alleen in mijn hoofd*, dacht Dafydd. *Ik ben over mijn toeren, weet het niet meer...*

Toen begon de oude man te zingen. '*Alianait, alianait, alianait...*' Het was een sober klinkende zang van weinig noten, wellicht een recitatie. Hij hield zijn ogen dicht en vouwde de knokige oude handen voor zijn borst. Dafydd was verlegen met de situatie en vroeg zich af of er misschien ook iets van hem werd verwacht, maar naarmate de zang voortduurde begon hij zich er beter bij op zijn gemak te voelen. Het begon hem te bevallen. De geluiden in de keuken waren opgehouden en rond de hoeken van het huis floot zacht de wind. Plotseling werd het weer donkerder in de kamer, alsof de nacht abrupt was ingevallen. Dafydd vond het griezelig, maar de recitatie had hem gekalmeerd en hij wilde zich niet laten afleiden. Hij leunde achterover en sloot zijn ogen voor de duisternis. De vreemde melodie ging maar door, als een archaïsche hymne. Angutitaqs stem klonk zo laag dat hij de trillingen ervan in zijn voetzolen kon voelen. Ze stegen op door zijn benen en leken hem op te vullen. Hij wilde meeneuriën, maar werd slaperig. Het kleine gezicht van Derek verscheen voor zijn geestesoog, maar niet het bleke, ingevallen snoetje van ziekte en dood. Het was een rozig gezicht, met glanzende ogen, springlevend. Dafydd glimlachte. Toen zag hij het vosje in dat gezicht, met zijn onbevreesde grijnslach en lange, puntige neus. Het waren de scherpte en wijsheid in die ogen die hem werkelijk diep raakten. Ze vervulden hem met moed en namen de duisternis van hem weg.

Angutitaqs stem, zachter nu, beefde enigszins, alsof de inspanning van de recitatie veel van zijn krachten had gevergd. Dereks gezicht begon op te lichten en te vervagen. Opeens was het weg. De recitatie zweefde weg en begon hol te klinken... als een echo van buiten de stille hemel boven het poolgebied.

Toen hij zijn ogen opende, was hij alleen in de kamer. Het licht buiten was een raadsel voor hem en hij was gedesoriënteerd. Het vuur in de kachel smeulde nog, maar het was doodstil in huis. Er scheen niemand te zijn. Zijn lichaam was stram en hij had een zwaar gevoel in zijn hoofd. Hij stond op en rekte zich uit, geeuwend totdat zijn kaken kraakten. Opeens had hij helse dorst, alsof hij zich door een woestijn had gesleept. Zijn tong voelde dik aan. Hij vond zijn weg naar de kleine badkamer, die geen raampje had, en streek een lucifer aan om de *qulliq* aan te steken, een lamp van speksteen, fraai uitgesneden in de vorm van de halvemaan en gevuld met robbenvet. Hij dronk een paar mokken water en poetste zijn tanden. De spiegel boven de wastafel toonde hem een baard van drie dagen. Zijn haar was ook veel te lang, krullend en weerbarstig. Voor het eerst sinds tijden bekeek hij zichzelf eens goed in de spiegel en begon te lachen. Het gezicht dat hij zag leek meer op dat van een aan drugs verslaafde hippie of het wrak van de man die hij was geweest. Niettemin kon hij het conflict dat hij met zijn eigen spiegelbeeld had gehad, niet meer oproepen. Hij herinnerde zich nu hoe het was om zelfrespect te hebben... om in de spiegel naar je eigen gezicht te kijken en te zien dat het best een knap gezicht was, charmant zelfs, en veelbelovend. Er was meer dan een jaar verstreken sinds zijn leven was ingestort. Misschien was een jaar toch voldoende.

Hier, in deze smoezelige kleine badkamer, voelde hij zich plotseling opgemonterd, alsof de zware last weg was gevallen en wegzweefde. Het klompje mos was uitgeknepen als een spons en het smerige water was weggelopen. Nu voelde hij zich licht, fris en veerkrachtig.

Hij urineerde in de 'honingemmer'. Toen kleedde hij zich uit en stapte in de kleine bak die voor een douche moest doorgaan. De dunne straal van koel, koperhoudend water voelde zo overweldigend alsof hij onder een waterval stond. Hij droogde zich af, kleedde zich aan en begon toen moeizaam zijn gezicht af te schrapen, met iemands botte scheerkrabber waarmee hij zijn huid openhaalde.

In de keuken trof hij Uyarasuq aan. Ze zat roerloos aan de kleine tafel. 'De vaders zijn ergens op bezoek,' zei ze. 'Die komen voorlopig niet thuis.'

'Waar ben jij mee bezig?' vroeg hij verrast.

'Ik gun mijn ouwe botten wat rust,' zei ze, met haar frisse tienergezicht.

'Blijkbaar heb ik uren zitten slapen.'

'Je zei dat je mijn speksteencreaties wilde zien.' Hij zag haar blanke huid een beetje rood worden en ze wendde haar hoofd af om het te verbergen.

'Heel graag, ja. Waar zijn ze?'

'In mijn huis.' Ze stond op en trok meteen haar parka aan. Hij keek om zich heen, op zoek naar zijn eigen parka. Die was opgerold in de slaapzak die hij achter de bank had verstopt. De lucht voelde zacht aan en de hemel was bleekblauw. Hij had geen idee hoe laat het was. Uyarasuq nam zijn hand en leidde hem doelbewust langs de andere huizen naar een klein huisje nabij de kust. In feite woonde ze in een grote doos, niet groter dan de caravan die zijn ouders hadden bezeten toen hij nog een kleine jongen was. Binnen was de lucht klam vanwege de dampen van een gaskachel. De muren waren van plafond tot vloer bedekt met planken en schappen waarin ze haar bezittingen bewaarde. Overal zag hij kleine spekstenen figuurtjes: jagers met speer, walvissen, ijsberen, robben en vogels. Ze zagen er uiterst verfijnd uit.

'Ze zijn schitterend!' riep hij uit. 'Waar verkoop je ze?

'In de galeries van de *kablunait*,' zei ze met een knipoog. 'Je weet wel... de witte man.'

Misschien stak ze een beetje de draak met hem, maar het kon hem niet schelen. 'Je gaat dus weleens naar het zuiden?'

'Nee. Er is een onderzoekskamp, op een paar kilometer afstand van hier. Zij nemen ze voor ons mee... voor een percentage, uiteraard.' Ze had een ketel water op een piepklein houtfornuis gezet en hing hun parka's op aan haken aan de deur. 'Hoewel jij in feite niet zó wit bent. Hoe kwam ik er toch bij dat alle Europeanen blond moesten zijn? Dat neemt niet weg dat je toch uit ander hout bent gesneden dan ik.'

Hij zat op een kruk en ze kwam naar hem toe met een van haar creaties van glanzend gepolijste speksteen. 'Ander hout ja, zachter en misschien zelfs een beetje fragiel,' lachte ze.

Hij keek naar haar op. Hoeveel zou ze van hem weten? Misschien had ze die vreemde episode met haar vader, de sjamaan, afgeluisterd, of had Bear haar verteld waarom hij hem had meegenomen naar hier. In de manier waarop ze naar hem keek was echter geen zweem van medelijden of zo te bekennen. Hij legde het beeldje op zijn schoot en legde zijn handen om haar middel zodat hij haar leest kon voelen. Ze scheen er geen bezwaar tegen te hebben. Na enkele ogenblikken liet hij zijn handen zakken.

'Het is goed,' zei ze.

'Het spijt me... ik moet niet zo impulsief handelen. *Kablu*... of hoe je ons ook mag noemen... we zijn veel te direct – witte, imperialistische varkens die we zijn...'

Ze schoot in de lach en bracht zijn handen weer naar haar middel. Hij legde zijn voorhoofd tegen haar buik en hoorde die hongerig rommelen. Hij drukte zijn oor ertegenaan om het beter te kunnen horen. Die geluiden had iets aards en krachtigs, als een ver onweer met donder en bliksem, of als uitbarstingen van gloeiende lava of de lokroep van woeste bossen, een klein universum in haar inwendige. Een andere wereld – exotisch, fascinerend en verboden. Hij wilde daar zijn, diep doordringend in haar geheime kosmos met zijn eigen vlees.

De ketel begon te zingen en ze maakte zich van hem los. Hij keek om zich heen naar de inrichting. Ze scheen op het bed te huizen. Het was bezaaid met boeken, kranten, kleren, naaiwerk en zelfs een bord met broodkorsten erop. Terwijl zij thee zette, dwaalde hij langs de andere sculpturen en liet zijn vingers erlangs glijden, niet in staat er weerstand aan te bieden. Elk sculptuurtje vertelde een verhaal over de relatie van de Inuit met hun wereld en de dieren daarin. Hij nam een sculptuur in zijn handen die een minnend paartje voorstelde. De vrouw zat schrijlings op de man, die zelf ook half overeind zat. Ze hadden allebei een lach op hun brede gezicht en hun mollige armen en benen omklemden elkaar.

Ze gaf hem een mok thee en ze stonden naast elkaar tussen het bed en de tafel.

'Wanneer komt je man terug?'

'Nooit.'

Hij kon niets anders bedenken om te zeggen en misschien stelde ze zijn nieuwsgierigheid niet op prijs.

'Je wílt mij, nietwaar?' zei ze.

'Ja.' Hij stak zijn hand uit naar haar wang. 'Ik wil jou. Ik geloof echter niet...'

'Geeft niks,' viel ze hem in de rede. 'Het is al drie jaar geleden dat ik samen was met een man. Ik zou niet eens weten wat ik moest doen.'

'Je hoeft niets te doen. Ik ben hier niet met verwachtingen heen gekomen,' zei hij onzeker. 'Zullen we gaan zitten?' Ze namen plaats op de rand van het bed en namen teugjes van hun hete thee. Na een minuutje stond ze op en begon de spullen op het bed op te ruimen. Ze had de nodige moeite om er plek voor te vinden. Ze had geen kleerkast en legde de kleren opgevouwen op een plank. De boeken en kranten werden opgestapeld op de tafel. Dafydd voelde zich zwak vanbinnen, bijna overvallen door paniek. Het was bespottelijk; hij was allang geen maagd meer. Hij wilde het vurig, maar voelde zich toch een groentje – hopeloos inadequaat. Desondanks voelde hij zijn lid opzwellen. Dat deel van hem trok zich geen barst aan van zijn strijd met zelfvertrouwen en fatsoen.

Toen ze alles had opgeruimd, nam ze hem de mok uit handen en deed het licht uit. Een grijze schemering scheen zwakjes door het raam. Dafydd stond op en volgde haar. Ze was kleiner dan ze leek, en om haar te kussen tilde hij haar van de vloer. Ze lachte, maar haar verlegenheid was verdwenen. In het schemerduister van de kamer glinsterden haar ogen. 'Doe je kleren uit,' zei ze.

'Weet je zeker dat je dit wilt?'

'Ik wil het dolgraag,' zei ze glimlachend en begon zijn bodywarmer open te ritsen.

Pas toen hij kans had gezien zich uit zijn kleren te wurmen, drong het tot hem door dat hij, afgezien van zo-even, al maanden niet meer naakt was geweest, behalve om de smerige douchecel van de stacaravan in en uit te stappen. De klamme warme hand op zijn naakte huid wond hem heviger op dan ooit. Zijn erectie wiebelde als een loden gewicht voor hem terwijl hij haar hielp uitkleden. Ze had donkere tepels, hoog op haar kleine borsten. Hij bukte zich om ze te kussen en voelde hoe ze onder zijn tong zo hard als kiezelsteentjes werden. Hij hield er niet mee op voordat hij nekpijn kreeg en haar op het bed legde.

Onwillekeurig begon hij te grinniken bij het zien van haar slipje van bordeauxrode satijn. Hij vroeg haar hoe ze het op de kop had getikt.

'Uit een catalogus, natuurlijk.' Grinnikend tikte ze tegen zijn neus. 'Wat had jij dan verwacht, een onderbroek van berkenbast en het vel van een rob?'

'Ja,' lachte hij. 'Je stelt me teleur.'

'En plukken mos bij wijze van inlegkruisje?'

'Uiteraard.' Ze had zijn gedachten uitstekend gelezen.

Hij stroopte het broekje omlaag, voorzichtig om de delicate naden niet kapot te trekken. 'Had je hem speciaal hiervoor aangetrokken? Had je dit gepland?'

'Ja... hoewel ik altijd mooi ondergoed draag, alleen om mezelf eraan te herinneren dat ik een vrouw ben.'

Als het slipje niet zo opvallend aanwezig was geweest, zou hij het misschien hebben verdonkeremaand. Zij zou het echter merken en denken dat hij uit was op een trofee. Daar zou ze overigens niet helemaal ongelijk in hebben. Het feit dat hij hier was, in bed met deze mooie, exotische vrouw, was het hoogtepunt van zijn jaar hier. Een moment dat hij nooit meer wilde vergeten. Hij bekeek haar blanke lichaam, waarvan de details werden verdoezeld door de langzaam invallende nacht. Haar kleine, zwarte driehoek was precies zoals hij het zich in zijn erotische fantasieën had voorgesteld. Hij kuste het en wreef zijn neus door het dichte, ruwe schaamhaar terwijl hij haar geur opsnoof. Nu al was hij gevaarlijk dicht bij klaarkomen, maar hij dwong zichzelf tot terughouding en probeerde aan koude dingen te denken, moeilijke dingen. Ze kusten elkaar en lagen langdurig zij aan zij, dicht tegen elkaar aan gedrukt. Plotseling begon ze te lachen, een lach van pure blijdschap, zodat hij ook moest lachen.

Hij wilde een beetje praten. Hij wilde haar stem horen en haar beter bekijken, maar ze gleed over zijn lichaam omlaag. Het gevoel van haar mond om hem heen was overweldigend, zodat hij zich al na enkele seconden terugtrok. Hij begeerde deze vrouw vurig, maar kon niet vertrouwen op zijn zelfbeheersing. Nee, hij wilde niet op die manier in haar komen, zich zo gemakkelijk in haar verliezen. Hij trok haar omhoog en legde haar op haar rug, zodat hij haar genot kon geven. De tere plooien onder de zwarte driehoek waren maagdelijk, bijna als van een kind. Even werd hij geplaagd door zijn geweten, en hij moest zichzelf eraan herinneren dat zij hem óók wilde: ze was een volwassen vrouw, geen kind meer. Toch maakten zijn liefkozingen haar aan het huilen.

'Je vindt het niet prettig?' fluisterde hij geschrokken.

'O ja, o ja, het is heerlijk, niet ophouden.' Ze had genoeg redenen om te huilen – verdriet, eenzaamheid, frustratie. Nu kende ze liefde, al was het maar voor een paar korte uren, en ook dát zou haar wreed worden ontrukt. Morgen zou hij weg zijn. Hij wilde er zelf niet aan denken. Plotseling werd het hem te machtig. Toen won zijn begeerte het pleit en hield hij op met denken. Hij duwde zichzelf naar boven bleef boven haar hangen, likkend aan de tranen die over haar gezicht stroomden.

'Kan het? Ben je beschermd?'

Ze knikte. 'Deze tijd is veilig,' zei ze. Hij wist dat er niet zoiets bestond als een 'veilige tijd' – en waarom zou zij de pil slikken? Hier waren geen andere, vrije mannen. Dus richtte hij zich op, liet zich van het bed glijden en begon verwoed in zijn kleren te zoeken naar zijn portefeuille, met de verfrommelde condoompakjes die hij al die maanden bij zich had gehouden.

'Ik bedoel niet dat ik...' begon hij, terwijl hij het lelijke condoom over zijn lid duwde.

'Het is goed, alles is goed,' verzekerde ze hem.

Ze was zo nauw dat het hen allebei pijn deed. Ze kreunde. Hij fluisterde een verontschuldiging en wilde zich terugtrekken, maar ze greep zijn billen met beide handen vast om hem te houden waar hij was. Algauw vroeg ze hem te gaan bewegen en hij begon te stoten. Toen ze haar climax bereikte, liet hij zich gaan. De kracht van zijn ontlading was zo hevig dat hij sterretjes zag.

Hij wandelde terug naar het huis van zijn gastheer. De hemel was eindelijk zwart, maar toch was het een lichte nacht. Bij de aanblik van ontelbare schitterende sterren bleef hij staan, vol van verwondering. De immensiteit en oogverblindende schittering van het universum was iets dat hij nooit écht had ervaren. Dag in dag uit zou het licht nu toenemen, want de vervagende winterse duisternis maakte snel plaats voor de zomer binnen de poolcirkel en dan waren er geen sterren te zien.

Glimlachend liep hij over het voetpad en neuriede voor zich heen. De damp van zijn adem in de koele lucht deed hem denken aan de machtige adem waarmee de god Thor stormen, wolken en onweer leven inblies. Hij voelde zich sterk, zinderend van kracht en vitaliteit, als een puber die op het punt staat een volwassen man te worden. Trots en vervuld, zijn hete bloed vol van verwachting. Hij moest hardop om zichzelf lachen. Verdomd als het niet waar was, hij was smoorverliefd en brandde van begeerte, absoluut stompzinnig. Toch ervoer hij in zijn innerlijk ook een gevoel van vrede dat zich langzaam uitbreidde. Hij stond zichzelf niet toe verder te denken. In geen geval aan de toekomst. Niets mocht dat wat hem nu overkwam verstoren.

Plotseling dwong een geluid in de verte, iets dat hem deed denken aan het verbrijzelen van kristal, hem om te blijven staan en op te kijken. Het noorderlicht blikkerde langs de hemel in een baaierd van pastelzachte kleuren. Lange staarten van rood, groen en geel licht zwiepten van de ene horizon naar de andere. Veelkleurige lichtbanen klommen en daalden in een tere dans. Het was een overweldigend panorama en Dafydd bleef roerloos staan, diep onder de indruk van zoveel schoonheid. Ze hadden hem verteld van dat merkwaardige fenomeen, een bovenaards geluid. De muziek van het noorderlicht was iets dat zelden door mensen werd ervaren. Veel bewoners van het poolgebied leefden er hun hele leven zonder het ooit te horen.

Het liefst was hij teruggerend naar de slapende Uyarasuq om haar uit haar knusse bed te halen, zodat ze het samen met hem kon horen. Het zou in deze gigantische tempel onder de hemel een band tussen hen smeden, sterker dan welke ceremonie ook. Hij wist echter dat hij dit niet kon doen, dus liep hij verder, zijn ogen en oren wijd open. In elk geval zou hij dit alles met zich meenemen, deze dag en deze nacht, overal waar hij heenging. Want dit alles had hem vernieuwd en volledig genezen.

Sleeping Bear was stilletjes, lang niet zijn normale, schelmse zelf. 'Nu mag je raden, jongeman,' zei hij zonder geestdrift. 'We krijgen een lift in een helikopter.'

'Werkelijk? Hoezo?' vroeg Dafydd, terwijl hij een plak *nattiaviniit* – vlees van een in de lente geboren jonge rob – in zijn mond stak. Hij had een welhaast obscene honger, en hij keek opzij naar Uyarasuq om haar een knipoog te geven. Lachend sneed ze nog een homp vlees voor hem af.

'Dat priestertje – nee, niet de anglicaan, maar die verdomde jezuïet – ' Bear spuwde nijdig naar de vloer, naast hem ' – heeft het zo geregeld dat die gasten van dat onderzoekskamp ons hier komen ophalen.'

'Da's aardig van hem... en hen,' zei Dafydd met volle mond. 'Heb je onze piloot afgebeld?'

'*Yep*. Dat scheelt ons een smak,' eindigde Sleeping Bear grimmig, worstelend met zijn eigen maal, waarmee zijn oude tanden moeite hadden hoewel Uyarasuq het voor hem al in stukjes had gesneden. 'Ze vliegen naar Yellowknife voor een concert. Kun je je dat voorstellen? Al het geld dat die gasten besteden aan dat soort frivoliteiten.' Hij liet zijn duim naar Uyarasuq wijzen. 'Dankzij dat snijwerk van haar, vat je? Verdomde veelvraten.'

Uyarasuq legde een hand op Bears schouder. 'We redden ons best, grootvadertje,' zei ze geruststellend. 'Zitten we soms zonder?'

Bear keek naar haar met een tederheid die hij bij de oude man nog niet eerder had gezien. Hij klopte even op haar hand, maar zei niets. Angutitaq kwam de badkamer uit. Hij leek brozer dan ooit. Het leek alsof zijn rug nog dieper was gebogen en zijn kromme benen nog wankeler waren dan anders. Misschien had hij stiekem een dosis van Bears gebottelde medicijn genomen.

Ondanks Dafydds uitzonderlijke opgewektheid was de stemming

tamelijk bedrukt. Dit ontbijt had iets definitiefs. De twee oude mannen schenen te weten dat dit ongetwijfeld hun laatste ontmoeting was. Uyarasuq was somber, waar ze haar eigen redenen voor had, en Dafydd zelf verkeerde in een ongeëvenaard euforische stemming, Hij wist echter dat hem een afschuwelijke dip te wachten stond als hij weer met de harde realiteit van zijn terugkeer naar huis werd geconfronteerd. *Naar huis?*

Bear had gelijk gehad toen hij zei dat hij goede raad nodig had, maar nooit had Dafydd zich kunnen voorstellen welke vorm die raad zou aannemen en hoe ingrijpend de uitwerking ervan zou zijn. Het feit dat hij hier, onverklaarbaar genoeg, zijn hart had verloren aan een vrouw die hij nauwelijks kende, was een andere zaak. Het was hem nooit eerder zo overkomen en hij hoopte dat zijn verblijf in dit bijzondere oord alles in een ander perspectief zou plaatsen. Hij moest betoverd zijn; hoe was deze hele ervaring anders te verklaren?

Een halfuur later waren ze omgeven door het donderende geroffel van de naderende helikopter. Een groep husky's blafte woedend naar dit opdringerige kabaal. Angutitaq sloeg Dafydd op de schouder. 'Als je hebt geleerd hoe je stil moet zijn, zal het vosje naar je toekomen. Hij zal je dingen zeggen die niemand anders weet. Praat met hem als je het moeilijk hebt.'

Terwijl de twee oude mannen buiten zacht met elkaar praatten, trok Dafydd Uyarasuq mee de keuken in.

'Ik heb er geen spijt van,' zei ze dapper, maar haar ogen stonden groot en glansden te veel.

Hij omvatte haar ruwe haar, trok haar hoofd achterover en kuste haar innig. Hoe intens hij zijn innerlijk ook doorzocht, op zoek naar een toereikende verklaring voor zijn gevoelens, hij kon er niets vinden dat hem kon overtuigen.

TWEE

13

Moose Creek, 2006

Volgens de vrouw achter de receptie van The Happy Prospector (Bed & Breakfast) werd er meer sneeuw verwacht.

'De winter gaat nu echt beginnen. Maar we hebben geen keus, nietwaar?' zei ze met schuin gehouden hoofd, in afwachting van de reden waarom híj de komende beproeving wilde doormaken. Dafydd knikte alleen instemmend. Ze vroeg om een legitimatie en begon zorgvuldig de gegevens in zijn paspoort over te nemen. Ze keek langdurig naar zijn foto en keek toen naar hem op.

'Nou weet ik het weer!' riep ze opgetogen. 'Dafydd Woodruff!'

'Het spijt me,' zei Dafydd, terwijl hij aandachtig naar haar ronde gezicht keek. 'Ik behoor me waarschijnlijk te herinneren wie u bent, maar ik weet het echt niet, vrees ik.'

'Maak u daar niet druk over, ik kan dat met recht als het grootst mogelijke compliment beschouwen.' Ze lachte vrolijk en leek schik te hebben in de situatie.

'Ik kom er nog wel achter,' vulde Dafydd gegeneerd aan.

'Vergeet het maar... Ik werkte vroeger in het Klondike. Ik ben Tillie – gaat er nu een belletje rinkelen?'

Dafydd staarde haar aan. Natuurlijk herinnerde hij zich Tillie. Zij was de vrouw van honderd kilo met het Shirley Temple-gezicht die altijd vriendelijk voor hem was geweest – met een lach, een echte lach. Hij had zich haar extra-moederlijke zorgen in het Klondike Hotel graag laten welgevallen. Ze had hem altijd op zijn wenken en royaal bediend met spijs en drank.

'Tillie... niet te geloven!' riep hij uit. 'Je ziet er geweldig uit!'

Achter de formicabalie stond een vrouw van begin veertig, slank en met een fit uiterlijk, met een mooi, jong gezicht en blonde krullen, bijeengehouden in een meisjesachtige paardenstaart.

'Wat je met jezelf hebt gedaan weet ik niet, maar je moet er octrooi op aanvragen. Dan zou je de rijkste vrouw van het Westelijk Halfrond worden.'

Tillie bloosde bekoorlijk. Ze was werkelijk heel aantrekkelijk, met die gladde, gezonde huid, dat wipneusje en die kleine rode mond, als van een pop.

'Zeg me gerust dat ik me met mijn eigen zaken moet bemoeien, maar hoe heb je dit voor elkaar gekregen?'

'Een heel aardige dokter die hier een tijdje heeft gewerkt, heeft me behandeld. Ik voelde me altijd ontzettend moe, en hij ontdekte dat mijn schildklier veel te traag werkte. Hij schreef me pillen voor en de kilo's vlogen eraf.'

'Verdomme, ik wou dat ik de eer voor die ontdekking kon opeisen,' zei Dafydd gemeend. 'Nu heb ik de kans gemist om een echte held te worden. Misschien schoot mijn eh… fantasie een beetje tekort, destijds?'

'Er was niks mis met u,' zei Tillie. 'Trouwens, ik heb u er nooit over geconsulteerd, nietwaar, dus heeft u ook nooit de kans gehad.' Na enkele ogenblikken voegde ze eraan toe. 'Veel mensen hier hadden waardering voor u. Sommigen waren echt teleurgesteld dat u er na zo'n korte tijd alweer vandoor ging. Ze waren gewend geraakt aan u, en aan uw manier van doen.'

'Ah, natuurlijk, mijn manier van doen,' grijnsde Dafydd. 'Pietluttig tot in het absurde.'

Tillie glimlachte terug, maar ze scheen niet precies te weten wat hij bedoelde. 'Wacht, ik breng u even naar uw kamer.' Over een smalle trap ging ze hem voor naar de eerste etage. Een donkere gang, met een rij met kunststof afgewerkte deuren. Het zag er deprimerend uit, maar toen ze de deur naar Kamer 6 opengooide, bleek dat een ruime, lichte kamer te zijn, met een kingsize bed, overhuifd door een paars baldakijn. Tillie zag hem ernaar staren.

'Mijn beste kamer.' Ze liep naar het bed en streelde het fluweel van het baldakijn. 'Zo af en toe krijg ik paartjes op huwelijksreis. Meestal zijn ze heel… lovend over het bed.'

'Dit is geweldig, Tillie. Ik ben blij dat ik jou heb getroffen. Ik zou regelrecht naar het Klondike zijn gereden, maar de taxichauffeur had er nooit van gehoord.'

'Dat is een paar jaar geleden afgebrand. Tot op de grond. Meneer George is destijds gearresteerd.' Tillie streek een paar denkbeeldige plooien op het bed glad. Ze hebben hem in de gevangenis gegooid, wegens brandstichting. Hij kon de hypotheek niet meer betalen. We hadden allemaal met hem te doen. Zoveel tegenslag.'

Dafydd monsterde het gezicht van deze onschuldig ogende vrouw. Dit was Moose Creek. Hij was vergeten welke normen en waarden in het leven van de schijnbaar gewone mensen hier maatgevend waren en waarmee ze zichzelf bij tegenspoed vrijpleitten. Brandstichting was volkomen gerechtvaardigd als jij je hypotheek niet meer kon betalen. Je moest doen wat je doen moest. Hij had de sterke neiging Tillie te zeggen waarom hij hierheen was gekomen. Graag zou hij willen weten wat zij vond van een vrouw die zich in dit oord zwanger liet maken en er daarna jaren en jaren over had gezwegen als het graf. Misschien zou ze er zelfs iets over weten – over Sheila en haar kinderen. Intuïtief wist hij dat ze begrip zou hebben voor zijn dilemma en in elk geval met hem zou sympathiseren. Ze was tenslotte een vrouw en zou het leven door de bril van de vrouw bezien. Vooral als het een vrouw betrof wie onrecht was aangedaan, een alleenstaande moeder die zich er met een tweeling doorheen had moeten slaan. Hij bedacht zich echter; hij zou dit paarse bed misschien voorlopig nog nodig hebben.

'Hoe laat kan ik ontbijten?' vroeg hij.

Moose Creek was veranderd, gegroeid. Sinds de doorgaande autoweg open was, waren de mensen in drommen hierheen gekomen. Meestal bleven ze niet lang, maar na de vondst van nieuwe gas- en olievelden en de geruchten over diamantmijnen was het ecotoerisme drastisch toegenomen, samen met de stroom jagers, hengelaars, pelsjagers en prospectors, of lieden met minder duidelijke oogmerken. Een gestage stroom enthousiaste pioniers vulde de nieuwe kroegen. Ze praatten luidkeels over hun terugkeer naar het zuiden, met de zakken vol geld, diamanten of goud, waarbij ze hun bierglazen voorbarig hieven om zichzelf te feliciteren.

Er werden volop onderhandelingen gevoerd over een pijpleiding, maar nu lieten de inheemsen hun nieuwe aanspraken op het land gelden. Het onderhandelingsproces verliep daardoor pijnlijk traag, want de verschillende stammen moesten het eerst onder elkaar eens worden, voordat ze het met de overheid en de aardoliegiganten op een akkoordje konden gooien. Aan dat soort subtiliteiten hadden alle nieuwkomers geen boodschap. Zij leefden van de hand in de tand totdat de denkbeeldige stortbui van goud neer zou regenen over degenen die genoeg uithoudingsvermogen hadden om te blijven.

Dafydd nam de tijd om zich te laten bijpraten door Tillie, die hem op een kleurrijke manier verslag deed voordat hij The Happy Prospector verliet, hoewel hij zijn koffer nog niet eens had uitgepakt. Hij liep door de straten en nam de veranderingen in zich op. Nieuwe saaie bouwwerken hadden de oude, gammele bouwsels vervangen. Aan de factor esthetiek waren geen concessies gedaan. Alles was dienstbaar gemaakt aan het nut. Hij miste de bespottelijke grootsheid van het Klondike Hotel, dat de hoofdstraat zijn vreemde wildwestkarakter had gegeven. Er was een nieuw groot en duur hotel verrezen. Het interieur zou luisterrijk moeten zijn, maar vanbuiten was het niet meer dan een gigantische schoenendoos.

De eerste sneeuw was gekomen en bijna gegaan, maar nu al was het ijzig koud. Hoewel het pas kwart voor vijf was, was het vrijwel donker. De winkels begonnen dicht te gaan en haastig stak Dafydd over naar de winkel van The Hudson Bay Company, nu verkort tot 'The Bay', om wat lange onderbroeken en een parka te kopen. Hij stond versteld van de luxe inrichting van de winkel, waar ze vroeger niet meer dan wat stoffige flutdingen voor gefrustreerde huisvrouwen hadden verkocht, maar nauwelijks iets waar je werkelijk iets aan had. Daarna liep hij door de hoofdstraat verder naar de drankwinkel, voor een fles Southern Comfort.

Terug in zijn kamer zette hij het televisietoestel aan, opende de fles en schonk zichzelf een stevige borrel in. Hij ontdeed zich van zijn schoenen en maakte het zich gemakkelijk in een roze fauteuil. De bourbon had ogenblikkelijk effect. Hij voelde de warmte naar zijn vingertoppen en tenen stromen en zich in zijn hoofd uitbreiden. Hij was nog net op tijd voor de staart van het journaal. Er werd vluchtig melding gemaakt van een vliegtuigramp in Europa, alsof Europa een klein landje ergens ver weg was, even ver en ontoegankelijk als Tibet. Daarna kwam er een eindeloze reeks commercials. Dafydd zat zonder veel succes te worstelen met de afstandsbediening toen er op de deur werd geklopt.

'Telefoon voor u, dokter Woodruff. Ik ben alleen bang dat u het in de receptie zult moeten aannemen,' riep Tillie door de deur.

Dafydd trok zijn schoenen weer aan en daalde verbijsterd de trap af, zich afvragen wie in godsnaam kon weten dat hij hier was. Tillie drukte hem de hoorn in handen en verdween discreet achter een deur met het opschrift *Privé*.

'Met Dafydd Woodruff.'

'Wel, wel, Dafydd Woodruff. Je had best zo beleefd mogen zijn om mij even te laten weten dat je zou komen.'

'Het leek me dat dát nu juist wel het laatste zou zijn wat jij kon verwachten – een overijld bezoek om mijn verantwoordelijkheden als vader op me te nemen. Hoe kun jij weten dat ik...'

'O, dat van die verantwoordelijkheden klopt,' lachte ze droogjes, 'maar daar had je niet voor hierheen hoeven te komen. Dat heb ik je geschreven.'

'Tja, ik heb een hekel aan instructies.' Dafydd voelde zijn hekel aan haar opnieuw opwellen, als rioolwater in een verstopte straatput. 'Nu ben ik hier, en zou ik de kinderen graag zo snel mogelijk ontmoeten.'

'Hé, niet zo snel. Het lijkt me beter dat we elkaar eerst ontmoeten om te praten.'

'Waar en wanneer?'

'Niet in het openbaar. Zal ik maar naar jou toekomen? In elk geval kunnen we daar onder vier ogen praten.'

'Zou je zo'n groot risico wel nemen? Na alles wat jij zou hebben doorgemaakt?' zei hij sarcastisch. 'Want dat herinner jij je vast nog wel, nietwaar... gedrogeerd en verkracht worden is niet niks, laten we dat niet vergeten.' Hij klemde zijn kaken op elkaar, beseffend hoe dom het was om haar zo in de kaart te spelen. Daar viel niets, maar dan ook niets bij te winnen.

'Ach, hou op met dat gelul,' zei ze kwaad. 'Ik ben niet bang voor jou. Alleen lafbekken gedragen zich zoals jij deed.' Ze laste een pauze in. 'Luister...' Haar stem klonk nu zachter. 'Laten we praten... maar dan wel verstandig.'

'Best. Hier dus. Wanneer.'

'Waarom niet meteen?'

Ze was nog altijd tamelijk mooi, slanker dan hij zich haar herinnerde. Haar hoge borsten waren wat gezakt, maar mochten er nog altijd zijn. De kleur van haar lange haar was wat fletser geworden en leek nu eerder oranje dan rood. De indringende blauwe ogen waren dieper weggezonken, de oogleden met diepe, hoge welvingen. Ze deden hem denken aan Greta Garbo. De opvallende afwezigheid van rimpels in haar gezicht en hals wekten het vermoeden dat ze hier en daar wat had laten gladtrekken. Misschien had de ouwe trouwe Hogg er zijn best op gedaan, of Ian, als die nog in leven was en hier was gebleven. Ze leek nog steeds even in de dertig, hoewel ze nagenoeg even oud was als hijzelf.

'Je ziet er, eh, gezond uit,' zei hij, haar zijn hand toestekend. In de uren die na haar telefoontje waren verstreken had hij nog een paar fikse doses bourbon tot zich genomen en besloten om het gesprek zo vriendelijk te houden als menselijkerwijs mogelijk was.

'Nou, je mag er zelf ook best wezen,' glimlachte ze. 'Het uiterlijk van de rijpere man staat je goed. Grijze slapen zien er bij een man altijd sexy uit, en dan al dat haar…' Ze bekeek hem ongegeneerd van top tot teen. 'Mooi slank, geen spoor van een buikje. Dat zie je hier niet vaak bij mannen van jouw leeftijd.'

Hij wees naar de roze fauteuil en ging zelf op het bed zitten.

'Wauw!' riep ze uit, kijkend naar het bed. 'Op een verdorven manier ziet het er erotisch uit. Bedenk echter wel dat je er al twee zult moeten onderhouden.'

'Dat goeie humeur van jou is niet kapot te krijgen.' Hij glimlachte beleefd en hield de fles voor haar op, maar ze schudde haar hoofd. Hij schonk er nog een voor zichzelf in.

'Laten we maar meteen met de deur in huis vallen,' zei hij. 'Ik zou de kinderen graag zo gauw mogelijk zien. In feite wil ik ze hebben ontmoet, voordat we over wat dan ook gaan praten.'

'Volgens mijn advocaat heb ik recht op minimaal tweeduizend dollar per maand.'

Hij bestudeerde haar strakke gezicht en vroeg zich af of het haar alleen om geld was te doen.

'Zie je, ik begrijp nog niks van jouw merkwaardige timing. Al dat geld. Al die jaren. Wat weerhield je ervan om mij eerder voor het blok te zetten?'

Ze leunde achterover en sloeg haar slanke benen over elkaar. Ze gaf niet meteen antwoord, maar bleef hem met onverholen interesse opnemen – zijn jeans, zijn overhemd, zijn schoenen. 'Ik had geen behoefte aan complicaties,' zei ze. 'Miranda heeft deze farce in beweging gezet; ze wilde met alle geweld weten wie haar vader was. Dat kun je haar niet kwalijk nemen, denk ik.'

Hij zette de mok met bourbon aan zijn mond. 'Goed spul, dit,' zei hij, kijkend naar het etiket op de fles om tijd te winnen. Hij voelde zich erg onbehaaglijk onder haar onderzoekende blik. Er moest over worden gepraat, hij kon er niet omheen. Hij schepte adem, in het besef dat dit moeilijk ging worden. 'Ik wil dat je weet dat ik er nog steeds niet aan wil. Ik weet niet wat jij hebt uitgehaald om dit zo in elkaar te zetten, maar er moet een verklaring zijn. Jij en ik hebben nooit seks met elkaar gehad.'

'Niet te geloven,' lachte Sheila. 'Over ontkenning gesproken.' Haar vrolijkheid was echt en maakte haar best aantrekkelijk. De scherpte in haar ogen maakte plaats voor wat bijna sympathie leek. 'Jezus, je bent zelf arts! Als jij jouw zaad niet vrijwillig had afgestaan, hoe had ik er dan volgens jou ooit aan kunnen komen? Het vleit me dat je een soort tovenares in me schijnt te zien.'

Ze had nog gelijk ook, verdomme. Hij had de mogelijkheden een voor een de revue laten passeren, maar hoe hij het ook wendde of keerde, zijn vaderschap was onomstotelijk bewezen.

'Ik zou me kunnen voorstellen dat ik mijn zaad heb "afgestaan", zoals jij het noemt. Maar hoe? Dat is nog maar de vraag. Het is best mogelijk dat je op die kerstparty iets in mijn glas hebt gedaan.' Zodra hij het had gezegd, wist hij dat het een stommiteit was. Zo, hardop uitgesproken, klonk het als een zielige smoes.

Sheila glimlachte alleen en zei hoofdschuddend: 'Probeer je zo de bordjes te verhangen? Ik zou jóú hebben gedrogeerd en verkracht? Ik zie het al voor me, ik, zwakke vrouw, die een bewusteloze man zijn stacaravan in sleurt om...'

'Laten we dat voor dit moment even laten voor wat het is,' viel Dafydd haar in de rede. Ze praatte echter door.

'Waarom, voor de duivel, zou ik dat nodig hebben gehad? Waarom zou ik nu juist van jou... nota bene jou... een kind willen hebben?'

Ja, ook dat was een vraag waarover hij zich tot in het oneindige het hoofd over had gebroken zonder een antwoord te kunnen vinden. Ze sloeg haar benen weer over elkaar en haar rok van spijkerstof kroop iets naar boven. Hij keek onwillekeurig en zag de sproeten op haar benen die donker genoeg waren om door haar panty heen te schemeren. Hij wist nog hoe gefascineerd hij was geweest door al die afstotelijke sproeten. Haar hele lichaam was ermee overdekt. Zodra die gedachte bij hem opkwam, begon hij zich angstig af te vragen hoe hij ooit aan die wetenschap kon zijn gekomen. Vermoedelijk had hij zich eenvoudigweg haar naakte lichaam voorgesteld – haar dijen, haar billen, haar rug – en zich verbeeld dat ze overdekt waren met sproeten – maar nogmaals, waarom zou hij in godsnaam haar naakt hebben willen zien?

'Laat me eerst jou mijn kant van het verhaal vertellen, alleen om je geheugen wat op te frissen.' Ze wachtte, rekenend op een protest, maar hij was te nieuwsgierig naar het soort verhaal dat ze uit haar duim kon hebben gezogen.

'We reden die avond terug naar jouw stacaravan en ik was tamelijk tipsy. Eerst liet je je door mij aftrekken in de auto, en ik beken dat ik er min of meer mee instemde. Toen vroeg je me binnen voor een kop koffie, want je zei dat ik in mijn "toestand" niet hoorde te rijden. Ik weet nog dat je zei "voorschrift van de dokter" – niet één, maar drie keer. Je was zelf ook lang niet fris meer. Voor ik het wist lag ik spiernaakt op een bed, met een kussen onder mijn heupen, en was jij me van achteren besprongen. Je ging maar door en door, en je bent tamelijk groot geschapen, nietwaar...' zei ze, met een peinzende blik op zijn kruis.

'Ik heb je diverse keren gesmeekt op te houden, maar je was niet te stuiten. Op een gegeven moment probeerde je het zelfs anaal, maar ik weet niet hoever je daarmee bent gekomen. De volgende dag had ik helse pijn in iedere lichaamsopening. Zelfs mijn keel was rauw. En ik had barstende koppijn, erger dan ik ooit heb meegemaakt. Wat was dat voor rotzooi? Ik wist precies wat ik in mijn apotheek had, maar dié troep... Ik was me bewust van het meeste dat er gebeurde, maar had niet de kracht om me tegen jou te verzetten.'

Dafydd staarde haar aan. In het begin verwonderde hij zich bijna over haar nonchalante verhaal. Ze deed verslag van de vermeende verkrachting alsof ze een theekransje beschreef, maar toen sidderde hij onwillekeurig en het bed leek onder hem weg te zinken. Het beeld dat ze had geschetst was zo levendig en haar nuchtere verslag ervan klonk zo ijzig ongekunsteld dat iedereen die het hoorde haar beslist zou geloven.

'Grote god, mens,' kreunde hij, 'je bent je carrière misgelopen. Dat "verhaal", zoals je het noemt, klonk heel realistisch.'

'Achteraf kwam ik op het idee dat je zelf ook wel het een en ander moest hebben geslikt. Waarschijnlijk kun je je het daarom niet meer herinneren. Je uithoudingsvermogen was onvoorstelbaar. Je ging maar door en door. Ik geloof niet dat ik ooit... ooit zo vaak ben genomen.'

'En jij denkt je te herinneren dat ík dat ben geweest, gedrogeerd en wel?'

'Het krankzinnige,' vervolgde ze onverstoorbaar, 'is dat ik jou niet echt zag zitten, maar dat ik waarschijnlijk toch wel met je naar bed zou zijn gegaan, als je het me lief had gevraagd. Je was, op die wezenloze manier van je, best een lekker stuk. Maar man, je hebt het ontzettend verknald. Ik kon gewoonweg niet geloven dat je niet wilde aborteren. Wat zul je daar nu spijt van hebben.'

Ja, ze had gelijk. Hij had zich die ene keer over zijn principes heen moeten zetten, dan zou hij zich misschien nu niet in deze bizarre situatie hebben bevonden.

'Dat is ook iets wat me steeds een raadsel is gebleven,' zei hij, het over een andere boeg gooiend. 'Als jij werkelijk geen kinderen wilde, waarom heb je toen niet gewoon doorgezet door je elders te laten aborteren? Dat was beslist mogelijk.'

Dit wekte haar woede op. 'Waar haal je het lef vandaan me dat te vragen? Je hebt geen benul van wat ik heb moeten doormaken.' Ze kwam overeind uit de diepe fauteuil, maar het kostte haar enige moeite. Nu ze stond, leek ze opeens krachteloos. Ze bleef even staan, met gebalde vuisten, en liep toen naar het raam. De heldere lichten van het 'bruisende centrum' en de geluiden van auto's en mensen drongen door de geïsoleerde ramen heen, hoewel ze uit drie lagen bestonden. Ze keek omlaag naar de straat en zei, met haar rug naar hem toe: 'Waarom praten we hier verdomme over. Het gaat jou geen donder aan.'

'Oké, maar volgens mij hoopte je met die grote kerel te trouwen. Ene Randy of weet-ik-veel. Je kwam er alleen te laat achter dat hij onvruchtbaar was vanwege de syfilis.'

Ze lachte, alsof het een absurd idee was. Ze kwam terug van het raam, trok de fauteuil naar hem toe en ging op de leuning zitten, zodat ze onbehaaglijk dicht bij hem kwam. 'Nogmaals, je hebt geen benul.'

Dafydd hield aan. 'Waarom dan geen adoptie? Ik bedoel, als jij zo walgde van het idee een kind te krijgen, was dat geen mogelijkheid?'

Hij las vluchtig iets van emotie in haar gezicht; bijna alsof ze zich gekrenkt voelde. Misschien hield ze werkelijk van haar kinderen, ook al was ze wel de minst moederlijke vrouw die hij ooit had ontmoet. De meeste moeders hielden van hun kinderen, per slot van rekening.

'Ik verwaardig me niet daar antwoord op te geven,' zei ze ijzig. 'Laten we het nu maar eens over de alimentatie hebben.'

'Best.'

'Je wilt natuurlijk dat ze alles hebben wat hun ouders ze kunnen bieden, nietwaar?' zei ze, proberend wat beminnelijker te klinken. Ze fixeerde haar grote ogen op hem. 'Per slot van rekening zijn het jouw enige kinderen... onze enige kinderen.'

'Hoe kom je erbij te denken dat zij mijn enige kinderen zijn?'

'O, geloof me, ik weet heel veel van jou. Ik heb je vrouw meer dan eens gesproken. Ze is zo vriendelijk geweest me het een en ander over jou te vertellen. Net als ik haar. In feite konden we het prima met elkaar vinden.'

Dafydd verstarde. Dit was iets nieuws, iets dat nooit bij hem was opgekomen. Isabel en Sheila die informatie met elkaar uitwisselden? Misschien zat dít achter dat telefoontje van Isabel naar Leslie. Hoewel Isabel het recht had met iedereen te praten met wie ze wilde praten, voelde hij zich verraden. Ze was er vanaf het eerste begin zo verdomd zeker van geweest dat hij haar had belogen, maar zelf was ze in geen geval eerlijk tegen hem geweest. Ze had Sheila de kans gegeven haar geest te vergiftigen.

'Hoe heb je het gewaagd mijn vrouw hierbij te betrekken?' zei hij kil. Hij schoof achteruit, wilde de afstand tussen hem en deze vrouw zo groot mogelijk maken. Het liefst was hij opgestaan om nog een borrel voor zichzelf in te schenken, maar haar nabijheid belette het hem. Hij kon haar adem ruiken, warm en geurig. Haar regelmatige, kleine tanden waren stralend wit en haar keel was melkachtig blank. Hij kon zich voorstellen hoe hij zijn handen om die zachte, slanke nek zo slaan om zo hard mogelijk te knijpen. Het gaf hem de gedachte in dat hij, áls hij al seks met Sheila had gewild, haar pijn zou hebben willen doen om dat minachtende lachje om die mond weg te vagen en dat sproetige lichaam een paar blauwe plekken toe te brengen. Alleen al de gedachte liet hem schrikken. Misschien wekte zij de neiging tot gewelddadigheid bij mannen...

'Luister...' Ze moest zijn gedachten van zijn gezicht hebben gelezen want ze maakte een wegwerpgebaar, alsof ze de vijandigheid tussen hen daarmee kon opheffen. 'Laten we er geen ruzie om maken. Wat heeft dat voor zin? Het is allemaal zo helder als glas, nietwaar? Het is niet mijn bedoeling volstrekt onredelijke eisen te stellen. Het lijkt me goed dat jij de tweeling een beetje leert kennen. Zodra er afspraken zijn gemaakt over regelmatige betalingen, kun jij terug naar Wales en je leven daar voortzetten. Het enige wat ik voor de toekomst van jou verlang, is een maandelijkse cheque met een redelijk bedrag... waarbij we incalculeren dat je ons voor de jaren tot nu toe een aardig bedrag schuldig bent.' Ze glimlachte nu, alsof ze bereid was tot verzoening.

'Reken nergens op, Sheila,' zei Dafydd. 'Als ik de kinderen heb gezien, zal ik bepalen of ik akkoord ga met die DNA-test. Te oordelen naar de foto die je me hebt gestuurd, lijken ze niet in het minst op mij.'

'Doe niet zo bespottelijk,' zei ze.

Ze stond op en begon haar roestkleurige jas aan te trekken. Hij zag er duur uit, beslist niet gekocht bij The Bay.

'Ik heb een nieuwe advocaat... in Inuvik. Michael McCready, zo heet hij. Ga maar eens met hem praten. Hij verstaat zijn vak en is een aardige kerel.' Ze reikte hem het visitekaartje van de advocaat aan.

Dafydd stond op om haar naar de deur te vergezellen. 'Wanneer kan ik ze ontmoeten?'

'Wat dacht je van zaterdag? Dat geeft mij de tijd ze erop voor te bereiden. Kom bij ons lunchen.' Bij de deur draaide ze zich weer naar hem toe. 'Doe mij een lol en praat hier met niemand over. Het gaat geen mens aan waarom jij hier bent. Zeg maar tegen Tillie dat we het over een mogelijke toekomstige reünie hebben gehad. Niet dat het me zoveel kan schelen, maar het is voor ons allemaal gemakkelijk als we al dat geroddel kunnen vermijden. Denk aan je kinderen... bespaar het ze.'

We zullen zien, dacht Dafydd terwijl hij de deur achter haar dichtdeed. Ze kan mij niet beletten hier en daar mijn licht eens op te steken.

Er was al daglicht toen Tillie op de deur klopte. Dafydd was in de fauteuil ingeslapen, volledig gekleed. Toen hij wakker werd van het aanhoudende geklop, had hij geen idee waar hij was of zelfs wie hij was. De jetlag en zijn algehele uitputting waren hem uiteindelijk toch te machtig geworden, mede dankzij een halve fles Southern Comfort.

De volslagen onwerkelijkheid van waar hij zich bevond, de vele verwachtingen waarmee hij was opgezadeld, het verlies van zijn gezapige leventje, zijn op de klippen gelopen huwelijk... al die dingen sijpelden weer zijn bewustzijn binnen, als het trage straaltje zand in een zandloper, zodat de gevoelloze, lege ruimte vervuld raakte van vrees. Wankelend liep hij naar het geklop.

'Dokter Woodruff,' hoorde hij Tillies stem zeggen, 'ik ga nu de keuken aan kant brengen. Als u nog iets wilt eten, moet u snel zijn.'

Even bleef het stil. 'U bent echter gisteravond niet uit eten gegaan... Wat dacht u van een paar gebakken eieren met beboterde toast? Ik breng het wel boven.'

Dafydd opende de deur en Tillie keek hem onderzoekend aan, de wenkbrauwen zorgelijk gefronst. 'Met een lekkere kop sterke koffie erbij?' vulde ze haastig aan.

'Ah, juist. Koffie is genoeg, meer niet.' Dafydd wreef over zijn kin. De huid voelde aan als schuurpapier en zijn ogen voelden gezwollen aan, alsof hij de hele nacht had zitten grienen.

'Alles goed?' Tillie stapte naar voren en legde een tengere hand op zijn arm.

'Je bent heel vriendelijk, Tillie. Je hoeft mij niet extra te verwennen. Morgenochtend ben ik op tijd.' Hij wachtte even en gaf een klopje op haar kleine hand. 'Maar met die koffie red je mijn leven. O, en noem me alsjeblieft Dafydd.'

14

De eerste paar dagen zocht Dafydd met niemand contact; hij wilde eerst aan de situatie wennen. Hij deed zijn best om kalm en rationeel te blijven door zich voor te houden dat er nog niets rampzaligs was gebeurd. Hij leefde en was gezond, net als Isabel, en het woord 'scheiden' was nog niet gevallen. Ook had hij nog een baan om naar terug te gaan, al stond het vooruitzicht hem tegen. Als er niet aan te ontkomen viel, was hij nog jong en fit genoeg om deze kinderen nog jarenlang te kunnen onderhouden, althans, financieel. Dit soort dingen overkwam zoveel mannen. Zijn problemen waren vrij onbeduidend, vergeleken met die van sommige anderen.

Hij wandelde veel, maar buiten Moose Creek, over de vele met gravel verharde wegen die inmiddels waren aangelegd met het oog op toekomstige uitbreidingen. Er waren veel bomen gekapt, op grote, vierkante percelen grond die bouwrijp werden gemaakt voor nieuwe huizen. Hij kon niet echt begrijpen waarom iemand in zoveel isolement zou willen leven, totdat hij zich voorstelde dat deze percelen straks zouden zijn veranderd in een aardige woonwijk, compleet met straatlantaarns en de geluiden van gazonmaaiers, sneeuwscooters en lachende kinderen. Dit maagdelijke gebied lag voor het grijpen. Als je het in dit perspectief zag, was alles mogelijk, althans, met de juiste instelling, genoeg volharding en goeie gereedschappen. Sommige mensen zouden alles overhebben voor deze vrijheid – weg van het jachten en jagen in de grote steden, met al die ongerepte natuur voor de deur.

Hij probeerde de verschillende nieuwe kroegen. Als vreemdeling kon hij zich terugtrekken in een rustig hoekje om over de dingen na te denken en tegelijkertijd te kijken en te luisteren. De 'inheemsen' hier werden door iedereen over één kam geschoren, al kwamen ze uit de meest uiteenlopende landstreken, verschilden hun genen en spraken ze verschillende talen. De ouderen spraken Inuktitut en Slavey, maar er waren ook enkele buitenlanders – Duitsers, Italianen, Amerikanen – en Franstalige Canadezen plus allerlei mensen uit het zuiden. Zij spraken allemaal min of meer Engels. Moose Creek was een uniek oord, een smeltkroes van marginalen in de samenleving. Hij glimlachte toen het beeld van een buitenaardse bar uit *Star Wars* voor zijn geestesoog opdoemde. Ook hij was verdreven naar de buitenste periferie van zijn normale, kleine en veilige universum, verbannen naar een buitenpost, beschuldigd van een misdrijf dat hij niet had gepleegd. Hij had geen flauw idee hoelang hij hier zou moeten blijven, welke vorm zijn onderzoekingen zouden aannemen en hoe hij zijn plaatsje hier moest innemen. Alles kwam hem vreemd voor, ook al had hij hier gewoond en gewerkt en het gevoel van ballingschap eerder had ervaren.

Donderdagmiddag, het liep al tegen de avond, zat hij in The Golden Nugget een ijskoude Labatts Blue te drinken toen hij werd benaderd door een man – een inheemse man van middelbare leeftijd die veel te dik was en zuur voor zich uitkeek.

'*Howdy,*' zei de man, terwijl hij zijn vechtpet even oplichtte. 'Je zult me wel niet meer kennen.'

'Nee,' erkende Dafydd. 'Eerlijk gezegd niet.'

'Je was nogal dik met mijn opa, destijds. Je sleepte hem eens mee naar het ziekenhuis en ik weet zeker dat je hem daarmee het leven hebt gered.'

Dafydds gezicht verhelderde. 'Ah, de kleinzoon van Sleeping Bear!' Hij stak zijn hand uit, die aarzelend door de ander werd geschud.

'Mag ik vragen...'

'Hij is vijf jaar geleden gestorven. Hij was net negenennegentig.'

'Goeie genade, negenennegentig! Waarom ga je niet even zitten? Een biertje?'

'Nee, geen bier.' De man ging evengoed zitten. 'Opa kon aardig met drank overweg, maar ik zeg je dat alcohol ons volk, de Dene's, geen goed doet.'

'Dat geldt voor alle volken,' stemde Dafydd in. 'Drank is het lievelingsvergif van de hele wereld.'

'Voor ons is het in meer dan een opzicht vergif. Wij kunnen er niet mee uit de voeten... het zit niet in onze genen. Hoe is het anders mogelijk dat de witte man ons al onze rechten en ons land heeft ontstolen?'

Deze onverholen vijandigheid jegens Dafydds voorvaderen bracht hem enigszins in verlegenheid, hoewel hij wel met de man mee kon voelen. Inderdaad had de blanke overal geroofd en geplunderd.

'Vertel me over Bear,' zei hij. 'Ik wist dat hij niet meer in leven kon zijn, maar… negenennegentig. Dat is verdomd oud.'

'Zeg dat wel,' beaamde de kleinzoon met tegenzin. 'Hij was wat je noemt een "ouwe taaie". Hij is 's nachts in zijn slaap overleden. De honden lieten niemand bij hem komen. Ik heb die krengen overhoop moeten schieten, anders hadden we hem nooit in de grond kunnen stoppen.'

'Hij is dus tot het einde toe in zijn blokhut blijven wonen, zoals hij altijd zei?'

'Yep.'

'Wel heb ik ooit.'

Er viel een stilte. Bears kleinzoon leek niet op zijn gemak. Dafydd vroeg zich af waarom hij überhaupt de moeite had genomen hem te benaderen. De man had zich niet vriendelijk gedragen, of door ook maar iets laten blijken dat hij waardering had voor de zorg die hij zijn grootvader had verleend.

'Ik wilde alleen zeggen…' begon de corpulente kleinzoon. Hij keek om zich heen en maakte aanstalten om overeind te komen, 'dat die ouwe jouw brieven heeft gekregen. Hij koesterde ze als een schat. Hij heeft me gevraagd je over iets te schrijven en bleef erover doorzeuren, maar ik ben er nooit aan toegekomen. Zijn ogen waren niet best meer, en hij was nooit zo happig op schrijven. Ik geloof niet dat hij het ooit goed had geleerd.'

Hij zweeg even, en Dafydd vroeg zich af wat hij hem duidelijk wilde maken.

'Enig idee waarover het ging?'

'Ik weet het niet. Ik heb me altijd een beetje schuldig gevoeld over het feit dat ik nooit de moeite heb genomen. Daarom zeg ik het je nu.'

Hij scheen van mening te zijn dat hij hiermee zijn verzuim goed had gemaakt en dat er een last van hem af was gevallen. Hij stond op en nam lomp afscheid.

'Hoe heet je ook alweer?' riep Dafydd hem na. 'Ik ben je naam vergeten.'

'Joseph,' riep hij terug, zonder zich nog om te draaien.

Dafydd zag de man de kroeg uit waggelen zonder op of om te kijken. Zijn houding sprak boekdelen. Er waren heel wat militante indianen, zoals hij die ochtend in *The Moose Creek News* had gelezen. Ze voerden campagne voor een soort drooglegging. De resterende negentig procent van het stadje vond het een geweldige grap. Geen schijn van kans. Plotseling ervoer hij sterke sympathie met de norse man. Hij moest met lede ogen toezien hoe heel zijn cultuur geleidelijk werd vernietigd door het gestage oprukken van het witte gevaar. Dat gold ook voor de genetische neiging tot zelfdestructief gedrag, die zijn mede-indianen, mannen én vrouwen, er vaak toe bracht zichzelf lam te zuipen. Nu gebruikten ze ook al drugs. Als ze niet aan hasj of cocaïne konden komen, snoven de jongeren – als ze zich niet onledig hielden met televisiekijken en computerspelletjes – lijm of benzine, waar altijd wel aan te komen was. En dat hoewel ze omringd waren door een uitgestrekt en schitterend land vol ongetelde rijkdommen, waarvoor ze alle respect hadden verloren, net als de kennis om er gebruik van te maken.

Terwijl hij door de koude straten, verlicht door straatlantaarns die een zachtgeel licht verspreidden, naar The Happy Prospector terugwandelde, dwaalden zijn gedachten af naar Sleeping Bear. Arwyn… Jones, of was het Jenkins? De oude deugniet had dus wel degelijk geprobeerd hem te schrijven. Dafydd was blij met deze veel te late boodschap. Zijn brieven hadden de oude man bereikt en hij had er genoegen aan beleefd. Hij dacht aan hun tocht naar het hoge noorden. De reis die Bear 'mijn laatste pelgrimage' had genoemd en ook voor Dafydd het karakter van een soort bedevaart had gekregen. Hoewel die ervaring veel voor hem had betekend, had hij er altijd een triest gevoel aan overgehouden. Hij had een paar brieven geschreven en herschreven aan de vrouw met de koolzwarte ogen en het haar als een paardenstaart, maar nooit antwoord gekregen. Hij kon wel begrijpen waarom. Het leven ging door en op een herinnering of een illusie kon niemand in dit barre klimaat overleven. Het zou haar hebben gesloopt. Het was háár land en háár leven – daar wilde ze zijn. Desondanks had, toen hij haar had moeten verlaten, dat afschuwelijke verdriet hem van streek gemaakt. Hij had geprobeerd zichzelf wijs te maken dat het gewoon een verliefdheid was geweest, oppervlakkig en kort, maar hij was maanden en nog eens maanden naar haar blijven verlangen. Geleidelijk was de pijn vervaagd en was zij getransformeerd tot een fantasie, iemand die hij in zijn verbeelding had geschapen. Hun hartstochtelijke samenzijn was uiteindelijk niet meer dan de stof waarvan onmogelijke dromen zijn gemaakt.

Terug bij The Happy Prospector keek hij op naar het uithangbord, schudde zijn hoofd en begon hardop te lachen.

'Dat ben ik helemaal niet, weet je,' zei hij tegen Tillie, die opendeed en kennelijk op hem had gewacht. Ze staarde hem verbijsterd aan. 'Maar je logement is geweldig – een veilige haven voor een verloren ziel,' liet hij er haastig op volgen.

'Ik heb het bed voor je opgemaakt, Dafydd,' zei de tengere vrouw met haar gebruikelijke gedienstigheid. 'Kan ik nog iets anders voor je doen? Heb je al gegeten?'

'Ik heb niets nodig, Tillie, maar evengoed bedankt. Tot morgen,' zei hij. De gedachte die bij hem opkwam, maakte dat hij zich naar haar omdraaide toen ze hem nastaarde terwijl hij de trap op liep.

'Ik vroeg me opeens af... wat is er geworden van je vroegere collega – Brenda? Jullie waren goeie vrienden, nietwaar? Woont ze hier nog?'

Tillies leven gezicht betrok. 'Ja... ze was ook op jou gesteld,' zei ze, met enige verbittering in haar stem. 'Nee, ze is zwanger geworden, tegen de tijd dat jij wegging, en besloot om naar een beschaafdere omgeving te verkassen. Ze woont nu bij haar zus in New Mexico en is daar getrouwd met iemand die in de aardolie-industrie zit. Hij schijnt er warmpjes bij te zitten en te oordelen naar wat ze me erover vertelt, schijnt ze heel gelukkig te zijn. Drie kinderen, met inbegrip van het kind dat ze al had. Ze heeft altijd een gezin willen hebben, *echt*, al zou je het soms niet hebben gezegd, gelet op dat wilde leven dat ze leidde, maar ze is inmiddels een respectabele vrouw. Sorry, Dafydd.'

'Welnee!' riep Dafydd gegeneerd. 'Ik was er alleen benieuwd naar. Ik ben een gelukkig getrouwd man.'

'O...' zei Tillie, even verlegen, maar ook duidelijk teleurgesteld.

Het ziekenhuis zag er hetzelfde uit. Er was niets aan gedaan. Zelfs geen lik verf op de saaie betonnen muren. De volgende ochtend in alle vroegte liep Dafydd naar binnen, voornamelijk omdat hij nieuwsgierig was, hoewel hij ook een bedoeling had waaraan hij, tamelijk impulsief, uitvoering wilde geven.

Hij had zich ervan overtuigd dat Hogg én Ian er allebei nog waren, maar er waren daarnaast nog drie andere artsen om de toegenomen bevolking te kunnen bedienen. Een van hen was een gepensioneerde militaire arts, chirurg dokter Lezzard, die de meest complexe operaties aankon – onder invloed van een liter whisky. Dit alles wist hij dankzij Tillie, die een rijke bron van informatie bleek te zijn.

Hij had eigenlijk gehoopt Ian in een van de kroegen aan te treffen, maar in strijd met zijn vroegere gewoonte scheen hij daar minder vaak te komen. Aan de andere kant zag Dafydd een beetje op tegen een ontmoeting met hem. Een man van zijn eigen leeftijd en inmiddels veertien jaar ouder geworden – hoe zou hij eruitzien? Wat zou hij in Ian weerspiegeld zien dat hem iets kon vertellen over zichzelf?

Een jong verpleegstertje hield hem aan in de gang en vroeg of ze hem kon helpen. Het was geen bezoektijd en hij was duidelijk in overtreding. 'Ik ben op zoek naar dokter Hogg of dokter Brannagan.'

'U bent patiënt?'

'Eh, nee. Een voormalige collega.'

'Dokter Brannagan is met ziekteverlof, momenteel. Dokter Hogg is in vergadering, maar dat zal niet lang meer duren. Misschien wilt u in de wachtkamer plaatsnemen, terwijl ik hem ga zeggen dat u er bent, dokter...?'

'Dokter Woodruff. Dafydd Woodruff.' Ze draaide zich om en wilde weglopen, maar hij riep haar na: 'Neem me niet kwalijk. Werkt Janie Kopka hier nog?' Ze draaide zich om en nam hem nieuwsgierig op.

'Reken maar. Ze is mijn moeder.' Ze bekeek hem op vrijpostige manier van top tot teen.

'Doe haar alsjeblieft de groeten van mij. Ik probeer haar later nog weleens te spreken te krijgen.'

Hij nam plaats in de oude wachtkamer, waarvan de muren een zonnig geel kleurtje hadden gekregen, maar de oude kunststofstoelen die je kon opstapelen waren niet vervangen. Terwijl hij een paar tijdschriften voor jagers en hengelaars doorbladerde, kwam Sheila binnenmarcheren.

'Wat moet jij hier?'

'Wat krijgen we nou, Sheila,' zei hij snijdend. 'Ik ben een vrij man en kan gaan en staan waar ik wil.'

Hij was er niet zeker van, maar de uitdrukking waarmee ze naar hem keek verried iets meer dan alleen maar ergernis. Ze maakte een wat angstige indruk, wat ze probeerde te camoufleren met haar autoriteit als hoofdverpleegkundige. In geen geval was ze blij hem hier te zien.

'Was je soms bang dat ik Hogg van mijn pas ontdekte vaderschap ging vertellen?'

'Waag het niet,' snauwde ze. 'Luister, het gaat niemand een barst aan. Hogg en ik zijn goeie vrienden. We kennen elkaar al heel lang, maar ik wil niet dat hij ervan weet.'

Ze verplaatste haar gewicht onbehaaglijk van de ene voet op de andere, de armen over elkaar onder haar borsten, haar karakteristieke houding. In het verpleegstersuniform zag ze er ouder uit, en wellicht nóg gezaghebbender. Ze had haar oranjerode haar strak naar achteren getrokken, in een vlecht. Desondanks was ze – op een dominante manier sexy. Hij glimlachte zacht, in het besef dat het haar waarschijnlijk niet aanstond dat hij haar op deze manier zag.

'Hoe wou je je aanwezigheid in Moose Creek eigenlijk verklaren?' hield ze aan.

'Misschien ga ik hem om een baan vragen,' zei hij, wat voldoening puttend uit deze kans om haar van haar stuk te brengen. 'Ik hoor dat Ian met ziekteverlof is. Misschien kan ik een tijdje voor hem invallen, totdat hij beter is. Wat mankeert hem eigenlijk?'

'Ik zou hém maar met rust laten als ik jou was,' zei Sheila scherp. 'Trouwens, hij is weg en komt de eerste weken niet terug.' Ze sloot haar ogen even en hij zag dat ze haar kaken op elkaar klemde van nijd. 'En haal het maar niet in je hoofd hier om werk te komen vragen. Ik zou me er uit alle macht tegen verzetten. Trouwens, het zou illegaal zijn. En ik zou niet aarzelen om contact op te nemen met Immigratie, als…'

Hij trok zijn wenkbrauwen op, om aan te geven dat Hogg eraan kwam.

'Nee maar, het verleden herleeft,' grinnikte Hogg en schudde Dafydd de hand. 'Net wat we nodig hebben, is het niet, Sheila? Je zou niet geloven hoe goed we jou nu kunnen gebruiken… Vakantie?'

Dafydd keek opzij naar Sheila. 'Ja. Even een kijkje nemen, voor de gein.'

'Geweldig, geweldig.' Hij leek geen spat veranderd, hoewel hij al tegen de zestig moest lopen. Hij had een dichte haardos die niet eens grijs begon te worden… of misschien liet hij het verven. De manier waarop hij naar Sheila keek, maakte meteen duidelijk dat hij nog altijd smoor was op zijn hoofdzuster. Nadat ze een paar minuten over Moose Creek hadden gekletst, stond Hogg te trappelen om weg te gaan. Hij had aan rusteloze energie nog niets ingeboet.

'Luister, oude vriend. Ga mee naar de cafetaria en eet een hapje met ons mee. We willen allemaal graag horen hoe onze jonge rekruten omhoog zijn gekomen in de wereld.' Hij hield in en keek op naar Dafydd. 'Je zit nog altijd in de geneeskunde, mag ik aannemen?'

'Ik ben chirurg in Cardiff.'

'Goed gedaan, goed gedaan,' zei hij met enige respect. 'Prima stad, best om uit te houden, Cardiff. Ik heb een co-assistentschap in het Heath gedaan. Wie had dat kunnen denken?'

Voordat Hogg de gelegenheid kreeg om weg te stuiven, greep Dafydd de kans om hem de vraag te stellen waarvoor hij was gekomen.

'Hogg... Andrew, ik vraag dit alleen uit nieuwsgierigheid, maar kun jij je nog herinneren dat jij een van je stacaravans had verhuurd aan ene Ted O'Reilly? Misschien dat jij weet waar hij uit kan hangen. Ik weet dat het een schot in het dui...'

'O'Reilly? Natuurlijk weet ik waar hij is. Hij is hier.'

'Ah! Waar precies?'

'Hier, in het ziekenhuis. Ik behandel hem persoonlijk. We hebben hem een voet moeten afzetten, vanwege zijn diabetes... Ik had hem voorspeld dat dit zou gebeuren als hij zichzelf niet goed verzorgde.'

'Waarom wil je hém spreken?' vroeg Sheila op haar hoede. 'Was je bevriend met hem?'

'Ja. Op welke afdeling ligt hij?'

'Als hij je geld schuldig is, of zoiets, zou ik het maar op mijn buik schrijven,' snierde ze, met een blik op Hogg.

'Ik wil hem even gedag zeggen,' drong Dafydd aan.

'Je kunt nu niet naar hem toe. Het is geen bezoekuur,' zei Sheila. Hogg keek vol bewondering naar haar. 'Je ziet wie hier de orde bewaart, in dit ziekenhuis,' zei hij tegen Dafydd, terwijl hij zijn schouders hoog ophaalde en zijn mollige handen ten hemel hief. 'Wat had ik al die jaren zonder haar moeten beginnen?'

Hij excuseerde zich en marcheerde op die energieke, doelbewuste manier van hem weg.

'Inderdaad, geen spat veranderd,' zei Dafydd tegen Sheila, die nog steeds met over elkaar geslagen armen tegenover hem stond, lettend op wat hij verder van plan mocht zijn. 'Hij ziet er altijd uit alsof hij alles in de hand heeft, maar het is een en al show, nietwaar? Kunnen jullie het nog een beetje... redden, samen?'

'Luister,' zei Sheila, terwijl ze een stap naar hem toe zette. 'Blijf weg van mijn werk. Jij hebt hier niks te zoeken. Dat bezoek aan de cafetaria zou ik maar laten zitten. Ik waarschuw je...' De dreiging in haar stem was onmiskenbaar. Dafydd werd er nieuwsgierig door; ze had geen enkele reden om zich iets aan te trekken van zijn gaan of staan. Vroeger had het haar geen steek geïnteresseerd wat de mensen van haar dachten. Ze moest hebben geweten, erop hebben gerekend, dat hij, nadat hij categorisch te horen had gekregen dat hij de vader van haar kinderen was, hierheen zou komen. Nu lag het er echter dik bovenop dat ze allesbehalve gerust was op zijn aanwezigheid, hier in Moose Creek.

'Ik zie je zaterdag, maar niet eerder,' zei ze. Ze draaide zich om en liet hem staan.

Een halfuur later belde Dafydd vanuit The Happy Prospector naar het ziekenhuis en vroeg naar Janie. Ze was opgetogen toen ze zijn stem hoorde. 'Patricia vertelde me dat er een geweldig stuk van een dokter was die naar *mij* had gevraagd. Ze was de naam vergeten, of deed alsóf. Ik kon maar niet bedenken wie het kon zijn!'

Dafydd moest lachen. 'Kan dit stuk van een dokter je vragen eens iets met hem te gaan drinken, of loopt hij dan groot gevaar van de kant van een andere mannelijke persoon?'

'Mooi niet. Eddie zou allang blij zijn dat hij een avondje van mij af is, zodat hij zijn golfswings voor de televisie kan oefenen. Komt vrijdagavond uit? Zullen we zeggen, The Chipped Rock Cafe, om acht uur? We zullen daar op zijn minst twintig jaar ouder zijn dan alle anderen, maar wat kan ons dat schelen?'

'Geweldig.' Hij schreef het op een velletje papier. 'Janie, heb je toevallig een telefoonnummer waar ik Ian kan bereiken? Volgens Sheila is hij niet in Moose Creek, momenteel. Klopt dat?'

Janie zweeg secondelang. 'Hij is in zijn blokhut. Ik ben er vorige week nog wezen kijken. Hij is er slecht aan toe, Dafydd. Het zal een schok voor je zijn hem te zien.' Ze gaf hem Ians nummer.

'Nog één vraagje...' zei Dafydd.

'Brand maar los.'

'Wanneer kan ik een bepaalde patiënt van jou bezoeken?'

'Hoi, Ted. Ik denk niet dat je nog weet wie ik ben,' zei Dafydd tegen de verschrompelde man die in een gestreepte pyjama op het bed lag. Het enige wat hij van hem herkende, was de draderige druipsnor, de lange bakkebaarden en het lange, vettige haar, dat nu praktisch wit was.

'Als je me nou belazert...' zei O'Reilly, toen hij zijn ogen open had. 'Ik heb je toen al gezegd dat mijn been slecht was, maar je wilde me niet geloven.' Zijn mond was een rond gat, zonder lippen of tanden die een inkijk in de zwarte grot vanbinnen konden verhinderen.

Dafydd keek naar het knokige, blauwachtige been dat in een stomp met een vers litteken eindigde. 'O, daar heb ik me dan op verkeken... maar met jouw geheugen is niks mis, merk ik.'

'Och, miss Hailey is hier zo-even nog geweest om me aan je te herinneren. Let wel, de dokters komen en gaan in dit dorp even gemakkelijk als politici in een hoerenkast. Ik hou ze niet allemaal bij, uiteraard, maar jij bent in mijn geheugen blijven hangen.' Hij gaf hem een wellustige knipoog, terwijl zijn geteisterde gezicht van oor tot oor openspleet.

Sheila, het kreng, was hem dus voor geweest bij O'Reilly, maar had ze geweten waaróm hij hem wilde spreken? Dat was onmogelijk. Dafydd keek om zich heen en zag dat de twee andere mannen in de kleine ziekenzaal O'Reilly's bezoeker nieuwsgierig opnamen.

'Luister,' zei Dafydd, zich vooroverbuigend. 'Ik laat je zo dadelijk met rust. Ik wilde je alleen een vraag stellen. Ik reken op je goeie geheugen,' zei hij, in de hoop dat vleierij het herinneringsvermogen van de man zou bevorderen. 'Ik weet dat het verdomd lang geleden is, maar herinner jij je die avond waarop ik miss Hailey me laat op de avond thuisbracht, naar de stacaravan? We waren naar een kerstfuif geweest... Jij stond achter je raam en zag ons met elkaar rommelen...'

'Vanwaar al die belangstelling voor vroeger?' O'Reilly lachte schril en luid. 'Miss Hailey is me hetzelfde komen vragen. Ze zegt dat ze liever zou vergeten dat het ooit gebeurd was en verbood me streng erover te kletsen. Het spijt me, makker.'

Dafydd liet zich achterover zakken in zijn stoel, ziedend van woede en frustratie, in het besef hoe zinloos deze poging was. Het was bijna veertien jaar geleden en hij was er vrijwel zeker van dat O'Reilly het zich niet meer zou herinneren, met zijn door drank verschrompelde hersenen, maar voor dit moment was hij zijn enige punt van houvast. 'Ik heb altijd gedacht dat jij er de man niet naar was je door een vrouw te laten koeioneren.'

O'Reilly haalde zijn schouders op.

Dafydd boog zich weer naar voren en keek hem indringend aan. 'Hoeveel heeft ze je geboden om je mond te houden? Ik geef je meer.'

Het was een verkeerde zet. Plotseling werd O'Reilly een toonbeeld van vijandigheid. Hij keek opzij naar zijn kamergenoten. 'Waar heb je het verdomme over? Luister... ze heeft me gevraagd of ik haar naar je stacaravan had zien gaan. En ja, verdomd, dat heb ik. Moet je je daar nou nog druk over maken? Alle dokters die er hebben gewoond deden dat ook.'

Dafydd staarde hem aan. 'Met Shei– eh... met miss Hailey?'

'Heb je me dat horen zeggen?' Hij staarde hem kil aan. 'Dat is nou juist de reden dat ik me die avond nog herinner. Ik stond versteld haar daar te zien. Ik had verdomme altijd gedacht dat ze veel te chic was voor die uitgewoonde, van vlooien vergeven matras in dat rattennest van een stacaravan waar jij in woonde. Kijk toch eens goed naar haar, kloothommel.'

Dafydd greep zijn arm beet. 'Wat jij die avond hebt gezien, was inderdaad niets om je druk over te maken, daar heb je gelijk in. Maar het gebeurde in de auto, nietwaar? Denk er even aan terug en wees eerlijk, man. *Ze is nooit in de stacaravan geweest*, nietwaar?'

O'Reilly rukte zich los uit Dafydds greep. 'Dat is ze wel! Ik heb jullie samen naar binnen zien gaan, zo duidelijk als bij klaarlichte dag, de armen om elkaar heen alsof jullie niet konden wachten elkaar de kleren van het lijf te rukken.' Slechtgehumeurd snauwde hij. 'Wat is dit eigenlijk voor gezeik? Waarom gaan jullie niet gewoon samen terug om de zaak te reconstrueren? Denk maar aan de lol die jullie hebben gehad.' Hij lachte onaangenaam. 'Laat mij erbuiten. Ik heb mijn eigen ellende, voor het geval je dat mocht zijn ontgaan.'

Dafydd overwoog hoeveel geld ermee gemoeid zou zijn, maar hij wist intuïtief dat hij geen steek verder zou komen. De combinatie van Sheila's overredingskracht en geld (en misschien ook pillen?) zou Ted O'Reilly tot het inzicht hebben gebracht dat zij het beste paard was om op te wedden, voor zijn toekomst.

'Het gaat om een belangrijke zaak, O'Reilly. Het zit er dik in dat je voor de rechtbank moet komen getuigen,' probeerde hij, maar dreigen met de wet maakte niet de minste indruk op dit ouwe wrak. En zelfs als het zover kwam, zou O'Reilly zich een geroutineerde leugenaar tonen, en dat was verontrustend genoeg.

'Kom me niet meer lastigvallen, hoor je?' riep de man Dafydd na toen hij met grote passen de ziekenkamer verliet.

In plaats van hem te bellen, besloot Dafydd regelrecht naar Ians blokhut te gaan. Hij had zo'n idee dat Ian zou proberen hem over te halen niet te komen, maar hij was vastbesloten te gaan zien hoe zijn oude vriend het maakte. Er hing een waas van geheimzinnigheid rond zijn gezondheid. Niemand wilde er iets over kwijt. Dafydd nam een taxi naar de blokhut en vroeg de chauffeur hem over een uur te komen halen.

De blokhut verkeerde in deplorabele staat. De veranda was vrijwel weggerot en aan het dak ontbraken dakspanen. Toen hij de gammele trap opliep, hoorde hij dreigend gegrom. Het grommen werd erger toen hij aanklopte. Na een ogenblik verscheen Ian in de deuropening. Het eerste wat Dafydd aan hem opviel, waren de ogen. Het deel van de oogbollen dat ooit wit was geweest, was nu vaalgeel, omlijst door een rozerode rand. De huid rond de ogen was gerimpeld en slap, vanwege de klonterige vetdeposito's die zich plegen af te zetten bij iemand wiens cholesterolspiegel al veel te lang veel te hoog is geweest. De rest van Ians gezicht was broodmager, en het lange blonde haar leek veranderd in dor hooi. Hij zag eruit als iemand die jaren in een donkere grot heeft gebivakkeerd. De lucht die om hem heen hing, was zelfs uitgesproken muf. Ze staarden elkaar aan.

'Wel godverdomme... JIJ!'

'Ik, ja,' zei Dafydd, zijn hand uitstekend. Ian nam hem slapjes aan, maar bleef hem even vasthouden. 'Kom binnen, in jezusnaam.' Het grommen hield abrupt op en een oude hond werkte zich overeind, worstelend met zijn door artritis aangetaste achterpoten.

'Thorn? Of een van zijn spruiten?'

'Het verbaast me dat je dat moet vragen... hij heeft de pest aan vreemden.' De magere staart kwispelde verwoed terwijl de hond Dafydds hand likte. Hij kreeg een brok in zijn keel en streelde de benige kop. 'Ik mag barsten als het niet waar is – hij herkent me!'

'Nou, zijn baas herkent je toch ook?' lachte Ian en sloeg hem op de schouder. 'Kom binnen en neem een borrel.'

Het interieur was totaal vervuild. De man die hier woonde, had alles opgegeven. Ian schonk scotch in twee glazen en gaf een ervan aan Dafydd. Ze namen plaats aan de keukentafel, overdekt met half opgegeten maaltijden op vettige papieren borden en lege blikken waar hondenvoer in had gezeten. Ian veegde de hele zwik in een plastic zak en gooide die in een hoek. Thorn strompelde erheen en begon er met zijn voorpoot volhardend aan te krabben.

'Heeft-ie honger?' vroeg Dafydd onwillekeurig.

Ian stak een sigaret op en monsterde hem door de slierten rook die langs zijn gezicht omhoogkringelden.

'Wat doe jij verdomme hier?' vroeg hij, met grote nadruk op elk woord. Hij was zo mager als een lat, behalve zijn buik die vreemd uitbolde, als een ballon die op het punt stond uit de holte van zijn vermagerde torso te springen.

'Jij hebt er dus geen idee van?'

Ian zweeg een ogenblik. Hij staarde naar hem, maar zijn gezicht verried niets. Even keek hij schichtig opzij, misschien omdat hij werd afgeleid of omdat hij perplex stond. Toen zei hij grijnzend: 'Ah, je bent natuurlijk hier om mijn baan in te pikken... eindelijk. Je wacht alleen nog op het juiste moment om toe te slaan.'

Dafydd moest lachen. 'Feitelijk opperde Hogg zoiets, ja.'

'Nee, eerlijk. Wát kom je doen?'

Dafydd had nog niet echt besloten hem opening van zaken te geven, maar er moest toch íémand zijn die de ware reden van zijn aanwezigheid diende te weten – en het leed geen twijfel dat Ian daar de aangewezen persoon voor was. Hij was iemand die Sheila kende; hij kende haar zelfs door en door.

'Ik zal het je zeggen, als jij me vertelt wat er verdomme met jou gaande is. Je ziet er zo ziek uit als een hond en je hebt ziekteverlof.'

'Niks bijzonders. Ik zuip te veel... en af en toe speelt mijn lever op. Voorlopig ben ik met vakantie, het maakt niet uit wat wie er ook over beweert. Ik had recht op drie weken.'

'Is dit dan wel verstandig?' zei Dafydd, gebarend naar het glas, maar meteen speet het hem. Het ging hem geen donder aan, en terecht deed Ian alsof hij de vraag niet had gehoord. Thorn had kans gezien de plastic zak open te rijten en verspreidde de inhoud over de vloer, happend naar de maaltijdresten.

'Heb je hier ergens een blik hondenvoer?' vroeg Dafydd, want dit was iets waarmee hij zich kón bemoeien.

Ian stond op en doorzocht een keukenkastje. 'Eerlijk gezegd niet,' zei hij, duidelijk geïrriteerd. 'Ik zit een beetje krap in mijn voorraden.'

'Een voorstel. Ik zie dat je niet al te lekker bent. Zal ik morgen wat boodschappen voor je doen? Zeg me maar wat je nodig hebt. Ik heb tijd zat.'

'Bedankt, maat. Ik ben je zeer erkentelijk.' Ian liet zich zwaar terugvallen op de keukenstoel en leek uitgeput van de inspanning. 'Tegenwoordig laat ik me daar nog nauwelijks zien. Ik kan niet aanzien hoe de boel naar de kloten gaat.'

'Gaat het dan naar de kloten, volgens jou?'

'Heb je al die klootzakken niet gezien? Ik ben hierheen gegaan omdat ik ervan weg wilde. Nu bén ik er weg en komt er een eindeloze stroom onbenullen hierheen.' Hij zwaaide met zijn arm. 'Heb je ze niet gezien, in de kroegen? Of erger nog, heb je de kroegen gezien?'

'Ja...' Dafydd liet de whisky in zijn glas wervelen. Thorn kwam naar hem toe en legde zijn kop op zijn dijbeen. Met ogen die vervuld waren van trieste wijsheid keek de hond naar hem op.

'Nou, laat horen,' drong Ian aan. 'Waarvoor ben jij verdomme in Moose Creek? Dit is niet bepaald een vakantieoord.'

'Hoe dat zo? Ik heb zat toeristen gezien. Overal.'

'Niet jouw types.'

'Goed dan, hier komt het. Sheila beweert dat ik de vader van haar tweeling zou zijn.' Hij wachtte om het nieuws te laten bezinken. 'In het begin dacht ik nog dat ze het bedoelde als een practical joke, en daarna dacht ik dat ze gek was geworden. Omdat ze me niet met rust wilde laten, hebben we een DNA-test laten doen. Volgens de uitslag heeft ze gelijk, en tegen een DNA-test kun je weinig beginnen, is het niet?'

'Krijg nou wat.' Ian floot nadenkend en staarde hoofdschuddend naar Dafydd, met stomheid geslagen. Toen gooide hij zijn hoofd in zijn nek en schaterde het uit, waarmee hij een schim van zijn vroegere charisma liet herleven. 'Als ik het niet dacht! Ik wist wel dat je op haar geilde, al deed je nog zo je best het te ontkennen... Nou ja, je bent met Sheila de koffer ingedoken.' Hij lachte opnieuw, maar plotseling werd hij ernstig. 'Wat wil ze?'

'Het gebruikelijke. Poen.'

'Jezus.' Ian haalde zijn vingers door zijn sluike haar. 'Wat ga je met de kinderen doen?'

'Ik weet het niet.' Wat had het voor zin Ian te zeggen dat hij ervan overtuigd was dat de zwangerschap het gevolg moest zijn van een listige truc? Ze was op een sluwe manier aan zijn sperma gekomen. Zo'n verhaal zou alleen maar een nieuwe uitbarsting van hilariteit uitlokken, hoewel dat op zichzelf bijna ook wel wat waard was. Het bemoedigde hem een glimp van Ians oude zinnelijke zelf terug te zien. Het verval van de man was té deprimerend. Deze aftakeling van lichaam en ziel wekte een diepe melancholie bij Dafydd. Als hij naar Ian keek, leek het leven hem zo kort en onbeduidend.

Ian excuseerde zich en verdween in de kleine badkamer. Toen er ruim tien minuten waren verstreken in een stilte die alleen verbroken werd door het amechtige ademen van de hond, juist toen Dafydd op het punt stond Ian te roepen, hoorde hij dat het luidruchtige toilet doorgetrokken werd. Ian wankelde naar buiten, zijn gezicht lijkwit.

Hij ging zitten en schonk zichzelf bij. 'Vreemd,' zei hij peinzend, 'ik heb altijd half geloofd dat het míjn kinderen waren. De mensen hier hebben er druk naar gegist. Haar toenmalige vriend heeft haar de auto uitgeknikkerd. Hij wist zeker dat hij het niet kon zijn en zij heeft altijd geweigerd opening van zaken te geven. De laatste tijd begon ik de denken dat Hogg de boosdoener moest zijn. Sinds Anita hem heeft verlaten, heeft hij achter haar aan gedrenteld als een geile reu. Hij zou álles voor ze over hebben gehad. Het scheen hem geen reet te interesseren dat de mensen over hem begonnen te roddelen. Tja, de man is altijd smoor op haar geweest.'

'Nou ja, ik wil dit stap voor stap aanpakken. Ik krijg ze morgen te zien.'

'Leuk meisje, ach... je weet wel, de normale brutale puber. Uit de jongen word ik niet goed wijs. Je krijgt weinig uit hem. Ik heb zo'n idee dat hij buitengewoon slim is. Ziet er eigenaardig uit ook, met dat ondoorgrondelijke gezicht.' Ian keek hem met eerlijk meeleven aan. 'Liever jij dan ik, man.'

'Ik heb je een paar keer geschreven, weet je. Waarom schreef je me nooit terug?' Het had hem gekrenkt dat hij in Ians ogen kennelijk als vriend niet goed genoeg was geweest om contact te blijven houden. Nu hij hem echter zag, werd het hem duidelijk dat van Ian geen enkel initiatief te verwachten was geweest. Bovendien had hij altijd van dag tot dag geleefd. Als het om mensen ging, was op hem vermoedelijk het gezegde 'Uit het oog, uit het hart' van toepassing.

De claxon van een auto ontsloeg Ian van de noodzaak antwoord op die overbodige vraag te geven. Thorn jankte alleen uit principe. Hij maakte eerder een verveelde indruk.

'Mijn taxi.'

'Hé, neem mijn auto maar. Die heb ik de eerste weken niet nodig. Op die manier kun je mij mooi blijven bevoorraden.'

'Meen je dat? Een auto zou goed van pas komen. Hij zou de twee kinderen mee kunnen nemen voor een uitje. Misschien zou hij er zelfs een paar dagen in zijn eentje op uit kunnen, de wildernis in.

Hij betaalde de taxichauffeur voor de rit en reed in Ians auto terug naar het centrum van Moose Creek, na Ian te hebben beloofd dat hij de volgende dag met levensmiddelen, drank en sigaretten terug zou komen.

15

'Dit is Miranda, en dit is Mark.' Sheila gaf de jongen een duwtje in de rug, terwijl het meisje zich bescheiden uitrekte om Dafydds wang te kussen.

De afgelopen weken was Dafydd geleidelijk gaan accepteren dat deze twee vermoedelijk zijn kinderen waren, althans in theorie, hoe onmogelijk het hem ook toescheen. Hij betwijfelde echter of hij ooit de gang van zaken die hem tot hun vader had gemaakt zou kunnen ontrafelen. Hij had feitelijk geen enkel gevoel voor ze, afgezien van medelijden en bezorgdheid, zodat hij niet had geanticipeerd op het effect dat deze ontmoeting op hem zou hebben. Nu hij ze voor het eerst in levenden lijve voor zich had, was dat een schok voor hem, iets dat hem ontroerde. Zijn hart bonsde en hij voelde zich overal heet worden. Hij voelde zijn ogen vochtig worden. Het maakte hem razend dat hij zich voor Sheila's ogen zo in de kaart liet kijken.

Miranda was een stralend tienermeisje, een tikje aan de mollige kant. Ze vertoonde de eerste tekenen van fysieke rijping, tenzij ze haar beha had opgevuld met opgerolde sokken, zoals zijn zus altijd had gedaan toen ze die leeftijd had. Hij bestudeerde haar gezicht, op zoek naar iets van herkenning, iets dat hem aan zijn eigen genen zou kunnen herinneren. Ze had zwart, krullend haar, dat wel. En ze had net zo'n volle mond als hij zelf, opkrullend aan de mondhoeken. De ogen stonden ver uiteen en waren donkerbruin, onder een breed voorhoofd. De mond deed hem een beetje denken aan zijn zus, met die enigszins scheve lach die veel tanden bloot liet. Aan de andere kant was hij er niet zeker van dat...

De jongen leek zo weinig op Miranda dat het nauwelijks te geloven was dat die twee nauw aan elkaar verwant waren. Niets aan hem kon Dafydd identificeren als eigen aan zijn familie, maar toch viel er niet aan te twijfelen dat hij in alle opzichten Sheila's zoon was. Dezelfde massa weerbarstig rood haar, dat hij lang had laten groeien en nu in een indrukwekkende paardenstaart droeg. Zijn gezicht was langwerpig en opvallend bleek. Hij was mager en tamelijk lang voor zijn leeftijd, zodat hij eerder vijftien dan dertien leek. Net als zijn moeder had hij massa's sproeten. Zijn ogen waren amandelvormig en lichtgrijs, als afwaswater – heel anders dan het schitterende marineblauw van Sheila zelf. Het waren ogen die zich nergens op focusten, en op Dafydd al helemaal niet. Hij stond onbeholpen tegenover hem en weigerde zelfs hem een hand te geven.

'Niet zo lomp, Mark,' zei Sheila. 'Je kunt op zijn minst doen alsóf je wat manieren hebt geleerd. Dokter Woodruff is je vader en hij komt van ver weg om je te leren kennen.'

'Een ogenblik, Sheila,' zei Dafydd. 'Waarom zou Mark daarvan onder de indruk moeten zijn? Híj heeft me nooit gevraagd hierheen te komen en ik kan hem niet kwalijk nemen dat het hem geen reet interesseert.'

Miranda barstte in giechelen uit en sloeg haar handen voor haar mond. Dafydd glimlachte ook en reikte haar de hand. Ze schudden elkaar vormelijk de hand en Miranda bewoog zijn hand overdreven enthousiast op en neer, langer dan nodig was. Ze probeerde de tekortkoming van haar broer te compenseren, met een verfrissende dosis humor. Daarna stak hij Mark zijn hand toe, die er zo door werd overrompeld dat hij een vluchtige seconde zijn klamme handpalm in aanraking bracht met Dafydds hand.

Voor Moose Creek-begrippen was het een groot huis, gerieflijk en met smaak ingericht. Sheila zag er overdonderend uit, in een strakke lichtgele spijkerbroek en een gele sweater. Heel even had hij een visioen van onvervalste huiselijkheid. Hijzelf, met deze aantrekkelijke vrouw en hun twee knappe kinderen in dit stijlvolle eigentijdse huis. Het ideale decor en voor een reclamefilmpje dat het stereotiepe en kerngezonde, gelukkige gezinnetje vereiste.

Ze liepen de woonkamer in, maar Miranda greep zijn hand beet. 'Kom mee naar mijn kamer. Ik wil u al mijn spullen laten zien.' Hij liet zich meetronen, dankbaar voor de nuchtere normaliteit die het meisje uitstraalde. Ze besteedden ruim twintig minuten aan het bekijken van haar posters, kinderspeelgoed en cd-collectie en de fotoboeken van de tweeling in hun kinderjaren. Ze vroeg hem of hij wat foto's wilde hebben, en hij liet zich een paar kiekjes opdringen. Hij borg ze op in zijn portefeuille. Sheila riep hen naar beneden, voor de lunch.

Ze had rosbief gebraden. 'Is dit niet wat jullie Engelsen meestal eten?' vroeg ze met een sneer, toen ze aan de grote tafel zaten.

'Sommigen wel. Zelf eet ik weinig vlees, met het oog op de gekke-koeienziekte en die uitbarsting van mond-en-klauwzeer...'

Miranda verborg haar gezicht achter haar handen en giechelde onbedaarlijk. 'Mond-en-klauwzeer? Gekke koeien?'

'Eh, ja. Dat is alweer wat jaartjes geleden... maar het zijn ziekten bij vee die – '

Plotseling deed de jongen zijn mond open. 'Ik ben vegetariër. Het idee om het smerige vlees van dooie dieren te eten... ik moet er niet aan denken. Dat enge vocht uit koeienuiers drink ik evenmin, en van de bijproducten wil ik ook niets weten.'

'O, jezus,' kreunde Sheila, 'niet nu.'

'Hoe kom je dan aan je eiwitten?' vroeg Dafydd, die met moeite een grijns onderdrukte.

'Bonen, tofoe, noten en zaden,' zei de jongen, terwijl hij voor alle anderen zijn bord begon vol te scheppen met aardappelen en groente. 'Voornamelijk boterhammen met pindakaas. Brood en noten vormen samen volwaardige proteïnen.'

'Ik dacht dat pinda's groente waren, geen noten,' zei Dafydd.

Voor het eerst gunde jongen hem een blik. 'Da's waar, maar toch gaan ze uitstekend samen.'

Dafydd keek nog eens naar de norse tiener. Hij scheen inderdaad verontrustend intelligent te zijn. Zijn uiterlijk was werkelijk vreemd – sinister en broos tegelijk, met dat smalle gezicht, die lijkbleke kleur en die kille ogen. Aan de andere kant had het joch iets buitengewoon kwetsbaars, in dit huis met twee overassertieve vrouwen. Dafydd had nog niets bespeurd van enige interactie tussen broer en zus en hij vroeg zich af wat voor relatie ze met elkaar hadden. Ze hadden niet sterker van elkaar kunnen verschillen, zowel qua uiterlijk als wat hun persoonlijkheden betrof.

Het werd uiteindelijk een ongedwongen lunch. Miranda maakte het allemaal gemakkelijk, met haar attente vragen en aanstekelijke lach. Zelfs Sheila leek opmerkelijk joviaal; kennelijk deed ze moeite om van de ongewenste situatie het beste te maken. Een paar keer nam hij haar aandachtig op. De moeder van mijn kinderen, dacht hij. Hij liet het idee een ogenblik door zijn hoofd spelen en probeerde zijn ervaringen die hij met haar had opgedaan – de gevaarlijke, wraaklustige en sluwe mannenverslindster – opzij te zetten. Een verstandige moeder, een prima kostwinner en een goede huisvrouw. Bovendien een presentabele vrouw, een sterk en waardig rolmodel, zolang je tenminste niet al te nauwlettend keek en niet in de hoeken of kasten snuffelde.

'Wat nu?' zei hij tegen haar, toen de kinderen even de kamer uit waren.

'Laten we de financiële kant afhandelen, dan kun je terug naar huis. Kom vrijdag maar hierheen. Dan zijn de kinderen op school en heb ik mijn vrije dag.'

'Goed. Met "wat nu" bedoelde ik echter iets anders – wat tijd die ik met hén kan doorbrengen.' Zijn ogen flitsten richting keuken, waar broer en zus druk met de vaat in de weer waren en zacht met elkaar praatten. 'Ik wil ze graag alleen ontmoeten. Misschien ieder apart.'

'Waar is dat voor nodig?' zei ze. 'Het is voor hen niet goed al te dik met jou te worden, want straks verdwijn je weer uit hun leven. Ik zou trouwens niet weten wat jij ermee denkt op te schieten.'

'Nee, Sheila, dat gaat zo niet. Of ik ben hun vader, of ik ben het niet. Jij schijnt te hebben vergeten wat je mij hebt verteld, nietwaar? Jij deed dit alles toch alleen maar omdat Miranda haar vader wilde leren kennen?'

'Vooruit dan maar,' siste ze met opeengeklemde kaken, en met een schuin oog naar de keuken. 'Ik verwacht echter van je dat je discreet bent. Ik heb ze streng op het hart gebonden er met niemand over te praten, al kan Miranda nooit iets geheimhouden, al zou haar leven ervan afhangen. Probeer ergens heen te gaan waar je geen drommen mensen tegen het lijf loopt.'

Dafydd dempte zijn stem. 'Wat zit je toch dwars? Waarom is dat zo belangrijk? Ik ben als vader even acceptabel als wie ook. Volgens mij zou het voor hen beter zijn hier eerlijk voor uit te komen. Een vader hebben is in mijn ogen beter dan geen vader.'

'Dat maak ik zelf wel uit,' siste ze terug. 'Jouw mening wordt niet gevraagd.'

Ze staarden elkaar kort woedend aan, voordat de kinderen terugkwamen met een vruchtensalade en een schaal ijs. Mark keek argwanend van zijn moeder naar Dafydd en vice versa. Zijn bleke, waterige ogen leken dwars door zijn huid heen te kijken.

'Moet je nu al weg?' vroeg Miranda toen de lunch voorbij was en Sheila met Dafydds parka aan kwam lopen.

'Daar ziet het naar uit,' zei Dafydd. Miranda was een meisje dat er geen been in zou zien de confrontatie met haar moeder aan te gaan. Zonder twijfel had ze het snelle denken van haar overgenomen, en ze was assertief genoeg om haar mening niet onder stoelen of banken te steken. Dafydd betrapte zichzelf erop te hopen dat ze, als ze inderdaad zijn dochter was, ook iets van hemzelf zou hebben, zoals zijn rechtlijnige, eenvoudige karakter, bescheiden behoeften en bereidheid altijd het goede van anderen te denken.

Hij nam afscheid. De jongen met zijn raspende stem bracht een schor 'Tot kijk!' uit, maar Miranda vloog hem om de nek. Dit kind dacht werkelijk dat ze een lot uit de loterij had gewonnen, nu ze de vader had gevonden naar wie ze zo intens had verlangd. In haar ogen kon hij alleen maar volmaakt zijn. Dit was een rol die moeilijk waar te maken zou zijn.

Dafydd begon Ian iedere ochtend te bezoeken om hem kranten, levensmiddelen en whisky te brengen, het door Ian verkozen middel tot zelfdestructie. Er waren tekenen dat hij zich enigszins inspande om zijn lichaam te ontgiften, wat in zijn geval betekende dat hij van twee flessen per dag overging op één fles. Dafydd wilde hem confronteren met zijn verslaving, maar hij besloot te wachten totdat ze iets van hun vroegere vertrouwdheid hadden herwonnen. Ian had de deur tot zijn gevoelsleven hermetisch afgesloten en scheen nu helemaal geen intieme relaties meer te hebben.

Dafydd kreeg de kinderen een hele week niet te zien. Hij belde Sheila nagenoeg iedere dag om haar duidelijk te maken dat het van haar heel onredelijk was hem op afstand te houden. Ze verwierp al zijn bezwaren – hij moest maar wachten tot vrijdag en eerst eens 'met mijn advocaat praten om de alimentatie te regelen met mijn bank'. Hij deed geen van beide. Ze scheen te hopen dat ze hem, door hem weg te houden van de kinderen, op de een of andere manier kon dwingen een financiële regeling te treffen, maar die vlieger ging niet op. Hij had er niet de minste haast mee. Hoe meer ze hem aanspoorde om haast te maken, hoe meer hij zijn poot stijf hield. Hij zou wel zien wie het eerst zwichtte.

Er waren sinds zijn komst al bijna twee weken verstreken en hij had Personeelszaken in Cardiff gebeld met de mededeling dat hij graag een maand verlof wilde nemen. Hoewel ze er niet blij mee waren, ontbrak het niet aan precedenten. Andere artsen hadden zoiets ook gedaan, soms zelfs meerdere keren. Hij voerde 'een persoonlijke crisis' aan. Nou ja, was het dat wel of was het dat niet? Al voor zijn vertrek had het in het ziekenhuis gegonsd van geruchten, over zijn dronkenschap bij dat ongeluk, zijn botsing met Payne-Lawson, zijn vrouw die vreemd ging... al met al waren er verscheidene verhalen gesponnen. Hij was blij dat alles een tijdlang achter zich te laten totdat al het opgewaaide stof was neergedwarreld. Hij zou het aan Isabel overlaten een beslissing te nemen – doorgaan of scheiden.

Die vrijdag vertrok hij vroeger dan anders bij Ian om zijn afspraak met Sheila in haar huis na te komen.

Het was nu flink gaan sneeuwen en de vlokken van het formaat kwartelei daalden gestaag af uit een hemel van wit fluweel. Ze vielen in vertraagde beweging, maar dicht opeen. Over de korte afstand van de auto tot Sheila's voordeur werd hij overdekt met een laagje wit dons. Toen ze opendeed trok hij zijn parka uit en schudde die buiten de deur flink uit.

'Waarom maakte je mij wijs dat Ian niet in Moose Creek was?' vroeg hij haar onomwonden.

'Omdat ik niet wil dat jij met hem omgaat – hij deugt niet. Maar dat kon jou er niet van weerhouden, nietwaar? Ze zeggen dat je vrijwel iedere dag bij hem bent. Als je maar niet de kinderen daar naartoe meeneemt.'

'Dat was ik niet van plan. Trouwens, wat kan het jou verdommen wat ik in mijn eigen vrije tijd doe?'

'Ik ben ervan overtuigd dat het jou niet is ontgaan dat Ian een onverbeterlijk drankorgel is. De man is niet te redden... de arme zak,' voegde ze eraan toe, met een kille minachting die Dafydd huiveringen bezorgde.

'Alcoholisme is een ziekte, Sheila. Ik zou zo denken dat je dat wel zou weten, als verpleegkundige.'

'Ach, lazer toch op,' sneerde ze.

Ze stonden in de vestibule. Sheila sloeg haar armen over elkaar en leunde op haar gebruikelijke manier tegen de deurpost. 'Heb je McCready al gebeld?'

'Nee. Mijn advocaat houdt contact met hem.'

Ze staarde hem langdurig aan, zonder iets te zeggen. Ze zag er anders uit dan anders. Haar altijd onberispelijk geborstelde lokken zaten in de war en ze had geen make-up gebruikt, afgezien van een glanzende lippenstift die maakte dat haar mond er nat en glibberig uitzag. Ze droeg een tot op de draad versleten spijkerbroek met twee scheuren ter hoogte van haar dij, links, met erboven een strak T-shirt dat zo dun was dat haar beha van witte kant erdoorheen schemerde. Voor haar doen was het een merkwaardige plunje, want ze zag er bijna uit als een sloofje, maar desondanks ongelooflijk sexy. Hij vroeg zich af wat haar door het hoofd zou hebben gespeeld toen ze dit aantrok. Welke psychologische manoeuvre had ze zich voorgenomen voor vandaag? In weerwil van haar verleidelijke uiterlijk was ze, zoals hij wist, kwaad en gefrustreerd. Kennelijk aarzelde ze echter om tegen hem uit te varen, hoewel dat soort terughouding haar volkomen vreemd was. Eindelijk deed ze haar mond open.

'Wil je niet terug naar huis?' begon ze op redelijke toon. 'Ik begrijp niet waarom je dit zo lang rekt. Het lijkt me dat we het eens moeten worden, voor het bedrag dat McCready heeft geopperd. Ze bekeek hem vrijpostig van top tot teen en haar blik bleef ergens in de buurt van zijn broekriem steken.

Hij had sterk de neiging om weg te gaan. Op haar territorium had hij het gevoel in gevaar te verkeren, zo alleen met haar. Hij was niet vergeten waartoe ze in staat was. Ze was een vleesgeworden duivelin, adembenemend om te zien, en intrigerend of zelfs verlokkend, totdat ze je overgoot met verbale vitriool of erger. Hij moest echter door deze ontmoetingen met Sheila heen.

'Hier, laat me je jack even ophangen bij de radiator,' zei ze lief. Ze stak haar hand uit naar zijn parka, maar zonder van haar plaats te komen. Meteen daarna liet ze de illusie van de goede gastvrouw in rook opgaan door brutaal naar zijn kruis te staren. Dafydd voelde zijn hals op slag rood worden en vervloekte zichzelf omdat hij zich deze belachelijke situatie liet welgevallen.

'Zin in koffie... of iets anders?' vroeg ze glimlachend.

'Koffie,' zei hij met een stem die even kil was als zijn hals warm.

'Maak het je maar gemakkelijk,' zei ze, hem een duwtje gevend in de richting van de woonkamer, waar ze hem een editie van *The Moose Creek News* in handen drukte.

De woonkamer maakte een merkwaardige, steriele indruk. Nergens waren persoonlijke dingen te zien, zelfs geen dingen van de kinderen. Hij leunde achterover en probeerde zich te concentreren op een artikel over het drugsprobleem in Moose Creek en vroeg zich af of de kinderen, zíjn kinderen, er al mee te maken hadden gehad. Na enkele ogenblikken hoorde hij het slot van de voordeur klikken. Hij stond op en liep naar het raam. Instinctief deed hij een stap terug toen hij Sheila ontwaarde. Ze had een jack over haar hoofd en opende de kofferbak van Ians auto. Wat ze deed, kon hij niet zien, maar hij trok zich vlug terug en ging weer zitten, met kloppend hart. Even dacht hij aan een bom, maar die gedachte zette hij glimlachend van zich af. Waarom zou ze hem doden als ze hem jarenlang kon uitmelken? Ze zou wel gek zijn. Zou ze het alleen maar uit nieuwsgierigheid hebben gedaan? Het was vreemd.

Een minuut later kwam ze terug met twee bekers en ging zitten. Ze nam hem onderzoekend op. In het door de witte sneeuw weerkaatste licht van buiten het raam zag hij dat ze vermoeid moest zijn. De witte huid onder de ogen was ingezonken, met blauwe kringen. Misschien oefende zijn aanwezigheid hier in Moose Creek meer druk op haar uit dan hij zich had voorgesteld. Ze nam een teugje van haar koffie, voor het moment zwijgend, maar toen haalde ze diep adem en vermande zich.

'Luister,' zei ze. 'Ik wil het met je hebben over Mark. Er zijn enkele mogelijkheden. Er is in Winnipeg een bijzondere school. Die kost zo'n tweeëntwintigduizend dollar per jaar, maar het onderwijs schijnt er voortreffelijk te zijn. Als je dat te veel vindt, zijn er echter nog een paar andere mogelijkheden.'

'Bijzondere school? Waar héb je het over?' vroeg Dafydd perplex. 'Het lijkt me dat er niets mis is met zijn verstand.'

'Integendeel, maar ik ben niet van plan dat gedrag van hem nog langer te accepteren.'

'Je hebt me nooit gezegd dat hij een probleemkind zou zijn.'

'Daarom zeg ik het je nu.'

'Alle tieners zijn humeurig en lastig. Dat is normaal,' wierp Dafydd tegen. 'Weet Miranda ervan... weet ze dat je hem weg wilt sturen?'

Sheila staarde naar haar schoot, lichtelijk blozend. 'Natuurlijk niet. Waag het niet er met haar over te beginnen!'

'Ze heeft dus liever niet dat hij wordt verbannen...?'

'Nee. Maar ik kan die brutaliteit van hem niet meer velen. Hij heeft een duistere kant. Ik ben van mening dat het haar geen goed doet. Ze maakt zich te veel zorgen over hem. Ze hoort plezier te hebben met haar klasgenoten. Normale kinderen.'

'Hmm... een duistere kant? Ik vraag me af van wie hij die heeft.'

'Luister goed,' zei ze met stemverheffing. 'Ik heb het grootste deel van mijn jeugd op allerlei kostscholen doorgebracht, en die waren nog niet half zo plezierig als de school die ik voor Mark op het oog heb. Wat is daar verdomme mis mee? Jullie Engelsen sturen jullie kinderen altíjd naar een kostschool om ze te laten opvoeden. Waarschijnlijk heb je dat zelf ook ervaren.' Ze maakte een nijdige hoofdbeweging. 'Hou dus je morele geleuter maar voor je.'

'Wat zou hij op zo'n school dan volgens jou moeten leren?' vroeg Dafydd

'Voor zichzelf opkomen, om maar iets te noemen,' repliceerde ze met barse stem. 'Dat moest ik zelf óók, en ik heb er heel veel aan gehad. Je leert er om voor jezelf te zorgen.'

'Wat dat betreft, geloof ik je graag,' knikte Dafydd. 'Daar weet jij inderdaad alles van.'

Sheila zag eruit alsof ze hem wilde overladen met beledigingen, en Dafydd moest er bijna om lachen. Dit was de echte Sheila, de Sheila die hij kende. Hij zag haar ogen liever fonkelen van woede, dan dat ze maar hem lonkten.

'Luister. Je zult snel moeten komen met je beslissingen, want anders mag je straks een bom duiten aan je advocaat afdragen. Ik wil niet dat je hier nog langer rondhangt. Nergens voor nodig. Je vrouw zal graag willen dat je thuiskomt.'

'O nee, vergeet dat maar,' lachte Dafydd. 'Daar heb jij wel voor gezorgd.'

'Eerlijk gezegd kan jouw huwelijksrelatie me geen reet schelen. Het enige wat ik wil, is een regeling. Ik wil voor eind volgende week wat geld op de bank. Zoals ik al zei, tweeduizend dollar per maand is het gangbare taricf voor iemand met jouw inkomen. Dus laten we spijkers met koppen slaan, ja? Anders zal ik de nodige stappen moeten zetten.'

'Wat dacht je mij te kunnen aandoen?'

'Je met een dwangbevel om je oren slaan, om maar iets te noemen.'

Hij stond op zonder zijn koffie te hebben aangeraakt, en liep naar de vestibule om zijn parka te pakken. Sheila had echter de gave om te weten wanneer ze in moest binden, net op tijd. Ze volgde hem naar de gang en hield hem tegen door haar hand tegen zijn borst te drukken.

'Toe nou, Dafydd, het hoeft toch niet zover te komen?' zei ze op verzoenende toon. 'Denk erover na. Laten we de dingen gemakkelijk houden... terwille van hen. Jij wilt toch voor hen het beste, nietwaar? Wees alleen redelijk.'

'Het beste voor hén? Zoals weggestuurd worden naar bijzondere scholen?'

Alleen al de gedachte dat ze van plan was hém en zijn geld te gaan gebruiken om zich van haar zoon te ontdoen, maakte hem woedend. 'Ik kom ze morgenochtend om tien uur afhalen. Als je daar niet mee akkoord kunt gaan, neem ik het eerstvolgende vliegtuig naar huis en mag jij die verdomde McCready van je voortaan betalen om mij en mijn chequeboek te achtervolgen over de hele wereld.'

Hij sloeg af naar een smalle weg die naar een speelveld leidde. De dikke sneeuwlaag bedekte een reeks gemene gaten in het wegdek. Hij stopte en stapte uit. Tot aan zijn enkels waadde hij luid vloekend door de ijzige smurrie naar de kofferbak. Die zat niet op slot. Zou Sheila dat geweten hebben? Hij deed de kofferbak open, maar kon niets ontdekken, behalve een stel met schimmel overdekte sneeuwlaarzen, een lekke reserveband en een paar vette lappen. Hij tilde ze een voor een op, maar kon er niets bijzonders aan ontdekken. Toen hij echter de hoek van de drijfnatte vloerbedekking optilde, zag hij het. Geen tikkende bom, maar een pakje ter grootte van een paperback, gewikkeld in bobbeltjesfolie, bijeengehouden door cellotape. Hij betastte het. Het bevatte tal van dunne, langwerpige dingen, hard – en ze maakten een geluid als van langs elkaar schrapend glas toen hij ze bewoog. Hij vroeg zich af waarom ze dit pakje in de auto had gestopt en voor wie het zou zijn. Hij speelde met de gedachte het los te wikkelen, maar zijn aangeboren respect voor andermans eigendom maakte dat hij het geheimzinnige pakje teruglegde waar hij het had gevonden. Hij reed achteruit de verraderlijke oprit af en zette koers naar The Happy Prospector, voor een paar droge sokken en de lunch die Tillie hem zou opdringen vanwege het ontbijt dat hij had gemist.

Ze zaten gedrieën in Beanie's Wholefoods & Cafetaria, een tent die het in deze overwegend uit lompe kerels bestaande gemeenschap niet al te best leek te doen, en aten Beanie's hamburgers. Ze hadden uitzicht op straat en keken naar de voorbijgangers, allemaal gehuld in winterkleding, die over de met ijs overdekte trottoirs schuifelden. Pick-ups met gigantische banden reden stapvoets langs en voor Beanie's stonden diverse auto's die er de brui aan hadden gegeven en nu overdekt waren met sneeuw.

Ze waren de enige klanten en werden bediend door een jonge man, vermoedelijk Beanie zelf. Hij had lang haar en droeg een soort kaftan die langs zijn dunne benen ruiste en zo lang was dat hij er voortdurend over dreigde te struikelen. Miranda wendde haar gezicht af, want ze dreigde in onbedaarlijk gegiechel uit te barsten. Ze boog haar hoofd om verder te gaan met het naar binnen werken van haar hamburger, totdat ze zich iets herinnerde en haar kleine rode handtas opende. Ze diepte er een envelop uit op en gaf die aan Dafydd.

'Mams heeft me gevraagd je dit te geven. Hij is bij ons bezorgd, maar is voor jou. Van wie is hij?'

'Weet je familie thuis niet waar je logeert?' vroeg Mark scherp, een einde makend aan een stilzwijgen dat een vol uur had geduurd. Al die tijd had hij in tijdschriften over muziekinstrumenten zitten neuzen.

'Eerlijk gezegd niet, nee,' bekende Dafydd geschrokken. Iedere avond in een soort halfslaap dacht hij aan Isabel, haalde zich haar gezicht voor de geest van voor de komst van Miranda's brief, en streelde in gedachten haar lange, slanke lichaam. Het was niet bij hem opgekomen haar te laten weten waar hij was, voornamelijk omdat zij erop had gestaan dat hij weg zou gaan en haar met rust zou laten totdat hij terug was. Ze wist dat ze hem altijd per e-mail kon bereiken, of anders via zijn mobiele nummer. Waarom had ze dát niet gedaan? Dat nam niet weg dat het onvoorzichtig van hem was geweest geen contactadres of telefoonnummer voor haar achter te laten, alleen voor het geval dát... Plotseling brandde hij van verlangen iets van haar te vernemen, al waren het maar woorden op papier.

'Vinden jullie het erg onbeleefd als ik hem nu even lees?' vroeg hij de tweeling.

'Nee,' zeiden ze eenstemmig. Hij ritste de envelop open en Miranda schoof wat dichter naar hem toe, in een poging over zijn arm mee te lezen.

Dafydd,
Je bent nu al twee weken weg en ik heb taal noch teken van je vernomen. Ik had gedacht dat je wel het fatsoen zou hebben mij te laten weten wat er gaande is. Ik heb je een e-mail gestuurd, maar die is teruggekomen. Daarom stuur ik je deze brief via Sheila Haileys adres, aangezien je zelf geen adres voor me hebt achtergelaten.

Ik zit hier midden in de problemen, dat dien je te weten, aangezien er vorige week bij ons is ingebroken en ze het hele huis hebben geplunderd en vernield. Ze konden er gemakkelijk in via de serre. De schade loopt in de duizenden. De politie zegt dat het door jongeren is gedaan. Zoals je weet valt er weinig te stelen dat iets waard is, maar ze zijn met blikken rode en oranje autolak in de weer geweest en hebben er de meubelen, schilderijen, de kleren in je garderobekast en zelfs de binnenkant van de koelkast en de handdoeken mee bespoten, en zelfs jouw geliefde Russische icoon. Alleen maar voor de lol. Ik heb het icoon naar een restaurateur gebracht, maar kan je er nog niets over vertellen. Ook kan ik je gitaar niet vinden, dus als jij hem niet hebt meegenomen, vrees ik dat hij is gestolen.

Volgens de politie moet het huis door iemand worden bewoond, anders zal het opnieuw gebeuren. Er kunnen krakers komen, of allerlei andere gruwelen. Eerlijk gezegd is het voor mij erg deprimerend om thuis te zijn en bovendien heeft Paul mij in Londen nodig totdat deze klus is geklaard.

Ik heb het ziekenhuis gebeld en ze zeiden me dat je een maand verlof hebt gevraagd voor na je vakantie van drie weken (het zou fijn zijn geweest als je me daarvan op de hoogte had gesteld; dan had ik je secretaresse niet naar jouw plannen hoeven te vragen).

Om verdere rampen te voorkomen stel ik voor dat we een proef nemen met iemand die tijdelijk het huis kan bewonen. Paul heeft een nicht die hier aan de universiteit studeert en in een soort hut schijnt te wonen, zodat ze er dolblij mee zou zijn. Misschien wil je zo vriendelijk zijn me te berichten hoe jij erover denkt, zodat ik de raderen in beweging kan brengen. Het huis moet worden uitgemest en opnieuw ingericht. Zij en haar vrienden hebben aangeboden om de boel te schilderen enzovoort.

Graag zo gauw mogelijk een e-mailtje!

Isabel

'O mijn god!' gilde Miranda, die het grootste deel van de brief had gelezen, hoewel Dafydd had geprobeerd de inhoud met zijn hand af te schermen. 'Dit is afschuwelijk! Ik kom je in geen geval in Engeland bezoeken als er zulke engerds in de buurt zijn. De arme vrouw! Stel je voor,' zei ze tegen haar broer. 'Die kerels hebben ingebroken in het huis van papa zijn vrouw en al haar kleren met verf bespoten!' Ze wendde zich weer tot Dafydd. 'Had ze veel kleren?'

'Nee, ze heeft niet zoveel belangstelling voor veel kleren,' zei hij met geforceerde stem, 'maar ze ziet er altijd geweldig uit, zelfs in de meest eenvoudige dingen.'

'Jééézus, ik zou er kapot van zijn,' zei Miranda met veel meegevoel.

Mark slaakte een luide zucht en rolde met zijn ogen, maar er was beslist een glimp van interesse voor het idee van een inbraak waarbij grote schade was aangericht. Zo te zien had hij graag een aantal vragen gesteld, maar wilde hij in zijn onverschillige houding volharden. Hij gaf zijn tweelingzus een vaderlijke tik op haar hoofd, stond op en liep naar Beanie om met hém te praten. Kennelijk was hij een regelmatige bezoeker en was Beanie's de enige gelegenheid waar een overtuigde jonge vegetariër gerust zijn vegetarische snacks kon verorberen, in afwachting van de thuiskomst van zijn moeder. Het klonk alsof die twee veel met elkaar te bespreken hadden. Miranda babbelde door over de designschoenen waarop ze een oogje had, en over de verschillende manieren waarop ze dacht het geld ervoor bij elkaar te krijgen. Dafydd probeerde te luisteren maar voelde zich als verdoofd. Desondanks probeerde hij zijn andere oor in Marks richting te houden. in de hoop te horen wat dit zwijgzame kind tegen de man in de kaftan te zeggen had. Een ander deel van zijn geest worstelde om het gevoel van naderend onheil te onderdrukken, het gevoel dat er een voor hem onherstelbare ramp dreigde, waardoor zijn optimisme en hoop opeens sterk werden ondermijnd. Hoewel hij eigenlijk wel genoot van dit uitstapje met deze slecht bij elkaar passende tweeling, snakte hij ernaar hen thuis af te kunnen leveren, zodat hij naar huis – naar huis? – kon bellen. Het thuis dat hij had gekend, bestond niet meer.

16

De wegen waren bevroren en een dikke laag poedersneeuw had zich over de ijslaag gevlijd. De combinatie was ongeveer te vergelijken met een zojuist in de was gezette parketvloer met bananenschillen erop. Dafydd haalde de sneeuwkettingen uit de kofferbak van de oude Ford en slaagde er met moeite in ze om de banden te leggen. Het gerammel waarmee hij op weg ging naar Ians blokhut was angstaanjagend.

Terwijl hij de autoweg volgde en de afslag naar de blokhut naderde dacht hij terug aan het pakje dat in de kofferbak lag. Dat kon alleen voor Ian bestemd zijn. Wat kon Sheila hebben dat Ian nodig had? Misschien was het iets waarom hij had gevraagd, via Sheila's adres of via het ziekenhuis. Echter, waarom moest het zo stiekem afgeleverd worden? Waarom had ze het hem niet eenvoudigweg meegegeven voor Ian? Glas, glazen staafjes, glazen buisjes... glazen ampullen. *Ampullen*! Dafydds voet trapte ongewild op de rem en ondanks de sneeuwkettingen gleed hij zijdelings weg totdat hij vlak naast een greppel tot stilstand kwam. Op dat moment zag hij een kudde muskusossen over de smalle weg naar de blokhut lopen. Verrast keek hij op, want hij wist dat deze dieren zelden de toendra verlieten, ruim honderd kilometer van hier. Hij had ooit gehoord dat een pak wolven deze dieren soms zover naar het zuiden opjoegen.

Gefascineerd naderde hij de dieren langzaam, maar het geratel van zijn sneeuwkettingen joeg de kolossale runderen op de vlucht. Ze sloten hun gelederen tot ze schouder aan schouder liepen en het leek alsof ze zich als één dier verplaatsten. De wilde, synchrone beweging van hun lange buikbeharing was een sierlijk, donker golfpatroon toen ze in deze formatie tussen de bomen galoppeerden. Hij herinnerde zich dat Sleeping Bear hem eens had verteld dat een pond van die fijne buikwol genoeg was om een draad ter lengte van vijftien kilometer te spinnen.

'Heb je die ongelooflijke dieren gezien?' vroeg hij Ian, nog bezig met zijn dagelijkse bevoorrading.

Ian gaf hem zijn gebruikelijke biljet van twintig dollar, dat nooit voldoende was voor de noodzakelijke levensbehoeften, maar het tekort werd ruimschoots goedgemaakt door het gebruik van de auto.

'Dus muskusossen? God mag weten wat die hier doen. Thorn leek wel krankzinnig.'

Ian schonk de glazen in uit de zojuist aangeschafte fles en gaf er een aan Dafydd. 'Je bent gisteren niet geweest. Ik had je nummer niet, dus kon ik je ook niet bellen,' zei Ian.

'Waarom heb je dan niet even in het telefoonboek gekeken? Of Inlichtingen gebeld? The Happy Prospector, weet je nog?'

'Ik bleef maar wachten op je komst, maar toen raakte ik lazarus en kon het me niet meer verdommen.'

'Had je iets speciaals willen hebben?'

'Ach nee. Ik ben er alleen aan gewend geraakt dat je iedere dag komt.' Dafydd wachtte op het moment dat Ian zich met een smoesje zou terugtrekken om de kofferbak van de auto te doorzoeken. 'Hoe bevalt het vaderschap?'

'Gaat wel. Miranda is een schatje, en behoorlijk bij de tijd ook. Van Mark weet ik het nog niet... Volgens Sheila heeft hij gedragsproblemen – weet jij daar iets van?'

'Die knaap is een tiener, verdomme, die weten zich geen van allen te gedragen. Die vrouw denkt dat ze alles weet. Ze is verdomd goed in het manipuleren van mensen, maar van mensen zelf weet ze geen moer. Ze is een nijdas. Ken je die bijnaam van haar eigenlijk? Zo noemen ze haar namelijk, de Nijdas. Toepasselijker kan het niet.'

Dafydd schrok van de verbittering in Ians stem. Misschien had ook hij redenen om deze vrouw te verafschuwen, andere redenen. In elk geval gebeurde er iets schimmigs tussen die twee. Hij kon zich niet meer inhouden en zei: 'Ik geloof dat er in de kofferbak van de auto een pakje ligt dat voor jou is bedoeld.'

Ians hele lichaam schokte, alsof hij werd gereanimeerd.

'Wat heeft ze je verteld?' vroeg hij scherp.

'Niets. Ik zag alleen dat ze het in de auto verstopte.'

Met verbazingwekkende snelheid sprong Ian op en repte zich naar buiten. Vrijwel meteen kwam hij terug met het in bobbeltjesfolie gewikkelde pakje. Hij aarzelde, midden in de kamer, de ogen gericht op de badkamer, voordat hij naar Dafydd keek, en daarna naar het pakje.

'O, in godsnaam!' viel Dafydd nijdig uit. 'Wat voor spul heeft ze me laten vervoeren? Voor de draad ermee!'

'Demerol.'

Dafydd staarde hem aan. 'Demerol?'

'Ik dacht eigenlijk dat je het allang zou hebben geraden. Vroeger al, toen het begon. Ik ben er al... al jaren aan verslaafd.'

'Hoeveel gebruik je?'

'O, zo'n duizend milligram per dag.'

'Duizend... goeie genade. Hoe kom je in godsnaam aan dat spul?' Dafydd wist dat artsen er soms aan verslaafd raakten – zelfs twee of drie van zijn collega's in Cardiff. Maar veertien jaar lang Demerol... Dat was een heel lange periode zonder te worden betrapt.

'Ach, kom op. Waar zitten die grijze cellen van jou?' Ian stond op het punt zijn woede te verergeren door hem te beledigen, maar opeens leek hij ineen te krimpen en liep naar de dichtstbijzijnde stoel. 'Hoe dacht je zelf?'

'Toch niet van Sheila, zeker?'

Ian keek op. 'Heb je dat huis gezien dat ze bewoont... en dat van haar verpleegsterssalaris? Haar kleren, haar auto, die meubelen? Om maar te zwijgen van haar bankrekening.' Hij liet zich in zijn stoel zakken en begon het pakketje open te pulken, wat hem moeite kostte. En kijk nu eens hoe ik leef... van een artsensalaris. Tel twee en twee bij elkaar op.'

'Hoe speelt ze het klaar zonder betrapt te worden? Houd niemand de voorraden bij?'

'Natuurlijk wel. Zij! Zij doet alle bestellingen en houdt zelf de hele medicamentenadministratie bij. Heb je dat sleutelbosje aan haar ceintuur nooit gezien? Niemand behalve Sheila zet ooit een voet in de voorraadkamer van de ziekenhuisapotheek. Zelfs Hogg moet haar vragen om alles wat hij nodig heeft.' Hij trok met zijn tanden aan het plastic. 'Ik leef in doodsangst als haar vakantie eraan zit te komen.'

Eindelijk bevrijdde hij de vele ampullen uit het pakje. Ze rolden in alle richtingen over de tafel en hij slaagde er nog net in een ampul die op de vloer dreigde te vallen te pakken. 'Bedenk wel dat ze in dat soort dingen verdomd handig is. Zolang ik haar extra betaal, levert zij me een flinke voorraad vooraf. Hoewel er moeilijk aan te komen is. Eigenlijk geef ik er de voorkeur aan dat zij de teugels in handen heeft. Ik heb de neiging nogal loslippig te zijn.'

Zijn hand sloot zich om de ampul en reflexmatig rolde hij zijn mouw al op. 'Ik ben zo terug,' zei hij, en stond op.

'Eén ding voordat je gaat,' zei Dafydd, die zijn best deed zijn stem niet sarcastisch te laten klinken. 'Is dit de reden waarom ik jouw auto mag lenen? Om jou de rit te besparen, of Sheila?'

'O nee, die gedachte is niet eens bij me ópgekomen. Eerlijk. De levering was nooit een probleem, maar sinds ik thuis ben is het een beetje lastig. Ze heeft enorm de pest aan de rit hierheen en het valt de mensen op, uiteraard. En nou jij toch hierheen gaat... nou ja, het was háár idee. Een stom idee, zoals nu blijkt. Niks voor Sheila om zo zorgeloos te doen.' Hij haalde zijn schouders op en haastte zich naar de badkamer.

Impulsief stond Dafydd op en vertrok. De sneeuwkettingen ratelden oorverdovend toen hij over het harde ijs reed. In zijn achteruitkijkspiegeltje zag hij Thorn luid blaffend met grote sprongen achter hem aan renden. Meteen vervluchtigden zijn woede en afkeer, en hij stopte om afscheid te nemen van de verontruste hond. Thorn keek hem smekend aan, alsof hij hem wilde vragen zijn baas niet in de steek te laten. *Ga niet weg. Hij heeft verder geen vrienden. Laat hem niet in de steek...*

Dafydd omhelsde de oude hond en begroef zijn gezicht in de harige nek. Hij had het recht niet Ian te veroordelen. De man was een verslaafde, geen vijand. Hij was nooit aan de weet gekomen waarom Ian eigenlijk in Moose Creek was beland – welke behoefte of wandaad hem hierheen had gedreven. Natuurlijk, de jongere Ian was destijds al wat roekeloos geweest, of zelfs onverantwoordelijk, maar hij was een goeie, zorgzame arts die altijd zijn deel van het werk of zelfs meer had gedaan. Zijn verslavingen hadden hem echter nu ver voorbij dat punt gebracht. Niettemin vond Dafydd dat het niet zijn taak was om Ian te bevoogden; het ziekenhuis hier behoorde erop toe te zien hoe hij met zichzelf omsprong.

Hij wist dat er in Moose Creek mensen hadden gewerkt die er nog veel erger aan toe waren. Janie had hem een paar schokkende verhalen verteld. Een eerlijk curriculum vitae was hier geen vereiste. Kort gezegd, ook een uitgespuwde drankzuchtige of aan drugs verslaafde arts, of zelfs een onbekwame, gevaarlijke arts of een arts met een crimineel verleden of dubieuze kwalificaties kon er hier van verzekerd zijn dat zijn tekortkomingen door de vingers zouden worden gezien. Iedere arts was hier welkom, omdat het vaak nagenoeg onmogelijk was een vacature te vervullen.

Dafydd reed achteruit terug naar de blokhut en voegde zich weer bij Ian, die nu in een staat van gelukzalige bedwelming verkeerde.

Het spijt me dat ik je telefoontjes heb gemist. Ik heb het ont-
zaglijk druk. Er is me een nieuwe opdracht aangeboden. Paul
heeft me voorgesteld met hem mee te gaan naar Dubai, om een
aantal hotels van een keten in te richten. Weliswaar zal ik van-
uit Londen kunnen werken, maar ik zal er tamelijk regelmatig
heen moeten. Dit kan me jaren werk opleveren. In alle opzich-
ten carte blanche, met inbegrip van de restaurants, foyers en
noem maar op. Dat brengt me bij een andere vraag. Vrienden
van de Thompsons zijn geïnteresseerd in ons huis. Niet huren,
maar kopen. Ze belden me als een donderslag bij heldere hemel
en boden 290.000 pond. Marjorie moet ze hebben ingelicht
over alles wat er bij die inbraak is gebeurd (ook over ons per-
soonlijk) en zij hadden het idee dat we er wel vanaf zouden wil-
len. Uit nieuwsgierigheid heb ik een makelaar gebeld, en hij is
inmiddels wezen kijken. Volgens hem is het een mooi bod. Het
had meer kunnen zijn als het huis niet in zo'n staat had ver-
keerd. Ik stond er versteld van. Eerlijk gezegd lijkt dit me het
beste. Laat me weten wat je ervan vindt.
Voor nu alle goeds,

Isabel

Alle goeds, nota bene. Dafydd staarde naar het scherm. Waar bleven de woordjes *liefs, kusjes*? Waarom zei ze met geen woord dat ze
naar hem verlangde en hem miste? Verdomde Paul Deveraux, wie
dacht hij verdomme te zijn om zo'n beslag te leggen op zíjn vrouw!
Een golf van verdriet overweldigde hem. De pijn in zijn borst voelde aan als een steen die hem bijna de adem benam. Hij zat echter in
Tillies kantoortje en Tillie was dicht in de buurt. Ze deed alsof ze
paperassen in ordners opborg.

Hij verlangde er wanhopig naar Isabel persoonlijk te spreken,
maar ze slaagde er uitstekend in hem uit de weg te blijven. Misschien was hij zo onbelangrijk voor haar geworden dat ze geen behoefte had aan een gesprek. Of zou haar sprong voorwaarts deel
uitmaken van zijn straf, om hem duidelijk te maken hoe overbodig
hij was? Hij klikte op 'Afzender beantwoorden'.

Isabel
De toon van je e-mail was ronduit pijnlijk. Het lijkt alsof we
zakenpartners zijn in plaats van partners in een huwelijk (we
zijn nog steeds getrouwd).
Evengoed gelukgewenst met je opdracht in Dubai. Uiteraard
prima voor je, maar misschien zou je me kunnen laten weten

*hoe je je onze toekomst samen voorstelt, voor zover je meent
dat er nog zoiets bestaat.*

*Wat het huis aangaat, je zet er wel vaart achter! Ik ben nog maar
drie weken weg, of jij bent al volop bezig ons leven te ontmante-
len. Dat huis is mijn thuis, en dat van jou ook. Het is óns thuis.
Maar verkoop het verdomde huis gerust – het is voor ons hoe
dan ook te groot. Misschien dat een nieuw begin in een nieuw
huis goed voor ons zal zijn. Ik laat de afhandeling aan jou over
en zal iedere beslissing die je in dezen neemt onderschrijven.*

*Maar, alsjeblieft, heb tenminste de beleefdheid om me telefo-
nisch te woord te staan. Bel me. Liefs,*

Dafydd

Hij klikte op 'Verzenden' zonder het epistel nog eens door te lezen.
Hij had zijn gevoelens geuit en ze diende ervan te weten. Tien tellen
later raakte hij in paniek en wenste dat hij niet zo bars, zo definitief,
was geweest. En het huis... ja, ze hadden er maar zes jaar gewoond,
maar hij had altijd gedacht dat het voorgoed zou zijn. Nu had hij
haar in feite verteld het maar van de hand te doen. Als hij ooit Mark
en Miranda te logeren wilde hebben, of zelfs dat ze bij hem kwamen
wonen, waar moesten ze dan heen? De hele situatie leek surrealistisch. Tillie kwam achter hem staan, gevoelig voor zijn stemming.
Even voelde hij haar hand op zijn schouder.

'Is er iets mis?'

'Nee, Tillie, bedankt.' Zuchtend stond hij op. Gedeprimeerd liep
hij de trap op. Hij was duizenden kilometers verwijderd van zijn
vrouw en daarmee van iedere zweem van intimiteit en begrip. Alleen, wat viel er te begrijpen? Hij moest erkennen dat het geen geringe gebeurtenis was om vader te zijn geworden, maar hij kon niet beweren dat hij er dolgelukkig mee was, of enthousiast. In feite
maakte het besef dat hij bezig was vertrouwelijk te worden met deze
kwetsbare kinderen, maar ze straks aan hun lot zou moeten overlaten, hem ongerust. Hoe kon hij er ooit voor hen zijn als ze hem nodig mochten hebben, met al die duizenden kilometers tussen hen in?

In zijn kamer keek hij om zich heen naar de rommel. Het vrolijke
behang deed hem bijna pijn aan zijn ogen, net als het licht in een dis-
co, steeds als hij de deur opende. Hij had Tillie de afgelopen twee
dagen verboden de kamer in te komen om op te ruimen. Hij wist intuïtief dat zij niet de persoon behoorde te zijn om zijn kleding op te
vouwen of te wassen, of zijn bed op te maken. Hij had gezegd dat ze
toch al veel te veel voor hem deed.

Hij liet zich in de fauteuil vallen en verborg zijn gezicht in zijn handen om alle tegenstrijdige opties voor zijn complexe toekomst uit te bannen. Hij was verdoemd, hoe hij het ook wendde of keerde. Hier kon hij niet blijven, dat was onmogelijk, maar wat zou hij bij zijn terugkeer thuis aantreffen? Wat zou er door hem heengaan als Isabel hem had verlaten voor die slijmbal van een Deveraux? Waar moest hij wonen?

Er werd luid en resoluut op de deur geklopt. Hij vloog overeind uit de roze fauteuil en stopte haastig zijn hemd in zijn jeans. Zo kon alleen Sheila aankloppen. Ogenblikkelijk werd hij nijdig om zijn eigen reactie. Ze hoorde niet onaangekondigd bij hem binnen te vallen. Hij ging zitten en besloot niet te reageren. Het kloppen herhaalde zich, nu harder. Dafydd stiet een vloek uit en liep naar de deur. Het was Hogg.

'Hogg!' riep hij uit, en zag Hoggs voorhoofd rimpelen. 'Andrew... kom binnen.'

Hogg beende naar binnen en keek vlug om zich heen in de kamer. Hij nam de chaotische toestand en het onopgemaakte bed in zich op. 'Sorry dat ik zo kom binnenvallen. Ik kreeg je telefonisch niet te pakken en het leek me het beste hierheen te lopen. Het is mooi weer, maar de trottoirs zijn verraderlijk. Dat is net wat ik nog nodig heb, uitglijden en een been breken.'

'Wat jij nodig hebt, is een paar *mukluks*,' zei Dafydd, wijzend naar Hoggs voeten, gestoken in dure Italiaanse schoenen. 'Die hebben grip op alles. Eerlijk gezegd was ik net van plan naar het Friendship Centre te gaan om zelf een paar te kopen.'

'Je krijgt een rolberoerte als je de prijzen ziet. Ambachtelijke dingen van de inheemsen zijn onbetaalbaar geworden, daar heeft het toerisme wel voor gezorgd.'

Ze stonden midden in de kamer en Dafydd vervloekte zichzelf omdat hij had verzuimd Tillie om een stel behoorlijke stoelen te vragen. Hij gebaarde naar de fauteuil, maar Hogg met zijn onmogelijke buik bekeek het zitmeubel, overwoog het vooruitzicht om erin te zitten en dan te proberen weer uit het hangmatdiepe geval te komen en zei: 'Zullen we even naar de overkant wippen, naar The Greasy Spoon? De appeltaart is er uitstekend.'

Haastig maakte Dafydd zijn veters vast en greep zijn parka, terwijl hij zich afvroeg waar hij dit bezoek aan te danken had. Hogg was er de man niet naar visites af te leggen en ze waren nooit bevriend geweest. Hogg leek een tamelijk oppervlakkig heerschap, maar hij was dol op Sheila, zoals iedereen wist. Dafydd vroeg zich af of dit onverwachte bezoek soms iets met háár te maken had. Misschien had hij iets ontdekt of had ze hem ingelicht?

Ze liepen naar de overkant en installeerden zich aan een tafeltje met uitzicht op de straat. Hogg begroette de serveerster met overdreven hoffelijkheid. 'Het oude recept, maar dan twee keer,' zei hij met een knipoog tegen haar.

'We hebben je gemist in de cafetaria, vorige week,' zei hij met gespeelde kribbigheid. 'Héél teleurstellend, *old boy*. Er is me verteld dat je hier schijnt te logeren... klopt dat?' Hij tikte met zijn mollige wijsvinger midden op tafel alsof hij Dafydd aanspoorde een verklaring te geven voor zoveel frivoliteit.

Dafydd was er niet op voorbereid. Sheila wilde niet dat de feiten bekend werden. Aan de andere kant, wie was zij dat zij kon dicteren met wie hij wel of niet mocht praten? Natuurlijk, de kinderen moesten in bescherming worden genomen waar dat mogelijk was, maar Hogg was hun huisarts. Hij moest hoe dan ook op de hoogte zijn. Hij zou zelf de bloedmonsters voor de DNA-test hebben afgenomen.

'Tja, het is wat complex... Kun je dit onder ons houden, Andrew?'

'Maar natuurlijk, natuurlijk. Brand maar los.'

'Het schijnt dat ik de vader ben van Sheila's kinderen. Eigenlijk is het méér dan dat. Ik bén hun vader. Daarom ben ik hier.'

De schok was voor Hogg zo hevig dat al het bloed uit zijn gezicht wegtrok en het leek even alsof hij op het punt stond het bewustzijn te verliezen. Hij staarde Dafydd aan, maar zijn verwarring maakte dat zijn ogen zich niet focusten. Vermoedelijk zag hij hem als door een waas.

'Gaat het?' vroeg Dafydd. Opeens herinnerde hij zich iets dat Ian had gezegd. Hogg gedroeg zich alsof hij de vader was. Misschien wás hij dat inderdaad.

'Ja, ja, natuurlijk,' bracht Hogg haastig uit. 'Het leek me alleen zo'n onwaarschijnlijke situatie.'

'Het spijt me als ik je ermee overviel, maar je vroeg ernaar.'

'Allicht, allicht.'

De welgevormde serveerster met het Texaanse accent naderde hen met twee borden. Ze was omgeven door een wolk parfum, vermengd met de geur van warme appeltaart. Vlug zette ze hen ieder een café latte voor, in bekers van het formaat emmer. De koffie was bijna wit, vanwege de hoeveelheid room. Hogg goot een royale stroom suiker in zijn beker en roerde langdurig in zijn koffie, terwijl hij aandachtig naar het wervelende centrum ervan staarde. Zijn trek leek plotseling te zijn verdwenen.

'Misschien zou je eerst een DNA-test moeten laten doen,' zei hij eindelijk, 'voordat je het idee volledig accepteert.'

'Dat is al gebeurd. Anders zou ik niet hier zijn. Voor mij en mijn vrouw is dit een vervloekte kwestie. Ik had er geen idee van, tot drie maanden geleden.'

Kleine zweetdruppels parelden op Hogss voorhoofd en de lijkbleke kleur had plaatsgemaakt voor het rood van een biet. Dafydd begon zich al zorgen te maken over een mogelijke hartaanval van de man, of een beroerte. Hij zag er allesbehalve gezond uit.

'Ik dacht dat jijzelf Sheila en Mark bloed zou hebben afgenomen voor de test,' zei Dafydd. 'Sorry, het was maar een veronderstelling.'

'Geen zorg, ik zal er niet over praten.' Hogg ademde amechtig. Hij trok een grote zakdoek uit zijn zak en begon zijn gezicht af te deppen. Hij greep naar de suikerpot en goot opnieuw een stroom in zijn toch al mierzoete latte, kennelijk in verwarring. Hij begon weer grondig te roeren, totdat hij een paar keer met zijn lepeltje op de rand van de beker tikte en hem teruglegde op het schoteltje. Hij keek op naar Dafydd. 'Ik had er geen flauw vermoeden van...'

'Luister, Sheila stáát erop dat niemand er iets van te weten komt. Vraag me echter niet waarom.' Dafydd nam een teugje van de enorme beker en nam een hap van de machtige appeltaart. 'Ik dacht dat het misschien de reden was dat je mij wilde spreken.'

'O nee, in geen geval.' Hoggs stem klonk scherp en hij maakte een wegwerpgebaar. 'Eigenlijk kwam ik je vragen voor Ian in te vallen; hij schijnt geen haast te hebben om terug te komen. Hij heeft de laatste paar jaar veel moeten doormaken.' Hogg boog zich over de tafel heen en dempte zijn stem. 'Hij maakt het niet best. Niet dat ik reden heb me over hem te beklagen, maar...' Hij sloot zijn ogen en schudde het hoofd, ongetwijfeld in tweestrijd met zichzelf over hoeveel hij erover mocht loslaten.

'Dat zou wel een paar weken gaan, neem ik aan, maar hoe zit het met een arbeidsvergunning en dergelijke?'

'O, zit daar niet over in, dat handel ik wel af. We hebben hier in het noorden vaak noodsituaties en ik beschouw dit als zodanig. Ik kan je vijfduizend dollar betalen, voor drie weken. Het is natuurlijk geen enorm bedrag, maar meer kan ik niet doen.'

'Drie weken...?' Dafydd maakte een rekensommetje en begreep dat dit zijn maand verlof zou overschrijden. Nou ja, nog een paar weken meer zou niet veel verschil maken, ook al was het een tikje ontrouw. Ze zouden hem er niet voor ontslaan, maar hij kon zich de hooghartige, afkeurende uitdrukking op Payne-Lawsons gezicht gemakkelijk voorstellen, net als de vele gissingen die in het ziekenhuis de ronde zouden doen, maar opeens kon het hem niets meer schelen.

'Mij best. Wanneer moet ik beginnen?'

'Morgenochtend meteen maar. Klokslag half negen.'

Dafydd glimlachte. Sommige dingen veranderden nooit. Hij keek naar de kleine man, die zich weer op en top als de bedrijvige directeur gedroeg, al bekomen van deze vreemde wending in het gesprek. Toch was hij er nog niet voldoende van hersteld om aan te vallen op het enorme stuk appeltaart dat hij had besteld. Hij staarde ernaar, spijtig. Hij zag Dafydd naar zich kijken.

'Eigenlijk zou ik dit spul niet moeten eten,' bekende hij verlegen. 'Ik die al mijn dikke patiënten voorhoud dat ze zich moeten matigen en verstandig moeten leven. Ik zou het zelf moeten doen.' Hij lachte, maar zijn lach klonk hol, alsof hij probeerde om zichzelf te lachen.

Toen ze weer buiten stonden, wendde Dafydd zich tot Hogg.

'Ik vrees dat Sheila er groot bezwaar tegen zal hebben dat ik in het ziekenhuis kom werken. Je zult heel wat met haar te stellen krijgen, Andrew.'

'Ik zou hebben gedacht dat ze er blij mee zou zijn,' antwoordde Hogg onverwacht bitter. 'Wat kan er mooier voor haar zijn dan een gezinshereniging, nu de vroegere, of nee, toekomstige eh... de vader van haar kinderen hier komt werken.'

'Zo eenvoudig ligt het niet.'

'Ah. Wat is de moeilijkheid?'

'Het is allesbehalve een harmonieuze situatie, maar misschien zou je beter niet kunnen laten merken dat je op de hoogte bent, voorlopig,' zei Dafydd. 'Persoonlijk zie ik niet in waarom dat nodig zou zijn. Je bent tenslotte bevriend met Sheila en de kinderen. Jij schijnt zelfs haar enige echte vriend hier te zijn en ze vertrouwt jou, dat heeft ze me zelf gezegd.'

Na deze onthullingen leek Hoggs stemming wat te verbeteren. 'Ze is een koppige vrouw, maar ik zal mijn best doen haar ervan te overtuigen dat jij voor ons ziekenhuis een aanwinst bent... tijdelijk.'

Ze gaven elkaar een hand en gingen uiteen.

'Ik heb een báán,' zei Dafydd. Hij moest hardop lachen. Toen had hij een déjà vu en maakte een grimas. Hij was terug in Moose Creek en was weer toegetreden tot de gelederen van de verliezers, na alweer een vergrijp tegen de regels thuis.

17

Na twintig baantjes had hij pijn in zijn rug en nek. Hij had voor zijn gevoel wel twee liter water, of eigenlijk sterk verdunde kinderurine, binnengekregen, samen met een forse dosis chloor. Zijn ogen prikten en hij voelde zich een tikje misselijk. Hij hield op en rekte zich in het water een paar keer uit, voordat het tot hem doordrong dat hij in luttele weken behoorlijk uit conditie was geraakt en bovendien zo stijf was als een plank. Hij nam zich voor om met zijn luie donder op zijn minst drie ochtenden per week te gaan zwemmen.

Hij werd zich ervan bewust dat hij werd gadegeslagen door iemand die op de rand van het bad zat. Het was de enige andere zwembadgast, want het recreatiecentrum was om zeven uur opengegaan en het was pas kwart over. De slanke gestalte was voornamelijk herkenbaar aan de bovenkant, aan een rood aureool van lang haar dat bij wijze van uitzondering niet tot een paardenstaart was opgebonden.

Dafydd zwom erheen. 'Goeiemorgen, Mark. Al zo vroeg uit de veren? Net als ikzelf, trouwens.' Zijn stem klonk onnatuurlijk luid en vrolijk in de schallende leegte van het zwembadgebouw. Terwijl hij watertrapte bleven de kille, waakzame ogen hem observeren.

'Volgens mijn moeder heb je een baan in het ziekenhuis.'

'Wat maakt het uit? Ik kan mezelf net zo goed nuttig maken, nu dokter Brannagan zie... met vakantie is.'

'Ze is gek.'

'Hoe bedoel je?' vroeg Dafydd, op zijn hoede.

Voor het eerst zag hij de lippen van het joch uiteen wijken voor een glimlach. 'Niet gek als een krankzinnige, maar gek van woede.'

'Zo, zo,' zei Dafydd. Hij probeerde er een geschikte reactie op te bedenken. 'Ze zal er wel aan wennen, denk je niet? Ik zal proberen haar niet voor de voeten te lopen.'

'Waarom geef je haar niet gewoon de poet en maakt dat je weg komt?'

'Ik ben hier om jou en je zusje te leren kennen.' Dafydd voelde ergernis opkomen. Hij greep de rand van het bad en hees zich erop, waarna hij naast de jongen ging zitten die zijn zoon was. 'Zou je me zelf niet liever ook een beetje leren kennen? Het zal moeilijk zijn om aan dit alles te wennen, dat geef ik toe, maar ik word geacht je vader te zijn, ook al vind jij het verdomd vervelend.'

De jongen zei niets en Dafydd keek naar hun bungelende voeten, die water omhoog schopten. Die van Mark waren lang en smal, heel anders dan Dafydds eigen wigvormige voeten. In feite kon hij niets van gelijkenis tussen hen ontdekken. Mark had een ziekelijk wit lichaam, broodmager en lang, met een opvallend gebrek aan spiertonus. Zijn hele lijf was bezaaid met sproeten. Dafydd zelf was ook slank, maar veel compacter gebouwd. De jongen had absoluut niets van zijn stevige, gespierde lichaamsbouw, maar aan de andere kant was hij nog heel jong.

Mark merkte dat hij de verschillen tussen hen bestudeerde. 'Jij bent mijn vader níét. Dat weet ik absoluut zeker,' zei hij, en wipte het water in. Met een verrassend sierlijke borstslag zwom hij weg. Stomverbaasd zag Dafydd hem snel heen en weer zwemmen, een verdomd stuk sneller dan hijzelf ooit had gekund. Toen hij zich uiteindelijk uit het bad had gehesen, volgde Dafydd hem naar de kleedruimten. Ook daar waren geen andere vroege vogels te bekennen.

'Wat bedoelde je precies, toen je zei dat ik je vader niet ben?' vroeg hij de jongen.

Mark stond zich snel af te drogen, totdat hij in een hokje verdween om zich aan te kleden. 'Ik ben al te laat voor school,' riep hij over het tussenschot heen.

'Schei toch uit,' riep Dafydd terug, 'het is net half acht geweest. Als je opschiet, trakteer ik je op een ontbijt.'

Ze zaten in de cafetaria van het Northern Holiday Hotel, slechts vijf minuten lopen van het recreatiecentrum. Hoewel ze hadden gesprint, zagen hun neus en oren nog blauw onder hun haar dat nog vochtig was, hoewel het twintig graden vroor.

'Ze hebben hier waarschijnlijk niets dat ik kan eten,' zei Mark, die het menu bestudeerde.

'Wat dacht je van een flink bord pap met kaneel en honing, gevolgd door gebakken aardappeltjes met bruine bonen, gebakken tomaten en gebakken champignons met ui, met toast met margarine en jam, plus een vruchtensalade?' vroeg Dafydd als terloops, terwijl hij zijn vingers over de gehavende hoeken van de geplastificeerde menukaart liet glijden.

Kennelijk was er nog een kier waardoor je tot de jongen door kon dringen, zolang het maar over eten ging. Vanwege het overduidelijke gebrek aan belangstelling en begrip van zijn moeder en de horecaondernemers in Moose Creek moest hij de nodige moeite hebben om in zijn vegetarische dieet te volharden. Zijn ogen begonnen te glanzen, maar meteen zakten zijn schouders af en zei hij neerslachtig: 'Ik denk niet dat ze dat hier hebben.'

Ze hadden het wél, en aangezien Dafydd ook van nature geneigd was tot vegetarisch eten, bestelde hij hetzelfde feestmaal voor zichzelf. Toen ze alles naar binnen hadden gewerkt, voornamelijk in zwijgende concentratie, deed hij een nieuwe poging.

'Ik weet dat dit alles je nogal heeft overvallen, tegen je wil, maar we zouden kunnen proberen vrienden te zijn.'

Mark keek op zijn knol van een polshorloge. 'Ach, je hoeft maar naar ons te kíjken,' zei hij. 'We lijken niet eens op elkaar. Jij bent mijn vader niet, in geen geval. Van mijn zus, misschien, maar niet van mij.'

'Dat is godsonmogelijk,' wierp Dafydd tegen. 'Zoals je ongetwijfeld weet.'

'Nou, ik ben jouw zoon níét. Dus ga maar iemand anders pesten.' Meteen leek hij spijt te hebben van die laatste opmerking, want hij liet erop volgen: 'Nou, ik zit helemaal vól.'

Dafydd had haast om het ziekenhuis te bereiken. Het was een week later en nu betwijfelde hij of hij er verstandig aan had gedaan voor Ian waar te nemen. Die vijfduizend dollar kon hij goed gebruiken. Niets was gratis in Moose Creek, vermoedelijk een van 's werelds duurste buitenposten, en hij zou straks genoodzaakt zijn Sheila althans iets te betalen. Met zijn speurtocht naar de waarheid was hij nog geen stap verder. Integendeel, alles leek erop te wijzen dat hij zich zou moeten neerleggen bij het idee dat hij een aandeel had gehad in de verwekking van de tweeling. Steeds als hij probeerde zich iets van de bewuste avond te herinneren, weigerde zijn herinneringsvermogen dienst, vermoedelijk omdat hij er al zo vaak over had zitten piekeren. Niemand met wie hij had gepraat, had hem ook maar een kleine tip kunnen geven. Miranda had hem ongevraagd hun geboortebewijzen laten zien (tenzij Sheila het haar had ingefluisterd) en de datums klopten volmaakt. Gelukkig gaf het werk hem – tot aan het moment waarop hij het tijd zou vinden om te vertrekken – het gevoel zich nuttig te maken, en verhinderde het hem zich het hoofd te breken omdat hij niets omhanden had.

Mark had gelijk gekregen: Sheila was werkelijk razend geweest. Ze wilde hem niet in het ziekenhuis en daarmee uit. Aangezien Hogg hem echter persoonlijk had aangenomen, was zij niet in de positie daar iets tegen te doen. Haar dreigen met Immigratie was niet meer dan gebakken lucht. Hogg wist precies hoe hij dat soort hinderpalen kon omzeilen. Allemaal een kwestie van papierwerk.

'Je hebt het Hogg verteld,' siste ze toen ze bezig waren met de voorbereidingen op een herniaoperatie bij een baby.

'Ja, dat heb ik. Hij heeft beloofd erover te zwijgen.' Hij had zijn handen al uitvoerig geschrobd en stond de steriele handschoenen aan te trekken. 'En wat dan nog?' liet hij er geïrriteerd op volgen. 'Hij is hun huisarts. Ik sta er versteld van dat je het hem zelf niet hebt verteld. En nu we het er toch over hebben: wie heeft jou en Mark dat bloed afgenomen voor die test?'

Sheila wendde haar blik af en haar strakke kaak verried hem hoe gestresst ze was. 'Wat maakt dat nou uit?' snauwde ze. 'Het was een van de artsen hier, en hij stelde geen vragen.'

'Een híj dus,' zei Dafydd, want nu kon hij dokter Atilan, de vrouwelijke verloskundige, en dokter Nadja Kristoff, een jonge huisarts die net van de faculteit kwam, uitsluiten. Niet dat het enig verschil maakte, maar hij had zijn bekomst van alle geheimzinnigdoenerij en zag haar graag een beetje spartelen.

'God, man, wat ben je toch een klootzak,' zei Sheila. 'Als het voor jou zo belangrijk is, mag je het gerust weten – het was Ian. Maar laat de arme drommel met rust. De man is op sterven na dood, dus bespaar hem je derdegraads verhoor.'

Dafydd stond op het punt te zeggen: *Waar jij hem aardig bij hebt geholpen*, maar hij beheerste zich. Hij wilde Ian niet compromitteren. In plaats daarvan zei hij: 'Hoe kom je er eigenlijk bij dat hij zó ziek is?'

'Omdat zijn lever naar de haaien is, voor het geval dat je dat mocht zijn ontgaan.'

Hij dacht: *En zijn dood zal jou van een fikse inkomstenbron beroven, kreng*, maar hij slikte zijn woede in. Hij probeerde zich tegen zijn groeiende vijandigheid jegens haar te verzetten, want dat zou de situatie er niet beter op maken. Sinds hij echter achter de voornaamste reden van Ians lichamelijke, spirituele en financiële verval was gekomen... Hij ergerde zich aan sommige van zijn fantasieën over

Sheila, vooral na wat ze hem had aangewreven. Dat soort gedachten bracht hem van zijn stuk, want hij kon zich niet herinneren dat hij ooit iemand pijn had gedaan. Soms vroeg hij zich af of er misschien een ongezonde seksuele drijfveer achter die fantasieën zat, maar nee, het was allemaal woede, afkeer en frustratie. Ze was verdorven en hij haatte haar om hoe ze was geweest en wat ze was geworden.

De stemming tijdens de operatie was niet goed. Dafydd had Hogg verzocht hem zo in te roosteren dat hij nooit met Sheila samen hoefde te werken, maar hij had te horen gekregen dat zíj het rooster maakte. Hoe groot hun wederzijdse afkeer ook was, toch scheen ze het nodig te vinden een oogje op hem te houden. Zonder haar zou hij van het werk hebben genoten. Hier had hij échte patiënten met échte klachten. Ze stelden hem voortdurend voor problemen en hij was zich bewust van zijn moeizaam verworven rijpheid en ervaring als hij terugkeek op zijn angsten van veertien jaar geleden. Destijds was hij nog niet echt opgewassen geweest tegen deze baan. Hij vergeleek het met zijn werk in Cardiff en de gestage stroom van nieuwe technologische vindingen waarmee artsen zich vertrouwd moesten maken. Het maakte hun werk gemakkelijker. Hier was het allemaal anders. Het instrumentarium was verouderd en ze moesten vooral afgaan op het uiterlijk van de patiënt – huidkleur, ademhaling en polsslag – in plaats van de blik gericht te houden op elektronische monitors en videoschermen. Dat alles had een ontmenselijkende invloed op de geneeskunde en degradeerde de patiënt tot een aantal lichaamsstelsels en organen die je kon repareren of amputeren. Hij ontdekte iets nieuws aan zichzelf, het plezier dat hij putte uit patiëntgerichte, praktische geneeskunde in haar elementaire vorm. Vaak waren er risico's die hem angst aanjoegen, maar soms ook gaf het werk hem buitengewoon veel voldoening. Het was in elk geval een bekwaamheid op zich, iets om mee naar huis te nemen.

Zijn laatste patiënt van vandaag was Joseph, de kleinzoon van Bear. Hij verbaasde zich hogelijk toen hij Dafydd in de spreekkamer trof.

'Jij was wel de laatste die ik hier had verwacht. Ik dacht dat je hier alleen vakantie hield?' zei hij, toen hij Dafydd achter het bureau zag zitten. 'Normaal ga ik altijd naar die militaire dokter, Lezzard. Die weet alles van mijn ziekte.'

'Ik neem alleen tijdelijk waar...' zei Dafydd, terwijl hij de status van de man doornam. Hij zag dat Joseph aan de variant van suikerziekte leed die op latere leeftijd ontstaat.

Heeft dokter Lezzard je erop gewezen hoe goed het zou zijn als je wat van al dat gewicht zou kwijtraken?' zei Dafydd. Hij zag Bruce Lezzards lange en massieve gestalte voor zich: de man was zelf een soort vleesberg.

'Nee, hij schrijft me alleen injecties voor.'

'Dat is het punt. Je zou het misschien zonder injecties kunnen stellen als je wat gewicht kwijt bent... aardig wat gewicht, bedoel ik.' Hij begreep dat dit irreëel was omdat het nooit zou gebeuren en zei er verder niets over. Hij onderzocht de man en hoorde tot zijn verbazing dat hij pas achtenvijftig jaar oud was. Het klimaat hier was hard en de levensverwachting kort. Hij schreef het recept uit en reikte het Joseph aan. Met een kortaf 'Bedankt' liep Joseph naar de deur.

'Heb je nog familie, Joseph?' zei Dafydd tegen zijn rug.

'Hoe dat zo?' Zijn stem klonk behoedzaam, maar hij bleef staan en draaide zich om.

Schouderophalend zei Dafydd: 'Ach, ik weet zo weinig van je af.'

'Logisch toch?' antwoordde Joseph sarcastisch. 'Laat me je iets vertellen. Zelfs mijn opa wist niks van mij af. Hij heeft zelfs mijn kinderen nooit ontmoet. Ik heb er vier. Hij wilde het niet eens weten.'

'O,' zei Dafydd, proberend hem te beduiden dat hij terug moest komen en gaan zitten. Hij was benieuwd naar de reden dat deze man zo verbitterd was ten opzichte van de wereld en geen zweem had van Sleeping Bears eeuwig goede humeur. 'Ik herinner me alleen dat Sleeping Bear me vertelde dat jouw vrouw hem niet mocht. Kennelijk was hij niet welkom in jouw huis.'

'*Sleeping Bear*,' snierde Joseph. Abrupt kwam hij terug en ging weer op de stoel zitten die hij zojuist had verlaten. 'Jij dacht zeker dat je bevriend was geraakt met een echte ouwe indiaan, is het niet? Nou, hij was géén indiaan; hij was zelfs niet eens in Canada geboren!' Hij keek Dafydd triomfantelijk aan. 'Daar heb je niet van terug, wat?'

'Ik wist het, eerlijk gezegd,' zei Dafydd.

Een vluchtige trek van verbazing gleed over Josephs vlezige gezicht. 'Nou, ik weet niet wat voor beeld jij had van die ouwe, maar hij was allesbehalve de volmaakte huisvader.'

'Dat idee had ik ook,' erkende Dafydd. 'Het boterde niet altijd zo tussen jullie tweeën, hè?'

'Zeg, wacht eens even...' Joseph plantte zijn dikke hand op het bureaublad. 'Ik heb veel voor hem gedaan, zorgde voor hem zo goed ik kon. Maar een bedankje kon er nooit af. Hij was een egoïstische ouwe donder.'

'Hij gaf om jou,' hield Dafydd vol. 'Dat weet ik zeker.'

'Om de verdommenis niet. Geen greintje gevoel voor zijn eigen familie. Hij zag er echter geen been in om her en daar zijn zaad te verspreiden...'

Nu was het Dafydds beurt om verbaasd te zijn. Hij herinnerde zich de verhalen van de oude man over de ontberingen die hij in zijn eerste jaren in de wildernis had doorgemaakt, hoe hij verliefd was geworden op een mooie indiaanse en hoe trouw hij de herinnering aan een lang en gelukkig huwelijk had bewaard. Hij had vaak over zijn vrouw gepraat, een stoïcijnse, humoristische en liefhebbende vrouw die niets dan zorg voor haar familie had gehad en altijd hard had gewerkt.

'Hoe bedoel je dat precies?' vroeg hij Joseph, die eigenlijk kwaad leek op zichzelf. Hij staarde met een frons van ergernis naar zijn laarzen.

'Als je me nou belazert... Ik zou hebben gedacht dat je dat wel zou weten,' zei hij op gemelijke toon.

Dafydd lachte, proberend de stemming wat op te vrolijken. 'Nee, ik wist het niet, maar vertel het me toch maar. De oude man praatte veel over zijn vrouw en kinderen, maar hij heeft het nooit over andere kin–'

Jospeh keek op, recht in Dafydds gezicht, de oogleden gezwollen door oedeem. 'Nou ja, ik veronderstel dat je op zijn minst die zoon van hem in Black River hebt gekend. Je herinnert je toch wel die wilde tocht naar het hoge noorden die je met hem hebt gemaakt?'

Dafydd was verbijsterd. 'Ik herinner me niet daar een zoon van hem te hebben gezien.'

'Natuurlijk wel!' Joseph weigerde hem te geloven, dat was duidelijk. 'Hij had daar een kind bij iemand.'

'Het spijt me. Ik weet er echt niets van.'

'Ach, maak 'm een beetje! Daarom gingen jullie erheen. Hij had daar een vrouw zitten.'

'Nee, we hebben alleen een ouwe kameraad van hem bezocht,' zei Dafydd naar waarheid. Het was bijna belachelijk. Bear moest toen al rond de negentig zijn geweest en de tijd dat hij 'zijn zaad her en der had verspreid' moest toen al ver achter hem hebben gelegen. Hij wist zelfs nog hoe de oude man zich had beklaagd over zijn armzalige seksleven. Hij had gezegd dat hij sinds de dood van zijn vrouw 'geen pleziertje meer had gekend'. Aan de andere kant hoefde Bear niet bepaald een toonbeeld van trouw te zijn geweest in zijn jonge jaren. Dafydd maakte een grimas, niet helemaal op zijn gemak. Niemand zou dat achter hemzelf hebben gezocht, niemand zou gedacht hebben dat híj zijn zaad her en der had verspreid...

Josephs schorre stem bracht hem terug in het heden. 'Heb je wel enig idee wat voor gevoelens dat wekte bij mijn vrouw en mij? Ik heb jaren voor hem gezorgd, maar hij liet de helft van zijn geld na aan dat kind. De helft... aan één kind! De andere helft werd verdeeld over de rest van ons, en mijn zus en haar twee kinderen. Josephs rechterhand had zich tot een vuist gebald, waarmee hij op het bureaublad zijn woorden onderstreepte met zacht, ritmisch gebons. 'Ik heb hem altijd gezegd dat ik graag wilde dat Max kon gaan studeren aan de universiteit. Hij is de slimste van het stel en wilde advocaat worden. Hij is degene die de strijd om onze rechten en ons grondgebied kon overnemen. Hij was het waard om in te investeren. Dat heb ik hem vaak genoeg gezegd. Maar nee, er was veel te weinig geld over. Ik kreeg de blokhut, maar die is nog geen geitenkeutel waard...'

'Rot voor je,' zei Dafydd.

'Ach, kom nou. Zelfs als je het wist, hoefde ik niet te verwachten dat jij het me zou vertellen.' Abrupt stond Joseph op. 'Trouwens, wat heeft het voor zin erover te praten. Ik vond alleen dat ik je uit de droom moest helpen. Al die romantische ideeën over die ouwe – jij was namelijk niet de enige die dacht dat hij een echte indiaan was en hier thuishoorde. Allemaal geleuter.'

'Jammer dat je zo over hem denkt.'

'Ik vind dat hij bij me in het krijt stond, voor Max. Hij wist welke hoop we voor de jongen koesterden. De hele kwestie heeft al mijn gevoelens voor die ouwe vernietigd, dat kan ik je wel zeggen.'

'In dat geval was het heel aardig van je om laatst in die kroeg naar me toe te komen om me zijn boodschap door te geven. Dat waardeer ik des te meer.'

'Ach, ik heb altijd naar zijn pijpen gedanst, nietwaar? Nou, je ziet wat ik ermee opgeschoten ben.'

Toen Joseph de spreekkamer verliet en de deur een tikje te hard achter zich had dichtgetrokken, wachtte Dafydd een paar tellen voordat hij begon te grinniken. De oude vos. Wie zou ooit hebben gedacht dat Bear het met allerlei vrouwen zou aanleggen om zo zijn 'pleziertjes' te hebben en zijn 'zaad her en der te verspreiden'? Als het echt waar was, was het misschien niet de meest aanbevelenswaardige karaktertrek. Dafydd probeerde zich voor te stellen hoe deze oude, niet bepaald schone man vrouwen had moeten verleiden, maar alleen al de gedachte maakte hem aan het lachen. *Nou ja,* dacht hij, terwijl hij Josephs status bijwerkte, *er is nog voor ieder van ons nog hoop.*

Dafydd reed naar Ians blokhut. Hij was van zijn vaste ochtendbezoek overgegaan op bezoeken na zijn werk, nadat hij was langsgegaan bij de CO-OP om levensmiddelen en dergelijke in te slaan. Hij had twee keer gezien hoe Sheila heimelijk op de parkeerplaats voor artsen de kofferbak van de Ford opende en sloot, maar er niets tegen gedaan. Hij wist dat hij een standpunt moest innemen, maar hoe? Het was volslagen idioot om jezelf bloot te stellen aan arrestatie en uitwijzing.

De hemel was inktzwart. Er was geen ster te bekennen en de koplampen van de auto gaven weinig licht. Een week geleden had hij een elandkoe die midden op de weg stond de stuipen op het lijf gejaagd, maar afgezien van af en toe een glimp van de muskusossen waren de bossen stil en verlaten. Het was er donker, ondanks de witte sneeuwdeken, en het leek alsof er geen leven in voorkwam. De sneeuw hoopte zich steeds verder op en de duisternis duurde steeds langer. De rit leek langer dan normaal, alsof Ians vervallen blokhut verder was gelegen dan ooit.

'Je zou toch eens moeten overwegen om je intrek te nemen in Moose Creek zelf,' zei Dafydd, nadat hij de zakken van de CO-OP had uitgeladen. 'Af en toe een werkster zou ook geen kwaad kunnen,' liet hij erop volgen met een handgebaar dat de hele blokhut omvatte.

'Het bevalt me hier.'

'Luister.' Dafydd kwam tegenover hem aan tafel zitten en schepte adem. 'Je hebt geen twee weken meer... je moet orde op zaken stellen. Om te beginnen denk ik dat je hier niet kunt blijven wonen. Als je wilt, zal ik je helpen. We kunnen een flatje voor je huren in Woodpark Manor. Daar staan er een paar leeg. De woningen zijn licht en schoon en in de kelder is een fitnesslokaal. Ik zou er zelf mijn intrek nemen, als ik van plan was in Moose Creek te wonen. Ik zal een busje voor je huren om je te helpen verhuizen. Dan ben je dicht bij het ziekenhuis en...'

'Schei nou toch uit!' snauwde Ian. 'Wie denk je wel dat je bent – de verdomde barmhartige Samaritaan? Ik ga helemaal nérgens heen.'

'Goed, goed,' zuchtte Dafydd. 'Mijn waarneming eindigt echter op zeven december. Ben je zover dat je weer kunt gaan werken? Ik moet je zeggen dat er al sprake is van het aannemen van een nieuwe vennoot – als permanente kracht.'

'Geweldig,' zei Ian bars. 'Ik overweeg om met vervroegd pensioen te gaan.'

'Waar had je van willen leven?' wierp Dafydd tegen. 'Je pensioen zal weinig voorstellen en ik neem niet aan dat Sheila je de kans heeft gegeven om wat te sparen.'

De toon van het gesprek stond Thorn niet aan, want hij begon te janken. Hij stond op en drukte zich nadrukkelijk tegen Dafydds dij. Ian zat ineengedoken op de keukenstoel en zag eruit als een wrak. 'Waarom neem jíj mijn baan niet?' vroeg hij. 'Het schijnt je nogal te bevallen.'

'Lul niet. Ik moet terug naar Wales, anders raak ik míjn baan kwijt. Ik zal bovendien een poging moeten doen mijn huwelijk te redden, al vrees ik dat dát al niet meer mogelijk is. Ik bedoel, ik kan hier niet eeuwig blijven, begrijp je?' Dafydd schoof de rommel op tafel opzij. 'Luister, gebruik mij niet als een reden om niet meer aan het werk te gaan. Je kunt hier uitkomen, weet je. Je hebt alleen therapie nodig. Verdomme man, je bent pas vijfenveertig...'

'Vierenveertig.'

'Ik zal je erbij helpen. Ik kan wel iets regelen. Vancouver, Toronto, ergens waar niemand je kent. Het geld ervoor kan ik je lenen. Ik zou kunnen proberen nog wat langer te blijven, uiteindelijk is het maar één telefoontje. Zoiets zou ik echter alleen doen om te zorgen dat jij deze strijd wint. Op die manier kom je weer op je pootjes terecht en kun je in triomf terugkeren. Haal een streep door Sheila's extra inkomsten en zeg haar dat ze het lazarus kan krijgen. Knap de boel hier op. Neem vakantie en...'

Dafydd hield abrupt op toen hij Ian zag schokschouderen. Thorn was opgesprongen en deed een poging het gezicht van zijn baas te likken. Ian huilde in stilte, maar zijn lichaam schokte en schudde terwijl hij probeerde de gevoelens die dreigden hem in huilen te doen uitbarsten te onderdrukken. Dafydd zag het aan, geschrokken van zijn zielenpijn. Hij probeerde woorden van troost te vinden, maar Ian was niet het soort man dat troost kon putten uit holle woorden, en van aanraking moest hij al helemaal niets hebben. Desondanks stak Dafydd zijn hand uit en legde die op zijn schouder. Langzamerhand werd het schokken minder. Ian greep een gebruikt papieren servet en snoot zijn neus, met zijn kin nog op zijn ingevallen borst.

'Weet jij wat ik vanmorgen heb gevonden?' vroeg hij met onvaste stem. En met een ingehouden lachje: 'Jouw ouwe skischoenen en ski's. Ik heb ze uit de schuur gehaald, dan kun je het weer eens proberen.'

'Aardig van je, Ian, bedankt. Maar is er ook maar iets van wat ik zo-even allemaal heb gezegd tot je doorgedrongen?' vroeg Dafydd geërgerd. 'Je kunt je kop niet in het zand blijven steken! Er moet hoe dan ook iets veranderen. Bovendien kan ik niet langer toestaan dat Sheila drugs in de kofferbak stopt. Jullie schijnen geen moeite te hebben met de risico's, maar ik kan het niet. Het zou een ramp te veel voor me zijn.'

Ian schudde zijn hoofd, alsof hij zich van onaangename gedachten wilde bevrijden. Hij stond op en schonk voor hen allebei een whisky in. Eigenlijk had Dafydd NEE willen schreeuwen en de glazen leeg laten lopen in de roestige emmer die voor gootsteen door moest gaan, maar hij liet het na. Hij voelde zich leeg, uitgeput, hopeloos. Ians emotionele uitbarsting had hem met zijn neus op zijn eigen schier onoplosbare situatie gedrukt. Wie was hij om anderen raad te geven? Een tijdlang zaten ze zwijgend bij elkaar, terwijl Dafydd lusteloos *The Moose Creek News* doornam. Ians ogen stonden wazig, halverwege twee doses Demerol, met als klap op de vuurpijl vele glazen whisky, met de ene sigaret na de andere als laatste strohalm.

'Ik heb ooit een vrouw gehad...' zei hij plotseling.

'Je bent getrouwd geweest?' Dafydd legde de krant neer en staarde Ian aan. 'Daar heb je nooit iets over gezegd.'

'Lizzie, zo heette ze. Ik hield van haar. Dodelijk veel zelfs. Letterlijk.'

'O god, nee, Ian! Hoe bedoel je?'

'Ze stikte in een kalkoenbotje, de kerstkalkoen die ik eigenhandig had gebraden.' Ian lachte grimmig. 'Terwijl zij zich had voorgenomen om op een januari vegetariër te worden, en ze méénde het.'

'God, Ian, dat is te verschrikkelijk voor woorden.' Dafydd boog zich naar voren en legde een hand op Ians knie. 'Was jij... was je erbij toen het gebeurde?

'Ja, ik... de nieuwbakken arts. Ondanks mijn opleiding heb ik haar niet kunnen redden. Ik probeerde de Heimlisch-manoeuvre, maar dat is een fictie – ik weet dat ik de situatie er alleen maar erger mee heb gemaakt. Toen probeerde ik mijn vinger achter het botje te krijgen en greep uit wanhoop naar een pincet. Het was vrijwel onmogelijk haar stil te houden. Uiteindelijk nam ik zo'n Zwitsers zakmes, het scherpste ding wat ik kon vinden, en deed een tracheotomie. Ze was toen al blauw en nagenoeg dood, en ik moet in paniek zijn geraakt. Ik maakte er een knoeiboel van. Overal bloed. Dat beeld krijg ik nooit meer uit mijn kop.' Ian lachte opnieuw, maar het was een griezelige schrille uithaal, die het midden hield tussen verdriet en zelfspot. 'De politie sloot me op wegens moord totdat de autopsie achter de rug was. Je kunt het ze niet kwalijk nemen, ik vóélde me ook een moordenaar. Steeds raakte ik in de war en dacht dan dat ik haar had doodgestoken. Zelfs toen de doodsoorzaak al bekend was, bleef iedereen me met de nek aankijken. De politie liet me met tegenzin vrij.'

Dafydd was verstijfd van afschuw. *Dit was dus Ians reden.* Het verklaarde alles. 'Hoelang is dit geleden?'

'O, een maand of acht voordat ik hierheen kwam.'

Grote god, hoe was het mogelijk dat ze het er nooit over hadden gehad? En dat terwijl ze vrienden waren! Vergeleken met Ians tragedie was de ramp die hem was overkomen eigenlijk een peulenschil. Na dat incident met de kleine Derek was het voor hem gebleven bij een tik op de vingers en had hij alleen met zijn eigen schuldgevoelens en angsten in het reine hoeven te komen. Maar zoiets! Hoe kon je als man je ooit herstellen van zo'n afschuwelijke gebeurtenis? Het antwoord was duidelijk. Niemand kon dat.

'Man, je hebt toch alles gedaan wat je kón doen?' zei Dafydd, al wist hij hoe inadequaat die woorden waren. Hij stak zijn hand uit en omklemde Ians arm. 'Je had niet meer van jezelf kunnen verlangen! Je bent ook maar een mens!'

'Een mens?' Ian keek hem minachtend aan. 'Ik werd geacht arts te zijn!'

Dafydd zakte terug op zijn stoel. 'Ja, ik weet wat je bedoelt.'

Ian gooide zijn whisky achterover. 'Dafydd, ouwe maat, ik weet er alles van. Sheila heeft me verteld wat jou overkomen is. Klote, man, een kind...'

Er ontstond een nieuwe lange stilte.

'Heb je nog ergens familie, Ian?'

'Niet meer. Althans, niet dat ik weet.'

'Hoe bedoel je?'

'Mijn ouders zijn omgekomen bij een brand. Ik meen dat ik je dat al eens heb verteld. Na de medische faculteit heb ik het contact met mijn pleegouders verloren. We... raakten, eh, gebrouilleerd.'

'Heb je ooit overwogen weer contact met ze op te nemen?'

'Jezus, nee. Ik... Ik ben altijd een teleurstelling voor ze geweest, kon nooit aan hun verwachtingen voldoen. Verdomme, ik haalde mijn artsendiploma en deed een co-assistentschap...' Hij drukte zijn sigaret met kracht uit door de peuk hard over de asbak te wrijven. 'Ze waren trouwens al behoorlijk oud, toen. Die zijn allang dood, daar ben ik zeker van.'

Ze zwegen allebei, ieder met zijn eigen gedachten. Dafydd was in de ban van zijn eigen gevoel van onwerkelijkheid. Ians relaas leek hem nog verder te hebben weggeslingerd van zijn eigen, knusse leventje, dat nu onherstelbaar verbrijzeld leek. Maar dat was het niet!

Hij moest zichzelf blijven voorhouden dat hij terug moest gaan om de draad weer op te pakken. Welke draad? Zijn huis was waarschijnlijk verkocht, zomaar. Binnenkort zou hij voor de rechter moeten komen wegens dronkenschap op de motor. Zijn huwelijk was vermoedelijk al op de klippen gelopen. Was dit allemaal écht? Kon het werkelijk gebeurd zijn?

'Ik liep vanmorgen in het zwembad Mark tegen het lijf,' zei Dafydd uiteindelijk, waarmee hij hen terugbracht in het hier en nu. 'Vreemd joch, die Mark. Hij is er rotsvast van overtuigd dat ik níét zijn vader ben.'

'Hij lijkt op niemand hier,' knikte Ian, terwijl hij weer een sigaret opstak en een lange haal nam.

'Je hebt me niet gezegd dat jij degene was die Sheila en Mark bloed voor die DNA-test had afgenomen,' zei Dafydd zacht.

Ian wendde zijn blik af en rookte stug door. 'Ik had geen idee waar het voor was. Ze wilde er niks over kwijt.' Hij nam een slok van zijn nieuwe whisky, slikte luidruchtig en schonk hen allebei nog eens bij.

Huiverend van de kou keek hij naar Miranda en acht andere meisjes, allemaal een beetje kleiner dan zij, die op het ijsbaantje achter het recreatiecentrum in het licht van felle schijnwerpers allerlei oefeningen in kunstrijden deden. Dit vormde een belangrijk bestanddeel van zijn relatie met de tweeling: hij bracht hen 's avonds vaak naar sportieve activiteiten en bleef dan wachten totdat hij hen kon thuisbrengen, waarmee hij Sheila van die moeizame taak verloste. Zij leek zich te hebben verzoend met het feit dat de mensen er druk over praatten en erover speculeerden, en Miranda had zich niets aangetrokken van haar vermaningen om haar mond stijf dicht te houden. Nou, gepraat wérd er. Hij zag mensen die hij niet kende naar hem kijken, knikken of zelfs knipogen, want zij schenen hem wel te kennen, van het ziekenhuis of omdat anderen naar hem wezen. Hij was de weggelopen vader die was teruggekomen om te doen wat hij behoorde te doen.

'Kijk, paps!' riep Miranda hem toe. Ze maakte een onbeholpen pirouette in haar oranje skikleding, waarover ze, volstrekt ongerijmd, een tutu had aangetrokken die om haar mollige middel hing. Dafydd probeerde niet te grinniken en klapte geluidloos in zijn in handen, gestoken in met schapenvacht gevoerde wanten. Ze was een lieve meid. Ze was niet echt lastig in de omgang, hoewel haar obstinate en zelfverzekerde houding enigszins aan haar moeder deed denken. Als Mark erbij was, gaven ze zich over aan schranspartijen met junkfood, en zat Miranda giechelend achter monsterlijke hopen maïschips met zure room en gesmolten kaas, een combinatie waar ze dol op was.

'Je zou voorzichtig moeten zijn met die ongezonde verzadigde vetzuren,' probeerde hij haar voor te houden. 'Je wilt toch geen echte dikzak worden?'

'Van verzadigde vetzuren krijg ik nooit genoeg!' grinnikte Miranda. 'Je zou niet geloven hoeveel ruzie we thuis hebben over eten. Mams is al even erg. Iedereen wil wat anders. Een nachtmerrie. Mag ik een chocolademilkshake?'

'Pas maar op, straks past dit je niet meer,' zei hij. Hij tilde de slappe, neergegooide tutu op. 'Zelfs niet zonder skikleding.'

'Paps, weet je nog dat ik je vertelde van die schoenen...?'

'Hoeveel?'

'Achtentwintig.'

'Vooruit maar, wat maakt het uit.'

'Bedankt, paps...'

'Paps?'

'Wat nog meer?'

'Zouden jij en mijn moeder niet... nou ja, eens uit kunnen gaan?'

'O, Miranda, wat ben je toch slim. Je kunt met eigen ogen zien dat je moeder niet bepaald gecharmeerd van mij is. Trouwens, ik ben een getrouwd man, was je dat vergeten?'

'Maar als ze jou aardig vond en je vrouw weg was, zou je het doen, nietwaar?'

'Lieve meid, ik zal er geen doekjes om winden. Als mijn vrouw bij me weg wil, zal ze dat niet doen vanwege jullie, zit daar niet over in. Ze zal het alleen doen vanwege mij. Je denkt misschien dat ik een heel aardige man ben, maar ik kan behoorlijk stom doen en maak allerlei fouten. Daar kom je gauw genoeg achter. Maar uitgaan met je moeder zou een blunder zijn die noch zij, noch ikzelf ooit zal begaan. Maar wees niet teleurgesteld. Het is absoluut het beste, geloof me.'

'Mark en ik... ik wed dat ook wíj een vergissing waren, hè?'

Dafydd keek naar haar aantrekkelijke gezichtje. Ze staarde hem met samengeknepen ogen aan.

'Nee, Miranda,' zei hij. 'Jullie tweeën zijn heel bijzonder. Als ik naar jullie kijk, sta ik er versteld van dat ik daar iets mee van doen heb gehad. Het is een verdomd wonder.'

18

Dafydd. Heb je bericht ontvangen. En raad eens? Ik heb het bod aangenomen. Meneer en mevrouw Jenkins zijn het huis wezen bekijken en ze wilden het meteen hebben. Ze hebben geen hypotheek nodig en willen er z.s.m. in. Alles is al geregeld en het koopcontract is naar je onderweg ter ondertekening. Stuur het meteen terug, ja? Ik huur een opslagbox in Barry, en als je niet op tijd terug mocht zijn, zal ik je spullen (of wat ervan over is) daar laten opslaan.

Nu heb ik nog ander nieuws voor je, vrees ik. Ik zou graag mijn deel van de opbrengst hebben om mezelf te kunnen inkopen als vennoot bij Paul. Ik wil niet in zijn dienst werken en het is een investering die ik niet kan laten lopen. Hij boert ontzettend goed. We beginnen over een paar weken aan die klus in Dubai. Volgende week vliegen we erheen om kennis te maken met de eigenaars en architecten.

Het beste,
Isabel

P.S.: Heel goed nieuws – je Russische icoon is volledig gerestaureerd. Het was niet goedkoop, maar dat krijg je van me cadeau. Volgens de restaurateur is het een bijzonder kunstwerk dat de kosten meer dan waard is.

Dafydd printte de e-mail uit, wiste hem en liep toen haastig de trap op, voordat Tillie hem kon ophouden. Ze was zo gevoelig voor zijn stemmingen dat hij haar liever niet onder ogen wilde komen. Het werd steeds moeilijker voor hem zich aan haar oprechte bezorgdheid te onttrekken en haar te zeggen dat ze niet zo opdringerig moest zijn met haar gevraag.

Hij smeet de deur van zijn kamer min of meer dicht en gooide zich op het bed. Hij las de e-mail nog eens door. Verkocht! Het voelde aan alsof hij zijn leven had verpatst. Nee, hij had dit nooit mogen laten gebeuren. Waar moest hij nu wonen? Waar kon hij straks de kinderen ontvangen, als ze hem wilden bezoeken? Aan de andere kant, hij kon altijd een ander huis nemen... of een flat, misschien. Ze had hem niet geschreven waar zíj dacht te gaan wonen, op een vast adres, of met wie. Verdomd rotwijf, vervloekte overspelige teef. Stomme, slimme, mooie en opmerkelijke Isabel... zijn beminde echtgenote. Nu zijn niet-echtgenote, zijn verloren vrouw, zijn ex, hokkend met die Deveraux... Hij stompte in het kussen en deed zijn uiterste best zichzelf wijs te maken dat hij tot dusverre nog geen enkel bewijs van ontrouw had. Het was mogelijk dat hij het zich verbeeldde. Ze had niets van dien aard toegegeven, afgezien van het feit dat ze alle respect voor hem had laten varen. Hoe kon er liefde zijn zonder respect? Ze kon onmogelijk een e-mail als deze schrijven en tóch van hem houden. Verhouding of geen verhouding, ze hield eenvoudigweg niet meer van hem.

Knarsetandend verfrommelde hij het vel papier in zijn hand en drukte zijn gezicht in het paarse fluweel van het baldakijn, om te verhinderen dat Tillie het gesmoorde snikken uit zijn keel kon horen.

Het leek op zeilen, zeilen over sneeuw. Er was geen andere manier om de gewaarwording te beschrijven. Hij had de ski's behandeld met was, en ze waren in alle opzichten nog even goed als toen hij ze al die jaren geleden had gebruikt. De omstandigheden waren ideaal en het leek alsof hij geen enkele inspanning hoefde te doen om over de harde sporen van andere skiërs vooruit te komen. Het zwemmen had hem goed gedaan – hij voelde zich fit en sterk. Thorn had nog een paar minuten moeizaam achter hem aan gerend, maar toen had hij het opgegeven en was teruggegaan naar de blokhut. De zon gluurde over de horizon, maar het was een heldere, lichte middag met een azuurblauwe hemel. Het vroor maar tweeëntwintig graden, niet genoeg om de was onder zijn ski's te bevriezen, of zijn vingertoppen en tenen. De snelheid waarmee hij over de sneeuw suisde bracht hem in een euforische stemming, scherp van geest, gezicht en gehoor. Het zonlicht liet de sneeuwkristallen schitteren en het verblindende wit leek zijn innerlijk te vervullen. Hij was de schoonheid en eenvoud van al dat wit totaal vergeten.

Een poosje later keek hij op van de punten van zijn voortijlende ski's en merkte dat de schemering al begon in te vallen. Wat ging dat toch snel! Hij duwde zijn mouw omhoog en keek op zijn horloge. Kwart voor twee al. *Verrek, het is later dan ik had gedacht.* Meteen keerde hij om en begon terug te skiën in de richting waaruit hij was gekomen, sneller nu. Hij voelde zichzelf klam worden onder zijn warme kleding. Toch was het een aangename gewaarwording, nu een stoot adrenaline de energie vermeerderde die hij nodig zou hebben om de afstand naar Ians blokhut op tijd af te leggen.

Hij scheen veel verder van huis te zijn dan hij had ingeschat. De duisternis kwam snel, maar de sporen kon hij nog onderscheiden. Als hij de belangrijkste sporen volgde, zou hij uitkomen bij de weg, maar er waren nog een of twee sporen die afbogen en tussen de bomen verdwenen. Hij overwoog de consequenties van verkeerd afslaan en verdwaald raken. Verdwalen in het donker, diep in de bossen, bij een temperatuur die een appel binnen enkele seconden stijf kon bevriezen. Iets van paniek maakte dat hij nog sneller begon te skiën. Het werd nu snel kouder, nu de zon zijn fragiele warmte met zich meenam. Terwijl hij over de sporen suisde, staarde hij naar de blauwachtige grond op pakweg vijftig meter afstand voor zich, op zoek naar de voren die de sneeuwscooter van de pelsjager had achtergelaten, een spoor waarvan nu zijn leven leek af te hangen. De bomen torenden zwart en dreigend hoog boven hem uit. De angst om te verdwalen dreef hem nu voort en hij voelde dat hij hevig transpireerde.

Eindelijk rondde hij een bocht in de sporen en kon de weg zien, met daarachter de lichtjes van Ians blokhut. De opluchting bracht hem bijna tot staan. Hij was uitgeput. Zijn wenkbrauwen en oogwimpers waren dik van bevroren vocht en zelfs het vocht in zijn ogen dreigde te bevriezen. Hij maakte weer vaart, maar slap in de benen, want de inspanning had hem beroofd van het laatste beetje energie. Het gesmoorde geluid van de blaffende Thorn in de blokhut was het mooiste dat hij ooit had gehoord. De stokoude hond had nog altijd een goed gehoor en hij voorvoelde nog steeds Dafydds komst, even onmiskenbaar als veertien jaar geleden toen hij Dafydd altijd tegemoet was gekomen. Zelfs Ian leek enigszins geagiteerd toen Dafydd binnen kwam vallen.

'Ben je gek geworden?' bulderde hij. 'Verdomde stomkop, je had niet eens de staaflantaarn meegenomen!'

'Ik had alle gevoel voor tijd verloren... en ik raakte bovendien bijna het spoor bijster.' Dafydd liet zich op een stoel vallen en probeerde de veters van zijn skischoenen los te maken om zijn verkrampte voeten te bevrijden.

'Gooi dit achterover.' Ian reikte hem een glas whisky aan en bukte zich om hem te helpen met de stijf geworden veters.

'Whisky is niet bepaald het beste middel tegen onderkoeling... of stompzinnigheid,' zei Dafydd. 'Maar als je erop staat...' Hij slikte de brandende vloeistof door en trok zijn stoel dichter naar de kachel. Hij begon zich van zijn kleren te ontdoen, laag na laag. De wegebbende paniek maakte dat hij zich zo slap voelde als een vaatdoek. Hij had alle voorzorgen en voorzichtigheid die mensen in de poolwinter in acht moesten nemen uit het oog verloren. Hoe gemakkelijk zou het hier zijn om een eind te maken aan je aardse bestaan. Je hoefde er niets voor te doen – buiten zijn, verdwaald raken en bevriezen was al genoeg.

'Ze noemen het dood door nalatigheid,' zei Ian alsof hij zijn gedachten had gelezen. Thorn leek nog geagiteerd en hij drentelde op zijn reumatische poten heen en weer door de blokhut. Hij jankte zacht alsof hij zich onprettig voelde en zijn ogen stonden melancholiek.

'Ja... en nu we het toch over nalatigheid hebben – heb jij deze hond al te eten gegeven?'

In plaats van te antwoorden liep Ian naar de keukenkast en begon droge hondenbrokken in een plastic kom te storten. Hij zette de kom op de grond, maar Thorn kéék er niet eens naar. Ian liep naar de kachel om in een pan hachee te roeren. Het was vlees van wild en het aroma was onweerstaanbaar. Hij nam een lepel om ervan te proeven, waarna hij twee kommen een voor een in de pan doopte om ze te vullen met hachee. Hij reikte Dafydd een druipende kom aan.

'Doe er ook iets van op Thorns brokken,' zei Dafydd. 'Je kunt van het arme beest niet verlangen dat hij altijd dat zaagsel eet.'

'Je strooit met goeie raad, vandaag,' zei Ian geërgerd.

Ze aten de hachee zonder lepel, door de kom aan de mond te zetten. Dafydd had het onderwerp van Ians terugkeer naar zijn werk nog eens ter sprake willen brengen, maar Ian leek ontoegankelijk voor elk gesprek over zijn toekomst. Nu Dafydd toch voor hem waarnam, voelde hij zich niet genoodzaakt zich te vermannen. Het leek bijna alsof hij hoopte of het allemaal vanzelf goed zou komen zonder dat hij er iets aan hoefde te doen. Hij leefde in een soort vergetelheid. Dafydds raad om weer aan het werk te gaan scheen hij van zich af te hebben gezet, of volledig te hebben vergeten. Zijn drankmisbruik was inmiddels weer toegenomen. Van een verhuizing naar Moose Creek kon geen sprake zijn.

Dafydd ervoer zijn stilzwijgen als drukkend. Soms was de blokhut een veilige wijkplaats voor hem geweest, maar nu Ian zelfs het laatste restje zelfdiscipline had laten varen en aan de lopende band zat te zuipen, werd de sfeer in de blokhut steeds onheilspellender. Het was angstaanjagend om te zien hoe een man, een vriend, hard op weg was zichzelf de dood in te jagen. Dafydd vroeg zich onwillekeurig af of hij er misschien deels voor verantwoordelijk was, omdat hij de drank zelf voor hem meebracht. In elk geval had hij Ians huidige toestand in de hand gewerkt door hem drank en drugs te brengen en bovendien voor hem waar te nemen.

'Ik zie de kinderen om zeven uur,' zei Dafydd om de stilte te verbreken. 'Ik neem ze mee naar de bioscoop.'

'Sheila heeft er dus geen bezwaar meer tegen dat jullie met elkaar worden gezien?'

'Nee, volgens mij heeft ze het opgegeven. Zelfs de mensen in het ziekenhuis lijken op de hoogte te zijn.' Dafydd voelde zich slaperig worden. Zijn oogleden trilden.

'Ik denk dat ik je maar opening van zaken moet geven over die verdomde bloedafnames,' zei Ian plotseling.

Dafydds ogen vlogen open. 'Voor die DNA-tests, bedoel je?'

'Eerlijk gezegd heb ik ze niet zelf afgenomen. Ik bedoel, niet het bloed zelf.'

'O nee? Wie dan wel?'

'Geen idee. Zijzelf, denk ik. Hoe dan ook, ze heeft mij ervoor laten tekenen dat ze van haar en Mark waren.' Ian wachtte even en staarde naar zijn kom. 'Het zal wel niet relevant zijn, maar ik vond dat ik het je toch maar moest vertellen.'

Dafydd leunde achterover in zijn stoel en tilde zijn voeten op, naar de warmte van de kachel. 'Het maakt geen verschil. Zoiets valt niet te vervalsen. Niets kan mijn genen imiteren. De DNA-tests zelf zijn in Engeland gedaan, door een gecertificeerd laboratorium, met het bloed dat ik erheen heb gebracht. Wat voor achterbaks plan die vrouw ook mag hebben uitgebroed, dit is niet iets dat zij in elkaar had kunnen zetten... helaas.'

Ian knikte en aaide verstrooid Thorns kop. 'Denk je er nog steeds zo over... dat het je tegenstaat?'

'Ik weet het niet. Mijn hoofd loopt om; het ziet ernaar uit dat mijn huwelijk naar de knoppen is. Ik vrees dat mijn vrouw voor iemand anders is gevallen. Ons huis heeft ze al verkocht. Inmiddels begin ik te geloven dat Mark en Miranda inderdaad mijn kinderen zijn. Het is een vreemde paradox, één persoon verliezen en er twee winnen. Het ziet ernaar uit dat ik niets kan uitrichten tegen alles wat me overkomt. Als ik echter werkelijk de vader van Miranda en

Mark ben, is het mijn taak ervoor te zorgen dat ze goed terechtkomen. Trouwens, ik wil het ook.'

'Er is maar één manier om dat te doen: hier blijven. Kun je dat stel ongelukkige kinderen aan háár overlaten? Het komt overeen met de zorg voor een paar lammetjes toevertrouwen aan een weerwolf.'

Dafydd schudde zijn hoofd, met gesloten ogen. 'Ze zijn taai, die twee. Ik denk dat ze zich wel staande zullen houden. Sheila houdt van ze, op die verdomd tweeslachtige manier van haar, daar ben ik zeker van.'

Hoofdschuddend zei Ian: 'Hoe dan ook, dat mens heeft geen geweten. Jij zou hier moeten zijn.'

Dafydd stond op het punt in te dutten. Zijn armen en benen waren pijnlijk van vermoeidheid. 'Ik weet het...' zei hij eindelijk.

'Miranda wilde je niet zien,' zei Sheila met een triomfantelijk lachje. 'Je zult het met Mark moeten doen.'

'Waar is ze?'

'Ze logeert bij haar vriendin Cass.'

Sheila droeg een strakke broek van zwarte suède, met een rode trui met rolkraag. Haar oranjerode haar vloekte er zo mee dat het bijna pijn deed aan zijn ogen. Dafydd verbaasde zich erover, ze zag er altijd onberispelijk en zelfbeheerst uit. De donkere kringen onder haar ogen waren dieper geworden en ze had zich te zwaar opgemaakt. Haar gezicht was nog bleker dan anders. Haar strakke kaken en verkrampte voorhoofd verrieden dat ze met stress kampte. Ze moest zich ervan bewust zijn dat ze minder mooi was dan gewoonlijk, want haar gezicht betrok toen ze merkte hoe hij haar bestudeerde.

'Ik ga uit,' zei ze kortaf. 'Breng hem dus maar thuis wanneer je maar wilt. Hij heeft de sleutel.'

Dafydd zei niets en bleef voor de deur staan. Nagenoeg elk gesprek dat hij met Sheila aanging, eindigde in een scherpe woordenwisseling. Hij had haar een eerste cheque gegeven, met achterop de woorden 'Betaalbaar aan Sheila Hailey'. De twee lokettistes van de Royal Bank zouden zich die dag kostelijk hebben vermaakt. Hoogstwaarschijnlijk zou de bank de cheque niet eens accepteren, al was Sheila bereid dat te riskeren, aangezien ze op vriendschappelijke voet stond met de leider van het filiaal. Hoe dan ook, geen enkele vorm van betaling zou hier onopgemerkt zijn gebleven. Vertrouwelijkheid was in het noorden kennelijk geen vereiste voor bankemployés. Dafydd grijnsde bij de gedachte aan de creatieve roddels die dit soort informatie in Moose Creek zou uitlokken. Hij hoopte alleen dat de kinderen het niet aan de weet kwamen, al schenen ze zich van dat soort dingen niets aan te trekken. De complexiteit van de relaties en de moraal van volwassenen was iets waarvan ze al meer dan genoeg hadden gezien, en niet alleen thuis.

Mark kwam op zijn dooie akkertje de trap af, gekleed in een veel te grote spijkerbroek die half op zijn heupen hing en over zijn grote sportschoenen over de grond sleepte. Hij had zijn haar laten afscheren.

'Goeie genade!' riep Dafydd uit. 'Wat was er mis met je paardenstaart?'

Mark staarde woedend naar zijn moeder en begon zijn parka aan te trekken. Er werd geen woord meer gezegd. Ze vertrokken en liepen richting centrum.

'Je wilt *Riding Home* graag zien?'

'Over die kleine schoft die als jockey kampioen wordt? Tuurlijk, waarom niet,' zei Mark schouderophalend.

'Of wil je liever naar Beanie's?'

'Waarom heb je geen huis, waar we lekker onderuit op de bank televisie kunnen kijken?'

'We zouden een pizza kunnen bestellen en op mijn kamer televisiekijken.'

'Maakt niet uit.'

Een uur later zaten ze op het paarse bed, leunend tegen een opgerolde lappendekken en omringd door pizza's zonder kaas, maar met artisjokken en ui, popcorn, olijven, kerstomaten, druiven en een grote zak gemengde noten plus een tweeliterfles cola. Hij had het televisietoestel op het voeteneinde van het bed gezet en het geluid flink hard gezet. Ze keken naar *The Last Wave*, een oude film met Richard Chamberlain in de hoofdrol.

'Ik weet haast wel zeker dat hij homo is,' merkte Mark op.

'Nooit gehoord,' zei Dafydd met volle mond.

Na enkele minuten keek Mark hem van opzij aan en fronste zijn voorhoofd. 'Ben je van plan hier eeuwig te blijven hangen?'

'Eerlijk gezegd weet ik verdomme zelf niet waarmee ik bezig ben.'

'Je zou een huis kunnen huren, weet je, of een stacaravan. Dan zou je een computer kunnen nemen, en een magnetron en zo...'

'Ja... tja, het is een mogelijkheid die ik heb overwogen. Wat zou jij ervan vinden als ik dat deed?'

'Moet je zelf weten, toch?' zei Mark schouderophalend, alsof het hem allemaal steenkoud liet. '... Je zou een auto kunnen kopen, of een pick-up en een sneeuwscoo–'

'Vind je het erg als ik je iets vraag? Jullie schijnen geen familie te

hebben, behalve mij, natuurlijk. Heeft je moeder nog familie?'
'Ma heeft me verboden je daar iets over te zeggen.'
'Hoe dat zo?'
'Omdat het je geen ene moer aangaat.'
'Zijn dat jouw woorden, of de hare?'
Mark dacht er even over na, in zijn schik met het idee. Toen keek hij weer opzij en focuste zelfs zijn kleurloze ogen op die van Dafydd. 'We hebben een oma. De moeder van mijn moeder. Woont in Florida.' Hij wijdde zich weer aan de actie op het scherm en duwde twee kerstomaten in zijn mond, een in iedere wang. 'Ze hebben de pest aan elkaar, mijn moeder en mijn oma. Ik heb een jaar lang bij haar gewoond.' Hij drukte met beide handen zijn wangen samen en sproeide tomatenpitjes rond.

'Dat wist ik niet.' Dafydd gaf hem wat servetten. 'Was Miranda toen bij je?'

'Nee. Het oudje heeft de pest aan meisjes.'

'En... is het je daar bevallen?'

'Lul niet. Ze kan mij ook niet luchten. Ma dacht dat oma, aangezien ze dol is op mannen, ook wel dol zou zijn op jongens, maar mooi niet.' Hij wierp een blik op Dafydd en gnuifde: 'Oma stuurde me terug. Ma had gedacht dat ze me nooit zou terugzien. Ze was woest.'

Richard Chamberlain had een hallucinatie in zijn auto. Rond de half gezonken auto dreven dode mensen en stukken wrakhout.

'Ik weet eigenlijk niet of deze film wel geschikt...'

'Sst. Dit is het spannendste deel.'

Ze gingen op in de beproevingen van Richard Chamberlain die, als een Australische aboriginal, de komst van een tsunami voorspelde. Na afloop van de film schakelden ze over naar een ijshockeywedstrijd.

'Wat weet je van je grootvader? Is hij dood?' vroeg Dafydd tijdens een reclamepauze.

'Weet ik niet,' zei Mark, die zich concentreerde op het lostrekken van een nijnagel. 'Volgens mij kwam hij uit Engeland, net als jij. Hij is weggegaan toen ma tien was. Hij was erg teleurgesteld omdat ze rood haar had, en daarom had hij ook de pest aan mij.' Mark haalde zijn schouders op, alsof het volkomen normaal en gerechtvaardigd was dat iemand een hekel aan je had, alleen vanwege je rode haar.

Dafydd keek naar de jongen die naast hem zat en werd plotseling overweldigd door mededogen. 'Ze hebben nooit meer iets van hem gehoord?'

'O, dat wel. Hij stuurde cheques zodat mijn moeder op kostschool kon blijven, want oma wilde haar uit de weg hebben. Ik denk dat haar vader ook niks met haar op had.' Plotseling moest Mark lachen, een schrille, onnatuurlijke uithaal. 'Jij mag haar evenmin, niet toch? Van mij mag je; meestal kan ik het ook niet met haar vinden. Arme ma. Er zijn wel kerels genoeg die wat in haar zien. Ze mag er tenslotte wezen, ondanks dat rooie haar.' Hij keek Dafydd smekend aan. 'Vind je ook niet?'

Dafydd kromp ineen bij het horen van het verdriet in de stem van de jongen. 'Ja. Je moeder is heel mooi. Heel intelligent ook, net als jij.' Hij gaf Mark een kneepje in zijn arm.

Ze zwegen weer toen de wedstrijd werd hervat. Dafydd had een glimp van een herinnering aan iets dat lang geleden tussen hem en Sheila was voorgevallen. Ze had destijds gezegd dat Dafydd haar aan iemand deed denken, een 'dikdoener, een gefrustreerde, neerbuigende schoft. Net als jij. Afstandelijk, o zo afstandelijk. Ik was verdomme nooit goed genoeg voor hem, wat ik ook deed', had ze gezegd.

'Ik denk dat Miranda wel een kind van jou is, maar ik niet,' merkte Mark plotseling op.

'Ja, dat heb je al gezegd.' Dafydd keek de jongen aan. 'Maar zoiets is niet mogelijk.'

Mark grijnsde spottend. 'Kijk het maar na in je medische boeken. Het kán gebeuren, als de vrouw – '

'Ja, ik weet het,' viel Dafydd hem in de rede. Hij ergerde zich eraan dat het joch er een handje van had hem te willen kleineren, net als zijn moeder. 'Uit de statistieken blijkt echter dat die kans waarschijnlijk een op één miljoen is, of misschien zelfs één op de tien miljoen.' Hij voelde zich dwaas terwijl hij het zei, en zag hoe Mark hem meewarig zat op te nemen.

Hij zuchtte luid en zei schouderophalend: 'Maar goed, als het veel voor jou betekent... páps.'

'Trouwens, het was jouw bloed en niet dat van Miranda dat bewees dat jij mijn zoon was.'

Mark zei niets, maar herhaalde het kunstje met de tomaatjes. Hij gaf Dafydd er twee om het ook te proberen. 'Ma kan je niet luchten, weet je.'

'Grote god, Mark. Zoals jij het vertelt, moet de hele boel één grote ketel van kokende haat zijn. Ken jij ook maar iemand die aan niemand anders de pest heeft?'

Mark keek naar hem, maar negeerde de vraag. 'Nee, zo gaat het niet. Je moet ook met je wangen persen. Zo hard dat ze ontploffen.'

'Zou je bij mij in Engeland komen logeren, als ik terugging?'

Mark hield op met kauwen en staarde naar zijn handen. 'Ik dacht eigenlijk dat je hier wilde blijven... tenslotte heb je al een baan en zo.'

'Mijn eigenlijke baan is in Wales. Ik weet niet of ik hier voorgoed kan blijven.'

Mark zweeg een ogenblik. 'Nou, lazer dan maar gerust op,' zei hij en wendde zich af. Zijn smalle borst zakte in en zijn hoofd, nu meelijwekkend kaal, zakte diep weg tussen zijn schouders. Gedurende de rest van de ijshockeywedstrijd was hij niet meer toegankelijk. Tegen het einde was hij bijna ingeslapen. Dafydd had de neiging de benige schouder van deze trieste tiener te strelen om wat menselijke warmte over te dragen. Mark was het somberste en meest verzuurde kind dat hij ooit had meegemaakt. De enige genegenheid die hij scheen te ondervinden, kwam van de altijd giechelende Miranda, die ruw met hem omsprong. Hij scheen er nooit bezwaar tegen te hebben dat ze hem vaak stompte, zijn haar door de war haalde of hem onbeholpen omhelsde. Het was ondenkbaar dat hij zou worden weggestuurd, zodat die twee van elkaar werden gescheiden. De jongen had zijn zus nodig, en zij hém.

Tillie bonsde op de deur en riep zijn naam. Langzaam zweefde hij omhoog uit een diepe, duistere droom tot hij zich bewust werd van het aanhoudende kabaal. Zijn geest had moeite de omstandigheden te herkennen. Na enkele seconden besefte hij weer dat hij zich in een ver buitenlands oord bevond en arts van beroep was, maar ook dat hij geen dienst had. Het moest om iets anders gaan. Met een schok kwam hij overeind en sprong uit bed.

'Ik kom eraan!' riep hij luid en begon jacht te maken op zijn ochtendjas.

'Het is het ziekenhuis,' zei Tillie toen hij de deur opende. 'Er is daar een spoedgeval waar ze jou bij nodig hebben. Ze zeiden dat ik moest zeggen dat je onmiddellijk moest komen.'

Dafydd schoot zijn jeans en schoenen aan, zonder zijn sokken, trok een shirt en zijn parka aan en rende de trap af. Tillie had haar auto al voor de deur klaarstaan, al warmgedraaid.

'Bedankt, lieverd,' hijgde hij. 'Ik wil wedden dat je er spijt van hebt mij in huis te hebben genomen. Je hebt alleen maar narigheid van mij.'

'Nee hoor... van mij mag je voorgoed blijven.' Tillie inspecteerde hem tijdens de rit naar het ziekenhuis. Hij had de onmiskenbare klank van verliefdheid in haar stem horen doorklinken en vermeed haar blik. Tillies kortstondige huwelijk was aan een eind gekomen toen haar oudere echtgenoot tien jaar geleden was gestorven, hoofdzakelijk van ouderdom. Zijzelf was als herboren, een pop die uit een cocon van vet was gekropen en de metamorfose tot een aantrekkelijke vlinder van middelbare leeftijd had doorgemaakt. Ze wist vermoedelijk niet veel van de hartstocht tussen man en vrouw. Dafydd keek tersluiks naar haar energieke profiel. Ze had een klein, fijnbesneden gezicht en tengere handen die het stuurwiel omklemden. Er moesten drommen eenzame kerels in Moose Creek rondlopen die maar al te graag verliefd op haar en haar florerende Bed & Breakfast zouden worden. Hij moest haar echter tot iedere prijs verlossen van haar idee dat híj het helemaal voor haar was. Nog één complicatie meer en hij zou een zenuwinstorting krijgen.

Ze zette hem af bij de ingang van Spoedgevallen, en hij rende door naar de operatiezaal, waar Janie hem al opwachtte.

'Het is een pelsjager, die te pakken is genomen door een grizzly, niet ver van hier. Hij is stabiel, maar ongeveer aan flarden gescheurd. Geen inwendig letsel, voor zover we kunnen zien. Alleen een paar gebroken ribben en een ontwrichte schouder. Goddank zat hij dik in de kleren. Bovendien was er een kameraad bij. De man moet een echte beschermengel hebben.'

Nadat hij zijn handen had geschrobd, hielp Janie hem met het aantrekken van de steriele handschoenen. Ze boog zich naar hem toe en fluisterde: 'Lezzard is eigenlijk stand-by, maar die is naar een ruig feest geweest – zijn vrouw kon hem niet eens wakker krijgen. Nadja stond reserve, maar ik heb Hogg gebeld om de situatie uit te leggen, en hij vond dat ik jou moest laten komen. Ze is nog zo... onervaren.' Ze deed een stap naar achteren en keek hem aan. 'Je vindt het toch niet erg, hoop ik?'

'Natuurlijk niet,' zei Dafydd. 'Ik neem aan dat Atilan de anesthesie doet?'

Janie knikte en liet er zacht op volgen. 'Sheila is niet hier, voor het geval je je erover verwondert.'

'Godzijdank.'

Ze keek naar hem, zonder iets te zeggen.

Tijdens de urenlange operatie, waarbij de gekartelde lappen huid die de grizzlybeer met zijn dodelijke klauwen had opengereten weer aan elkaar werden genaaid, vroeg Dafydd Janie hoe het mogelijk was dat er in hartje winter een grizzlybeer rondzwierf.

'Het is mogelijk dat deze knaap hier hem heeft gestoord. Grizzly's worden soms wakker uit hun winterslaap en dan hebben ze een pesthumeur.'

Dokter Atilan, een stille vrouw van Hongaarse afkomst, begon opeens achter haar operatiemasker tegen hen te praten. Met haar zware accent vertelde ze tot in alle bloederige bijzonderheden het geval van een Spaanse fietser die in de zomer van 1998 door een zwarte beer was verminkt. De man had zich voorgenomen om als eerste het hele traject van de nieuwe autoweg van Wolf Trail naar Tuktoyaktuk per fiets af te leggen. Ongeveer honderddertig kilometer ten zuiden van Moose Creek was een streekbewoner over de weg komen aanrijden toen hij een fiets in de berm zag liggen waarvan het achterwiel nog draaide. Hij was gestopt en hoorde geschreeuw tussen de bomen, waar de ongelukkige fietser door de beer heen was gesleurd. De beer had zich door het gebrul en de wilde bewegingen van de automobilist laten verjagen en de domme Spanjaard was door hem gered. Met meer dan vierhonderd hechtingen was hij absolute recordhouder. Op de zesde juli van elk jaar stuurde hij trouw vanuit Bilbao, waar hij nu leraar was, bloemen naar het ziekenhuis.

'En wat te denken van die jongen uit Coppermine?' zei Janie. 'Die was er ook slecht aan toe.' Ze wendde zich tot Dafydd. Deze jongen, een Inuit, was door een ijsbeer aangevallen. Het was heel dramatisch allemaal, want het gebeurde in een sneeuwstorm en het was in maart, april en die sneeuwstorm was de ergste die je ooit hebt meegemaakt. Ze hadden hem naar Yellowknife willen vliegen, maar het weer was zo slecht dat ze hem hierheen hebben gebracht omdat wij dichterbij waren.'

'Een ijsbeer!' riep Dafydd uit. 'Ik dacht dat iedere ontmoeting met een ijsbeer nagenoeg dodelijk was?'

'Ze zeggen dat een hond hem heeft gered.'

'Hoe is het verder met hem gegaan?'

'Hij is een paar dagen hier gebleven, maar daarna hebben we hem over laten brengen naar Edmonton. De operatie was ingrijpend en het kostte hem een been. Ongelooflijk dapper, dat joch. Hij weigerde te huilen.'

'Hoe oud was die jongen?' vroeg Dafydd, die zich bukte voor de delicate taak om een scheur in 's mans lies te dichten.

'Een jaar of twaalf, dertien,' zei Atilan, opkijkend van een medisch tijdschrift dat ze zat te lezen. 'Groot voor zijn leeftijd. Een leuk joch. We wilden hem allemaal vertroetelen – hij was echt heel bijzonder.'

'Kinderen zijn vaak betere patiënten dan volwassenen,' zei Dafydd. Hij richtte zich op en rechtte zijn rug om iets van de pijn van het langdurige bukken boven de onfortuinlijke pelsjager kwijt te raken. 'Als puntje bij paaltje komt, zijn kinderen stoïcijnser.' Een vaag beeld van het gezicht van Derek Rose flitste hem door de geest, een kind met glazige, diep ingezonken ogen die hem vragen had gesteld die door zo'n jong kind nauwelijks geformuleerd konden worden.

Na vier uur opereren verliet het team de operatiezaal, uitgeput maar bemoedigd. Dafydd had in totaal tweehonderdachtenzeventig hechtingen geteld, maar hij was niettemin tevreden over zijn werk. De man, een jonge Metis – getrouwd en met een jong kind – zou er lelijke littekens aan overhouden, maar hij zou niet al te erg gehandicapt zijn. In elk geval was hij hier evengoed geholpen als in een groot ziekenhuis. En hij leefde nog.

Janies dochter, Patricia, was ongeoorloofd de cafetaria ingegaan. Ze begon koffie te zetten en een warm ontbijt klaar te maken. Algauw werden de leden van de nachtploeg aangelokt door de donkere ruimte vanwege de geur van gebakken bacon. Er heerste een atmosfeer van kameraadschap en teamgeest. Misschien omdat Sheila Hailey er niet bij is, peinsde Dafydd. Het was hem niet ontgaan dat ze niet populair was, al had ze zo haar bondgenoten.

Hoewel hij niet vaak vlees at, deed hij zich tegoed aan een fors bord gebakken eieren met bacon en gebakken aardappeltjes. Iemand anders nam de vrijheid om pannenkoeken te bakken; ook daarvan nam hij er verscheidene.

Tussen de happen door zei hij tegen dokter Atilan, die naast hem zat: 'Weet je, jaren en jaren geleden ben ik in dat gebied geweest, in de omgeving van Coppermine waar die Inuit-jongen vandaan kwam, de jongen over wie je ons hebt verteld. Het is vermoedelijk de eenzaamste plek van de wereld, maar aan de andere kant is het er ongelooflijk mooi. Weet je misschien nog hoe het dorpje heette, waar hij vandaan kwam? Er waren er niet veel, herinner ik me.'

Dokter Atilan schudde het hoofd. 'Het was een gehucht. De een of andere Inuit-naam veronderstel ik.'

'Black River,' riep Janie hem toe, van het andere eind van de tafel.

Black River... Dafydd zag de naam voor zich, geschreven in zijn eigen handschrift op talloze enveloppen – *Black River*. Wat een toeval! Zo'n kleine plaats. Misschien had hij zelfs de ouders van de gewonde jongen ontmoet, al had hij er heel weinig jongere mensen gezien. Zijn gedachten dwaalden af naar de vrouw die hij, geluksvogel die hij was, had mogen beminnen. Hij herinnerde zich hoe haar lange haar over zijn naakte huid was gegleden. Ook herinnerde hij zich de kleine sculpturen van speksteen die hij in zijn hand had gehouden, en het noorderlicht dat de hemel boven haar bescheiden huisje had gekleurd. Zou ze er nog zijn? Hij zette de gedachte van zich af – was er nog niet genoeg chaos in zijn leven?

19

Dafydd,
*Ik weet niet goed wat ik je moet schrjven. Goed dat je zoveel
vorderingen maakt met de kinderen. Heel fijn. En dan die
waarneming – gelukgewenst. Je zult dus wel niet voor de kerst
terug zijn. Ik had je ook niet verwacht, dus maak je maar geen
zorgen. De verkoop van het huis komt begin januari rond. Dubai was een geweldige ervaring, bedankt dat je er naar hebt
geïnformeerd. Dus geen zorg. Hou vol,*

Isabel

Isabel dreef steeds verder weg, als een schip dat zich verwijderde op
een uitgestrekte zee, zodat het steeds kleiner werd totdat het achter
de horizon verdween. Dafydd kon nu objectief over haar denken,
haar charisma, haar opvliegende karakter, haar mooie scherpe profiel, haar uitzonderlijke charme en zelfs haar jaloezie en koppigheid.
Ja, hij zag nu in dat hij geluk had gehad. Het stemde hem dankbaar
te weten dat hij haar man was geweest.

Het vreemde was dat het hem niet meer kon schelen. Was dit een
bewijs van oppervlakkigheid, een soort steriele geest? De vrouw van
wie hij had gedacht zo hartstochtelijk te houden was bezig hem te
ontglippen, kennelijk naar iets beters. Nu kon hij, hoewel hij niets
van een verandering in zijn gevoelens voor haar had gemerkt, niet
echt om haar treuren. De laatste opwelling van spijt was geëxplo-
deerd tot een abrupte vloed van tranen, maar daarna had hij zich zo
licht als een veertje gevoeld… bijna gelouterd. Hij had zijn innerlijk
doorzocht, op zoek naar gevoelens en redenen, maar hij had dit ge-

brek aan verdriet en spijt niet kunnen verklaren. Misschien was het woede? Hij was van mening dat ze hem in de steek had gelaten toen hij in het reine moest zien te komen met iets dat verbijsterender was dan alles wat hij ooit had meegemaakt, afgezien van Derek Rose en de nasleep daarvan. Ze had hem niet gesteund, hem niet vertrouwd. Ze had nooit begrepen dat hij zelf overtuigd was van zijn onschuld, van het feit dat Sheila's beschuldiging uit de lucht was gegrepen, volstrekt onschuldig. Totdat zijn vergissing zwart op wit door dat vervloekte testrapport aan het licht kwam omdat het zijn vaderschap bevestigde. Het scheen dat ze hun hele huwelijk als een gesloten boek beschouwde en al haar hoop en ambitie had gevestigd op een nieuw doel: onmisbaar worden in de wereld van de grote binnenhuisarchitectuur. Ze wilde rijk en machtig worden, of zelfs beroemd.

Dafydds eigen ambities waren daarentegen alleen maar afgenomen. Als Isabel ooit had gevreesd dat zijn zojuist gevonden kinderen hem van haar zouden verwijderen, had ze daar gelijk in gehad. Er was een vaderlijk verantwoordelijkheidsbesef in hem gewekt en hij kon het niet van zich afzetten, ongeacht wat de toekomst voor hem in petto had. Zijn lotsbestemming was verbonden met dit gevoel in zijn innerlijk, hoe ongerijmd het ook was.

Dafydd naderde Ians blokhut en het licht van zijn koplampen stuitte op de brede kont van Andrew Hoggs terreinwagen die het erf blokkeerde. Er ging een steek van angst door hem heen. Hij had Ian niet meer geconfronteerd met de Demerol-transporten, maar een paar vluchtige verkenningen van de kofferbak van de Ford hadden geen compromitterende pakketjes aan het licht gebracht. Niettemin was hij meerdere keren geschrokken van zijn nonchalante houding. Hij kon dit onmogelijk blijven negeren. Het vervoeren van gestolen goederen, nota bene drugs, was een ernstig misdrijf dat hem tot hetzelfde niveau verlaagde als dat van Sheila. Hij zou ervoor moeten zorgen dat het niet meer gebeurde.

Hij vroeg zich af wat Hogg hier kwam doen en in wat voor toestand hij Ian had aangetroffen. Het was bijna zeven uur, ongeveer de tijd dat Ian zijn avonddosis nam. Dafydd begreep dat hij geen andere keus had dan naar binnen gaan, aangezien het geluid van zijn auto hen op zijn aanwezigheid attent moest hebben gemaakt.

'O, je komt als geroepen, *old boy*! Als geroepen!' riep Hogg toen hij naar binnen ging. 'Precies de man met wie we willen praten.'

Ian zat aan de keukentafel en zag er afschuwelijker uit dan ooit. Thorn lag op zijn oude elandvacht in de hoek zacht te janken.

'Ik probeer Ian ervan te overtuigen dat we hem beslist aanstaande maandag terugverwachten, nu jouw waarnemingstermijn erop zit,' zei Hogg vermoeid. 'Is het niet, Dafydd?' Hij keek Dafydd smekend aan. Hij zag er vermoeid uit en de dikke donkere haardos paste slecht bij zijn bleke, opgeblazen gezicht, bijna als een goedkope, slecht passende pruik.

De drie mannen keken naar elkaar, allemaal wachtend totdat een van de anderen het heft in handen zou nemen. Ians onverschilligheid en apathie en Hoggs vermoeide ergernis zadelden Dafydd ermee op. Ze keken allebei zijn richting uit en hij wist waarop ze wachtten, maar hij wist dat instemming voor Ian rampzalig zou zijn. De man moest hoe dan ook terug naar een schijn van normaliteit. Hij had behoefte aan de discipline van dagelijkse arbeid. Aan de andere kant wist Dafydd dat Ian, als ze hem loslieten op patiënten, in zijn huidige staat van verslaving een gevaar voor hen vormde. Het zou –nu meer dan ooit – onverantwoordelijk zijn hem in die positie te brengen.

Dafydd probeerde een acceptabele uitspraak in die geest te doen, maar abrupt verbrak Hogg de stilte. Hij wendde zich tot Dafydd, zijn gezicht strak van ergernis en teleurstelling. 'Laten we er niet langer omheen draaien. Ian is op dit moment absoluut niet in staat om aan het werk te gaan.'

Hij deed een stap in Ians richting en zette zijn handen op zijn dikke heupen. 'Luister goed, beste man. We hebben heel wat jaartjes met elkaar samengewerkt en dat is de reden dat ik vind dat ik jou wel wat… eh, coulance schuldig ben. Als arts valt er niets op je aan te merken, maar de afgelopen paar jaar… Tja, het lijkt me niet dat we nog veel langer zo door kunnen modderen, vind je zelf ook niet?'

'O, doe geen moeite,' zei Ian. 'Jij weet even goed als ik dat jij mij niet de zak kunt geven tenzij ik een blunder heb gemaakt. Je staat met lege handen. Ik heb recht op ziekteverlof en daar maak ik nu gebruik van. Ik ben niet in staat om maandag aan het werk te gaan.'

'Zoveel is me duidelijk,' zei Hogg. Zijn stem droop van sarcasme.

'Geef me de tijd tot nieuwjaar. Ik ben er zeker van dat Dafydd het niet erg zal vinden nog een paar weken te blijven. Of wel, Dafydd?' Er klonk iets anders door in Ians stem. Zijn provocerende houding was vermengd met een schreeuw om hulp, een meelijwekkende smeekbede om wat meer tijd. Dafydd werd er diep door geraakt en hij had de neiging de kant van zijn vriend te kiezen en hem te smeken een eind te maken aan deze afschuwelijke zelfdestructie – hem te zeggen dat hij zich moest vermannen. Hij kon zoiets echter onmogelijk doen waar Hogg bij was. Hogg en Ian keken allebei naar hem, wachtend op zijn antwoord.

'Vooruit dan maar,' zei hij. 'Tot één januari... maar geen dag langer.' Hij keek Ian recht in de ogen, maar die staarde naar de vloer.

'Geweldig, *old boy*!' Hogg maakte aanstalten om weg te gaan, maar hij aarzelde en draaide zich om naar Ian. 'Ik vrees dat ik iets voor je op schrift zal moeten stellen. Je weet zelf dat dit werkelijk niet anders kan. Maar het stuit me tegen de borst.' Hij haalde hulpeloos zijn schouders op, maar kreeg geen reactie van Ian. Hij keek even naar Dafydd en er lag oprechte spijt in zijn blik. Dafydd vroeg zich af hoeveel de man eigenlijk werkelijk wist van de situatie. Hoe kon hij zo blind en doof zijn geweest voor alles wat er onder zijn neus gebeurde, al die jaren? Misschien had zijn hartstocht voor Sheila hem ertoe gebracht een andere kant op te kijken.

Hogg knoopte zijn overjas dicht en vertrok. Dafydd sloot de deur om de ijzige duisternis buiten te houden en hoorde de motor van de terreinwagen brullen toen Hogg om de Ford heen manoeuvreerde en de oprit afreed. Toen begon hij inhoud van de CO-OP-zakken op de keukentafel uit te stallen en maakte daarna een blik hondenvoer open.

'Je begrijpt dat ik je geen rugdekking meer kan geven,' begon hij. 'Ik zal je je auto terug moeten geven, zodat je zelf weer het roer van je leven in handen kunt nemen. Ik ben van mening dat ik je een slechte dienst heb bewezen. Het was stom van mij.'

'Eén januari, is er gezegd. Waarom houden we het daar niet bij? Dat is de ideale datum voor een nieuw begin.'

'Nee!' riep Dafydd uit. 'Begrijp je niet dat we zo niet verder komen? Straks ben je er nog erger aan toe dan nu. Gebruik deze tijd om jezelf te ontgiften. Als je dan niet naar een ontwenningskliniek wilt, doe je het maar hier. Ik zal je erbij helpen.'

'De drank kan ik minderen, maar stoppen met Demerol is zinloos. Het heeft geen invloed op mijn werk. Ik functioneer er prima op.'

'*Ian!*' Dafydd schreeuwde nu bijna. 'Je hoort te weten dat je nooit onder invloed van drugs mag werken. Je zou het leven van patiënten in gevaar brengen.'

'*Ik* heb de dood van geen enkele patiënt op mijn conto,' bulderde Ian terug. 'Ik heb niemand vermoord, afgezien van mijn vrouw.'

Dafydd liep naar de plek waar Ian stond, greep hem bij de schouders en dwong hem te gaan zitten. 'Ian, luister nou toch. Medicamenten stelen is een ernstig misdrijf. Je hebt tot nu toe geluk gehad. Daar komt een eind aan.'

Ian zat ineengedoken op zijn stoel. 'Ach, lazer toch op. Daar wordt niemand slechter van. Trouwens, het is Sheila die ze gapt.'

'In dat geval heb je je auto nodig, want je zult voortaan jezelf moeten bevoorraden.'

Ian stond op en liep naar de badkamer. Thorn snuffelde aan het voer in zijn bak en ging terug naar zijn elandvacht. Dafydd keek om zich heen. De blokhut was er slecht aan toe. Er zaten plakken ijs op de wanden, waar het hout was gekrompen en het isolatiemateriaal het had begeven. Het plafond leek doordrenkt van water en stond aan alle kanten bol, alsof het elk moment open kon barsten. De kleur en de soort materiaal van de vloerbedekking waren onherkenbaar – het was niet meer dan een zwart verkleurd, olieachtig oppervlak, tot op de draad versleten en gerafeld.

Toen Ian terugkwam stonden zijn ogen dof.

'Het verbaasd me dat je nog aderen over hebt,' zei Dafydd bitter.

'Hou erover op, wil je.'

'Luister, ik ga een taxi bellen.' Hij legde de autosleuteltjes op tafel. 'Ik breng je geen levensmiddelen, drank of drugs meer. Je zult zelf alles moeten halen wat je nodig hebt. Ik ga jou alleen helpen als je besluit jezelf te helpen. Ik ben tot alles bereid... maar jij zult een besluit moeten nemen.'

'Ik zal erover denken.'

Er viel niets meer te zeggen. Ian zat half ingedommeld slap op zijn stoel, terwijl Dafydd op de taxi wachtte. Twintig minuten later hoorde Dafydd de auto voor de blokhut stoppen en stond op. Hij bukte zich om Ian in zijn doffe ogen te kijken en zei: 'Ik zou graag willen dat jij één ding voor mij deed. Leen me jouw wachtwoord voor het interne net. Als waarnemer heb ik er geen toegang toe. Ik wil iets verifiëren.'

Ian opende zijn ogen, stond op, vond een pen en krabbelde een paar cijfers op een velletje papier. Zwijgend reikte hij het Dafydd aan. Ze keken elkaar een ogenblik in de ogen.

'Stoppen, Ian... Doe het,' zei Dafydd nadrukkelijk, een hand op de schouder van zijn vriend. 'Het zal je pijn doen, maar je kúnt het. Ik kom terug om voor je te zorgen. Je weet waar je me kunt vinden.'

Afgezien van de bureaulamp brandde er geen licht in het kantoor. Dafydd had de deur achter zich op slot gedraaid, maar het was niet erg waarschijnlijk dat iemand op dit nachtelijk uur iets in dit deel van het ziekenhuis te zoeken had. Hij zette de computerterminal aan en wachtte. Toen het systeem om zijn wachtwoord vroeg, tikte hij de cijfercombinatie op het velletje papier in en bekeek de verschillende programma's die op het scherm beschikbaar waren. Hij klikte op Spoedgevallen en kreeg een venster met opties voor zich. 'Reden van opname' leek hem even logisch als wat ook. Hij tikte 'aangevallen door beer' in en er verscheen een lijst met namen. Zijn hart bonsde toen hij haastig de namen doornam. Het waren er twee-entwintig en ze hadden betrekking op een flink aantal jaren. Halverwege de lijst zag hij het: Charlie Ashoona, Black River, regio Kugluktuk (Coppermine), Nunavut. Naaste verwant: Uyarasuq Ashoona, moeder.

Dafydd richtte zich op en staarde naar de naam. Het felle licht van het computerscherm in de donkere ruimte maakte dat de letters naar hem toe leken te springen. Er drong zich een bizarre mogelijkheid aan hem op. Kon dit de jongen zijn over wie Joseph het had gehad, de vermeende zoon van Sleeping Bear? Was dat wel mogelijk? Hij keek naar de geboortedatum: 5 december 1993. Hij kon zich niet voldoende concentreren om het rekensommetje van jaren en maanden te maken. Alles versmolt tot een hopeloze chaos van getallen. Hij greep een pen en noteerde de maanden en jaren als kleine lijntjes op een notitieblok. Eindelijk drong het tot hem door dat de datum waarop de jongen was verwekt ongeveer samenviel met het bezoek dat Bear en hijzelf aan Black River hadden gebracht.

Konden Uyarasuq en Sleeping Bear...? Nee, hij kon het zich niet voorstellen. Aan de andere kant had Bear de helft van zijn spaargeld nagelaten aan een jongen in Black River die hij volgens Joseph had verwekt... Een afschuwelijke gedachte. Hij herinnerde zich de sterke genegenheid die Bear en Uyarasuq voor elkaar hadden gehad. Wat wist hij nou van de relatie tussen die twee? Zijn cultureel bepaalde vooroordelen over leeftijden, seks en moraliteit waren vermoedelijk niet van toepassing, niet in die wildernis daar. O god! Dafydd voelde zijn lichaam slap worden terwijl de mogelijkheden hem door het hoofd maalden, als een op hol geslagen, onstuitbaar roulettewiel.

'Waar denk jij verdomme mee bezig te zijn?'

De plotselinge, snijdende stem in de donkere, verlaten ruimte liet hem schrikken. Hij draaide zich om en zag Sheila met snelle passen op zich af komen. Hij reageerde ogenblikkelijk en trok de stekker uit het stopcontact. De computer zei *Ping* en het scherm werd zwart.

'Jij hebt het recht niet om inzage te krijgen in het archief. Hoe kon je erin?'

'Ik werk hier. Ik moet inzage hebben in de statussen van patiënten als ik dat nodig vind.'

'Je hebt het volste recht om de mappen zelf in te zien. Voor jou is dat alles wat je nodig hebt. Ik weet zeker dat jij niet over een wachtwoord voor het interne net beschikt. Die informatie is niet voor jouw soort bestemd. Ik rapporteer dit aan Hogg.'

'Doe dat vooral,' zei Dafydd ijzig. 'Het lijkt me dat wij drieën eens uitgebreid met elkaar moeten babbelen. Ik regel het wel. Er zijn allerlei dingen waarvan ik vind dat ik ze moet rapporteren.'

'Is het werkelijk?' Sheila's gelaatsuitdrukking veranderde iets, maar haar houding bleef even agressief. 'Zoals?'

Dafydd zei niets, maar hij stond niet op. Ze stapte naar hem toe en liet haar wijsvinger naar zijn gezicht priemen. 'Als jij denkt dat Hogg van plan is te luisteren naar wat dan ook wat jij over mij denkt te moeten zeggen, zit je er vreselijk naast.' Hoewel haar ogen fonkelden van woede, las hij toch angst in haar gezicht.

Dafydd dacht aan Ian en voelde plotseling woede in zich opwellen. Hij begon het punt te naderen waarop het hem niet meer kon schelen of hij Ian wel of niet zou compromitteren. Het werd tijd dat iemand iets deed om een eind te maken aan de jammerlijke zelfvernietiging die zij in de hand werkte. Hij keek naar de vinger die nog steeds vlak voor zijn gezicht zweefde.

'Haal die vinger voor mijn gezicht weg,' gromde hij, en duwde haar hand met enige kracht weg. 'Zijn er dan geen grenzen aan jouw verdorvenheid? En dat terwijl de zorg voor twee weerloze kinderen aan jou is toevertrouwd. Ze behoren beschermd te worden tegen – '

'Pas op je tellen,' siste Sheila. 'Als jij iets met jouw kinderen van plan bent, raad ik je aan héél voorzichtig te zijn. Er is niets verdorvens aan als ik besluit jou tot op het bot uit te kleden. Dat is precies wat jij verdient. Jij denkt dat je dat stinkende pikkie van je her en daar ergens in kunt steken en er dan voor kunt weglopen...'

'Daar heb ik het niet over,' snauwde Dafydd, waarmee hij haar de mond snoerde. 'Ik heb het over wat jij Ian aandoet.'

Sheila staarde hem aan, sprakeloos nu, maar ze herstelde zich snel. 'Het kan mij geen reet schelen waarover je bazelt. Wat het ook mag zijn, het gaat je geen flikker aan. Loop me niet voor de voeten, anders zie je die kinderen van je nooit meer. Dan hang ik het hele verhaal aan de grote klok. Ik kan bewijzen wat jij me hebt aangedaan en zal het de kinderen vertellen, tot in alle smerige details.'

'O? Zou je dat werkelijk je eigen kinderen aandoen?'

'Reken maar. Ik heb de bewijzen. Geloof me, het zal je niet bevallen.' Ze glimlachte, in de mening dat zij nu de troeven in handen had. Ze sloeg haar armen over elkaar onder haar borsten en staarde op hem neer. Ze was altijd op zoek naar een achilleshiel en dacht nu dat ze de kinderen als wapen kon gebruiken, maar dat zou haar niet glad zitten, niet deze keer. Daar zou hij wel voor zorgen.

'Ik geloof er geen woord van, je lult een eind in de ruimte.' Dafydd schoof zijn stoel zo hard weg van het bureau dat hij achteroverviel. 'Maar goed, je doet maar wat je nodig vindt, dan doe ik hetzelfde.'

Voordat ze hem van repliek kon dienen draaide hij zich bruusk om en verliet het kantoor.

Om vijf voor negen stond hij voor de deur van het kleine kantoor van Rent-a-Ride te wachten, in een zijstraat aan de rand van Moose Creek. Het was hem duidelijk dat hij het niet zonder vervoer kon stellen, en in Moose Creek woog zijn rijverbod minder zwaar dan die noodzaak. Glimlachend herinnerde hij zich een gesprek van lang geleden. Wie had hem ook alweer verteld dat hij nooit door de straten van Moose Creek zou lopen, omdat het er óf te warm en te stoffig óf te koud en te glibberig was, tenzij hij te dronken was om het te merken? Iemand die heel vrijpostig was. Zijn gezicht drukte een en al verbazing uit toen niemand anders dan de verkondiger van die waarheid zelf de straat in kwam benen, een grote bos sleutels in haar hand. Martha Kusugaq leek ondanks het verstrijken van de jaren geen spat veranderd. Haar ogen verhelderden zodra ze hem zag.

'Wel heb ik ooit – de sexy jonge dokter,' riep ze schril.

'Dat van de dokter kan kloppen, maar sexy en jong? Twijfelachtig,' lachte Dafydd.

'Ben je deze keer hier om te blijven, jongeman? God alleen weet hoe hard we iemand van jouw slag nodig hebben,' zei ze, met een heftig hoofdschudden. 'Ik hoop vurig dat jij het gaat overnemen van die ouwe Hogg. Hij zal het nooit toegeven, maar het wordt hoog tijd dat hij opstapt.'

'Hé... rustig aan, Martha. Ik ben hier alleen op bezoek. Hoe is het met je?'

'Laat me de deur even opendoen, dan praat ik je bij.'

Ze frunnikte langdurig aan de sleutelbos en moest er verscheidene proberen voordat ze de goede had gevonden.

'Als ik mag afgaan op al die sleutels, heb je niet slecht geboerd,' merkte Dafydd op.

'De spijker op de kop,' zei Martha. 'Mijn ouwetje ging er vandoor met een sletje en ik ben hertrouwd met een jongere man, een vent met ambitie.' Ze wipte achter de balie en nam een gouden pen in haar hand. 'Laat me je echter, voordat we over iets anders praten, aan een behoorlijk vervoermiddel helpen. Ze zijn allemaal heel betrouwbaar, dat kan ik je verzekeren...'

Hij kon zijn gedachten niet houden bij wat de kinderen zeiden.

Mark trok hem mee aan zijn arm. Miranda liep achter hen de slee te duwen en riep hen toe dat ze harder moesten trekken. Ze praatten met elkaar en schreeuwden en lachten onbedaarlijk terwijl ze zich tegen een steile helling omhoogworstelden, tot aan hun dijen in de sneeuw.

'Wat héb je toch, Dafydd?' riep Mark uit. 'Heb je de pest in of zo?'

Dafydd verbaasde zich over de onverwachte vrolijkheid van Mark. Hij greep de jongen om zijn middel en probeerde hem naar de grond te tackelen, maar het joch was sterker dan hij eruitzag en slaagde erin hem te laten struikelen. Ze rolden een heel eind naar beneden voordat ze stil kwamen te liggen.

'Moet je dat stel zien!' gilde Miranda. 'Het duurt eeuwen voordat jullie weer boven zijn. Ik ga alleen.' Ze wierp zich met het hoofd naar voren op de slee en begon met een flinke snelheid omlaag te suizen.

'Kijk uit!' schreeuwde Dafydd, geschrokken toen hij zijn dochter als een kogel langs zich heen zag schieten. Dit moest wel uitdraaien op een gebroken been of letsel aan de nek. Plotseling wierp Mark zich opnieuw op hem en rolden en gleden ze verder de helling af, waarbij de zachte sneeuw hun kraag en mouwen binnendrong. Miranda lag aan de voet van de helling naast de slee, lachend als een waanzinnige.

'Nou is het afgelopen!' bulderde Dafydd, terwijl hij rechtop in de sneeuw ging zitten. 'Hou je in. Je moeder zal een rolberoerte krijgen als ze hiervan hoort.'

'Het gaat haar geen barst aan,' zei Mark. 'Trouwens, dacht je werkelijk dat het haar iets kan schelen?'

'Natuurlijk wel.'

'Je bent een beetje naïef, is het niet?' Mark zat hem neerbuigend op te nemen. 'Voor een volwassen man.'

De kleine donder heeft nog gelijk ook, dacht Dafydd terwijl hij de sneeuw uit zijn haar veegde en zijn bontmuts weer opzette. 'Ze zal zich lam schrikken als ik jullie met een paar gebroken botten of onderkoeld in een ambulance bij het ziekenhuis moet afleveren.'

Ze keken allebei omlaag naar Miranda, die plotseling roerloos in de sneeuw lag. Mark dook haar na, glijdend door de zachte sneeuw. Hij probeerde haar op te tillen. Ze woog ruim tien kilo meer dan hijzelf en het lukte hem nauwelijks. Ze hield zich slap en begon te jammeren. Dafydd keek toe en realiseerde zich hoe groot het verschil in rijpheid tussen die twee was. Hij wist dat het meestal andersom was, maar Mark gedroeg zich als een mopperende oude man, altijd even zuur en in zichzelf gekeerd. Miranda kon echter van het ene ogenblik op het andere veranderen in een klein kind.

Zoals nu. Ze lachte hysterisch en jammerde tegelijk alsof ze zich had bezeerd terwijl ze, als een kind van twee, schoppende bewegingen met haar benen maakte. Hij bleef een ogenblik op de helling zitten. De afgelopen nacht had hij nog geen uur kunnen slapen, zich het hoofd brekend over wat hij had ontdekt. De gedachte dat Sleeping Bear die mooie jonge vrouw gedurende hun bezoek aan Black River zwanger zou hebben gemaakt, leek absoluut bespottelijk. Hoe vaak hij zichzelf ook verweet bevooroordeeld te zijn, hij slaagde er niet in zich een voorstelling van die twee in bed te maken. Bear was oud genoeg geweest om haar grootvader of zelfs overgrootvader te kunnen zijn. Er kon natuurlijk altijd een andere man in het spel zijn geweest, al had ze zelf gezegd dat ze al een hele tijd niet meer met een man samen was geweest. Was het naïef van hem haar te geloven? Waarom zou een jonge vrouw geen minnaars hebben? De andere mogelijkheid, een idee dat maakte dat zijn hoofd leek te tollen, was dat hij, Dafydd, zelf de jongen had verwekt. *O God, is zoiets werkelijk mogelijk?* Volgens de datums beslist.

Zoals de afgelopen jaren al zo vaak was gebeurd, herinnerde hij zich alle bijzonderheden van zijn intieme samenzijn met Uyarasuq, tot in het kleinste detail. De ervaring had zich in zijn geest en gemoed gegrift. Ze had hem verzekerd dat ze 'veilig' was, waar het haar cyclus betrof, maar hij had geweten dat zoiets volstrekt onbetrouwbaar was, zodat hij een condoom had gebruikt. Haar zachte gelach en zijn eigen vrolijkheid over de moeite die hij had om het rubber over zijn stijve penis te rollen herinnerde hij zich als de dag van gisteren. Aan de andere kant, condooms konden scheuren. Het gebeurde niet vaak, maar toch. Vooral als ze al van wat oudere datum zijn... en gelet op zijn formaat en haar nauwte... Ze kon het hem in het donker hebben afgedaan...

Dafydd boog zich naar voren om zijn gezicht achter zijn armen te verbergen, in een poging zijn geagiteerdheid te onderdrukken. Hij wilde er nu niet over nadenken, niet hier, met de kinderen erbij. Hij keek omlaag naar die twee, die elkaar bekogelden met sneeuwballen. Miranda gilde en lachte; Mark was stil en geconcentreerd.

Waarom zou ze het hem nooit hebben geschreven? En waarom had Sleeping Bear erover gezwegen? Misschien had hij het geprobeerd. Dafydd wist dat hij moest proberen Joseph te pakken te krijgen om meer aan de weet te komen over Bears smeekbeden om een brief voor hem te schrijven. Misschien was dit geweest wat Bear hem had willen laten weten. Hij was echter oud en moe geweest en

Joseph had het niets kunnen schelen. Daarom zou Bear hebben besloten de jongen wat geld na te laten. Omdat hij zich verantwoordelijk voelde voor wat er was gebeurd? Of omdat hij zo gehecht was aan de familie in Black River? Of misschien was het omdat hij in feite een hekel had gehad aan zijn eigen kleinzoon. Dafydd wilde het weten. Hij *moest* het weten.

Hij voelde een hand op zijn schouder.

'Waarom blijf je hier zo stil zitten?' Miranda bestudeerde hem. 'Je bent soms zo traag van begrip. Ik deed maar alsóf. Een beetje stoom afblazen. Je dacht toch niet dat het echt was, hè?' Ze wreef ongenadig met haar ijzige wanten over zijn wangen. Hij greep haar polsen beet en probeerde wat sneeuw in de kraag van haar skikleding te drukken.

'Páááps!' gilde ze. Ze liet geen gelegenheid onbenut om hem *paps* te noemen. Het scheen veel voor haar te betekenen dat ze eindelijk een vader had, hoewel hij zich niet wijsmaakte dat ze zo dol was op hém, om hemzelf. Zeker, er was vriendschap tussen hen ontstaan en ze had wel begrepen dat hij degelijk, betrouwbaar en vrijgevig was. Misschien zou ze in hem na verloop van tijd inderdaad de vader gaan zien naar wie ze zo had verlangd. Goddank was ze een prima aangepast jong meisje, normaal, in weerwil van haar moeder. Mark was een geval op zich, nagenoeg ontoegankelijk. Wat zou er in hen omgaan als ze tot de ontdekking kwamen dat ze wellicht een broer hadden? 'O jezus...' kreunde Dafydd hardop.

'O jezus wat...?' Miranda probeerde zich te bevrijden uit zijn greep om haar polsen.

'Het is al zo... laat.'

'Laat? Waarvoor? Je hebt niet eens je horloge om, dommerd.'

'Wat? Noem je mij dom?' Dafydd propte nog een handvol sneeuw in haar kraag en riep tegen Mark dat hij moest voortmaken.

Ze renden de helling op om warm te worden en stapten vlug in de grote, benzineslurpende Buick die Martha hem had verhuurd 'met een enorme korting'. Hij reed terug naar Tillies.

Tillie was niet geschrokken toen hij haar had verteld dat Miranda en Mark zijn kinderen waren. Ze had haar eigen bronnen. Hij had nooit kunnen ontdekken wie of wat dat waren, maar ze had het al weken geweten, lang voordat hij de kinderen aan haar had voorgesteld.

'Ach, je bent niet de eerste vent die voor die vrouw is gevallen,' had ze vinnig gezegd. 'Iemand had je moeten zeggen dat je voorzichtig met haar moest zijn.' Ze had er betekenisvol bij geknikt, ongetwijfeld doelend op een voorbehoedsmiddel, maar hij had de hoop in haar ogen gezien. 'Je blijft dus?'

Hoewel Dafydd in zijn hart wist dat hij misbruik maakte van haar goedheid, scheen Tillie dolblij met de kans haar meer dan moederlijke gevoelens te kunnen botvieren. Ze had geen kinderen van zichzelf en putte er veel voldoening uit om voor Dafydd en de tweeling te koken en samen met hen aan de tafel in de ontbijtkamer te eten. Miranda had het meteen met haar kunnen vinden en vond het heerlijk om in haar keuken te zijn en haar te helpen koekjes en taarten te bakken, iets dat haar moeder nooit had gedaan. Ook Tillies woonkamer met het grote televisietoestel stond voor hen allemaal open. Zelfs Mark scheen haar wel aardig te vinden en hij deed soms zelfs zijn best om haar aan het lachen te maken met zijn stekelige opmerkingen over de mensheid in het algemeen waarmee hij zo onverwachts uit de hoek kon komen.

Dafydd bezon zich op allerlei manieren waarop hij deze schat van een vrouw voor al haar zorgen zou kunnen bedanken. Uitgezonderd met haar naar bed gaan en haar beloften doen die hij niet kon houden.

'Dafydd, je ziet er moe uit,' zei ze tegen hem, toen hij lui op haar bank naar een stompzinnige spelshow zat te kijken die de twee kinderen scheen te boeien. 'Zal ik een gin-tonic voor je inschenken?'

'Tillie, je bent een engel. Doe maar een royale, oké. Maar denk erom dat je hem op de rekening zet. Schrijf *één fles gin* op de nota, in grote letters.'

Met een verheugd lachje zei Tillie: 'Zo erg is het, hè?'

'Als je van plan bent dronken te worden,' waarschuwde Miranda hem, 'ben ík weg. Ik kan dronken mensen niet uitstaan.'

Op een vlakke toon zei Mark, zonder zijn gezicht af te wenden van het geratel van de spelshowpresentator: 'Je geliefde paps is even erg als ieder ander als hij bezopen is.'

'Hoe weet jij dat?' riep Tillie woedend. 'Je vader wordt niet dronken.'

'Je hebt nog niks meegemaakt,' zei Dafydd apathisch. 'Mark heeft gelijk, ik ben geen haar beter dan wie ook.'

Een halfuur later kwam hij met een schok overeind. Volgens de klok aan Tillies muur was het half vijf.

'Oké, kinderen, aankleden,' riep hij, zich plotseling herinnerend dat hij om vijf uur stand-by moest zijn. 'Schiet op, dan lopen we naar jullie huis.'

'O nee,' jammerde Miranda, 'breng ons met de auto! 'Mijn benen doen pijn van al dat geren tegen die helling op. *En* het sneeuwt.'

'Je hebt geen greintje conditie,' vitte Mark, die plotseling genoeg had van haar gezelschap en de noodzaak tot praten en gezellig doen terwijl met zijn gedachten heel ergens anders was. 'We stappen niet in dat monsterlijke voertuig voor een afstand van vierhonderd meter. Doe even normaal!'

Tillie verpakte hen in hun winterkleding als een echte moeder en ze begonnen te lopen, richting Sheila's huis. Het was al donker, maar de straatlantaarns die de versgevallen sneeuw overgoten met een gele gloed, gaven de straten een fris en vrolijk aanzien, bijna alsof het kerst was. Twee glanzende nieuwe sneeuwploegen met felle schijnwerpers schraapten in tegengestelde richtingen trots de hoofdstraat schoon. De reusachtige schuivers lieten de snel bevriezende sneeuw omkrullen tot enorme boterkrullen die keurig op het midden van de weg belandden.

In Sheila's huis was alles donker. Mark diepte zijn sleutel op uit zijn zak en ze gingen naar binnen.

'Jullie redden je wel?' vroeg Dafydd hen.

Mark keek hem aan met een gezicht alsof hij wilde zeggen: 'Wat denk jij dat we de afgelopen vijfduizend jaar hebben gedaan?'

'Nou, fijne avond dan maar. Dafydd boog zich naar voren om een ijzige kus op Miranda's wang te drukken, maar ze was al weg en de deur werd resoluut in zijn gezicht gesloten. Hij bleef nog even staan en zag de lichten in het huis aanfloepen. In vele opzichten waren ze geen dertien maar drieëntwintig. Ze hadden meer dan genoeg ervaring met voor zichzelf zorgen. Hij moest erkennen dat het goed uitkwam dat hij zo laat in hun leven was verschenen. Als hij zich jaar in jaar uit zorgen had moeten maken over kleine kinderen zonder te weten wat hun moeder met hen uitvoerde, terwijl hij zich vanwege de afstand tussen hen machteloos voelde, zou dat een bezoeking zijn geweest.

Hij draaide zich om en begon terug te lopen naar 'het centrum'. Hij schopte de sneeuw voor zich uit, de handen diep in de grote zakken van zijn parka. Tillie zou op hem zitten wachten, en hij kon het niet maken haar links te laten liggen door meteen naar zijn kamer te gaan, niet na die gezellige middag in haar woonkamer. Het kon zo niet doorgaan. Hij zou een huis of zoiets moeten huren. Ergens waar de kinderen zich konden uitleven en hij de privacy had waarnaar hij zo smachtte. Maar hoe lang kon hij dit alles rekken, en met welk doel? Zijn laatste telefoontje met het hoofd Personeelszaken in Cardiff was allesbehalve plezierig verlopen.

'Wat is er toch gaande, Woodruff? Ben je niet van plan terug te komen? Je waarnemer wil weg. Feitelijk een prima kracht. We zouden er geen bezwaar tegen hebben als hij bleef.'

Zat er impliciet een aanmoediging achter die woorden om maar ontslag te nemen, of was hij paranoïde? 'Ik kan de eerste paar weken nog niet weg, om persoonlijke redenen. Ik moet je werkelijk vragen mij nog een paar weken extra te gunnen. Het heeft te maken met het feit dat ik kinderen blijk te hebben van wie ik het bestaan niet eens had vermoed.'

'Kinderen? Grote hemel, Woodruff. Dat had je me moeten zeggen. Hoor eens, we waarderen je buitengewoon, maar je kunt niet eeuwig wegblijven. Je schept hier een ongewenst precedent.'

Dafydd grinnikte bij zichzelf toen hij een hoek omsloeg en over een hondendrol stapte. Als de man eens wist hoevéél kinderen het wel waren...

Impulsief bleef hij voor het Northern Holiday Hotel staan. Een man met een gedrongen lichaamsbouw stond verwoed te hakken en te scheppen in de laag ijs op het trottoir waarover de met geld smijtende klanten van het hotel konden uitglijden. Dafydd groette hem met een hoofdknik en liep verder.

De gedachte aan Ian zat voortdurend in zijn achterhoofd. Hij had al drie dagen niets meer van hem gehoord of gezien en begon zich nu zorgen te maken. In de weelderige receptie van het hotel waren een paar gesloten telefooncellen te vinden en hij sloot zich op in een ervan, waarvan de wanden met teakhout waren bekleed. Hij nam een pen, een velletje papier en zijn creditcard en draaide het nummer van Ian, dat hij uit het hoofd kende. Toen keek hij naar de pen en het papier en vroeg zich af waarvoor hij die eigenlijk wilde gebruiken. Hij begon slappe knieën te krijgen! Hij drukte de haak van het telefoontoestel omlaag om de verbinding te verbreken. Hij wist nu waarom hij hier was; waarom hij hier eigenlijk stond. Zeker, hij maakte zich zorgen over Ian, maar Ian was beslist niet de reden dat hij in deze telefooncel stond.

Drie telefoontjes later had hij een nummer op een velletje papier. Hij herkende het nummer. Het was langs zijn netvlies geflitst toen hij in het archief de namenlijst van patiënten had doorgenomen en gevonden had wat hij zocht.

Zijn wijsvinger trilde toen hij de knoppen indrukte, langzaam, een voor een. Zijn mond was kurkdroog. De telefoon ging twee keer over.

'Met Charlie!' zei de schorre, overslaande stem van een jongen met de baard in zijn keel.

'Dag, Charlie. Mijn naam is Dafydd Woodruff.' Hij slikte moeizaam voordat hij verder kon spreken. 'Is je moeder thuis?'

'Reken maar... Mam!' Zijn stem klonk ver weg en schor toen hij zijn moeder riep. 'Een zekere David Walruss aan de telefoon.'

'Hallo?' zei haar lieve stem, met dat vertederende accent. Hoe goed herinnerde hij het zich!

'Uyarasuq. Ik ben het... Dafydd, van lang geleden. Veertien jaar al.'

'Dafydd...' Hij kon haar nauwelijks verstaan, zo zacht sprak ze zijn naam uit. Na een lange pauze zei z: 'waar ben je, Dafydd? Waar bel je vandaan?'

'Ik zit in Moose Creek. Ik zou je graag zien. Zo gauw mogelijk. Ik zou graag naar je toekomen. Ik moet je spreken.' Hij sprak vlug, kwam adem tekort, probeerde zichzelf in te tomen, in het besef dat hij haar behoorde te vragen hoe ze het maakte – de gebruikelijke beleefdheden, niet zo overijld.

'Het is... Ik ben... Waarom ben je daar?'

'Luister, Uyarasuq. Neem me niet kwalijk, maar ik *moet* je dit vragen. Ik weet dat ik waarschijnlijk veel te ver ga, maar ik moet het weten. Jouw zoon Charlie, hij is mijn zoon? Of niet? Zeg me de waarheid, alsjeblieft.'

Ze zweeg en hij kromp ineen vanwege zijn volslagen gebrek aan tact. Hij had het niet zo onbeholpen willen doen, maar hij was al uit zijn evenwicht gebracht en het was zinloos iets anders voor te wenden. 'Alsjeblieft, Uyarasuq, zeg het me.'

'Ja, Dafydd... Charlie... hij is jouw zoon.'

'Jezus, vrouw.' Dafydd voelde zijn hals vuurrood worden en het zweet brak hem aan alle kanten uit. 'Waarom heb je me daar nooit over ingelicht?'

'Ik vond het niet eerlijk jou daarmee lastig te vallen. Je weet het misschien niet meer, maar je had zelf moeite gedaan om zoiets te voorkomen.'

'Natuurlijk heb ik dat gedaan.' Hij probeerde zijn stem in bedwang te houden en niet zo geagiteerd te klinken. 'Dat was evenzeer voor jouw veiligheid als voor mezelf!'

'Tja, ik ben bang dat ik je een excuus schuldig ben,' zei ze koel. 'Ik ben zwanger geworden, ondanks jouw voorzorgen. Ik heb er géén spijt van. Charlie is het mooiste dat me ooit had kunnen overkomen.'

'O, alsjeblieft, wacht...' Wat wilde hij eigenlijk zeggen? Hij had dit niet gepland. Plotseling was hij bang dat ze zou ophangen voordat hij zelfs maar in staat was geweest om uiting te geven aan zijn oprechte belangstelling, zijn bezorgdheid, zijn behoefte om zijn zoon te leren kennen. Hoe anders voelde dit dan het nieuws over Sheila's kinderen, deze zoon die hij had verwekt in een moment dat veel weg had gehad van liefde!

'Luister, dat doet er nu niet toe. Ik verlang niets van je. Ik heb ontdekt dat Charlie een afschuwelijk... een ongeval heeft gehad, een paar maanden geleden. En dat hij daarbij een been heeft verloren. Ik zou graag...?'

'Hoe heb je dat allemaal ontdekt?' vroeg ze scherp.

'In het ziekenhuis.' Dafydd verplaatste zijn gewicht, slap in zijn knieën. Het was benauwd in de telefooncel en de warmte van het licht boven zijn hoofd maakte hem duizelig. Hoe graag hij ook verder wilde praten en vragen stellen, hij wist dat hij dit telefoongesprek snel moest beëindigen, anders zou hij bezwijmen. 'Iemand in het ziekenhuis heeft me verteld van Charlie. Hoe dapper hij was, en dat ze hem naar Moose Creek hebben gevlogen...'

'O, natuurlijk, die verpleegster. Zuster Hailey,' zei Uyarasuq zacht. Ze wachtte. 'Ik wil dat je weet dat zij de enige is aan wie ik ooit heb verteld dat jij Charlies vader bent, afgezien van mijn eigen vader en Sleeping Bear, uiteraard. Ik had er geen goed gevoel over toen ik het haar had verteld, maar ik wist dat jij in Moose Creek had gewerkt en ze scheen zich jou niet te herinneren. Ik veronderstel dat ze je achteraf toch heeft ingelicht. Dat had ze niet moeten doen. Ik had haar gevraagd er met niemand over te praten.'

'Nee, het was niet zuster Hailey van wie ik het heb gehoord,' zei Dafydd peinzend. 'Ik hoorde van Charlies geval vanwege al die lelijke verwondingen en dat afschuwelijke trauma. De mensen hier praten er nog over. Ik bedoel, het is pas een paar maanden geleden en ze denken allemaal met genegenheid aan hem terug. Ik werd nieuwsgierig toen ik hoorde dat hij afkomstig was uit Black River. Dus heb ik er het archief op nagekeken, en toen kwam ik erachter dat hij *jouw* zoon was. Toen ik zijn geboortedatum zag, drong het tot me door dat hij... ondanks alle voorzorgen, weleens ook *mijn* zoon zou kunnen zijn. Ik kan niet ontkennen dat het wel even een schok voor me was.'

Uyarasuq zei enkele ogenblikken niets en hij liet het bezinken.

'Maar... in dat geval is Charlie dus niet de reden dat jij naar Canada bent gekomen? Je was hier al toen je het ontdekte over hem?' Het was alleen maar logisch dat ze er niet wijs uit kon.

'Nee. Ja. Maar luister, dat is een heel ander verhaal. Het enige wat mij op dit moment iets kan schelen, is jou terugzien en kennismaken met Charlie. Hoe maakt hij het? Herstelt hij goed?'

'Hij houdt zich geweldig. We zijn net terug van een specialist in

Toronto, en ze hebben hem een hypermodern kunstbeen aangemeten. Het is een knap staaltje technologie en hij is dol op dat soort dingen, dus heeft hij er al vriendschap mee gesloten.' Ze lachte haar onmiskenbare, heldere lach en Dafydd moest ook lachen. Goddank, ze kon nog lachen, na alles wat ze had moeten doormaken.

'Als je er geen bezwaar tegen hebt, ga ik de vliegreis boeken, of anders huur ik wel een vliegtuigje, hoe dan ook...' Hij legde zichzelf meteen weer het zwijgen op, geschrokken van zijn onstuimigheid. 'Eh... of heb je iemand anders? Zal er iemand van streek raken door mijn komst?'

'Welnee, maak je geen zorgen.' Hij kon haar horen glimlachen. 'Er was wel iemand, een tijdje, maar hij was niet opgewassen tegen dat ongeluk van Charlie en de tijd die ik aan hem besteedde...'

'Rot voor je.'

'Het spijt mij niks.'

'Ik bel je zodra ik een manier gevonden heb om daar te komen.'

'Er is een postdienst... een vliegtuigje dat eens per week hierheen komt...'

20

Dafydd legde de hoorn terug op de haak. Zijn hand beefde nog. De waarheid over Charlie was overweldigend. Een zoon. Nee, *nog een zoon*. Hij bracht zijn handen naar zijn hoofd en deed zijn ogen stijf dicht. Hij snakte naar adem en trok aan de deur, zo'n harmonicageval, maar het ding scheen in het slot te zijn gevallen. Hij moest worstelen om hem open te krijgen en voelde paniek in zich opkomen. Geen paniek die voortkwam uit angst, maar een gevoel dat uit het diepst van zijn wezen afkomstig was en dreigde te exploderen. Alles leek even wazig, vreemd en krankzinnig. Hij hield op met schudden aan de deur en keek door een van de kleine ramen naar de grote kroonluchter in de foyer. Al die lichtjes verblindden hem. Hij staarde ernaar, terwijl zijn brein op volle toeren liep. Zijn ademhaling werd trager, het was van belang op te houden. Er was iets dat tot hem door probeerde te dringen, alsof hij een woord niet kon vinden dat hem op de tong lag, maar het bleef hem onder de drempel van zijn bewustzijn kwellen. In feite had hij het vlak voor ogen, als hij het maar kon zien...

Sheila. Zij had het geweten. Wat kon dat betekenen? Zij was de enige! Was het mogelijk? O nee... of toch? Hij schepte diep adem toen de ongerijmde mogelijkheid hem eindelijk begon te dagen. Terwijl de stukjes van de puzzel op hun plaats vielen, zag hij dat dit de enige verklaring was. Hij werd er zo door geschokt dat hij met uitgestoken armen steun zocht tegen de wanden van de cel.

Hij had nog tijd, er was nog wat zuurstof over. Hij peinsde er niet over hier te stikken. Vlug tastte hij naar zijn portefeuille en diepte er zijn creditcard uit op, stak hem in de gleuf van de telefoonautomaat en vouwde het vodje papier open. Hij stiet een vloek uit en begon te kiezen.

'Ashoona.'

'Het spijt, ik ben het weer, Uyarasuq – ik moet je nog één ding vragen. Ik besef dat het een vreemde vraag is, maar hopelijk kun je er antwoord op geven. Heeft Sheila Hailey soms Charlie en jou bloed afgenomen toen jullie in het ziekenhuis waren?'

Uyarasuq zweeg een ogenblik. 'Heel wat keren. Ze moesten Charlie bloed geven en...'

'Ja. Het spijt me, uiteraard, maar ik *moet* dit weten. Heeft Sheila Hailey Charlie eigenhandig bloed afgenomen? En ook jou?'

'Beslist. Zodra we daar waren, bemoeide zij zich met alles. Ze was ongelooflijk snel en efficiënt. Ik was haar heel dankbaar voor alles wat ze voor ons deed. In feite leek ze de situatie veel beter in de hand te hebben dan de behandelend arts. Waarom vraag je ernaar?'

'Luister, ik weet dat ik klink als een geflipte maniak, maar nu je deze vraag hebt beantwoord, is me iets plotseling duidelijk geworden. Het heeft niets te maken met jou, met mij of met Charlie. Ik zal het je allemaal uitleggen zodra we elkaar zien.'

'Goed, Dafydd.'

'Je ziet me verschijnen voor je het weet. Pas op jezelf.'

Hij belde weer af en nu leken zijn knieën het werkelijk te willen begeven. Waarom bleef hij eigenlijk staan, als hij kon gaan zitten? Met zijn rug tegen de wand liet hij zich langzaam naar de vloer zakken en bleef zitten, dankbaar voor de privacy en beslotenheid, bijna als in een veilige, warme moederschoot. Sheila Hailey moest hun bloed hebben gestolen. De implicaties ervan waren bijna te veel om ze te bevatten.

Er werd op de deur geklopt en een angstig gezicht gluurde door het raampje omlaag. De deur rammelde, maar zijn voeten drukten er tegenaan.

'Meneer!' riep de vrouw uit. Hij herkende haar als de hooghartige receptioniste met de bloedrode lippenstift en het hoog opgestoken haar. 'Meneer? Maakt u het wel goed? Zal ik een dokter laten komen?'

'Ik bén dokter,' riep Dafydd terug en wuifde naar haar. 'En nu we het er toch over hebben, ik ben zelfs de dienstdoende arts.'

Opgefrist na een glas water en terechtgewezen door de onverzoenlijke houding van de receptioniste stapte hij de telefooncel weer in.

'Alstublieft, meneer, doe die deur niet dicht,' riep ze hem na in haar afgebeten accent, over de rand van haar bril naar hem starend.

Dafydd belde het ziekenhuis en kreeg meteen verbinding met Janie. 'Luister en stel geen vragen,' zei hij resoluut. 'Ik kan vannacht geen dienst doen. Ik zou dit niet doen als het niet nodig was, maar je kunt Hogg bellen, of Lezzard of wie ook. Iemand moet het overnemen.'

'Komt in orde...' Ze was een verstandige vrouw die wist wanneer ze niet naar redenen moest vragen. 'Geen zorg, Atilan is binnen. Ik zal het haar vragen.'

Vervolgens belde hij Ians nummer. Terwijl de telefoon overging, haalde hij verscheidene keren diep adem om op normale, vriendelijke toon te kunnen praten.

'Brannagan.'

'Met mij, Dafydd.'

'Hoe staat het leven?'

'O, prima. En jij?'

'Mag niet klagen.'

'Nog nieuws?'

'Niet veel.'

'Geef je die hond van je te eten?'

Ian zweeg even. 'Ja...'

'Waarom kom je niet hierheen? Ik ben in het Northern, in de bar. Kom me gezelschap houden. Het is hier warm en rustig. We zouden een cola of zo kunnen nemen.'

Ian lachte hardop, zoals vroeger. 'Ach, wat kan het verdommen. Waarom ook niet? Het is hier net een graftombe, nu jij je niet meer laat zien. Ik kom meteen.'

Een halfuur later stapte Ian de bar in. Hij zag eruit alsof hij zich zelfs een beetje had opgeknapt. Hij droeg strakke zwarte jeans, met de oude gordel met zilveren gesp van veertien jaar geleden. Hij had een schoon wit overhemd aan en had een kam door zijn haar gehaald, dat nu zo lang was dat het over zijn schouders hing. Opeens zag Dafydd weer de man zoals hij hem zich herinnerde. In het schaarse licht bij de deuropening zag hij er nog altijd heel vlot uit, lang en slank als een opgeschoten tiener, terwijl het harde gezicht bijdroeg aan de achteloze totaalindruk. Drie vrouwen aan een van de tafeltjes stootten elkaar aan en monsterden hem waarderend.

Van dichterbij was zijn ziekte schrikbarend duidelijk, vanwege de ingezonken ogen en de ingevallen grauwe huid. De verschrompelde lever. De eeuwige sigaret bungelde losjes in zijn mondhoek en hij rookte moeiteloos, zonder zijn handen nodig te hebben. Hij was in geen geval nuchter. Hij liet onmiddellijk bier aanrukken, en zodra het werd geserveerd vroeg hij er een dubbele Jack Daniel's bij. Dafydd schoof zijn cola opzij en bestelde hetzelfde. Dit vroeg om iets sterks.

Het was schemerig en tamelijk stil in de bar en Ian leek ontspannen te zijn, bijna vrolijk. Ze zaten aan een tafeltje op een bank die bekleed was met rood velours en praatten over vroeger. Dafydd deed zijn uiterste best zich in te houden, niet na te denken, een poosje te wachten. Langzamerhand lieten ze zich in slaap wiegen door de illusie dat alles dik in orde was en dat ze gewoon twee ouwe vrienden waren die bezig waren samen dronken te worden. Desondanks kreeg Dafydd een gevoel van beklemming rond zijn keel, steeds als hij de nonchalante, luide lach van Ian zag en hoorde. Hij lachten dan even hard mee, om het trieste van dit alles te verbloemen.

'Ian, ik wil je iets vragen,' zei hij, na een stilte in het ophalen van hun herinneringen. 'Het houdt me voortdurend bezig en ik kan het niet laten rusten. Ik heb zojuist ontdekt dat een vrouw met wie... met wie ik naar bed ben geweest, ginds in Black River, een zoon heeft.'

Ian staarde naar hem, zijn gezicht plotseling betrokken.

'Dit kind,' vervolgde Dafydd, 'werd verminkt door een ijsbeer en naar het ziekenhuis hier gebracht.' Dafydd knipte vlak voor Ians verstarde gezicht met zijn vingers. '*Hallo...* iemand thuis? Brannagan, dringt het tot je door? Stel je voor, ik moet meer dan eens in mijn leven zijn verleid. Maar nooit meer door mijn geliefde echtgenote, mijn *ex*-echtgenote die ze beslist zal zijn als ze dít te horen krijgt. Want iedere keer als ik ook maar in de buurt van een vrouw kom, schijnt ze zwanger te worden.'

Ian lachte niet. 'Wat had je willen weten?'

'Wat weet jij over die jongen? Hij werd eind maart dit jaar hierheen gebracht. Heb je hem gezien? Jij moet ervan weten.'

'Ja. Ik herinner me hem goed.'

'Nou? Ga door...?' lachte Dafydd met dikke tong, hoewel zijn geest kristalhelder was, terwijl hij Ian een duwtje gaf met zijn vuist. 'Vertel me er alles van. Vertel me alles wat je van hem weet.'

De vrolijke glinstering was uit Ians ogen verdwenen en hij liet het hoofd hangen om Dafydds indringende blik te mijden. 'Ik wist wel dat ik het je vroeg of laat zou moeten zeggen,' begon Ian zacht, 'maar ik was gaan hopen dat het laat zou zijn, in plaats van vroeg.'

'Wel verdomme, waar héb je het over?' Dafydd gaf hem nog een por.

'Wat ik je ga zeggen, zal je niet bevallen, Dafydd.' Hij zweeg en drukte uitvoerig zijn sigaret uit. 'Die jongen is inderdaad jouw zoon. Hoe had Sheila anders aan het bloed voor die DNA-test kunnen komen, dacht je?'

Dafydd omklemde zijn arm – hard. 'Dus je wist het altijd al.'

Ian keek op naar zijn gezicht, met zijn mond vol tanden. 'Hoe ben je erachter gekomen?' zei hij na een ogenblik.

'Daar gaat het nu niet om,' gromde Dafydd 'Wat ik wil weten, is hoevéél jij ervan weet. Ik hoop vurig dat jij niet aan dit smerige bedrog hebt meegedaan?'

'Had ik ook niet.' Ians hoofd was nog dieper gezonken, uit schaamte of omdat hij dronken was, of allebei. 'Niet in het begin.'

'Hoe heeft Sheila dit in elkaar gedraaid?' Dafydd greep zijn arm weer beet en schudde heftig. '*Zeg me hoe ze het heeft geflikt, verdomme*!'

'Ach, schei uit, Dafydd, het was een fluitje van een cent. Ze had die avond dienst op Spoedgevallen en nam domweg de jongen en zijn moeder bloed af. Niks bijzonders... doen we toch altijd? Maar niet al het bloed ging naar het lab. Ergens in de loop van de avond moet ze een ongelooflijke brainwave hebben gehad. Ze hield wat van het bloed achter, nam het mee naar huis en stopte het in haar koelkast... of de vrieskist, ik weet het niet meer.'

'Waaróm deed ze dat?' zei Dafydd. Verward schudde hij het hoofd. 'Ze kon onmogelijk weten dat die jongen mijn zoon was.'

'Daar kwam ze meteen achter. Binnen een paar minuten nadat ze waren binnengebracht. Ze vroeg de moeder naar de naaste verwant, maar de vrouw was een alleenstaande moeder. Dus eiste Sheila, zoals het hoort, dat ze de naam van de vader zou noemen... je weet zelf hoe vasthoudend ze kan zijn. De moeder was de kluts kwijt en zwichtte. En waarom zou ze het niet mogen vertellen? Ze dacht dat haar zoon stervende was en dat was het enige wat haar interesseerde.'

'Dus zo kwam Sheila erachter dat ik de vader van de jongen was.' Dafydds gezicht bevond zich op slechts enkele centimeters van dat van Ian en zijn stem klonk ijzig, van nauwelijks beheersbare woede. 'Toen besloot ze het bloed van mijn zoon en dat van zijn moeder te stelen en het te laten onderzoeken alsof het haar eigen bloed en dat van Mark was.'

'Ja.'

'Maar, godverdomme, waaróm deed ze dat? Waarom wilde ze juist míj te pakken nemen, duizenden kilometers ver?'

'Omdat ze over de middelen beschikte. Om een oude rekening te vereffenen. Een lang gekoesterde wrok. Of om het geld – ik weet het niet. Vraag het háár. Misschien wilde ze alleen maar weten of ze het ongestraft kon doen.'

Ze zwegen enkele ogenblikken. Ian stak een sigaret op en nam een lange haal. Zijn handen beefden en hij sloeg zijn Jack Daniel's achterover. 'Wat dat aangaat is Sheila ongelooflijk,' zei hij, bijna met bewondering. Wat iemand verder over dit plan van haar mag beweren, het wás ingenieus. Ik heb altijd gedacht dat ze het schoolvoorbeeld van een psychopaat was, maar man, ze is nog ongelooflijk sluw ook.'

'Ja, ik ben een en al bewondering voor haar,' snauwde Dafydd vol sarcasme. 'En jij wist ervan... sinds wanneer, eigenlijk?'

'Niet toen ik dat document ondertekende waarin ik verklaarde dat ik dat bloed had afgenomen, maar later. Sheila begon 'm te knijpen toen jij hier opdook en hoopte mijn medewerking te kopen. Ze zei dat ze jou eindelijk een loer zou draaien. Ik had het je willen zeggen, maar toen zag ik hoe je met die kinderen omging... en ook vond ik het fijn dat jij in de buurt was. Ik heb het steeds voor me uit geschoven. Sheila chanteerde me, in feite. Je weet dat Sheila en ik... nou ja, dat we een tijdlang onder één hoedje hebben gespeeld. Niet uit vrije wil, van mijn kant.'

'Gelul,' snauwde Dafydd. 'Je hebt altijd een keuze. Hoe heb je zo laag kunnen zinken?'

'Tja... je hebt gelijk. Ik ben er niet trots op.'

'Hoe zit het met Mark en Miranda?' Dafydd voelde een verstikkend gevoel omhoogkruipen naar zijn keel, nu hij erkende wat hij eigenlijk al wist. 'Die arme kinderen zijn geen familie van mij, in geen enkel opzicht. Dat is wat dit allemaal betekent.' Opnieuw schudde hij aan Ians arm, wiens hoofd losjes aan zijn nek bungelde.

'Ja, daar ziet het wel naar uit, nietwaar?... Het spijt me.'

'O god!' Dafydd probeerde zijn tegenstrijdige emoties in te tomen door langzaam en diep adem te halen. Hij was geleidelijk om die twee onfortuinlijke kinderen gaan geven. Hij was zelfs bijna gaan geloven dát ze zijn kinderen waren. 'Maar in godsnaam... van wie zijn ze dan? Ze zijn toch niet jouw kinderen, wel?'

Ian lachte lusteloos. 'Nee... dat betwijfel ik. Begrijp je het niet? Ze krijgt toch ál mijn poen al. Ze zou mijn dealer niet hoeven te zijn als ze alimentatie uit me kon wringen. Dat ligt niet voor de hand, toch?'

Dafydd wilde het tegenover zichzelf niet toegeven, maar afgezien van zijn woede over deze zwendel, dit meedogenloos uitbuiten van zijn goedgelovigheid, ervoer hij ook iets van opluchting. Juist daarom was zijn woede des te heviger vanwege Miranda en Mark. Hun eigen moeder had hen op gruwelijke manier om de tuin geleid, ter wille van geld of om hem iets betaald te zetten dat hij haar vermoedelijk alleen in haar verbeelding had aangedaan. Of misschien was het voor haar alleen maar een spel geweest, een spel waarin ze haar intelligentie en vindingrijkheid kon benutten, of waarmee ze haar behoefte om andere mensen te manipuleren kon bevredigen. Hij sloeg hard met zijn vuist op tafel, zodat hun glazen rinkelden. Mensen draaiden zich om en keken met geamuseerde nieuwsgierigheid hun kant uit. Het was druk geworden in de bar, en de stemming was luidruchtig en vrolijk. Zijn uitbarsting was niets ongewoons hier.

'Zo verbaasd hoef je nu ook weer niet te zijn,' zei Ian, opkijkend naar Dafydd. 'Je hebt haar toch nooit echt geneukt?'

Er verstreken een paar seconden waarin Dafydd er nooit nader aan toe was geweest om zijn vuist in het gezicht van de man tegenover hem te planten. Hij kon zelfs in gedachten voelen hoe hij zijn neus zou platslaan en hem een paar tanden uit zijn mond rammen, waarmee hij zijn eigen hand tot bloedens toe zou bezeren. 'Jij schoft,' snauwde hij met opeengeklemde tanden, proberend zijn opgekropte agressie te beheersen. 'Jij hebt al die tijd geweten dat ik niks tegen de uitslag van dat DNA-onderzoek zou kunnen doen. Hoe heb je het verdomme klaargespeeld om erover te blijven zwijgen en me dag in dag uit onder ogen te komen?'

Er was commotie ontstaan bij de toog. Een kleine, kalende man in een verkreukeld pak probeerde ruzie uit te lokken met een stel indianen. Mensen eromheen kozen partij en brulden van het lachen. Ze keken allebei naar het tumult en de spanning tussen hen ebde even weg.

'Luister,' zei Ian, die wat meer houding had gekregen. 'Ik wist dat deze aap uiteindelijk uit de mouw zou komen. Ik zou het je hebben verteld, geloof me. Ik heb het zelfs allemaal opgeschreven en ondertekend. Er liggen in de blokhut twee brieven, allebei in drievoud. In het kastje naast mijn bed. Alleen voor het geval dat... vat je?'

'Voor het geval dat jij jezelf een dezer dagen doodzuipt of -spuit. Om je geweten postuum te zuiveren?' zei Dafydd kil en wendde zijn gezicht af.

'Ja, zoiets.' Ian stond op. 'Ik moet nu naar huis, anders kan ik straks niet meer rijden. Ik ga nu, Dafydd. Het spijt me ontzettend, geloof me. Echt.'

Dafydd keek niet op toen Ian vertrok. Hij kon de man nier meer aankijken. De serveerster kwam een rondje brengen en hij nam een biertje van haar aan. Hij bleef er nog heel lang zitten, een uur, of zelfs twee uur, hij had geen idee meer van tijd. Als verlamd staarde hij naar het blauwe waas van sigarettenrook onder het schuine dak, dat het dak van een boerenschuur moest voorstellen. Hij dacht voornamelijk aan niets, alsof deze bomexplosie het laatste restje van zijn emotionele reserves weg had geblazen. Voor zich had hij de volslagen onzekerheid van zijn toekomst en achter zich de leugen van zijn verleden. Hij had geen idee hoe hij nu verder moest, maar terug kon hij ook niet. Wat hij had gehad, was verloren gegaan, onherstelbaar geruïneerd. Hij dacht aan Isabel. Wat zou deze informatie een paar maanden geleden voor hem hebben betekend! Dan had hij haar kunnen zeggen dat er een vergissing in het spel was. Dat ze het mis had over hem. Dat hij niet had gelogen en die verachtelijke vrouw niet zwanger had gemaakt... Nu betekende het niets meer. Hij betwijfelde zelfs of hij ooit de moeite zou nemen het haar te laten weten. Ze zou hem vermoedelijk toch niet geloven en haar mening over hem interesseerde hem niet langer. Waarover hij zich werkelijk zorgen maakte, was hoe hij het Mark en Miranda zou moeten uitleggen en hoe ze dit nieuws zouden verwerken.

Opeens werd hij zich ervan bewust dat iets zijn aandacht wilde trekken, een aanhoudend driftig kloppen in zijn borst. Hij probeerde het te negeren en alles los te laten, maar het gaf hem de kans niet. Het kloppen, aanhoudend en regelmatig als het tikken van een klok, werd steeds vinniger en luider. Hij vroeg zich af of het zijn hart was, maar toen hij zichzelf de pols voelde, wist hij dat dát het niet was. Hij sloot zijn ogen, in een poging de zin ervan te ontdekken. Onmiddellijk drong zich het beeld van een kleine vos aan hem op, een vosje dat door een donker bos ijlde. De pootjes van het dier zakten diep weg in de sneeuw, maar het vosje, hijgend van inspanning, bleef rennen, zich worstelend naar zijn bestemming... 'Als je hebt geleerd hoe je stil moet zijn, zal het vosje naar je toekomen. Het zal je dingen zeggen die niemand anders weet.'

Dafydds ogen vlogen open en hij keek om zich heen, verbijsterd. Op dat moment viel het kwartje. Hij sprong op en rende naar buiten, waarbij hij glazen van tafels stootte en mensen nijdig tegen hem schreeuwden. Onder het lopen viste hij in zijn zakken naar zijn sleutels terwijl de koude lucht in de straat hem terugbracht tot de werkelijkheid.

Hij reed zo snel als de weg en de auto hem toestonden, over het stuur gebogen om met zijn ogen de duisternis voor het licht uit de koplampen te doorboren. De drank die hij op had, had geen invloed meer op hem, maar de angst diep in zijn maagstreek maakte dat zijn ingewanden tekeergingen. Hij moest eigenlijk zijn behoefte doen en had het liefst overgegeven – vooral dat laatste biertje, ál de biertjes die hij op had. Er was echter geen tijd te verliezen. Eindelijk bereikte hij Ians oprit en slingerde als een gek over het ijs totdat hij naar opzij weggleed en in een hoop opgewaaide sneeuw bleef steken. Hij stapte uit en rende naar de blokhut. Ver weg hoorde hij Thorn luid en aanhoudend blaffen – het klonk heel anders dan hij ooit van de hond had gehoord – en hij huiverde van angst. De lichten waren aan en de deur stond op een kier. Hij stormde naar binnen, beducht voor wat hij zou aantreffen. Toen hij zich ervan had overtuigd dat Ian niet binnen was, wankelde hij naar het toilet en stroomde leeg, alsof zijn lichaam alles wat er was gebeurd kwijtwilde.

Thorn leek wel krankzinnig. Hij probeerde de hond te kalmeren, maar het was zinloos en hij verspilde er kostbare tijd mee. Hij zocht overal naar de staaflantaarn en vond hem eindelijk op de vertrouwde plek. Hij probeerde tot bedaren te komen – paniek zou hem niet helpen. Hij trok alles aan van Ian dat hij kon vinden en repte zich naar buiten, de staaflantaarn in zijn hand. Thorn jankte hartverscheurend en viel toen stil. Hij draafde doelbewust het donkere bos in en Dafydd moest rennen om hem bij te kunnen houden.

Toen hij een meter of vijftig was doorgedrongen in de duisternis, riep hij Thorn. Hij rende terug en zocht in het wilde weg in de blokhut naar lucifers, kranten en aanmaakhout. Hij gooide alles wat hem in de weg lag opzij, en toen hij eindelijk alles had wat hij nodig had, propte hij het in een stoffige rugzak die aan een spijker in de deur hing. Thorn zat roerloos in de sneeuw op hem te wachten, en ze zetten het weer op een lopen. Er waren geen voetsporen te zien, maar hij wist dat hij op Thorn kon vertrouwen. Na een ogenblik ontdekte hij de scherpgetekende, verse sporen van de ski's. Ian had de ski's genomen. Het zou nagenoeg onmogelijk zijn hem in te halen. Hij had geen idee hoelang hij na Ians vertrek nog in de bar was blijven zitten – een uur of twee, of misschien nog langer. Onder de bomen heerste dichte duisternis, maar hij zag sterren aan de hemel die de open plekken in de bossen zwak verlichtten. De staaflantaarn gaf ook weinig licht. Thorns magere flanken zwoegden, een paar meter voor hem uit. Ongetwijfeld had Thorn geprobeerd Ian te volgen, maar was hij teruggestuurd of had hij Ian niet kunnen bijhouden.

Plotseling herinnerde hij zich deze bossen op een warme herfstdag. Thorn was toen nog een onstuimige puppy en had een wilde haas te pakken gekregen. De vlooien van de haas, ooit trouw geweest aan hun meester, waren wild overgesprongen naar de dichtstbijzijnde warme vacht. In de dierenwereld is er zelden trouw aan de doden. O god, nee...'

Gevoelens van afschuw en schuld dreven hem voort. Hij had geen aandacht besteed aan wat er voor zijn ogen gebeurde toen Ian hem alles opbiechtte; hij had moeten weten waar dit op uit moest lopen. Nu was het hem maar al te duidelijk. In feite hád hij het geweten, alleen had hij het niet tot zich laten doordringen. Hij had zich veel te sterk in beslag laten nemen door zijn eigen problemen, verdomme. Niets ervan was ook maar in de verste verte zo naargeestig als Ians problemen. Die van hemzelf waren tenslotte geen van alle levensbedreigend... Ian had hem om wat meer tijd gesmeekt, altijd weer nog wat meer tijd, voordat het onvermijdelijke zou komen.

Thorn begon langzamer te lopen. Nu liep hij stapvoets, hij kón niet meer. Dafydd rende langs hem heen zonder om te kijken. Hij kon niet ook nog voor de hond zorgen.

'Ian!' schreeuwde hij uit alle macht. De ijzige lucht die hij erna moest inademen, bracht hem aan het kokhalzen. De lucht had bijna zijn longen bevroren. Schreeuwen kon niet. Hij moest alleen zorgen dat hij de sporen van de ski's niet uit het oog verloor. Hij begon voor zijn eigen veiligheid te vrezen. Hoewel hij misschien kans zou zien vuur te maken – iets wat weleens moeilijk zou kunnen worden – moest hij ook nog terug. Hij bleef even staan en keek achterom. Zijn voetstappen hadden slechts vage afdrukken in de samengepakte sneeuw achtergelaten. Als Ian had besloten het vaste spoor te verlaten, zou hij hem nooit kunnen volgen – niet te voet. Hij vervloekte zichzelf omdat hij niet de sneeuwschoenen had gepakt die aan de wand van de blokhut hingen. Haastige spoed was zelden goed.

Hij was dankbaar dat dit hetzelfde spoor was als dat wat hij een paar weken geleden had gevolgd. Hij bleef om zich heen kijken en liet het licht van de staaflantaarn in de duisternis tussen de bomen schijnen om te zien hoever hij van de blokhut was. Er waren, afgezien van een paar open plekken, weinig herkenningspunten en het terrein was nauwelijks glooiend. Hij stak de brandgang over die hij zich nog herinnerde, een lang open lint van ontboste grond. Er achter strekte zich een eindeloze wildernis uit, met daarin een lusvormig spoor van pelsjagers ter lengte van vijftig tot zestig kilometer. Hij vroeg zich af hoever hij al was gegaan. Straks riskeerde hij nog zijn eigen leven. Hij was gekleed op het ergste, maar hoeveel kleding je ook droeg, het was nooit genoeg om te overleven als je van uitputting moest stoppen en dan in slaap viel. Dat zou een lange, lange slaap worden. De kou begon al tot zijn handen en voeten door te dringen.

In de verte hoorde hij wolven huilen. Hij rende verder, maar merkte dat hij nu in de richting van dat spookachtige geluid liep. Dit was de verwerkelijking van zijn oude nachtmerrie. Hij had deze droom vaak gehad, en de laatste tijd vaker. De berenklem om zijn been, het rode bloed in de sneeuw... en het huilen van wolven. Was het soms een voorspellende droom, of was het zijn eigen zoon die hij had gezien – op de drempel van de dood, in het hoge noorden gegrepen door een ijsbeer?

Hij vertraagde zijn pas, gedwongen voor vermoeidheid. Plotseling begon hij te beseffen dat het besluit er alleen op uit te gaan heel dom was geweest. Hij had eerst alarm moeten slaan om een reddingsploeg te vormen. Ian zou echter een dergelijk uitstel nooit hebben overleefd.

'Ian!' brulde hij wanhopig, waarna hij meteen zijn handschoen voor zijn mond hield om de binnenstromende lucht af te remmen. Hij werd er duizelig van en een ogenblik lang had hij het gevoel tegelijkertijd te rennen en te vallen. Hij kon niet verder. De sporen van de ski's verdwenen in het donker. Hij liet zich op zijn knieën vallen. 'Ian... alsjeblieft, geef antwoord.'

De wolven begonnen weer. Ze waren dichterbij. Hij moest niet schreeuwen, anders lokte hij ze aan. Hij meende te hebben gelezen dat ze geen mensen aanvielen, tenzij ze uitgehongerd waren of aan hondsdolheid leden en de man of vrouw de dood nabij was. Ze doodden wel honden om ze te verslinden, zelfs grote husky's. Wolven joegen in een roedel en ze waren buitengewoon slim. O, mijn god... Hij kwam overeind en rende verder. Het idee dat ze Ian konden aanvallen om hem levend te verslinden...

Plotseling, een paar stappen vóór hem, zag hij in het wild dansende licht van de staaflantaarn hoe de sporen van de ski's scherp afbogen, regelrecht het bos in. Hij kreeg nieuwe hoop. In die diepe sneeuw kon Ian onmogelijk ver skiën, dat was eenvoudigweg onmogelijk. Zodra hij het spoor verliet, zakte hij tot aan zijn heupen weg in de sneeuw. Op sommige plaatsen was de sneeuw echter hard genoeg om zijn gewicht te kunnen dragen. Op handen en voeten klom hij sneeuwhopen op en af totdat hij een meter of twintig was gevorderd.

Daar, tegen een boom geleund, zat Ian. Hij had een half opgerookte sigaret in zijn mond. Hij zat rechtop, met gesloten ogen, zijn blote handen gevouwen in zijn schoot. Hij had zijn parka onder zijn hals opengeritst, maar de capuchon diep over zijn voorhoofd getrokken. De ski's en stokken lagen netjes naast hem.

'Ian, goddank... Ian.' Dafydd liet zich op zijn knieën vallen en drukte zich onbeholpen tegen hem aan, zijn armen om hem heen. 'Zeg iets tegen me, kom op, Brannagan, zeg nou iets...' Hij trok zich terug en kap een klapje tegen Ians wang. 'Word wakker... *Word wákker!*' Hij greep Ians schouders en schudde hem hevig door elkaar, maar er kwam geen reactie. Hij was wanhopig. Ian kon al op de drempel van de dood verkeren en er was weinig dat hij voor hem kon doen. Zijn handen waren gevoelloos van de kou en hij durfde zijn handschoenen niet uit te doen om vuur te maken, maar hij had geen keus. Hij rukte ze af en trok als een razende de kranten en het aanmaakhout uit de rugzak. Het leek meelijwekkend zelfs maar een poging te doen om met niet meer dan een paar kranten en wat aanmaakhout vuur te maken in de sneeuw, maar vuur was het enige wat mensenlevens in deze extreme kou kon redden. Dus probeerde hij het en liet het licht van de staaflantaarn tussen de bomen door spelen, op zoek naar takken en twijgen die het vuur gaande konden houden. Alles was bedekt met de maagdelijk witte sneeuw waarvan hij zo hield. Hij vloekte en vocht tegen zijn tranen; huilen was ook een van de gevaren die hij onmogelijk kon riskeren. Zijn vingers werden met de seconde gevoellozer. Terwijl hij prutste met de lucifers, vielen ze bijna uit het doosje in de sneeuw. Hij stiet opnieuw een vloek uit. Toen hij nog een poging deed, viel het doosje zelf in de sneeuw. Hij stak zijn hand in de sneeuw om het te pakken en het was alsof hij zijn hand in een laaiend vuur stak. Hij beet op zijn tanden en gromde van woede en frustratie. Hij probeerde het nog eens met zijn andere hand. Terwijl hij in de sneeuw tastte, maakte de pijn dat het hem zwart voor de ogen werd. Kleine, ijzige speldenprikken kwelden zijn oogbollen. Hij kon niets meer voelen met zijn hand, laat staan iets pakken. De lucifers waren verloren en het licht van de zaklantaarn werd steeds zwakker. Vlug wurmde hij zijn handen weer in de handschoenen, in het besef dat het voor sommige van zijn vingers misschien al te laat zou zijn.

Ian verroerde zich niet. Dafydd trok de capuchon van Ians hoofd en liet de lantaarn in zijn gezicht schijnen. Zijn gelaatsuitdrukking was vredig; hij zag er zelfs bijna gelukkig uit, maar zijn blote handen waren even wit als de sneeuw zelf. Als hij dit overleefde, zou hij het zonder zijn handen moeten stellen; de doorbloeding was allang opgehouden. Het zou niet gemakkelijk zijn, maar de mensen hier deden het toch – het was in het poolgebied niet ongewoon. Tot zijn schrik had hij gezien dat Ian onder zijn parka alleen een T-shirt droeg – hij was niet van plan geweest warm te blijven. Dafydd nam de half opgerookte sigaret van zijn bevroren lippen en begon zijn gezicht te wrijven en tegen hem te schreeuwen. Toen, radeloos, sloeg hij hem met zijn gehandschoende hand in het gezicht. Een harde klap was genoeg om Ian opzij te laten vallen. Eindelijk werd hem de realiteit van Ians toestand helemaal duidelijk. Hij was dood en in feite al stijf bevroren. Dafydd had het al die tijd al vermoed, maar nu kon hij het niet langer ontkennen, zoals hij ook niet kon ontkennen dat hij zelf ook dobbelde met de dood.

Hij richtte zich op in de sneeuw en keek naar zijn vriend. Ian was dood. Het enige wat hier in een vreemde houding in de diepe sneeuw lag, was een omhulsel, geschrompeld en leeg, vrijwel uitgedroogd. Het beetje vlees op zijn botten was heel gemakkelijk bevroren. In de verte hoorde hij de wolven die, verder weg nu, hun gekwelde zang lieten horen.

Hij kon nog maar één ding doen, namelijk zichzelf in veiligheid brengen. Even overwoog hij Ian de skischoenen uit te trekken en ze zelf aan te doen, zodat hij op ski's terug kon gaan. Hij wist echter dat zijn vingers in dat geval onherroepelijk zouden bevriezen. Hij stond op en zette Ian weer rechtop tegen de boom, zoals hij hem had aangetroffen. Hij pakte de staaflantaarn die tussen zijn handpalmen zat geklemd.

'Vaarwel, ouwe vriend. Je hebt eindelijk je vrede gevonden,' zei hij. Even nog stond hij voor het verstarde lichaam, maar toen draaide hij zich om en begon aan de lange terugtocht.

Hij rende, af en toe struikelend, en maaide wild met zijn armen om de bloedsomloop in zijn ijskoude handen te herstellen. Hij moest op zijn tanden bijten om te verhinderen dat hij tranen in zijn ogen kreeg. De nawerking van alle alcohol maakte zijn mond – met niet meer dan een verschaald residu van bier en whisky – kurkdroog. Zijn hele lijf was uitgedroogd. Hij had al vele uren niets meer gegeten. Het beeld van de middagthee met Tillie en de kinderen leek lichtjaren ver. Alles was nu anders, niets zou ooit nog hetzelfde zijn.

Bij de brandgang hing hij de rugzak aan een tak – op die manier zou Ians lijk de volgende ochtend gemakkelijker te vinden zijn. De lantaarn gaf nu zijn laatste beetje energie af en flikkerde verscheidene minuten voordat hij uitging. Tussen de bomen was het pikdonker. Dafydd tuurde voor zich uit, in een poging het licht van de een of andere open plek te ontdekken. Hij draafde door, zwaar gehinderd door alle lagen kleren, en vond zo goed mogelijk zijn weg langs de sporen in de sneeuw. Eindelijk kon hij in de verte de lichtjes van de blokhut zien. Het maakte hem niet eens blij. Een deel van hem zou zich graag ook hebben overgegeven aan de ijzige slaap die Ian had verkozen. Het was geen slechte manier om uit te stappen.

In de blokhut trof hij de chaos aan die hij had aangericht toen hij Ians spullen in het wilde weg had weggesmeten. Hij sloot de deur en liep naar de houtkachel. Geen smeulend stukje hout meer om het vuur aan te wakkeren. Hij trok de handschoenen uit en zag dat zijn vingers rood en gezwollen waren. Er vormden zich grote blaren omheen. De pijn was folterend, maar hij voelde zich opgelucht – dood weefsel is absoluut gevoelloos.

Opnieuw moest hij op jacht naar lucifers, en toen hij die eindelijk had gevonden, slaagde hij erin een rol toiletpapier aan te steken. Hij gooide er een vol pak cornflakes bovenop en keek om zich heen naar ander brandbaar materiaal. Er waren genoeg houtblokken, maar het aanmaakhout en de kranten had hij in de rugzak gedaan. Hij begon ongeopende en dus onbetaalde rekeningen in de kachel te gooien, gevolgd door papieren borden, servetten en een kapotte papiermand van wilgentenen. Algauw laaide het vuur op en kon hij het kleinste blok hout erop gooien. Vuur scheen opeens veel te betekenen. Het was kostbaar en er moest voor worden gezorgd. Zonder vuur kon alleen de hemel weten hoe hij zich had moeten redden. Het had een gevoel alsof hij ijlde. In de kasten zocht hij naar thee en iets eetbaars. Hij zette de ketel op de kachel en at wat licht beschimmelde kaas, zo uit de verpakking, staande in het licht van de open koelkast. De koelkast maakte hem aan het lachen. Een koelkast, in dit klimaat? In de koelkastdeur stond een halfvolle fles wijn. Hij klemde de fles tussen zijn handen en liet de wijn in zijn keel stromen. De koude drank liep langs zijn kin en stroomde zijn kraag binnen, alvorens langs zijn borst te druipen. De ketel raakte aan de kook en hij nam hem van het vuur. Hij duwde nog een paar houtblokken in de kachel. Toen liep hij de kleine slaapkamer in. Tot zijn verbazing was die tamelijk netjes. Ian had zelfs zijn bed opgemaakt. Dafydd sloeg de dekens open, een intieme handeling die hij had verdiend, vond hij. Volledig gekleed ging hij liggen, trok de lappendeken over zich heen en viel in een diepe slaap.

Het was nog pikdonker, buiten, toen hij wakker werd. Aanvankelijk wist hij niet goed hoe hij hier was beland, maar plotseling kwam alles terug. De gebeurtenissen van de afgelopen nacht dwongen hem weer te gaan liggen en hij bleef languit, plat op zijn rug, naar de zoldering staren. Hij kon zich niet bewegen, zelfs niet als hij het had gewild, maar hij had niet de minste wens om iets anders te doen dan roerloos blijven liggen, absoluut stil. Zijn geest was dof en het kloppen van zijn handen was een kwelling. Eindelijk rolde hij zijn hoofd naar opzij. Op het nachtkastje stond een kleine digitale wekker, die hem vertelde dat het zeven minuten over half zes was. Een ogenblik later drong een zacht geluidje tot hem door, niet meer dan een ademtocht. Hij gooide de dekens van zich af en richtte zich zo snel op dat hij overvallen werd door golven van duizeligheid. Met zijn handen om zijn hoofd haastte hij zich naar de woonkamer.

Thorn... waar was Thorn? Arme ouwe hond. Hoe had hij het dier kunnen vergeten? Het bleek dat Thorn aldoor al in de blokhut was geweest en geluidloos in zijn hoek had gelegen, verstijfd van verdriet of pijn. Dafydd hurkte neer bij de hond en omhelsde de zware kop. Thorn reageerde niet, maar zijn wijze oude ogen waren open en hij staarde in het niets. Ze hadden al alles gezien wat ze wilden zien. Zijn ademhaling was zo licht als een omlaag dwarrelende veer. Dafydd begon zijn achterpoten te wrijven en Thorn jankte zacht. Hij wist dat Ian pillen had voor Thorns ontstoken gewrichten en liep naar de badkamer om ze te zoeken. Ze waren nergens te vinden, maar in een doosje boven op de kleerkast met spiegel vond hij de ampullen. Ians ampullen. Dafydd staarde ernaar. Het waren breekbare glazen buisjes, een stuk of twintig, gevuld met de narcotiserende substantie. Hij werd zo overweldigd door woede dat hij de doos tussen zijn polsen klemde en zijn armen omhoog bracht om ze naar de vloer te smijten. Hij tilde de doos hoog boven zijn hoofd en haalde adem voor de inspanning, maar op dat moment verstarde hij. Voorzichtig zette hij de doos op het deksel van de toiletbril. Met zijn enorm gezwollen vingers nam hij een handvol ampullen en ging op zoek naar een injectiespuit. Er waren geen schone te vinden, zodat hij in de afvalemmer op zoek moest naar een gebruikte. Uiteindelijk ontdekte hij Ians dokterstas. Tussen de receptenboekjes en medicijnmonsters vond hij een grote injectiespuit en een paar naalden voor onderhuids injecteren. Hij deed zijn best niet te huilen, maar de tranen biggelden hem over de wangen. Met vingers zo dik als een golfbal zoog hij de vloeistof uit de met rubber afgesloten ampullen totdat de spuit helemaal vol was.

Thorns zware kop lag op zijn schoot, toen hij de hele spuit in één keer leegdrukte in de sidderende flank van de hond. Toen hij de naald terugtrok, keek de hond naar Dafydd en er was een bijna onmerkbare kwispelbeweging van zijn staart. Enkele ogenblikken later slaakte hij een diepe zucht en stierf. Eindelijk kon Dafydd zich laten gaan en snikte hij totdat zijn borst niet meer kon hebben.

Van de drie mounties in Moose Creek kende hij alleen Mike Dawson, de hoogste politieambtenaar ter plaatse. Dafydd had hem kortgeleden nog behandeld voor een hardnekkige zweer aan zijn been. Hij zou binnenkort gepensioneerd zijn en Dafydd had geopperd dat zijn aandoening ernstig genoeg was om met vervroegd pensioen te gaan. Geen kijk op – Dawson was een gewetensvol man.

Ze hadden twee sneeuwscooters bij zich, en een grote slee waarop een volwassen mens kon liggen. Onder zes nylon riemen lag een zwart zeil, netjes opgevouwen. Dafydd kon het niet over zijn hart verkrijgen hun te zeggen dat Ians bevroren lichaam niet gemakke-

lijk op de smalle slee te leggen zou zijn, maar hij wilde niet eens dén-
ken aan de manier waarop ze dat eventueel toch voor elkaar zouden
krijgen. Hij bood aan hun de weg te wijzen, maar Dawson wees alleen naar zijn handen en zei dat hij in het ziekenhuis hoorde te liggen in plaats van hier te zijn, in de bossen. Hij bleef in de blokhut
achter, nadat hij de mounties zo goed mogelijk de richting had aan-
gegeven. De brandgang was niet moeilijk te vinden. Daar zouden ze
de rugzak ontdekken.

Nadat hij Thorns lichaam in Ians lappendekken had gerold, liep
Dafydd naar de kleine slaapkamer en opende de kleine kast die als
nachtkastje diende. Tussen de andere paperassen en documenten
vond hij zes enveloppen, twee stapeltjes van drie, bijeengehouden
door elastiek. Onder een van de stapeltjes bevond zich een klein
pakje. Boven op beide stapeltjes stond *Dafydd* te lezen, geschreven
in een vast en kloek handschrift. Hij kreeg een van de desbetreffen-
de enveloppen met moeite open. Hij las de brief die erin zat langzaam en zorgvuldig.

'Ik, Ian Brannagan, beken hiermee dat ik Sheila Hailey, hoofd-
verpleegkundige van Moose Creek Hospital, heb geholpen een
frauduleuze daad te volvoeren, teneinde bloed dat zogenaamd
van Sheila Hailey en haar zoon Mark Hailey afkomstig was,
op te sturen voor een DNA-test, met het doel ten onrechte te be-
wijzen dat dr. Dafydd Woodruff de vader van Mark en zijn
tweelingzusje Miranda zou zijn.
Het bloed was in werkelijkheid afkomstig van mevr. Uyarasuq
Ashoona, woonachtig in Black River (Coppermine) en haar
zoon Charlie, zonder dat zij kennis droeg van het doel waar-
voor het zou worden gebruikt. Dr. Dafydd Woodruff is de va-
der van Charlie Ashoona, een feit dat mevr. Hailey ter ore is ge-
komen toen de jongen als patiënt werd opgenomen in Moose
Creek Hospital en dat haar in staat stelde dit complexe bedrog
te plegen.
Mijn eigen aandeel daarin bestond eruit dat ik de namen van
Mark en Sheila Hailey op de bloedmonsters heb aangebracht,
hoewel ik het bloed in kwestie niet zelf had afgenomen. Hier-
door kon het bloed onder een valse naam naar het laboratori-
um voor de DNA-test. Uiteindelijk heeft mevr. Hailey mij opge-
biecht welk bedrog zij had gepleegd. Een nieuwe DNA-test van
het bloed van alle betrokkenen zal zonder meer de waarheid
van mijn beweringen staven.

Dr. Ian Brannagan

Een *P.S.* onder de brief was duidelijk alleen voor hémzelf bedoeld: '*Beste Dafydd, ik hoop oprecht dat ik, als jij deze brief leest, eindelijk de moed zal hebben opgebracht om jou persoonlijk opening van zaken te geven. Als dat niet zo mocht zijn, hoop ik dat je me vergiffenis zult willen schenken. Ik ben in meer opzichten zwak dan jij weet. Ian.*'

De overige twee enveloppen bevatten vermoedelijk dezelfde brief, maar zonder het postscriptum, en met de aanhef: '*Aan allen die dit aangaat.*'

Hij maakte de bovenste envelop van het tweede stapeltje open. Hij las:

'*Ik, Ian Brannagan, beken hiermee dat ik de afgelopen dertien jaar een persoonlijk aandeel heb gehad in de diefstal van Demerol en andere psychotrope middelen uit Moose Creek Hospital. In deze periode leed ik in uiteenlopende gradaties van ernst aan drugsverslaving waardoor ik dikwijls grote hoeveelheden Demerol nodig had. Ik werd bij deze diefstal metterdaad geholpen door Sheila Hailey, hoofdverpleegkundige van dit ziekenhuis. Mevr. Hailey is als enige persoon belast met de administratieve verantwoording en uitgifte van deze drugs voor gebruik in dit ziekenhuis, en zij heeft ze mij tegen betaling geleverd.*
Bij wijze van bewijsmateriaal laat ik een hoeveelheid van enkele duizenden lege ampullen achter, die voornamelijk Demerol hebben bevat. Ze zijn te vinden in twee houten kisten achter mijn blokhut. Als aanvullend bewijs kan een audiocassette dienen waarop ik twee gesprekken tussen mij en mevr. Hailey heb vastgelegd (zonder haar medeweten). Ze spreken voor zich. Tussen mijn bankafschriften en die van mevr. Hailey zullen ook duidelijke overeenkomsten bestaan, voor wat betreft het opnemen respectievelijk storten van geld dat door mij aan mevr. Hailey werd overgemaakt, als betaling voor haar medeplichtigheid aan deze diefstallen.
Mijn redenen voor het schrijven van deze brief is dat naar mijn mening mevr. Hailey haar vertrouwenspositie heeft misbruikt om anderen geld af te persen en te intimideren, ter wille van aanzienlijk persoonlijk gewin. Ik verklaar dat dit de volledige en absolute waarheid is.

Dr. Ian Brannagan

Dafydd bleef nog tamelijk lang op de rand van het bed zitten en hij werd zich geleidelijk bewust van de immense verantwoordelijkheid die nu op hem rustte, nu hij in het bezit van deze brieven was. De brief waarin Sheila als een dwangmatige dief en meedogenloze drugsdealer aan de kaak werd gesteld, zou vrijwel zeker uitlopen op een langdurige gevangenisstraf. In dat geval zouden haar twee kinderen in feite wees worden en als zodanig in een of ander afschuwelijk opvangsysteem belanden.

De brief waarin werd verklaard hoe zij bloed had gestolen om een ongelooflijke zwendel op touw te zetten, zou ertoe leiden dat Dafydd deze kinderen op geen enkele manier meer zou kunnen helpen. Zodra bekend werd dat hij niet hun vader was, zou hij even weinig rechten ten opzichte van Mark en Miranda kunnen laten gelden als de eerste de beste vreemde. Daar kwam het uiteindelijk op neer.

Hij keek uit het raam en vroeg zich af hoe lang de mounties al weg waren. Vlug nam hij een besluit. Hij begreep nu waarom Ian twee brieven had geschreven, in plaats van één. Hij had Dafydd de keus gelaten. In een tijdsbestek van enkele minuten moest hij beslissen welke brief hij aan Dawson zou overhandigen, of misschien allebei, of geen van beide. Misschien had Ian de hele toestand voorzien, met inbegrip van de precaire situatie waarin Dafydd, Miranda en Mark zouden kunnen belanden.

Opnieuw vroeg hij zich af of Ian de vader van de kinderen kon zijn. Had Ian die wetenschap werkelijk met zich mee kunnen nemen, het graf in? Misschien was dat de manier waarop hij Dafydds loyaliteit ten opzichte van die twee had aangemoedigd. Hij had geweten dat hij het zelf niet lang meer zou maken en ook had hij gezien dat Dafydd in potentie een uitstekende vader zou zijn, op zijn minst waar het zijn trouw en vriendelijke aard betrof.

Dafydd hoorde het grommen van motoren. Het was nu of nooit. Een stem in zijn binnenste zei: 'Laat Sheila voor al haar misdaden ten volle boeten voor de wet.' Maar een ander stemmetje zei: 'Als je Sheila vrijuit laat gaan, zal er voor de tweeling worden gezorgd, maar misschien niet op de juiste manier. In elk geval zullen ze een moeder hebben en zul jij vrij van haar zijn.' Of nog een derde stem: 'Laat Sheila de tol betalen voor al haar misdaden, inclusief het dealen in drugs, maar laat iedereen verder in de waan dat jij de vader van haar kinderen bent, een rol die je zelf zult moeten blijven vervullen, voor niemand weet hoelang...'

Dafydd staarde naar de beide brieven, een in elke hand, terwijl het gegrom van de motoren naderde.

21

'Ik denk dat u er verstandig aan doet hier even naar te kijken,' zei Dafydd tegen Dawson terwijl ze toekeken hoe de twee mounties de veel te smalle slee in het busje schoven. Ze stonden in de sneeuw bij Ians blokhut, die er nu even haveloos en gammel uitzag alsof hij al tientallen jaren leeg had gestaan. Dafydd, de handen provisorisch omzwachteld met repen stof, overhandigde Dawson de envelop.

'Brannagan heeft deze brief in drievoud in zijn slaapkamer achtergelaten. 'Een ervan was aan mijzelf gericht. Het is niet moeilijk te begrijpen wat tot deze tragedie heeft geleid.'

Dawson deed zijn handschoenen uit om de envelop open te maken, doorzocht langdurig zijn zakken naar zijn leesbril en zette die op zijn neus. Zijn gezicht verstrakte onder het lezen en er verschenen diepe plooien in zijn voorhoofd – een indicatie voor de ernst van deze zaak. Hij had duidelijk moeite met het overdenken van de inhoud, proberend zich rekenschap te geven van de enormiteit van Sheila's misdadige handel en wandel.

'Grote god!' riep hij uit, toen eindelijk de volledige betekenis van Ians brief tot hem was doorgedrongen. 'Als dit waar is, valt het bijna niet te geloven hoe ze kans heeft gezien al die jaren niet te worden betrapt.'

'Ik wist wel dat er iets mis moest zijn met Brannagan,' loog Dafydd moeiteloos. 'Ik neem het mezelf kwalijk dat ik niet doorhad dat hij op grote schaal drugs moest gebruiken. Daar blijkt maar uit dat ik al veel te lang specialist ben geweest, in plaats van huisarts.'

Dawson schudde grimmig het hoofd. 'Die vrouw... Ze is in de loop der jaren al verscheidene keren in opspraak geweest. Ik zou er niet over moeten praten, uiteraard, maar ik had mijn verdenkingen.'

'O ja? Zoals?'

Dawson aarzelde. 'Laten we het voor dit moment even bij dokter Brannagan houden,' zei hij. 'Ik heb gehoord dat u de laatste tijd nogal veel met hem optrok. Bent u, dokter Woodruff, van mening dat dit een ongeluk is geweest? Ik bedoel, vindt u dat zo'n verslaving voor een mens reden genoeg kan zijn om zichzelf het leven te benemen?'

Dafydd keek naar het openhartige, vertrouwen uitstralende gezicht van Dawson. Hij scheen ongelooflijk veel over iedereen te weten, maar in een kleine plaats als Moose Creek en gelet op de vele jaren dat hij hier had gewerkt, was dat niet zó verbazingwekkend. Hoe dan ook, het was een redelijke vraag.

'Misschien niet op zichzelf, maar ik weet dat dokter Brannagan al heel lang ten prooi was aan een diepe depressie – dat was de reden waarom ik een oogje op hem ben gaan houden. Helaas weigerde hij het toe te geven – in feite weigerde hij alle hulp. Misschien speelde ook zijn angst voor ontdekking een rol.'

'Was hij niet ook nog stevig aan de fles?' Dawsons hand maakte een beweging alsof hij de inhoud van een glas achterovergooide. 'Volgens mijn bronnen dronk hij een paar flessen per dag leeg.'

'Tja,' zei Dafydd slim. 'Misschien overdrijven uw bronnen wat, maar toch.'

'Toch blijf je je afvragen,' zei Dawson peinzend, 'wat iemand ertoe brengt zich vrijwillig dood te laten vriezen.'

Dafydd kromp ineen bij de gedachte aan de andere brief die hij veilig in zijn zak had. Hij had zich tenslotte schuldig gemaakt aan het achterhouden van bewijzen, een kolossaal vergrijp. Hij had er nog geen flauw idee van waartoe het zou leiden, maar hij wist dat Sheila erdoor in de gevangenis zou belanden. Als hij niet in zijn impulsieve besluit volhardde, zouden de kinderen overgeleverd zijn aan de genade van de sociale instellingen.

Alsof Dawson zijn onbehagen had bespeurd, zei hij: 'We zullen de zaak grondig onderzoeken. Misschien dat we iets boven water krijgen.'

'Waarom begint u niet op de plek die Brannagan heeft genoemd.' Dafydd gebaarde naar de achterkant van de blokhut, en Dawson beduidde zijn twee collega's hem te volgen. De schuur bevatte veel memorabilia uit Ians leven, en het meeste ervan was opgeborgen in twee kisten. Dawson opende de klamp van een kist en klapte het deksel omhoog. De kist bevatte inderdaad een enorme hoeveelheid glazen ampullen, goed voor jaren en nog eens jaren van geestelijke en lichamelijke ellende en misschien wat genot. Dit was zowel de verklaring als het einde van Ian Brannagans aftakeling. De mounties openden de tweede kist en ze maakten alledrie aantekeningen in hun notitieboekjes, zonder hun fijne varkensleren handschoenen uit te doen, dit om de kou op afstand te houden.

'We nemen de kisten mee,' zei Dawson. De twee jongere mounties droegen ze een voor een naar het busje. Dawson stond op het punt de blokhut te gaan doorzoeken, maar Dafydd hield hem staande.

'Ik ben niet op de hoogte van de Canadese wetten, maar ik moet u zeggen dat ik me zorgen maak over de tweeling. Wat voor straf staat mevrouw Hailey te wachten, vanwege dit hier? Uiteraard hebben de kinderen mij nog, hun vader, maar dit gaat heel moeilijk voor ze worden.'

Hoofdschuddend zei Dawson: 'O, dat wordt een zware straf. Jaren. Het is haar geraden een verdomd goeie advocaat te nemen.'

Dafydd glimlachte ongewild. 'Ze heeft er toevallig al een, een gehaaide.'

'Nou.' zei Dawson. Hij sloeg Dafydd uit meeleven op de schouder. 'Nu u er zelf over bent begonnen, zult u het wel niet erg vinden als ik het zeg, maar ik wist waarom u hierheen bent gekomen. Dat soort dingen hoor ik nu eenmaal. Ik had met u te doen. Het schijnt dat u helemaal niets wist van het bestaan van de kinderen, nietwaar?'

'Dat klopt, ja,' zei Dafydd onbehaaglijk, op zoek naar een ander onderwerp. 'Nog iets anders. Ik heb vanmorgen Brannagans hond een spuitje moeten geven, uit mededogen. Hij liep letterlijk op zijn laatste benen. De hond was stokoud en Brannagan zielstrouw. Vermoedelijk zou hij het zelf hebben gedaan, als ik er niet was geweest. Is er een kansje dat u hem meeneemt, zodat ze bij elkaar kunnen blijven?'

De twee mounties kregen opdracht de blokhut binnen te gaan en de lappendeken met zijn trieste inhoud naar het busje te dragen. Dawson deed nog een poging Dafydd ervan te overtuigen dat hij naar het ziekenhuis moest om zijn halfbevroren vingers te laten behandelen, maar hij wimpelde het af. Na het vertrek van de mounties ging hij voor het laatst nog eens de blokhut binnen. Hij vroeg zich af of er misschien iets was dat hij als herinnering aan zijn vriend kon meenemen. Uiteindelijk koos hij voor de ski's en de stokken, als een indringende herinnering aan Ians laatste skitocht, en stopte ze in de kofferbak van zijn Buick. Hij sloot de deur van Ians blokhut af en hoopte vurig dat hij zoveel triestheid nooit zou hoeven terug te zien.

De Buick zat muurvast. Hij vervloekte zichzelf. Waarom had hij Dawsons mannen niet gevraagd hem even te helpen? Uiteindelijk moest hij zijn parka onder een wiel leggen, en onder het andere alles wat hij buiten kon vinden. Uiteindelijk slaagde hij erin de vervloekte auto los te krijgen en reed weg, zonder om te kijken.

Op de terugweg naar het ziekenhuis verwonderde hij zich over de theorie van de macht van de geest over de materie. Hij was de hele ochtend bezig geweest met alleen zijn halfbevroren handen als werktuigen, waarbij hij de pijn grotendeels had kunnen negeren, maar nu liet de foltering zich met volle kracht gelden en voelde hij zich misselijk van uitputting.

'Wie hebben vandaag dienst?' vroeg hij aan Veronica, een nieuwe verpleegkundige uit Winnipeg, die hem in de gang tegemoetkwam. Haar gezicht was bleek en ze leek hevig van streek.

'Hogg, Lezzard en Kristoff,' zei ze, starend naar de smerige lappen om zijn handen. 'Atilan is net weg.' Ze stapte dichter naar hem toe en fluisterde: 'Ze zijn allemaal net terug uit het mortuarium, beneden. Je zult het nog wel niet weten... Ian Brannagan is vannacht doodgevroren.'

Hij tikte haar licht op de schouder. 'Ik weet het.'

'Ik heb hem niet echt gekend,' zei het meisje bijna snikkend, 'maar het is afschuwelijk.'

'Aan dit soort dingen zul je wel gewend raken – zoiets komt hier vaker voor. Ik heb Ian goed gekend en geloof me, hij heeft vrede.'

Het meisje knikte, depte haar ogen droog met een tissue en liep verder door de gang.

Hogg keek geschrokken op toen Dafydd zijn spreekkamer binnenstapte, bleek, verfomfaaid en met een vreemde blik in zijn ogen, zijn handen voor zich uit. 'Ja, ik heb Ian gevonden,' zei Dafydd om hem voor te zijn. 'Ik zal je er dadelijk alles over vertellen, maar kijk eerst even naar mijn handen, wil je?'

Hun blikken kruisten elkaar kort, maar toen begon Hogg de repen stof vlug los te wikkelen.

'Lieve help, lieve help,' knorde hij, 'dat ziet er niet fraai uit, niet fraai.' Ze bestudeerden allebei Dafydds handen alsof ze een lap rauwe lever in een slagerswinkel voor ogen hadden. Hogg drukte even tegen de donkere, vochtige blazen en schudde het hoofd.

'Wat dacht je van deze?' zei Dafydd geschrokken, terwijl hij zijn linkerringvinger bewoog om Hoggs aandacht op de zwart verkleurde top te vestigen.

'Ja, ik zie het, *old boy*. Niet best, helemaal niet best. Heel slecht, in feite.' Hogg wreef over zijn kin. 'Droge gangreen. Ik vrees dat we hem er beter af kunnen halen.'

Dafydd maakte een grimas. 'Toch niet de hele vinger, zeker?'

'Een klein stukje, alleen een klein stukje maar,' zei Hogg met een geruststellend klopje op zijn arm. 'Alleen de top, tot het gewricht. We kunnen het nu doen: hoe eerder hoe beter. Zo gebeurd.' Hij belde om een zuster die hem kon assisteren. Veronica verscheen en werd direct weggestuurd om het nodige te halen.

Dafydd keek onbewogen toe hoe zijn vingertop snel met een lancet rondom werd ingesneden, waarna met een chirurgische tang het kootje resoluut werd doorgeknipt. Meteen werden de minuscule huidflapjes netjes dichtgenaaid. Hogg was er een meester in – hij had in zijn loopbaan al heel wat vingers en tenen afgezet. Dafydd keek naar het afgestorven stukje vlees dat tot zijn ringvinger had behoord en nu heel alleen in een roestvrijstalen kom lag, zo klein dat zelfs een hongerige hond er niet eens naar zou hebben gekeken. In stilte nam hij er afscheid van. Hij had in zak in as moeten zitten, want hij wist wat het betekende, maar zijn gitaar was gestolen en maakte nu deel uit van een verleden dat niet langer werkelijkheid was. Opereren zou geen groot probleem vormen, want hij was rechtshandig.

'Hopelijk komt het goed met de rest,' zei hij.

'Met je andere vingers zit het wel goed, *old boy*. Geen zorg, geen zorg. Zo te zien heb je dringend rust nodig. Ik had je naar Ian willen vragen, maar daar kunnen we het later nog over hebben.' Hij verbond Dafydds handen en diende hem intraveneus een dosis antibiotica toe. 'Veronica, zou je mijn auto willen nemen om dokter Woodruff naar huis te brengen?'

'Zo dadelijk,' zei Dafydd tegen haar. 'Mag ik je over een poosje waarschuwen?'

Eenmaal alleen keken de twee mannen elkaar aan. Dafydd voelde zich ongelooflijk moe, maar dit was het laatste wat hij moest doen voordat hij zich kon terugtrekken in zijn paarse grot. Daar zou hij de dekens over zijn hoofd trekken en de eerste vierentwintig uur met niemand praten.

'Andrew, zou je alsjeblieft de envelop in de linkerbinnenzak van mijn parka kunnen pakken en doorlezen?' instrueerde hij Hogg.

Hogg staarde hem verbaasd aan, op zijn hoede, maar deed wat hem was gevraagd. Hij maakte de envelop open, las de brief door en werd lijkbleek. 'O nee, Sheila heeft dit nooit... Het was Ian,' was alles wat hij kon uitbrengen voordat hij zijn gezicht achter zijn handen verborg.

'Toe, Andrew, ik ben ervan overtuigd dat je wel beter weet. Sheila heeft Ian jarenlang bevoorraad. Ga me nou niet vertellen dat je zoiets nooit hebt vermoed.'

Hogg verroerde zich niet en zei niets, zijn gezicht nog verborgen. Dafydd verhief zijn stem. 'Kijk me aan, Hogg. Probeer het niet te ontkennen. Ian is dood, en dat komt gedeeltelijk door háár.'

Met een ruk keek Hogg op. 'Heeft iemand anders deze brief gezien?' vroeg hij. 'Hij was dichtgeplakt.'

'Ik ben bang van wel. Deze brief is in drievoud geschreven en alle exemplaren zijn door Ian ondertekend. Een heb ik overhandigd aan Mike Dawson, samen met de audiocassette. Voor Sheila is het spel uit, vrees ik.'

'Hoe kon je dat doen?' viel Hogg uit. 'Hoe heb je dit die kinderen kunnen aandoen, *jouw* kinderen? Begrijp je dan niet dat ze hun moeder kwijt zullen raken? Het zal gedaan zijn met Sheila; die verdwijnt in de gevangenis...'

Dafydd staarde hem stomverbaasd aan. Ondanks dit alles zou Hogg van hem hebben verlangd al het bewijsmateriaal te vernietigen en Sheila te dekken. 'Hoe kun jij deze vrouw nog in bescherming nemen?' vroeg hij honend. 'Na alles wat ze iedereen heeft aangedaan – Ian, en zelfs jou. Ze kunnen jou hiervoor verantwoordelijk stellen, besef je dat niet?'

'Ik weet het.' Hogg zakte ineen op zijn stoel en verborg opnieuw zijn gezicht achter zijn handen. Hij kreunde gesmoord, en nog eens. Hij scheen te grienen. 'Ik weet best dat ze... dat ze lastig kan zijn. Je moet echter begrijpen... Ze is een buitengewoon complex iemand, zo beschadigd... Ik ben erg op haar gesteld...' kreunde Hogg. Hij haalde zijn enorme zakdoek tevoorschijn en snoot zijn neus. De intrieste uitdrukking op zijn gezicht maakte Dafydd misselijk. Aan de andere kant had hij met de man te doen. Hij had zich nooit gerealiseerd hoe hevig hij Sheila altijd had aanbeden, al was het wel duidelijk geweest dat hij smoorverliefd op haar was. Geen wonder dat Anita hem had verlaten. Voor Hogg bestond er maar één vrouw.

Dafydd nam abrupt een besluit. Waarom niet? Het was mogelijk dat Hogg het allang wist, trouwens.

'Ik zal je laten zien wat ze nog meer heeft gedaan. Als je in mijn andere binnenzak kijkt, vind je daar nog een tweede brief. Die heb ik niet aan Dawson gegeven. Ik laat je hem alleen lezen om je duidelijk te maken dat het me wel degelijk kan schelen wat er met de kinderen gebeurt. Ik doe dit alleen om te voorkomen dat ze een speelbal worden van het een of andere pleegkinderensysteem of, erger, in een instelling belanden.'

Hogg staarde hem wezenloos aan. Hij zag eruit alsof hij niets meer kon hebben, maar hij stond langzaam op en doorzocht Dafydds parka totdat hij de tweede brief had gevonden, eveneens dichtgeplakt. Met de briefopener op zijn bureau sneed hij de envelop open.

Dafydd keek naar hem terwijl hij las. Algauw begon de uitdrukking op zijn gezicht te veranderen. Hij zuchtte diep, zijn frons verdween en hij keek Dafydd met oprechte hartelijkheid aan.

'Dank je,' zei hij eenvoudig.

'*Dank je?*' snauwde Dafydd hem toe, verbitterd. 'Ik zal een poosje voor ze zorgen, maar ik kan niet eeuwig blijven liegen. Ik kan ze niet in de waan laten dat ik hun vader ben. De hele kwestie is krankzinnig, begrijp je niet, en het is allemaal Sheila's werk. Ze heeft mijn huwelijk naar de maan geholpen, om over de rest maar te zwijgen.'

Hogg leek in zijn dankbaarheid niet van zijn stuk te brengen. 'Je begrijpt me verkeerd, Dafydd. Ik bedankte je niet voor je bereidheid om voor hen te zorgen. Ik bedankte je omdat... je zou niet geloven hoe belangrijk dit voor me is, Dafydd.' Hij plantte zijn ellebogen op het bureau om zich te ondersteunen en boog zich naar voren. Zijn ogen waren rood en gezwollen. 'De kwestie is namelijk... Miranda en Mark zijn míjn kinderen,' zei hij langzaam.

Dafydd staarde Hogg langdurig aan en barstte toen in lachen uit. 'Niet te gelóven. Kom me niet vertellen dat ook jíj hebt meegewerkt aan deze farce. Waarom heb je mij dit in godsnaam die dag in dat café niet verteld, toen ik tegen je zei dat ík hun vader was?'

Hogg leek beledigd. 'Er valt niets te lachen. Ik was de kluts kwijt. Toen jij die bom in mijn gezicht liet exploderen, dacht ik dat Sheila al die jaren tegen mij had gelogen en mij alleen maar had uitgewrongen vanwege de alimentatie.' Vermoeid richtte hij zich op. Onder zijn oksels waren grote zweetplekken ontstaan. 'Ik neem aan dat ik het je behoor te zeggen... Sheila had ten tijde van hun verwekking iets met een andere man. Ik denk dat ze hoopte dat hij de vader van haar tweeling was, maar ze kwam er algauw achter dat dit onmogelijk zo kon zijn.' Er ontsnapte hem een vreugdeloos lachje en hij zei hoofdschuddend: 'Ze had het me alleen maar hoeven vragen, want ik had het haar meteen kunnen zeggen. Ik had de man namelijk eerder doorverwezen voor een vasectomie. Tegen de tijd dat ze daarachter kwam, was het al te laat om nog iets aan haar zwangerschap te doen. Goddank. Ze zou zich hebben laten aborteren van mijn kinderen. Ik wilde ze wanhopig graag; ik zou er alles voor over hebben gehad. Ik heb aangeboden ze op te voeden, desnoods in mijn eentje, als het moest. Het draaide uit op een compromis. Ik beloofde Sheila dat ik hen altijd financieel zou steunen en er voor hen zou zijn als ze mij nodig hadden. Ik zou van ze houden... ook al stond zij erop dat ik afstand zou bewaren. Toen verscheen jij opeens op het toneel... Hoe kon ik je tegenspreken als jij over de DNA-tests beschikte?' Hogg haalde herhaaldelijk zijn schouders op, alsof hij de herinnering aan hun gesprek in het café van zich af probeerde te schudden. 'Het was allesbehalve een aangename ontdekking.'

Dafydd was zo overdonderd door deze nieuwe onthulling, dat hij het nauwelijks kon bevatten. Hij was ervan overtuigd geraakt dat Ian de vader van de tweeling moest zijn, maar dat had hij verkeerd. 'En de kinderen... weten die daarvan?'

'Natuurlijk niet. Sheila wilde het zo. Eerst met het oog op mijn vrouw. Daar kon ik inkomen. Toen echter Anita uiteindelijk bij me wegging... Ik dacht dat we nu eindelijk een gezin konden zijn, maar dat wilde Sheila niet. Vanwege haar afschuwelijke jeugd is ze veel te bang zich te binden. Ik hoopte niettemin dat ze een dezer dagen van gedachten zou veranderen – we zijn altijd... tamelijk goed bevriend geweest.'

Dafydd schudde zijn hoofd, een en al verbazing. 'Dringt het nu nog niet tot je door dat ze iederéén heeft geplukt? Jou voor alimentatie, Ian voor dat drugsgeld en mij... ik zou haar volgende slachtoffer zijn geworden. Geen wonder dat ze hier is blijven hangen. Ik heb nooit goed begrepen waarom een vrouw als zij haar leven zou verdoen in een oord als Moose Creek, maar dit verklaart alles. Ze was druk bezig met het kweken van een verdomd groot appeltje voor de dorst. Nou ja, dat moet je haar nageven. Ze ís een zwendelaarster pur sang, een eersteklas bedriegster... in feite een professionele misdadigster.'

Dafydd zag met enige voldoening hoe Hogg onrustig over zijn stoel schoof.

'Alsjeblieft, Dafydd, laat mij die brief houden.'

'Wat had je ermee willen doen?' vroeg Dafydd bars. De arme man moest volledig de kluts kwijt zijn. De brief was een tweede bewijs van Sheila's misdadige karakter en ze zou erdoor ook nog kunnen worden gestraft wegens een frauduleuze vaderschapsclaim. Aan de andere kant zou Hogg, als hij de brief aan de politie overhandigde, het nodige kunnen doen om zijn eigen vaderschap te bewijzen, zodat hij het recht had om zijn kinderen op te eisen.

'Maar goed, hou die verdomde brief gerust, als je maar bedenkt dat ik er kopieën van heb,' zei Dafydd.

'Ik heb tijd nodig,' jammerde Hogg. 'We moeten hier heel goed over nadenken.'

'Weet je wat, Hogg?' zei Dafydd. 'Het zíjn jouw kinderen, niet de mijne. Zij zouden jouw eerste prioriteit moeten zijn, nog voor Sheila. Laat mij die brief maar aan Dawson ter hand stellen.' Hogg kreunde zacht, maar Dafydd kon zien hoe de verandering zich voltrok. Zijn woorden hadden doel getroffen. 'Die kinderen hebben jou nodig, Andrew. Jij hebt ze hun hele leven gekend en jij hield van ze. Stap er... ga er zelf mee naar Dawson. Zeg hem de waarheid.'

Plotseling was Dafydds energie helemaal op. Hij voelde zich wazig en doodmoe. Hij stond op en liep naar de deur. Op de gang zat Veronica stijfjes op een stoel, in afwachting van zijn komst.

'Geef me nu die lift maar,' zei hij met een glimlach. Ze glimlachte terug.

Hogg riep hem achterna. 'Dafydd, wacht!' Het klonk nederig, bijna angstig. 'Als die injectie is uitgewerkt, zul je het heel moeilijk krijgen. Laat me je op zijn minst wat Demerol inspuiten.'

Dafydd bleef staan. 'Best,' zei hij, een glimlach onderdrukkend. 'Als er tenminste nog wat over is.'

Tillie had ogen als schoteltjes toen hij langs haar heen wankelde en de trap op liep.

'Dafydd,' riep ze hem achterna, 'wat is er met je handen gebeurd? Waar heb je gezeten?'

Hij kon in zichzelf geen antwoord vinden op haar vraag en liep door naar zijn kamer. Hij wilde zijn sleutels pakken, maar kreeg zijn handen niet in zijn zakken. 'Help!' riep hij zwakjes. Meteen holde Tillie naar boven.

'O, mijn god!' riep ze uit. 'Wat is er met je gebeurd?'

'De sleutels zitten in mijn zak,' zei hij, terwijl hij zijn armen opstak om zijn lichaam toegankelijk te maken. Ze fouilleerde hem en vond de sleutels in zijn rechterbroekzak. Ze maakte de deur voor hem open en ondersteunde hem toen hij naar het paarse bed wankelde. Hij liet zich op het bed vallen en kreunde. Tillie begon de veters van zijn laarzen los te maken, en terwijl ze dat deed tuimelde hij in een schemerzone met een blauwe hemel. Als hij echter zijn armen uitbreidde, kon hij omhoogvliegen alsof zijn armen vleugels waren. Hij voelde hoe ze zijn broek openritste en verzette zich niet toen ze de broek onder hem weg trok. De trui was een ander probleem. Hij moest zelfs een beetje wakker worden om haar de kans te geven de mouwen over zijn verbonden handen te stropen.

'Grote god, Dafydd,' kreunde ze, 'Dafydd, lieve schat, wat heb je toch gedaan?'

'Waar zijn je bronnen?' prevelde Dafydd. 'Ze beginnen zeker op te drogen.'

'Hoezo… wat is er precies gebeurd,' zei Tillie streng, terwijl ze zijn overhemd begon los te knopen.

'Een vriend van mij is dood,' zei hij, zonder zijn ogen te openen. 'Mijn huwelijk is naar de maan, mijn kinderen zijn niet mijn kinderen en ik zal nooit meer gitaar kunnen spelen en het ding is trouwens gestolen ook, en ik ben high van Demerol. Goed spul. Dat heb ik al die jaren gemist… verdomme.'

'O, Dafydd.' Tillie nam zijn gezicht tussen haar kleine handen en kuste hem herhaaldelijk op het voorhoofd. Het was heel aangenaam om te worden gekust, en hij glimlachte. Meteen begon ze hem op de mond te kussen, kleine, vlugge kusjes van zijn ene mondhoek naar de andere. Hij sloeg zijn armen om haar heen en ze omhelsde hem vurig. Toen drukte hij zijn gezicht in haar zachte haar en doezelde weg in haar omhelzing, waarin hij zichzelf helemaal kon verliezen.

Voor hij het besefte lagen ze allebei onder het paarse fluweel en bleef ze hem kussen. Hij begon haar kussen te beantwoorden. Het voelde zo knus, zo warm, zo vochtig. Vaag was hij zich ervan bewust dat hij bijna naakt was, misschien zelfs helemaal. *Maakt niet uit, zij heeft haar kleren aan*, dacht hij. Hij voelde hoe haar handen de huid van zijn rug streelde, en zijn billen, en zijn heupen. Het was zo aangenaam dat hij niet wilde dat ze ermee ophield. Iets in zijn kruis begon te kloppen en te zwellen en hij trok haar naar zich toe en omklemde haar met zijn onderarmen. Ze rolde zich op hem en zijn erectie raakte klem tussen haar knieën. Haar lichaam was zo kort, zo klein. Het was een vreemde gewaarwording, bijna alsof hij een kind omhelsde. Het was deze ongerijmdheid – haar kinderlijke lichaamsvorm versus haar vrouwelijke begeerte – die hem aan de oppervlakte van zijn bewustzijn bracht. Op dat moment wist hij dat hij op het punt stond haar de kleren van het lijf te rukken met zijn tanden om haar te nemen. Hij wilde niets liever dan te worden omhelsd en opgeslokt, maar dit was waanzin. Morgen zou hij wakker worden… naast Tillie. Nee, dat zou hem niet bevallen; hij wist dat hij er spijt van zou krijgen.

'Tillie, nee,' zei hij zwakjes. 'We moeten dit niet doen.'

'Waarom niet?' wierp ze tegen en bleef hem overdekken met hete kusjes.

'Je maakt gebruik van mijn toestand. Dat deugt niet. Ik ben stoned tot boven mijn wenkbrauwen.'

Grinnikend zei Tillie: 'Mooi zo.'

'Nee, heus.' Hij was nu klaarwakker en duwde haar zacht met zijn onderarmen weg. 'Ik heb folterende pijn in mijn handen,' loog hij. 'Ze hebben me net een vinger afgezet. Alsjeblieft, Tillie, ik kan dit niet. Het spijt me.' Haar teleurstelling was tastbaar. Ze rolde van hem weg en trok haar kleding recht.

'Ik haal een kop thee voor je,' zei ze zacht en verliet de kamer. Een paar seconden later was hij weg, heel ver weg.

Langzaam zocht Dafydd zich een weg door het centrum. Zonder het eindeloze malen van gedachten door zijn hoofd, al achtenveertig uur nu, en de afspraak die hem wachtte, zou hij volop hebben genoten van de bedrijvigheid van Frontier Days, een jaarfeest in de aanloopperiode naar de kerst, opgefleurd door wedstrijden tussen hondensleden en andere verbazingwekkende krachtmetingen. Overal in Moose Creek was het blaffen, janken en soms zelfs oorverdovende huilen van de hondenteams te horen. De dieren waren vastgebonden aan palen of voertuigen op een braakliggend terrein, en ze wilden niets liever dan met elkaar wedijveren. De hondenliefhebbers en hun families waren uit alle hoeken van de Northwest Territories afkomstig, of zelfs uit het Yukon Territory, Alberta en Alaska. Ze waren welkome gasten en de sfeer van uitgelatenheid, sportieve spanning en uitbundig vertier werd nog verlevendigd door de vrolijke kerstversieringen die van de ene dag op de andere overal in Moose Creek waren opgedoken.

Dafydd zette zich schrap voor het onderhoud. Dawson zat in zijn auto voor Sheila's huis toen Dafydd exact om elf uur, de afgesproken tijd, arriveerde. Hij knikte de officier van de mounties toe, die hem met een ernstig gezicht beduidde naast hem te komen zitten, op de passagiersstoel.

'Ik heb geen keus,' zei hij, enigszins verontschuldigend 'Ik ga haar arresteren. Dit is geen kruimeldiefstalletje – het gaat hier om een ernstig misdrijf. Ze zal worden vervolgd wegens diefstal van ziekenhuiseigendom, onderhandse verkoop van alleen op recept verkrijgbare medicamenten en bedrog. Bovendien kwam Andrew Hogg vanmorgen bij me met nog andere bewijzen. Volgens mij kent u die al.'

'Ja. Dat is de reden dat ik met de kinderen wil praten. Ik kan u verzekeren dat het een enorme schok voor me was,' zei Dafydd ernstig. 'Net nu ik aan de gedachte begon te wennen dat ik vader was.'

'Het spijt me erg voor u, dokter Woodruff. Dit hele gedoe moet uw leven lelijk hebben ontwricht. Het plan dat ze had uitgebroed was werkelijk verbluffend.' Dawson leek bijna onder de indruk. 'Ik vrees dat u zelf ook een advocaat nodig zult hebben. Het is een formaliteit, want ze heeft al alles bekend. U hebt de brieven en e-mails die ze u heeft gestuurd nodig, plus dat frauduleuze DNA-certificaat en alle andere mogelijke bewijzen, maar dat kan uw advocaat u allemaal vertellen. Ik zeg het u alleen opdat u de raderen in beweging kunt brengen.'

Dafydd slaakte een diepe zucht en duwde het portier open.

'Eén uur,' zei Dawson. 'Niet langer. Leg het de kinderen uit. En misschien kunt u haar zeggen dat ze wat persoonlijke dingen moet inpakken, als u het niet erg vindt. Ikzelf zit hier en Hopwood houdt achter het huis een oogje in het zeil. Er kan dus geen sprake van zijn dat ze...'

Dafydd belde aan. Sheila zelf deed open. Mark en Miranda stonden angstig achter haar, ze wisten kennelijk dat er iets ernstigs aan de hand moest zijn. Zodra hij binnen was, stuurde Sheila de twee kinderen naar boven, tot hun verbijstering en woede. Ze was niet in de stemming om hem iets te drinken aan te bieden. Ze maakte alleen een handgebaar naar de woonkamer. Daar namen ze op tegenover elkaar staande banken plaats.

'Hoeveel heb je ze verteld?' vroeg Dafydd zelf.

Sheila was in geen geval haar charismatische zelf. Haar oogleden waren gezwollen en ze zag bleek en mager. Ze droeg geen make-up en ze had, in plaats van de onberispelijke, modieuze kleren die ze anders altijd had gedragen, een vormeloos joggingpak van lichtblauwe katoen aan.

'O, ze weten dat jij hun vader niet bent. Ik heb het ze vanmorgen verteld. Trouwens, dacht je soms dat zoiets hier in Moose Creek ook maar één dag onder de roos kan blijven? Doe niet zo achterlijk.'

Hij slikte de gal die hij voelde opkomen in, mét de woede die nu zo gemakkelijk tot een uitbarsting kon komen. Plotseling herinnerde hij zich hoe hij haar al die jaren geleden in een vlaag van woede geslagen had. Hoe gemakkelijk zou dat zijn, en hoe bevredigend ook, maar hij wist dat hij zijn vijandigheid jegens haar voor deze ene ontmoeting moest intomen. Aan de andere kant stond hij versteld – ja, hij voelde er zelfs bijna bewondering voor – van haar volslagen gebrek aan berouw. Ze scheen geen zweem van spijt te voelen, nu ze zo abrupt aan de kaak zou worden gesteld voor alles wat ze had misdaan.

'Ik weet dat Hogg hun vader is,' zei Dafydd. 'Dat wou je toch niet ontkennen, of wel?'

'Gaat jou geen barst aan,' snauwde ze terug. 'Waarom ben jij eigenlijk hier? Waarom lazer je niet op naar waar je thuishoort. Jij hebt hier niets meer te zoeken.' Ze wierp hem een minachtende blik toe. 'Je kunt gaan.'

'Nee, ik ga nog nergens heen,' antwoordde hij op redelijke toon. 'Ik wil me ervan overtuigen dat er voor Mark en Miranda wordt gezorgd... naar behoren. Ik ben er tamelijk zeker van dat Hogg ze graag in huis zal nemen, als zij dat willen. En anders zou ikzelf gemakkelijk de rol van pleegvader kunnen opnemen, aangezien ze mij goed kennen. Ik zal hier en daar mijn licht opsteken – en op hun leeftijd hebben ze wel enige zeggenschap over bij wie ze willen wonen.'

'Je bent niet goed snik,' ze Sheila met honend ongeloof. 'Je bent al net zo'n teerhartige sukkel als ik had gedacht. Nu bied je zelfs aan voor mijn kinderen te gaan zorgen, terwijl ze niet eens van jou zijn.'

'Ja. En waarom niet? Ik zou voorlopig hier mijn intrek kunnen nemen; op die manier hoeft er voor hen niet meer te veranderen dan absoluut onvermijdelijk is.'

Sheila staarde hem aan. 'Sodemieter toch op,' zei ze. 'Dacht jij nou werkelijk dat ik het jou zal toestaan mijn huis te betrekken en mijn kinderen over te nemen?'

'Best, streep die mogelijkheid maar door. Wat zijn de alternatieven? Dat ze bij Hogg gaan wonen, hun natuurlijke vader die van hen houdt, hier in Moose Creek? Of kunnen ze misschien ergens anders terecht, zoals bij je moeder in Florida?'

Sheila perste er een sarcastisch lachje uit. 'Mijn *moeder*? Hoe weet jij dat ik nog een moeder heb? Het zal een verdomd kouwe dag in de hel zijn als zij ooit de kinderen om zich heen zal willen hebben. Ze haat kinderen als de pest. Daar sta ik voor in.'

Hij zei niets. Hij keek door het raam naar Hopwood, Dawsons jonge collega, die in de achtertuin het huis bewaakte terwijl zijn achterwerk bezig was te bevriezen onder een veel te korte parka. Dafydd probeerde niet te glimlachen toen de jongeman, zich er niet van bewust dat er naar hem werd gekeken, verwoed op zijn billen begon te trommelen en met zijn voeten stampte.

'Nou, best,' zei Sheila na enkele ogenblikken. 'Hogg is de meest voor de hand liggende kandidaat. Hij is tenslotte hun vader. Ik heb het er nog niet met hem over gehad, maar hij zal niets liever willen,' zei ze, glimlachend in zichzelf.

'Weten de kinderen al...?'

'Dat hij hun vader is? Nog niet. Dat mag iemand anders ze zeggen. Ik heb meer dan genoeg brutaliteit van ze ondervonden, vanmorgen. Daar heb ik geen behoefte meer aan.'

'Jezus, Sheila, alleen voor deze ene keer,' snauwde Dafydd kwaad, 'zet dat verdomde narcisme van je nou eens opzij! Het gaat hier niet om jou en wat jij nodig hebt. We proberen te bedenken wat het beste is voor deze kinderen, *jouw* kinderen.'

Sheila glimlachte wrang. 'Aan hén heb je niet gedacht toen je mij zo nodig aan moest geven, wat? Het lijkt mij dat ík degene ben die zich zorgen moet maken, gelet op het feit dat jij me dit hebt geflikt.'

Dafydd staarde haar aan. Haar egoïsme was bijna ongelooflijk. 'Jij bent verachtelijk,' gromde hij. 'Wat jij Ian hebt aangedaan, is volstrekt laakbaar. Jij bent een misdadigster van de ergste soort. En dan te bedenken dat ik bijna alle bewijzen tegen jou eigenhandig zou hebben vernietigd!' Hij keek met verbittering naar zijn omzwachtelde handen.

Sheila keek op. 'Nou is het genoeg. Lazer op, mijn huis uit!'

Dafydd verroerde zich niet; hij glimlachte alleen. 'Op dit moment is de redactie van *The Moose Creek News* bezig een zeer smakelijk verhaal over jou te schrijven… en over mij, uiteraard. Ik heb vanmorgen nog geprobeerd meneer Jacobs ervan af te houden, alleen ter wille van de kinderen, maar hij weigerde beslist.' Hij haalde zijn schouders op, met gespeelde hulpeloosheid. 'Nieuws is nieuws.'

De agent in de achtertuin had het duidelijk ontzettend koud en hij keek om de haverklap op zijn horloge. Schichtig stak hij een sigaret op en nam genietend een haal, alsof de sigaret een primaire warmtebron was.

'Onze tijd raakt op,' zei Dafydd, met een blik op de verkleumde jongeman. 'Ik wil met de kinderen praten.'

'Zij niet met jou,' zei Sheila.

'Ik wél!' zei Mark en kwam de gang uit. Hij keek verachtelijk naar zijn moeder. 'We zaten op de trap en hebben elk verdomd woord dat jullie zeiden gehoord.' Hij wendde zich tot Dafydd en ze: 'Ik had het je toch gezegd? Ik wíst dat jij mijn vader niet was. Waarom heb je me verdomme niet willen geloven?'

'Ik dacht werkelijk dat ik het was,' zei Dafydd, zijn hand uitstekend naar Marks hand. 'Luister, Mark, mijn gevoelens voor jou zijn niet in het minst veranderd.'

Mark deed een stap terug. Hij beefde. Hij staarde met verwrongen gezicht naar Dafydd. 'Ik hóéf helemaal geen verdomde vader!' brulde hij. 'Nu worden we zeker geacht het hele circus weer door te maken met Hogg.' Miranda was naar de deuropening gekomen en stond met grote, angstige ogen toe te kijken. Dafydd sprong op en liep naar haar toe.

'Ik vind het zo rot voor jullie, lieverd.' Hij sloeg zijn armen om haar heen. Ze was als verlamd door alles wat ze had gehoord. Ze begon te huilen en beantwoordde onbeholpen zijn omhelzing. Plotseling duwde ze hem weg en rende naar Sheila. Met gebalde vuist boog ze zich over haar moeder en gilde: 'Ik háát je, ik kan je niet meer luchten of zien! Ik hoop dat je voor eeuwig weggaat en nooit meer terugkomt. Hopelijk zullen ze me adopteren. Je bent een moeder van niks. Ik hoop dat ze je in de gevangenis houden tot je sterft en nooit meer terugkomt. Je bent een afschuwelijk, lelijk en haatdragend rotwijf...'

Terwijl Miranda voortging met het overladen van haar verbijsterde moeder met een stroom van scheldwoorden en vervloekingen, liep Dafydd vlug naar de telefoon op de gang.

'Tillie, we hebben hier een crisis,' fluisterde hij, zodra ze opnam. 'Kun je het horen? Is het mogelijk dat je voor een paar dagen plaats hebt voor nog twee gasten? Twee heel broze en kwetsbare gasten...? Geweldig. Bedankt, Tillie. We zijn over een halfuur bij je.'

22

Dafydd stond aan de weg en keek toe hoe de hondentrainers zich voorbereidden op de race van vijfentwintig kilometer. Dit was een belangrijk evenement, waaraan maanden van zorgvuldige training en planning vooraf waren gegaan. De honden waren mooie, robuuste dieren, maar het kabaal dat ze maakten was oorverdovend.

Af en toe zwierf hij door de mensenmenigte op en neer, op zoek naar een gezicht dat hij maar één keer had gezien. Het was een indiaan uit British Columbia die Baptiste Sharkie heette en eigenaar was van een vierpersoons Piper Cherokee en bereid was tegen een redelijke vergoeding een passagier naar zo ongeveer iedere plek te vliegen die enigszins toegankelijk was. Dafydd had hem slechts vluchtig in de spreekkamer gezien, toen hij voor een recept kwam. Sharkie was een grote en breedgeschouderde man van een jaar of vijfenveertig, met grof gesneden indiaanse trekken en een brede mond die eruitzag alsof hij zelden lachte.

Iedereen was dik ingepakt tegen de hevige vrieskou, en tegen het middaguur leek de hemel snel donker te worden. Met een ongelooflijk tumult, zowel van honden als mensen plus een knallend startschot uit een of ander luidruchtig wapen, schoot het eerste team weg, kort daarna gevolgd door nog een team, en nog een – en stuk voor stuk onder hetzelfde oorverdovende kabaal. Dafydd liep de toeschouwers langs en probeerde hun gezichten onder de capuchon van hun parka's te onderscheiden. Toen hij er niet in slaagde de man die hij zocht te vinden, liep hij verder naar het sportterrein bij het recreatiecentrum. Daar was een hardloopwedstrijd aan de gang tussen massief gebouwde krachtpatsers die balen meel op hun rug droegen, te beginnen met een gewicht van 225 kilo. Even vergat hij zijn missie en keek vol verbazing toe hoe een man wankelde onder een gewicht van op zijn rug opgestapelde balen meel, ruim 350 kilo.

'Nee maar, goeiendag, doktertje,' schreeuwde Martha Kusugaq om het lawaai van de juichende menigte te overstemmen. 'Ik wed dat jij de volgende bent. Je mag er best zijn als kerel, aan je uiterlijk te zien. Ik zal een paar dollar op jou inzetten.' Ze nam hem van hoofd tot voeten op – zo te zien had ze er al een paar achter de kiezen.

'Laat je het kantoor vandaag onbemand, Martha?' vroeg Dafydd streng. 'En ik maar denken dat jij zo'n noeste werker was.'

'Mooi niet,' snierde Martha. 'Niet met de kerst. Manlief neemt voor me waar. Die kerel van mij is een watje. Hij begint wat lui te worden, omdat ik veel te veel doe. Je krijgt het nooit zoals je het hebben wil.' Ze hikte luid.

'Martha, heb jij toevallig die brede knaap uit fort St. John gezien, je weet wel, Baptiste Sharkie, de reus met de Cherokee?'

'Allicht heb ik hem gezien, schat. Wat wil je... heb je vervoer nodig?'

'Dat klopt, ja.'

'Gebruik dan die Buick die ik je heb gegeven. Er is niks mis mee.'

'Waar ik heen ga, heb je geen wegen.'

'Nou ja, verdomme, waarom zeg je dat niet meteen?' grapte ze. 'De laatste keer dat ik vliegermans heb gezien, was in de Bear's Lair. Hij had echter al het nodige op, denk erom.'

Dafydd nam afscheid van haar, maar Martha schreeuwde hem na: 'Hé, heb je zin om samen met mij aan die wedstrijd boomstamzagen mee te doen? Ik ben verdomde sterk, weet je.' Hij keek achterom en lachte naar haar kleine, brede gestalte. Ze stond enigszins wijdbeens en hij twijfelde geen moment aan haar lichaamskracht. 'Wat maakt het uit, met die handen richt je voorlopig toch niet veel uit. In elk geval kun je er geen slechte dingen mee doen,' lachte ze grof, de mensen om haar heen wijzend op zijn omzwachtelde handen.

Hij vond de man die hij zocht in de Bear's Lair, waar hij somber naar een stel jonge vrouwen zat te staren, paaldanseressen of klanten, Dafydd kon het niet bepalen. Ze droegen opzichtige, ouderwetse jurken en netkousen en dansten de cancan op een grote tafel. Bij nadere inspectie leken ze hem toch klanten te zijn. Hoewel ze niet al te slecht dansten, je zou zelfs kunnen zeggen dat ze een spectaculaire voorstelling gaven, waren deze meisjes beslist wat te alledaags voor dit werk, met hun brede achterwerk en enorme dijen. Bovendien waren ze beschonken. Dat nam niet weg dat tientallen kroegbezoekers zich wellustig om de tafel verdrongen, juichend en klappend.

'Neem me niet kwalijk, meneer Sharkie. Kan ik even met u praten?'

Baptiste Sharkie draaide zijn hoofd langzaam opzij naar Dafydd. Hij probeerde zich te focussen op Dafydds gezicht, maar aangezien zijn ogen er overduidelijk niet toe bij machte waren, deed hij ze maar dicht. 'Wat wou je?'

'Kunt u me morgen naar Black River vliegen?'

'Klote, da's een roteind weg,' zuchtte Baptiste stoïcijns. 'Hoe laat?'

'Hoe vroeger, hoe beter,' zei Dafydd met toenemend optimisme. 'Op voorwaarde dat u morgenochtend nuchter bent.'

De tweeling had zich in de kamer naast de zijne geïnstalleerd, en toen hij wegging zaten ze met Tillie te scrabbelen, te midden van de restanten van een ontbijt van vele gangen. Ze schenen zich geen van drieën iets aan te trekken van zijn vertrek en keken nauwelijks op van hun spannende spel.

'Luister, Mark,' zei hij, terwijl hij aan de mouw van Marks trui trok. 'Ik wil jullie er alleen even aan herinneren dat Hogg vanavond hier zal zijn. Hij wil alleen wat met jullie praten. En jullie het een en ander uitleggen. Zoals jullie weten, hoeven jullie geen enkele beslissing te nemen, over wat dan ook. Zoals ik al zei, jullie kunnen hier blijven zolang je wilt.'

'Nou, ík ben er niet aan toe,' zei Miranda geïrriteerd. 'Ik wil hier blijven, bij Tillie. Om bij te komen van – '

'Mark?' Dafydd legde een hand op de schouder van de jongen en schudde even. 'Kun je daarmee leven?'

Mark draaide zich om en keek hem recht in de ogen. 'Of ik daarmee kan leven? Je maakt een geintje, zeker. Alleen omdat wij kinderen zijn, denken alle volwassenen dat ze maar met ons kunnen doen en laten wat zij willen. Gelukkig is die rotmoeder van mij uit de weg. Dat is er tenminste één.' Hij keek om zich heen. 'Van de tienduizend.'

'Laat ze nou maar... voorlopig,' zei Tillie resoluut, Dafydds blik ontwijkend.

Mark wendde zich tot haar en zei zacht: 'Tillie, jou bedoelde ik niet, oké?'

Ze keken elkaar samenzweerderig aan en het bemoedigde Dafydd te zien dat Mark wel degelijk in staat was enige genegenheid te voelen voor nog iemand anders, behalve zijn zus. Als Ian gelijk had gehad met zijn diagnose dat Sheila een psychopate was, zou haar verdwijning wel eens de redding voor haar kinderen kunnen betekenen. Niemand kon echter inschatten hoeveel schade ze hun al had berokkend.

Voor Tillie was de situatie duidelijk ook meer dan welkom, als een doorbreking van haar eenzaamheid. Het drietal leek zich aan el-kaar vast te klampen, in een soort trotserend bondgenootschap. Hij keek op hen neer, plotseling vertederd. Zij behoorden tot de onge-lukkigste verworpelingen, zo plotseling afgesneden van iedere schijn van een normaal gezinsleven. De kinderen hadden echter iets taais over zich, en hoewel de afschuwelijke scène met hun moeder nog maar enkele uren achter de rug was, hadden ze heel ontspannen gebabbeld en zich tegoed gedaan aan het overvloedige diner dat Til-lie hun de vorige avond had voortgezet. Ze wisten allemaal hoe het was gegaan met Ians zelfmoord, de misdrijven van hun moeder en Hoggs berusting. Ze wisten dat hij hun echte vader was en een ver-zoek om de voogdij over hen had ingediend.

Dan was er nog Tillie, wier hele bestaan draaide om haar loge-ment en haar behoefte om zichzelf te beschermen tegen de listen en lagen van kerels die misbruik van haar hoopten te kunnen maken. Ze was een echte vrouw van het noorden, sterk, veerkrachtig en ver-knocht aan hard werken, maar evengoed een vrouw. Hij dacht met spijt terug aan de manier waarop hij haar poging om hem te verlei-den had afgeweerd. Hij had haar nooit zo willen behandelen, maar hij was té ver heen geweest om het op een fijngevoeliger manier te kunnen doen.

'Bedankt, Tillie.' Impulsief stapte hij naar haar toe en drukte zijn lippen stevig tegen haar voorhoofd. Heel even kruisten hun blikken elkaar. Toen liep hij naar Miranda, die haar wang naar hem optilde zonder op te kijken van haar plankje met letters. Vluchtig legde hij een arm om Marks schouders, en toen vertrok hij voor het uitvoe-ren van de missie die hem de hele nacht uit zijn slaap had gehouden.

Baptiste wachtte bij het Northern op hem, zoals hij had beloofd. Zijn oogleden waren dik en zijn poriën verspreidden een waas van alcohol, zodat er een aureool van giftige dampen om hem heen hing, al had hij geprobeerd zich op te frissen. Hij had zich netjes gescho-ren en zijn lange zwarte haar was nat en sluik achterovergekamd, weg van zijn brede, sombere voorhoofd.

'Kan-ie?' vroeg Baptiste met een vermoeide, eentonige stem. Ze liepen naar zijn pick-up, voor de rit van acht kilometer naar het kleine vliegveld. 'Het kost je zevenhonderd dollar, als je daar vrede mee kunt hebben. Zowel heen als terug,' zei hij.

'Best,' zei Dafydd, die geen idee had van de prijs die hij had kun-nen verwachten. 'Het kan een paar dagen duren.'

'Ik kan blijven wachten,' zei de lange indiaan, 'als er accommo-datie is. Is het er een beetje droog?'

'Ik dacht van wel,' zei Dafydd, blij met het idee dat er op zijn minst één nuchtere vliegreis van zou komen. 'Dat was het in elk geval de laatste keer dat ik er ben geweest. Let wel, dat was jaren en jaren terug.'

De vlucht werd in de paar uren daglicht voltooid. Waar het de geschiktheid van de piloot betrof werd het een tamelijk veilige tocht. Hij was zeer ervaren, alleen schepte hij er veel genoegen in Dafydd te vertellen dat hij in het westelijke deel van het poolgebied berucht was vanwege het feit dat hij al drie vliegtuigen had moeten afschrijven... en het allemaal had overleefd, zodat hij erover kon opscheppen.

Dafydd vergat bijna zijn vliegangst toen ze zo laag over de grond scheerden dat hij eenzame ijsberen, elanden en kuddes kariboes over het land kon zien draven, opgeschrokken door het kabaal van het kleine vliegtuig. De bossen werden steeds dichter en de bomen werden korter en dunner langs de oevers van bevroren rivieren. Uiteindelijk vlogen ze boven de desolate toendra, die zich over afstanden van vele honderden kilometers leek uit te strekken, vlakker en verlatener dan iedere andere streek op aarde. De enige levende wezens die ze zagen, was een groep van een stuk of tien muskusossen die voor het ronken van de Cherokee op de vlucht sloegen. Onder het galopperen drukten ze zich dicht tegen elkaar aan, waarbij hun lange buikbeharing traag maar sierlijk golfde. Nog verder, ze naderden de kust van de Beaufortzee al, zagen ze een eenzame ijsbeer over de enorme uitgestrektheid van oogverblindend witte sneeuw slenteren.

Black River zag er anders uit dan hij zich herinnerde. Er waren nog een paar van de oude hutten, maar er waren tal van nieuwe huizen gebouwd, met elkaar verbonden door een merkwaardig netwerk van manshoge passages zodat ze onder alle omstandigheden bereikbaar waren. Het witte torentje van de kleine houten kerk was het enige dat zich naar de hemel uitstrekte. Nu was er een afgrijselijk lelijke metalen paal tegenaan gemonteerd, kennelijk een zendmast. Baptiste vloog een rondje om de nederzetting en schudde teleurgesteld het hoofd.

'Wel heb ik ooit – dit is nou een plek die ik nog nooit heb gezien,' biechtte hij op, want gedurende de vlucht had hij Dafydd verzekerd dat hij iedere stad, elk dorp en iedere nederzetting van Dawson City tot Churchill kende.

Terwijl Baptiste geroutineerd zijn vliegtuig liet dalen naar het onaanzienlijk landingsbaantje, werd Dafydd plotseling overvallen door angst, een draaiend gevoel in zijn onderbuik. Deze langdurige reis van hem, begonnen op die inmiddels ver achter hem liggende ochtend waarop hij Miranda's eerste brief had ontvangen, bracht hem zowel naar lichaam als geest naar de verste uithoeken van zijn wereld, naar situaties die hij zich een paar maanden geleden niet eens had kunnen voorstellen. Hier, aan de rand van een dichtgevroren zee, omringd door bergen van glazig, blauwachtig ijs waar het daglicht 's winters nog maar nauwelijks doordrong, had hij een kind, een zoon die meer gevaar had beleefd en ergere pijn had geleden dan hij in zijn hele leven, een jonge inheemse jager, een Inuit die hier in deze wildernis thuis was.

Uyarasuq en Charlie wachtten hem op. Ze verwachtten hem; ze hadden het vliegtuig al van verre horen aankomen en waren haastig naar de landingsbaan gegaan. Hij sprong uit de cabine en haastte zich naar hen toe, maar moest ontdekken dat hij niets wist te zeggen. Ze keken alledrie naar elkaar en bekeken elkaars gezichten – voor de luxe van een begroeting of verklaring was geen haast geboden. Eindelijk stapte hij op Uyarasuq toe en omhelsde haar vluchtig, voordat hij de gehandschoende hand van de jongen met zijn omzwachtelde hand schudde. Charlie was een flink uit de kluiten gewassen jongeman; hij was groot voor zijn leeftijd. Dafydd zag ogenblikkelijk iets van zichzelf terug in het opvallend knappe gezicht, een ondefinieerbare karaktergelijkenis. Hij had de ogen van zijn moeder, zwart en enigszins Aziatisch, en ook haar hoge jukbeenderen, maar zijn mond en voorhoofd leken sprekend op die van Dafydd zelf. Zijn haar was zwart als de nacht, maar krulde aan de slapen op een manier die verder alleen Dafydd kende. Toen de jongen plotseling naar hem grijnsde, lachte Dafydd terug, in een onvoorwaardelijke erkenning. Iedere twijfel werd in één klap weggevaagd. Ja, dit was zijn zoon.

Nadat ze Baptiste een huis hadden gewezen waar een kamer voor hem vrij was, wandelden ze langzaam naar Uyarasuqs woning. Charlie had de stevige lichaamsbouw van Uyarasuqs volk, maar hij was, net als Dafydd zelf, betrekkelijk lang. Hij zag er indrukwekkend – of zelfs onverslaanbaar – uit, vanwege zijn vastbesloten voornemen om zijn afschuwelijke handicap te minimaliseren, hoewel hij hinkte en een stok nodig had. Hij was in zichzelf gekeerd en concentreerde zich op iedere stap. Af en toe keek hij op naar Dafydd en knikte dan, alsof hij hem wilde verzekeren dat het prima met hem ging. Dafydd knikte dan instemmend terug, maar hij werd door moeder en zoon gefascineerd en bestudeerde hen tersluiks onder het lopen.

Uyarasuqs bleke winterkleur was een afspiegeling van het ijs en de sneeuw van haar geboortestreek. Op beide wangen had ze een rode vlek ter grootte van een ronde stuiver, daar ontstaan omdat ze haar vooruitspringende jukbeenderen een keer te vaak had laten bevriezen. Als hij van dichtbij keek, zag hij een wirwar van minuscule gesprongen adertjes, maar op enige afstand zagen ze eruit alsof het een beetje rouge was, opgebracht door een kinderhand. In zijn wereld zou zoiets in een handomdraai te verhelpen zijn met een laserbehandeling, maar waarschijnlijk was Uyarasuq niet van die mogelijkheid op de hoogte of kon ze zich niet druk maken over deze bewijzen van de ontberingen van haar bestaan. Haar zwarte haar was nu heel erg lang, nog altijd zo dik en stug als van een paardenstaart. Het golfde als een glanzende zwarte waterval onder haar wollen muts vandaan en reikte tot ver beneden haar middel. In alle overige opzichten was haar uiterlijk niet in het minst veranderd, alsof de tijd geen vat op haar had. Haar gezicht was nog even glad als dat van een tiener en haar gebit leek even wit als de oogverblindende sneeuw. Alleen droeg ze andere kleding. Een elegante wollen broek en een rijk met borduursel verfraaide parka, gevoerd en afgezet met een witte bontsoort. De parka was een kunstwerk op zichzelf. Ze droeg kostbaar ogende handschoenen en laarzen die bij elkaar pasten en zonder twijfel met de hand waren vervaardigd.

Ze zagen onderweg niemand, hoewel er achter de ramen van een rij eenvormige huizen hier en daar gordijntjes bewogen. Dafydd zag een beetje op tegen de noodzaak gedrieën te huizen in de piepkleine eenkamerwoning waar hun meest hartstochtelijke ontmoeting had plaatsgevonden, de ruimte waarin hun zoon was verwekt. *Welnee*, dacht hij, *ze heeft natuurlijk het huis van haar vader geërfd.*

Het was geen van beide. Aan de rand van het dorpje bevond zich een gebouw op stalen palen die vermoedelijk diep in de grond waren gedreven. Het huis had grote ramen aan weerskanten, en uit de grote ronde schoorsteenpijp van glanzend metaal steeg rook op, loodrecht. Dafydd beklom de hoge gebogen trap naar de voordeur, geïntrigeerd door het ongewone ontwerp. Uyarasuq glimlachte tegen hem.

'Je wilt me toch niet vertellen dat je niet meer weet hoe mijn huis eruitzag?' plaagde ze.

'Je hebt het een beetje opgefleurd,' zei hij, zich afvragend wat voor fortuin Bear had nagelaten aan de enige kleinzoon van zijn vriend, de vergeten zoon van een onfortuinlijke arts. Het kon nooit veel zijn, als hij op de uitlatingen van Joseph af mocht gaan. De helft van nagenoeg niets.

Terwijl Uyarasuq haar zoon hielp zich van zijn jas en laarzen te ontdoen, dwaalde Dafydd wat door de open woonkamer. Hij deed zijn best niet al te nieuwsgierig te lijken. Het ontbrak moeder en zoon aan niets, zo te zien. Het huis was sober en eenvoudig ingericht, maar alle moderne snufjes waren aanwezig. Overal om hem heen zag hij stenen sculpturen, groter en met een krachtiger uitstraling dan hij al die jaren geleden had gezien. Ze waren bovendien donkerder van kleur en soms zelfs angstaanjagend.

'Dit huis is me niet door mijn vader nagelaten, voor het geval je je dat mocht afvragen,' zei Uyarasuq hem trots, toen ze hem rond zag neuzen. 'Ook is het niet betaald van het geld dat Charlie van Bear heeft geërfd. Dat heb ik opzijgelegd voor zijn studie.'

Dafydd deed zijn parka uit en ging op een met beeldhouwwerk verfraaide stoel zitten. Hij keek naar haar; ze stond voor hem en sloeg haar armen over elkaar. Hij wilde glimlachen om haar wat kinderlijk uitdagende houding, maar wist zich in te houden.

'Dit is de opbrengst van de *kablunait*,' zei ze, en glimlachte nu zelf.

'Goeie genade,' zei hij lachend. 'Ga zitten. Het gaat me niets aan, maar vertel me er toch alles over.'

Na een pot thee en een groot bord vol sandwiches namen ze plaats op de bank en begon ze zijn vragen over haar toegenomen succes te beantwoorden. De 'witte mensen' kochten steeds meer sculpturen van Uyarasuq. Twee kunstgalerieën, de een in Vancouver, de andere in Toronto, boden tegen elkaar op voor haar scheppingen. In de wintermaanden werkte ze in het huis van haar vader, dat inmiddels was getransformeerd tot atelier. In de zomer maakte ze grotere sculpturen op een betonnen terras in de open lucht. Ze werd erbij geholpen door Charlie en twee andere jongemannen. Een kleine maar snel faam verwervende galerie in New York had haar een exclusieve expositie van haar werk aangeboden, maar Charlie had haar nog hard nodig, zodat ze hem niet aan de zorg van vrienden wilde overlaten.

Charlie, die zich op een zitzak had laten vallen en tot dusverre alleen had geluisterd, wierp tegen: 'Ach, mam, dat is niet redelijk. Ik ben geen zorgenkind. Ik heb je al duizend keer gezegd dat New York belangrijker voor je is dan dat stomme been van mij.' Hij tikte met zijn knokkels tegen zijn bionische been om de hardheid ervan aan te tonen en te demonstreren dat hij geen hulp nodig had.

Dafydd keek Charlie aan. 'Als die expositie zo belangrijk is, zou ík hier bij je kunnen blijven. Of we kunnen er met z'n drieën heen.' Hij wendde zich tot Uyarasuq, ook al wist hij hoe opdringerig het moest hebben geklonken. 'Als ik jullie daarmee kan helpen.'

De jongen rolde wanhopig met zijn ogen. 'Die mogelijkheid heeft ze al verknald, door nee tegen de galerie te zeggen.'

'Hou erover op,' zei Uyarasuq. 'Er komen wel andere aanbiedingen. Waarom zou ik haast maken? Ik kan het nu al bijna niet bijbenen. Het maken van sculpturen kost tijd; elk stuk is een unicum.'

Charlies frustratie was onmiskenbaar. Hij keek Dafydd aan alsof

hij hem om steun wilde smeken. 'Die moeder van mij heeft techno-
fobie. Er zijn allerlei fantastische elektrische gereedschappen te krijgen, zoals luchthamers, snelle schuurmachines, boren, elektrische
beitels enzovoort, maar mam staat erop alles op de ouderwetse manier te doen. Als ik het eenmaal op de moeilijke manier onder de
knie heb, ga ik het anders doen. Dan schaf ik alle goeie gereedschappen aan, zodat ik mijn ideeën beter kan uitvoeren.'
    'Ah,' zei Dafydd, die geen partij wilde kiezen.
    'Ik heb massa's ideeën, zie je.'
    'Ik ben heel benieuwd ervan te horen,' zei Dafydd.
    Hij keek naar de jongeman die zijn zoon was en probeerde zijn gre-
tigheid, zijn fascinatie voor dit kind van welks bestaan hij geen vermoeden had gehad, in te tomen. Nu had hij hem voor zich in levenden lijve, met zijn eigen fysieke kenmerken, zo duidelijk dat ze niet in
twijfel te trekken waren. Charlie zat vol verwachting naar hem te kijken, alsof hij wilde dat Dafydd de noodzaak voor technologische
snufjes en gereedschappen zou bevestigen. Dafydd begreep best dat
een jongen van zijn leeftijd behoefte had aan evenwicht tussen het
vrouwelijke en mannelijke. Hij was er zelf verstoken van gebleven,
opgroeiend bij zijn moeder die weduwe was, met alleen een zusje. Hij
zag opeens Marks gekwelde gezicht voor zich. Ook híj was een jongen zonder vader, maar wat een verschil tussen de 'wat-dan-nog'-
houding van Sheila's onfortuinlijke zoon en deze dappere, dynami-
sche jongen, die barstte van de wil tot overleven, groeien en slagen.
    Plotseling voelde hij zich schuldig over zijn hervonden gevoel van
verwondering. De toewijding, genegenheid en empathie die hij weer
voor Mark en Miranda voelde, gingen gepaard met zijn woede jegens Sheila. Even vlamde dat gevoel in hem op en balde hij onwillekeurig zijn vuisten, maar de woede ebde even vlug weer weg, toen
hij zich realiseerde dat hij deze wonderbaarlijke ontdekking te danken had aan haar verdorven plannen.
    Charlie hield zijn hoofd schuin en keek met samengeknepen ogen
naar Dafydd. Hij bestudeerde diens gezicht en verwonderde zich
kennelijk over de mengeling van gevoelens die erop af te lezen waren
geweest. Toen glimlachte hij, na z'n eigen conclusies te hebben getrokken.
    'Ik denk dat ik jullie maar de kans moest geven bij te praten, hè?
Ik heb trouwens nog het een en ander te doen.'
    'Nee, ga nog niet weg,' zei Dafydd, die zichzelf verwenste om zijn
afdwalende aandacht. 'Ik heb je nog zoveel te vragen... ik wil graag
alles van je weten.'
    'Geen zorgen, man,' zei Charlie. 'Als je mij eenmaal aan de praat

hebt gekregen, krijg je er nog spijt van.' Hij dempte zijn stem voor een gespeeld dreigement. 'Ik kom nog terug.'

Met een sierlijke beweging zwaaide hij zijn been naar de grond en liet zich door het momentum in stahouding brengen. Lachend zei hij: 'In elk geval is het een handig tegenwicht. Ook kun je er gemakkelijk deuren mee openhouden, of er notities op maken.'

Toen de deur achter hem dicht ging, leek al zijn bruisende energie opeens uit de kamer verdwenen. Plotseling leek de ruimte groter en holler. Dafydd keek Uyarasuq aan en begon te lachen, net als zijzelf; ze had geraden wat er in hem omging.

'Hoe kan zo'n opmerkelijk iemand als hij zijn voortgekomen uit een landstreek die zo naargeestig en verlaten is als hier?' zei hij hoofdschuddend.

'Er is veel dat je van deze streek niet begrijpt.'

'Daar heb je gelijk in,' zei hij, terechtgewezen. 'In elk geval is er niets naargeestigs aan de mensen die er leven.'

Hij stond op en ging naast haar op de bank zitten. Onmiddellijk werd hij overstroomd door de herinnering aan de gevoelens die hij destijds had ervaren. Hij moest zich verzetten tegen de drang haar te omhelzen en tegen zich aan te trekken, om haar iets van de kracht terug te geven die Charlies bijna fatale beproeving haar moest hebben gekost. Impulsief wilde hij haar alles beloven, al wat hij bezat, al zijn zorg en al zijn tijd, maar hij wist dat hij zich moest inhouden en haar niet mocht overspoelen met golven van sentimentaliteit.

'Volgens mij ben jij de oorzaak; de streek heeft er niets mee te maken. Je hebt een uitzonderlijk kind grootgebracht. Ik weet niet hoe ik je kan uitleggen welke gevoelens dat bij me wekt. Dankbaarheid, ontroering... en ik ben diep onder de indruk...'

Uyarasuq keek weg, blozend door zijn ontboezeming. 'Wacht even,' grinnikte ze. 'Je kent hem nog niet. En zelfs als je gelijk zou hebben – dan nog heb jij er ook een aandeel in gehad.'

'Niet veel.' Hij schepte een paar keer diep adem. Zijn handen beefden en hij had een beklemd gevoel in zijn borst. Omdat hij bang was ten prooi te raken aan zijn emoties, leunde hij achterover en probeerde iets te bedenken om van onderwerp te veranderen. 'Vertel me over dit alles,' zei hij, gebarend naar de kamer om hen heen.

'Ah, het huis,' zei ze met zichtbare trots. 'Het is voor me ontworpen door een jonge architect in Vancouver, in ruil voor een van mijn eigen creaties. We ontmoetten elkaar tijdens de opening van een expositie en mijn werk scheen hem aan te spreken. Het leek me een meer dan billijke ruil, vooral omdat hij me aan wat geld heeft geholpen om het te laten bouwen. Het is inmiddels een prototype voor huizen die in streken met permafrost worden gebouwd.'

Dafydd keek naar haar en vroeg zich af hoeveel mannen er na Charlies geboorte in haar leven waren geweest. Die jonge architect moest heel gecharmeerd van haar zijn geweest, en hij voelde een steek van iets dat veel weg had van jaloezie vanwege de jaren dat hij niets van haar en hun prachtige zoon had geweten. Hij begreep nu dat ze in sommige opzichten sterk was veranderd. Ze was veel assertiever en wijzer geworden, want ze was vaak van huis geweest en had allerlei mensen leren kennen. En geld betekende macht, onafhankelijkheid en de mogelijkheid om keuzes te maken. Desondanks was ze nog altijd hier. Haar essentie leek onveranderd: ze bloosde even gemakkelijk, had de grage, vrolijke lach van haar vader behouden en bezat nog die aangeboren vrouwelijke gereserveerdheid waarom hij haar destijds zo aantrekkelijk had gevonden.

De angst voor stilte die zoveel vrouwen in de moderne, jachtige samenleving hadden, kende ze niet. Terwijl het buiten donkerder werd zaten ze naast elkaar, in beslag genomen door hun eigen gedachten. Dafydd was uitgeput van de gebeurtenissen van de afgelopen dagen en hij had misschien een paar minuten zitten dommelen. Het vuur dat ze in de gietijzeren haard had ontstoken biologeerde hem. Toen hij zijn ogen opende, had ze een stuk vacht over haar knieën liggen en sleep een beitel aan een gladde ovale slijpsteen. Uit een ander deel van het huis kwamen de onbeholpen klanken van een gitaar, waarbij Charlies stem een oud nummer van Bob Dylan zong. Dafydd zat doodstil en spande zich in om het te horen. Hij had dat nummer zelf gespeeld en gezongen, nog niet zo gek lang vóór het verlies van zijn vingertop en de diefstal van zijn gitaar, waarna hij had gezworen nooit meer te zullen spelen. Charlie had nog maar pas de baard in zijn keel en zijn onzekere bas maakte af en toe plaats voor schrille falsetklanken die Dafydd er bijna toe brachten in hysterisch lachen uit te barsten. Ze wekten echter ook een verontrustende vertedering in zijn binnenste.

'Heb ik je ooit verteld dat ik zelf gitaar heb gespeeld?' vroeg hij.

Ze keek op van haar werk. 'Nee, nooit,' zei ze hoofdschuddend.

'Het lijkt wel erg toevallig, vind je niet?'

Met een geamuseerd lachje op haar gezicht wijdde ze zich weer aan haar werk. Ze luisterden nu allebei, nu eens met een grimas, dan weer met een glimlach. Plotseling hoorden ze een kreet van ergernis, en na een laatste, nijdig akkoord zweeg de gitaar. Ah, de frustratie... hoe vertrouwd was hij met dat gevoel!

Nu de stilte was teruggekeerd, keek hij toe hoe de beitel in een langzame cirkelbeweging over de ovale steen gleed. Uyarasuqs vingers leidden het gereedschap met de vaardigheid die voortkomt uit lange praktijkervaring en oneindig geduld, alsof ze geen besef had van tijd en het haar niet uitmaakte hoelang ze nodig had om de beitel aan te scherpen. Dafydd verlangde ernaar om naar zijn zoon te gaan, een kijkje te nemen in zijn kamer, hem te vragen nog wat op zijn gitaar te spelen en te luisteren naar zijn deels kinderlijke, deels mannelijke stem. Er was echter nog zoveel te vragen en hij had dringend behoefte aan de antwoorden.

'Waarom heb je me nooit iets laten weten? Ik heb je verscheidene brieven geschreven, maar je hebt nooit gereageerd.'

Zonder te antwoorden legde ze de beitel neer en rolde de slijpsteen in de vacht. Ze stond op en bleef een poosje voor het raam staan om naar buiten te kijken. De zwart wordende hemelkoepel was bezaaid met duizenden sterren.

'Ik vond dat het niet juist zou zijn. Jij wilde niet dat het gebeurde,' zei ze eindelijk, toen ze zich naar hem omdraaide. 'Je had je heel goed voorbereid, weet je nog?' Blozend probeerde ze haar glimlach te verbergen, teweeggebracht door de herinnering aan zijn gepruts met het condoom.

'Ik had het dolgraag geweten,' verzekerde hij haar. 'Je had me het voordeel van de twijfel kunnen gunnen. Ik zou je hebben geholpen; ik zou alles voor je hebben gedaan en hebben geregeld dat – '

'Precies,' viel ze hem met een frons in de rede. 'Ik wílde niet dat jij iets zou "regelen". Toen ik eenmaal wist dat ik zwanger was, is mijn hele leven veranderd. Ik wilde die baby. Het zou me een nieuw doel geven, nadat ik de laatste jaren voor mijn vader had gezorgd. Hij heeft nog lang genoeg geleefd om zijn kleinzoon te zien lopen en te horen praten. Dat vervulde zijn laatste levensjaar van vreugde. Alleen dat al was het allemaal waard.'

'Zo bedoelde ik het niet,' zei Dafydd somber. 'Ik bedoelde dat ik je zou hebben geholpen op iedere manier die jij wilde. Ook ik zou heel graag deze opmerkelijke zoon van mij hebben zien opgroeien.' Hij voelde de spanning terugkeren in zijn borst en slikte herhaaldelijk. De emotionele uitwerking van deze ontmoeting kon hij onmogelijk voor haar verborgen houden. Hij vroeg zich af of hij destijds niet alles in de steek had moeten laten om terug te keren naar de vrouw die zijn zoon ter wereld had gebracht. Waarschijnlijk niet. Het zou een buitenissig avontuur zijn geworden, in een gebied dat hem volkomen vreemd was. Hij kon echter niet bepalen hoe hij zich zou hebben gevoeld. Hij was smoorverliefd op haar geweest, per slot van rekening. Hij had haar hevig gemist.

Ze zag hoe hevig het hem aangreep en kwam weer naast hem zitten. Ze raakte licht zijn wang aan en zei: 'Het spijt me erg, Dafydd.

Het leek me afschuwelijk unfair om je zo zwaar onder druk te zetten. Het was iets waarvoor ik de volle verantwoordelijkheid moest nemen.'

'Ik weet zeker dat je wel wat steun van mij had kunnen gebruiken.'

'Mijn vader was wel oud, maar hij wás er voor me. Hij steunde me en doet dat nog steeds, van gene zijde.'

Ze keek naar Dafydds gezicht, op zoek naar tekenen van scepsis, en zei toen zacht maar heftig: 'Mijn vader heeft Charlie gered, weet je. Hij verstond de kunst om in het lichaam van een dier te kruipen, niet alleen toen hij nog leefde, maar ook nu nog. Zijn geest nam bezit van de hond die het tegen de beer opnam. Hij en de hond werden één. Ik denk dat Charlie zelf het je wel vroeg of laat zal vertellen. Toen mijn vader dacht dat hij Charlie misschien niet zou kunnen redden, heeft hij geprobeerd hem te helpen over te gaan, maar Charlie bracht hem op andere gedachten. Hij besloot te blijven leven. Misschien voorvoelde hij dat jij zou komen.'

Dafydd staarde haar aan.

'Misschien gaat het zelfs nog verder dan dit,' vervolgde ze. 'Nadat jij me die avond had gebeld, droomde ik van mijn vader. Hij vertelde me dat Charlie destijds doelbewust het ijs op was gegaan voor zijn ontmoeting met die beer. Het was de manier waarop hij om jou riep. Hij richtte zijn roep tot zijn vader, aan de andere kant van de oceaan, en jij bent helemaal hierheen gekomen om hem te vinden. Alleen de bijna fatale aanval van die ijsbeer was sterk genoeg om jou te bereiken en hierheen te halen.'

Dafydd wist niet hoe hij het had. Dit was een uitzonderlijk idee. Misschien was Sheila Hailey slechts een pion geweest in een groter spel. Ongewild schudde hij zijn hoofd.

Uyarasuq begreep het verkeerd en keek hem uitdagend aan. 'Mijn vader leeft voort in de geestenwereld en hij wéét dit soort dingen. Hij was een echte *angatkuq*. Als er iemand is die dit zou moeten geloven, ben jij het wel. Je hebt zelf iets van zijn kennis verworven.'

'Had hij niet kunnen proberen mij te vinden?' huilde Dafydd. 'Jij had het kunnen proberen. Als jij in deze droom gelooft, als jij gelooft in de woorden van je vader, kan dat alleen betekenen dat Charlie voor niets heeft geleden – dan zou hij zijn been niet hebben verlo–'

Hij zweeg abrupt toen Uyarasuq ook in tranen uitbarstte. 'Hoe had ik dit kunnen weten? Ik ben geen *angatkuq*,' snikte ze. 'Ik heb heel lang gewacht totdat Charlie mij zou vragen wie zijn vader was. Ik zag tegen die vraag op, want dan had ik hem moeten zeggen dat jij weggegaan was, ver weg, naar een ander land, waar je een ander leven had en niet eens wist van zijn bestaan. Ik weet echter dat het niet zo was dat hij het niet wilde weten. Hij is zo fijngevoelig... hij wachtte op míj; hij gaf me de kans het hem uit eigener beweging te vertellen. God, wat heb ik spijt dat ik ben blijven zwijgen... Eerst vanwege Charlie, en nu ook nog vanwege jou.' Ze snoot haar neus in de zakdoek die Dafydd haar aanreikte. 'Dit is iets wat mijn vader me had kunnen zeggen. Hij zei echter altijd dat ieder van ons de weg volgt die we moeten nemen. Sommigen kiezen de pijnlijkste en moeilijkste weg. Die van mij moet er een zijn van louter dommigheden.'

Dafydd wilde kwaad zijn, had er alle recht toe, maar wat begreep hij van dit dilemma van haar? Hij staarde naar het vuur in de haard en hoorde het hout knappen. Plotseling zag hij weer de oude man voor zich, de oude Angutitaq, en herinnerde hij zich weer de subtiele transformatie die de energie van de sjamaan in zijn innerlijk teweeg had gebracht. Angutitaq had de geest van het kind die hem was blijven achtervolgen tot de orde geroepen en het vosje tot zijn bondgenoot gemaakt. Hij had geprobeerd hem te leren hoe hij er één mee kon worden, maar hij, Dafydd, was er niet aan toe geweest. Toch was de kleine vossengeest altijd bij hem gebleven, aan de periferie van zijn innerlijke blikveld, terwijl hij probeerde hem tot verstilling te brengen. Misschien zou hij, als hij werkelijk stil was geweest om te luisteren, hebben geweten dat er iemand was die op hem wachtte, iemand die hem van de overzijde van de oceaan had geroepen.

Misschien was het nog niet te laat om het te leren. In dat streven was geen plaats voor blijvende boosheid. Dafydd liet zijn verbittering los. Hij staarde in het vuur en zag dat ressentiment wegbranden en veranderen in as.

'Ja, je vader was een echte *angatkuq*,' zei hij uiteindelijk. 'Ik heb inderdaad iets van zijn kennis verworven, maar ik denk dat ik toen te jong was om het te kunnen begrijpen... of misschien miste ik er de kwalificaties voor.'

'Je respecteert het wel? Je gelooft erin?' vroeg ze hem tamelijk streng, in weerwil van haar tranen.

'Ja,' antwoordde hij. 'Ik wil het nu in mezelf ontdekken. Hier zijn helpt me al, het maakt me op zijn minst duidelijk wat er wel of niet buiten mezelf is.'

Haar gezicht werd zachter en lachend zei ze: 'Ook ik moet er af en toe aan worden herinnerd.'

'Vast wel.' Hij nam haar rechterhand in de zijne en bekeek hem langdurig, terwijl hij met de toppen van zijn beschadigde vingers de littekens en eeltplekken van de steensnijdster aftastte. 'Moet je deze handen zien. Behoorlijk gehavend. Ze hebben het zwaarder gehad dan de mijne.'

'Neem me mijn stilzwijgen niet blijvend kwalijk, Dafydd. Ik heb er hoe dan ook een afschuwelijke prijs voor moeten betalen.'

Dafydd keek haar aan en zag achter haar onschuldige gezicht de hevige angst en bezorgdheid die zich in haar geest hadden gegrift. Zijn frustratie over de verloren jaren behoorde nu al tot het verleden, net als zijn treurnis om Charlies lijden... Hij was immers hier, nu.

'Goed,' glimlachte hij. 'Maar doe dat nooit meer.'

De man en de jongen stonden voor het raam. Deze ochtend in de donkerste dagen van het jaren was al half om. Ze keken zwijgend toe hoe het licht zich langzaam aan de oostelijke hemel uitbreidde. De zon, onzichtbaar, volgde zijn baan onder de horizon naar het zuiden. Bij bijna vijftig graden onder nul was alles volslagen stil.

'Ik hoop dat je hier zult zijn als de zon weer opkomt boven ons land,' zei Charlie.

'Wanneer is dat?' vroeg Dafydd.

'Tegen eind januari.'

'Ik vrees dat je me moeilijk kwijt zult raken.'

Charlie stond op het punt iets te zeggen, maar hij ving de onzekere trek op Dafydds gezicht op en hield zich in. Hoewel de toekomst bijna oneindig leek, vervuld van hoop, was het nog te vroeg om erover te beginnen. Dafydd hoopte maar dat Charlie hem kon vertrouwen. De jongen knikte wijs, glimlachte Dafydds glimlach en ze wendden zich in de poolochtend weer naar elkaar.

'Het is daar ergens gebeurd?' zei Dafydd, met een hoofdknik naar de sombere bevroren zee.

'Ik zou het je graag laten zien,' zei Charlie. Zijn blik week niet van het panorama voor hen, maar zijn stem beefde licht en verried zijn angst. 'Het kan alleen bij benadering. Uyarasuq en ik hebben een sculptuur gemaakt om de plek te markeren, maar toen het ijs brak, is het in zee gezonken. Ik noemde het "IJsval". Het was haar mooiste sculptuur ooit, maar het was ook angstaanjagend. Ik heb het me goed in het hoofd geprent, zodat ik het ooit nog eens zelf kan snijden.'

'Ik zou het dolgraag hebben gezien of, beter nog, in mijn bezit hebben gehad.'

Charlie keek hem aan, een ernstige blik in zijn zwarte ogen. Dafydd zag er een diepte en karaktersterkte in die zijn leeftijd verre te boven gingen. Hij was teruggekeerd van de drempel des doods en het had hem doen rijpen tot een man.

'Ik zal het binnenkort snijden, dan krijg je het cadeau,' zei hij. 'Omdat je me hebt gevonden.'

'Ik zal erover waken als over een schat,' zei Dafydd, zijn hand op de schouder van de jongen.

'Ik heb de afstand ongeveer uitgeteld. Ik herinner me die plek heel duidelijk.'

'Als je me het wilt laten zien,' zei Dafydd ernstig, 'moeten we erheen.'

'Vandaag?' vroeg de jongen. 'Laten we het meteen doen.'

'Weet je het zeker?' vroeg Dafydd, in een reactie op het lichte trillen van Charlies kin en de plotselinge, onnatuurlijke glans in zijn ogen.

'Ja...' zei hij met een grimmig lachje. 'Nu je hier bent, kan ik er maar beter meteen doorheen, nietwaar?'

'Zou je moeder mee willen?'

'Nee, laten we haar niet wakker maken. Ik heb haar de hele nacht aan de Oude Jager met Bijl horen vijlen en schuren. Ik vraag me weleens af of ze ooit slaapt. Ik heb haar gezegd dat ze niet in de keuken moet werken, want die ziet er 's morgens altijd uit als een verrekte steenhouwerswerkplaats. Jezus, we eten steengruis voor ons ontbijt!'

Dafydd grinnikte. 'Laten we dan maar gaan, voordat het licht weg is. We zullen een briefje voor je moeder achterlaten.'

'Noem haar gerust Uyarasuq, ik ben oud genoeg.'

Het naargeestige middaglicht tekende geen schaduwen en ze klommen met moeite over de gekartelde ijsschotsen die zich langs de kust hadden opgehoopt. Vlijmscherpe, als glas zo heldere naalden van ijs wezen in de gekste standen naar de hemel. Charlie worstelde met zijn bionische been en stiet af en toe een onverstaanbare vloek uit, in een taal die Dafydd niet kende. Op één ogenblik na weigerde hij iedere hulp van Dafydd; hij wilde met alle geweld zelf zijn weg vinden. Hij had oersterke armen, die de tekortkomingen van zijn onderlichaam compenseerden. Vaak trok hij zichzelf over een omhoogstekende ijsschots heen en zwaaide dan zijn benen naar voren. Dafydd droeg zijn stok en een geweer onder zijn arm. Zelfs voor iemand met beide armen en benen was het een heksentoer om de kustlijn over te steken. Op sommige plaatsen was het zelfs zonder meer gevaarlijk, vanwege met sneeuw gevulde spleten en ijsschotsen die zo glad waren alsof ze met olie waren ingesmeerd. Aan de andere kant voorkwam de zware fysieke inspanning dat ze het koud kregen.

Toen ze eenmaal de bevroren watervlakte hadden bereikt, kwamen ze gemakkelijker vooruit. Ze liepen zwijgend verder, Charlie voorop, al hinkte hij nu duidelijker vanwege zijn vermoeidheid. Toen ze bijna een kilometer ver op de dichtgevroren zee waren, bleef hij staan om zich even te oriënteren. Toen verlegde hij de richting waarin ze liepen een graad of veertig naar het westen en liepen ze nog driehonderd meter verder.

'Hier is het,' zei Charlie plotseling. 'Hier hebben ze me gevonden.'

Dafydd keek om zich heen en nam het sombere panorama in zich op. Hij voelde zich heel kwetsbaar, alleen al omdat hij zich op deze uitgestrekte poolzee bevond. Om de paar seconden hoorden ze een geluid dat klonk als de donder, kruiend ijs dat op de beweging van eb en vloed op en neer ging en van vorm veranderde. Hij schrok van een knal als een geweerschot en zag een scheur in het ijs ontstaan die zich met een sissend geluid verlengde. Charlie schonk echter geen aandacht aan de geluiden en Dafydd deed zijn best zijn voorbeeld te volgen, maar deze openheid, dit gebrek aan barrières, de afwezigheid van ook maar iets waar je naartoe kon rennen om je te verschuilen, maakte zijn gevoel van kwetsbaarheid alleen maar sterker.

Verder weg verhief zich een groot, met ijs overdekt eiland, en nog verder zag hij ijsbergen, onwrikbaar vastgehouden door de bevroren massa zeewater. Ze zagen er dreigend uit, ondanks hun stralende schoonheid. Plotseling werd hij overvallen door de angst die Charlie tijdens zijn dodelijke ontmoeting met de beer moest hebben gevoeld en had hij de overweldigende neiging de jongen in zijn armen te nemen en over het ijs terug te rennen.

'Kun je me erover vertellen?' vroeg hij, proberend zijn paniek te verbergen. Hij was vastbesloten het initiatief aan Charlie te laten. Per slot van rekening was het Charlie op wie de reusachtige witte ijsbeer jacht had gemaakt en die door het roofdier was verminkt. Hij moest het verhaal horen, maar was desondanks bang om deelgenoot te worden van het relaas van zijn zoon van diens gevecht met de dood.

'Ik wil het je vertellen,' zei Charlie, 'maar niet vandaag. 'Vandaag bekijken we alleen de plek, akkoord?'

'Oké, Charlie. Goed idee. Niet voordat jij eraan toe bent. Ik wil het graag horen, ik wil alles weten wat er is gebeurd, elk detail.'

'Het jaagt me geen angst aan,' informeerde Charlie hem haastig. 'Ik heb er geen moeite mee erover te praten en ik ben ook niet te bang om opnieuw in mijn eentje te gaan jagen. Dat ga ik doen zodra ik op mijn nieuwe been kan vertrouwen.'

'Echt waar?' Dafydd keek hem ongerust aan. 'Hoe wil je jezelf dan beschermen, voor het geval dat... dat het opnieuw gebeurt?'

'Honden,' zei Charlie. 'Ik ga een goed, sterk team van Siberische husky's samenstellen – de taaiste, sterkste honden van de wereld.'

'Goed plan,' erkende Dafydd. Per slot van rekening had één enkele gewonde hond een grote mannelijke ijsbeer weten te verjagen en zo voorkomen dat Charlie levend was verslonden. Of de hond wel of niet bezeten was geweest van de geest van Angutitaq zou hij nooit weten, maar het was een feit dat de hond zijn eigen dood had uitgesteld totdat de ijsbeer het had opgegeven. De teef had haar leven gegeven voor haar baasje. De ijsbeer zou vermoedelijk nog ergens in de streek zijn en had ongetwijfeld de herinnering bewaard aan de huskyteef die de pezen van zijn achterpoten had kapotgescheurd.

'Hoewel geen enkele hond de husky kan vervangen die me heeft gered,' zei Charlie. 'Ik zou mijn andere been ervoor over hebben om haar terug te hebben.'

Dafydd knikte, denkend aan Thorn, die had geprobeerd hem naar zijn stervende baas te brengen. De beste vriend van de mens, in dit kale, gevaarlijke land absoluut onmisbaar.

'Hoewel ik nooit op een beer zal jagen,' zei Charlie nu. 'In feite geloof ik niet dat ik echt iets wil doden. Tenzij ik dreig te verhongeren. Zoals die beer. Als je honger hebt, moet je eten,' lachte hij. 'Geloof het of geloof het niet, maar ik neem het hem niet kwalijk.'

Er stak een windje op en kleine korrels sneeuw wervelden om hun enkels. Ze bleven daar nog een ogenblik staan, Dafydds arm om de schouders van zijn zoon. Maar door de wind dreigde de kou snel door hun kleding heen te dringen en hun lichamen gevoelloos te maken.

Ze haastten zich terug naar de kust, zo goed als ze konden. Deze keer liet Charlie zich door Dafydd over de hoogste ijzige obstakels heen helpen. Ze klauterden over het kruiende ijs zonder te spreken, Charlies gezicht een en al concentratie. Hun dik gehandschoende handen konden elkaar nauwelijks omklemmen. De duisternis nam snel toe en de wind, sterker geworden, joeg fijne droge sneeuw in harde vlagen over de grond. Verkleumd en bijna verblind door de ijsdeeltjes worstelden ze zich naar Uyarasuqs atelier. De verre echo van een houten hamer die ritmisch op een beitel tikte, liet hen weten dat ze thuis waren gekomen, veilig en wel.